जहाज और तूफान

(खण्ड-2)

जहाज और तूफान
(खण्ड-2)

सम्पादक

रामविलास शर्मा

वाणी प्रकाशन

वाणी प्रकाशन

4695, 21-ए, दरियागंज, नयी दिल्ली 110 002

फ़ोन : +91 11 23273167 फ़ैक्स : +91 11 23275710

शाखाएँ

अशोक राजपथ, पटना 800 004, बिहार

कॉफ़ी हाउस कैम्पस, महात्मा गांधी मार्ग, इलाहाबाद 211 001, उत्तर प्रदेश

महात्मा गांधी अन्तरराष्ट्रीय हिन्दी विश्वविद्यालय, वर्धा 442 001, महाराष्ट्र

सुल्तानिया रोड, मोतिया पार्क, भोपाल 462 001, मध्य प्रदेश

www.vaniprakashan.com
marketing@vaniprakashan.in
sales@vaniprakashan.in

JAHAJ AUR TOOFAN-2
Edited by Ramvilas Sharma

ISBN : 978-81-7055-428-8
Collected Works : Essays/Travelogue/Letters/
Diary/Biography/Interviews

संस्करण 1996, 2008
तृतीय संस्करण 2020

मूल्य : ₹ 2000

सिटी प्रेस, दिल्ली-110 095 में मुद्रित

वाणी प्रकाशन का लोगो मक़बूल फ़िदा हुसेन की कूची से

विषय-सूची

ललित निबंध

यात्रा वृत्तान्त

चिट्ठी-पत्री 'सचेचक' संपादक के नाम

डायरी

जीवनी

भेंट वार्ता

ललित निबंध

सामने वाला मैदान

चिन्मय शर्मा

यह मैदान सबसे पहले बंजर पड़ा था। यहां न तो कोई माली था, न ही उसका (मतलब कमरा)। इस मैदान में सबसे पहले हमने खेलना शुरू किया और उसके बाद और लोगों ने भी हमारी देखा-देखी खेलना शुरू कर दिया (क्रिकेट)। हम पहले क्रिकेट ही खेलते थे। अब थोड़ा फुटबाल भी खेलते हैं।

इस मैदान के बीचों-बीच एक रास्ता जाता है, जो कि इस मैदान का Main रास्ता है। वैसे अलग तो पांच रास्ते हैं (सभी लोगों के बनाये हुए)। लेकिन साइकिल वाले मेन रास्ते से ही जाते हैं।

हमने इस मैदान में सन् 1983 के 20 नवम्बर से खेलना शुरू किया। 20 नवम्बर से इस मैदान में जो development यानी progress हुई है, उतनी भी देश में कहीं नहीं हुई होगी। 20 नवम्बर से यहां पर तीन रास्ते बने। दो क्रिकेट पिच बनीं। दो बड़े और एक छोटा फुटबॉल के मैदान बने। और गायों के भागने के (जब माली उनके पीछे डंडा लेकर भागता है) थोड़े-से ट्रैक्स बने।

अब माली के ऊपर बात आ ही गयी है तो चलिए उस मुए माली से ही मिलते हैं। यह एक हरयाणवी आदमी है। उसको जितनी भी गालियां दी जायें nill हैं (zero)। यह मुआ माली बहुत मेहनत करके रास्ता बन्द करता है। पर एक ही घण्टे के बाद रास्ता खुला होता है। एक महीने पहले माली को एक धाकड़ आइडिया आया। मैदान के बीचोबीच एक कांटों का पेड़ था। उसने उसके कांटे तुड़वाये और जहां से रास्ता मैदान में खुलता था, वहां से बन्द करवा दिया (वहां पर काटे लगा कर)। लोगों ने उन्हें कैसे तोड़ा, यह तो मैं जानता नहीं; पर अगले दिन ही वहां पर कांटों का नाम नहीं था। पर माली जी भी एक pure हिन्दी फटीचर फिल्म की तरह (विलेन बन कर लोगों के लिए (hero) के लिए) नये-नये कष्ट पैदा कर रहे थे। अब उन्होंने हमारे घर के ठीक सामने—एक-आध मीटर दूर—जिससे अक्सर 'सचेतक' सम्पादक रात को आया करते हैं हमारे घर (मिलने), उसने खूब सारे तार लगवा दिये और रास्ता बन्द कर दिया। ऐसा

कि हम हाथ से नहीं खोल सकते थे। (पहले हम कई बार खोल चुके थे)।

पर हम भी तो कम नहीं थे। मेरा दोस्त अपने घर से प्लास ले आया और हम दोनों ने उसे मिलकर काट दिया। अब हमारे विलेन साहब को (film के अनुसार) hero साहब के (हमारे) पैर पकड़ने थे। पर अफसोस, माली का इरादा फटीचर फिल्म को और खींचने का था और उसने एक और बहुत बड़ी मुसीबत खड़ी कर दी। उसने पूरे मैदान में पानी डाल दिया। वह हम से पिछले महीने से एक चीज कह रहा था, जो हमें अब समझ में आयी। वह कहता था : "मैं पाणी छोड़ दूंगा।" अब उसने पानी डालना शुरू किया। पहले दिन तो पानी भरा रहा, पर दूसरे दिन ही काफी सूखने लगा और बच्चों ने कीचड़ में ही खेलना शुरू कर दिया। अगले दिन उसने फिर पानी डाल दिया जिससे हमें थोड़ी कठिनाई हुई। हमने उससे लड़ने की सोची और शीघ्र ही जब वह नहा रहा था,.तब उसे पकड़ लिया। उस समय उसने कच्छा पहना हुआ था; पर उस बेशर्म को शर्म नहीं आयी। हमने पूछा, "पानी क्यों डालते हो?" तो बोला, "घासों को पानी देने के लिए।" हमने पूछा—"आपको क्या इतना सारा पानी डालना पड़ता है?" (वह एक हफ्ते से रोजाना मैदान में पानी भर देता था)। वह बोला—"तमणे एक गिलास पाणी दे दें तो तमणी प्यास भुझ जाबेगी?" हमने कहा, "लेकिन इतने सारे पानी से तो पौधे मर जायेंगे।" वह बोला—"ऐसे णा मरें हैं। वो तो जब तम उनको मारणा चावोगे तबी मरेंगे।" हमने उससे बहस करना आवश्यक नहीं समझा और घर चले गये। मैंने घर थोड़ा आराम किया और थोड़ी पढ़ाई की। तीन घंटे बाद जब मैं आया तो वहां माली अब भी नहा रहा था।

वह रोज पानी डाल देता था और रोज पानी सूख जाता था। आखिर वह भी पानी डाल-डाल कर थक गया और अब हम वहां पर नियमित रूप से खेलते हैं।

और, एक अच्छी हिन्दी फटीचर फिल्म की तरह माली (विलेन) हार गया। और हम (हीरो) जीत गये। वैसे उसकी Policy थी—"जूत पत्रम, शीष मध्यम, दे दनादन, दे दनादन।"

छोटी-मोटी वारदातें

चिन्मय शर्मा

हमारी मजेदार बस में एक छोटा लड़का आता था। नाम था श्रीराम। पहली बार जब मिला था तो खूब स्मार्ट बन रहा था। मेरा ख्याल है अपनी मम्मी की हिदायत पर चल रहा होगा।

मैं बैठा हुआ था। वह भीड़ में धक्के खाते हुए मेरे पास तक आ सका (अभी अपनी जान-पहचान न थी)। मैंने उससे कहा: "अपना बैग मुझे पकड़ा दे।" उसने साफ मना कर दिया। और यह दिखाने के लिए कि वह अपनी बात पत्थर की लकीर मानता है, मुझे अपनी छोटी लाल जीभ चिढ़ा दी।

मैंने पूछा: "तुम्हारा नाम क्या है?" वह एक मान्यता प्राप्त आदमी की तरह खड़ा रहा—चुप।

मैं जब थोड़ा जोर से बोला तो उसका तपाक से उत्तर आया, 'आपका नाम?' मैं बोला: 'चिन्मय शर्मा।' मेरा नाम बिना सुने ही बोला: 'श्रीराम।' मैंने पूछा, 'तुम्हारा घर का नाम क्या है।' वह बोला 'चीनू।' मैंने कहा: 'मेरा भी घर का नाम चीनू है।' पर वह कहां मानने वाला था?

खैर, धीरे-धीरे दोस्ती बढ़ी और उसने मुझे अपना बैग देना शुरू किया। उसका बैग था घर का बना हुआ—पर इतना सुन्दर कि कोई उसके पीछे हजार रुपये का बैग छोड़ दे। बैग था छोटा-सा, बिना किसी चित्रकारी, या अच्छी जिप और बटनों के। उसमें स्वेटर के दो बड़े बटन थे—बस।

वह बैग जब उसकी पीठ पर टंगता तो लगता था कि उसी के लिए बना है।

मेरी उसके साथ बातें ज्यादातर पढ़ाई में नम्बर, स्कूल में टीचर, उनके थप्पड़, श्रीमती मोहला (जूनियर स्कूल की प्रिंसिपल), घर में खेल, और कक्षा में दोस्तों के बारे में होती थीं। वह ज्यादातर मेरे ही प्रश्नों का जवाब देता। रोज बस में चढ़कर मुझे अपना बैग पकड़ा देता। उसकी और उसकी सहेली की बोतलें मैं अपने पैरों में फंसा लेता। जब स्कूल आता तो दोनों बोतलें निकाल लिया करता।

अब वह 4-5 महीनों से नहीं आ रहा है। मेरा खयाल है उसके डैडी की पोस्टिंग कहीं और हो गयी है। खैर, अब भी याद ताजा है उसकी।

और भी कई बच्चों से छोटी-मोटी दोस्ती है। कई नये बच्चों से बैग पकड़ने के लिए पूछता हूं, तो सबके अपने-अपने 'रिऐक्शन्स' होते हैं। कुछ तो भौंहें चढ़ाते हैं, कुछ खाली मेरा मुंह देखते हैं, कुछ अनसुना करते हैं, कुछ इशारों से मना कर देते हैं, और कुछ बेबस होकर रोने लगते हैं। लेकिन—कुछ होते हैं तेज।

मैंने एक से बैग के लिए पूछा तो बोला-वोला कुछ नहीं—बस, छलांग मार कर सीट के बीच में आकर बैठ गया। एक और से मैंने बैग के लिए पूछा तो भौंहें चढ़ाकर बोला, 'जूनियर्स को सीट दी ?'

खैर, आजकल मेरा एक नया दोस्त बना है। उसकी शक्ल काफी कुछ 'the unbeatable and invincible' सुकेत (उर्फ अग्गू) से मिलती है। वह K.G. में है और अपने हम-शक्ल जैसी हरकतें उसे पसन्द नहीं हैं। वह सीधा-साधा सरदार है।

पर यह सरदार है अलग। कारण कि यह शार्ट-वेव भी पकड़ता है, जबकि बाकी तो मीडियम-वेव पकड़ने में ही लगे रहते हैं। वह भोला है और ज्यादातर चुप खड़ा रहता है। बस इन्हीं बातों से हम उस पर फिदा हो गये।

वह रोज अपनी बहन के साथ आता है। उसकी बहन श्रीराम की वही सहेली है जिसकी बोतल मैं उसकी बोतल के साथ पकड़ता था।

इस सरदार का असली नाम है : जगजीत। घर का नाम है 'टिन्कू'। जब भी मुझे सीट मिलती है, मैं उसे अपनी गोद में पड़े बैग पर बैठा लेता हूं। वह खुश तो होता ही है ; उसे दिल्ली कैण्ट के फ्लाई ओवर से ट्रेनें वगैरा भी दिख जाती हैं। कई बार वह घर से चोट वगैरा लगाकर लाता है और बस में मुझे अपनी चोट की पूरी लाइफ-हिस्ट्री सुना कर मेरा मन बहलाता है। बीच-बीच में उसकी दीदी भी उसे टोकती है और सही बात बताती है।

उसका फेवरिट सब्जेक्ट हिन्दी है ; मैंने भी IXth में हिन्दी ली थी—इसलिए मैं उससे खुश हो गया।

मैंने पूछा : 'टीचर मारती है ?' बोला : 'एक बार मारा था।' उसकी बहन ने बताया कि चांटा खाने से अगले दिन बीमार पड़ा रहा था। मैंने पूछा : 'क्यों मारा ?' बोला : 'पता नहीं।' मैंने जब पूछा पूछा कि होम वर्क किया था या नहीं ? तो बोला : 'वर्क तो मैं सारा कर लेता हूं, पर पता नहीं क्यों मारा।' वह जब बस

से उतर कर जूनियर स्कूल जाता है, तो मुझे टाटा करता हुआ जाता है। एक दिन मुझे टाटा करता हुआ उलटा चल रहा था। पीछे एक सीढ़ी थी। वह उसके ऊपर पीठ के बल गिरा। फिर जल्दी से अपना सर खुजाता हुआ उठा। मुझे बहुत हंसी आयी। मेरी और भी कई बातें उसके साथ होती हैं।

अब मैं ये शब्द दंगों-फसादों के बाद लिख रहा हूं। दंगों के दौरान नहीं लिख पाया, क्योंकि बहुत busy था। अब विकासपुरी का भी तो ध्यान रखना था।

काफी पुलिस आयी थी। मैंने सबसे कहा : 'जाओ बेटा जामुन खाओ !' अब वे जामुन खाना ही अपनी ड्यूटी समझते हैं। जो इन्स्पेक्टर होता है वह नीचे बैठा रहता है, और उसका जूनियर पेड़ पर चढ़कर जामुन तोड़-तोड़ कर उसे देता जाता है। यह सीन कई बार देखने को मिलता है—जब मैं चिट्ठी डालने Post box तक जाता हूं।

इधर घर में टेलीफोन लगने से भी काफी वारदातें होती हैं, लेकिन वह सब फिर कभी !

तरह-तरह के नोटिस-बोर्ड

चिन्मय शर्मा

मैं रोजाना जो नोटिस-बोर्ड देखता हूं उनमें एक स्कूल का बड़ा नोटिस-बोर्ड भी है, जोकि स्टैण्डर्ड और रजिस्टैण्ड होता है। बाकी सब तो ऐसे ही होते हैं (जो विजिटर्स को नहीं दिखाये जाते)।

इस बड़े नोटिस-बोर्ड पर बच्चे अपनी पूरी मेहनत से बनाये चार्ट और कटिंग्स चिपकाते हैं। कभी-कभी तो अच्छा डिस्प्ले रहता है, पर कभी-कभी बस नोटिस-बोर्ड को भरने के लिए कुछ भी चिपका देते हैं। प्रिंसिपल अपनी फार्मेलिटी एसेम्बली में यह कहकर पूरी कर देते हैं कि—

"इस क्लास के इस सैक्शन ने काबिले तारीफ चेपियां लगायीं जिनको देख कर विजिटर्स के तारे मुबारक हो गये !"

बच्चे काफी मेहनत करते हैं और ज्यादातर पॉलिटिक्स को पकड़ते हैं। अपने घरों की भारतीय और विदेशी पत्रिकाओं और मैगजीन्स को इस बेकदरी से काटते हैं कि रद्दी वाले भी उन मैगजीन्स को लेना अपनी बेकदरी समझते हैं। जो भी हो, स्कूल में नोटिस-बोर्ड देखने वालों को मजा आता है।

दूसरी तरह के नोटिस-बोर्ड क्लास वाले होते हैं। यहां ज्यादातर सभी टीचरों की रेढ़ पीटी जाती है। सीनियर क्लासों में इन बोर्डों पर चार्ट वगैरा भी नहीं लगे होते। चार्ट की जगह चॉक से लिखी चीजें मिलती हैं, जो XIth, XIIth के बच्चे अपने ग्यारह-बारह साल के अनुभव से लिखते हैं। Remarks और Warnings भी लिखी होती हैं, जैसे :

Never trust a smillng teacher ! या फिर, This board is dedicated to those who were caught bunking in the class of Bakra, आद्रि। कुछ चीजें कोर्ड में लिखी होती हैं (क्योंकि टीचर का शरीर थोड़ा हृष्ट-पुष्ट होता है), जैसे : Mtimntlhy। यानी, मोटी mental है।

बोर्ड पर कई जगह Pop Singers और उनके गानों के नाम भी लिखे रहते हैं।

लेकिन इस सबके बावजूद, सबसे लोकप्रिय Boards होते हैं डेस्क—जिन पर बच्चे बैठकर लिखते हैं। बच्चे इन्हें 'प्राइवेट' मानते हैं और जानते हैं कि टीचरों की नापाक नजरें इन पाक डेस्कों पर कम ही पड़ती हैं। डेस्कों पर बच्चे टीचरों को जी भर कर गालियां देते। लेकिन हैं हां, खाली उन्हीं टीचर्स को, जो वाकई खराब होते हैं।

डेस्कों पर हवाई जहाज, लड़ाकू विमान, टैंक, हेलिकॉप्टर आदि भी बने रहते हैं। कुछ बच्चे कुछ खेलों के लिए परमानेण्ट खाने बना लेते हैं, जिनमें तरह-तरह के खेल खेले जाते हैं, जो अभी बाहरी दुनिया को नहीं मालूम।

कुछ डेस्कों पर लिखा रहता है : This desk is dedicated to those who died waiting for the bell to ring ! या who died waiting for Bakra's period to end ! कुछ में लिखा होता है : This desk is dedicated to those who who tried to ski 8 feet on कीचड़ and fell !

इस तरह के काफी मैमोरियल्स डेस्कों पर लिखे मिलते हैं।

डेस्कों पर वार्निंग्स भी लिखी रहती हैं, जैसे,

Beware of these teachers :

A. K. Bhatnagar—Angel of punctuality !—Bhattu.

N. K. Jain—Boot polish !—Tiddi.

Mr. Luthar—Black Beauty ! आदि।

तो ये थे स्कूल के नोटिस-बोर्ड। हाल ही में, घर में भी नोटिस-बोर्ड काफी पॉपुलर हो गये हैं।

अब, मम्मी ककड़ी ले आती हैं और वह फ्रिज में पड़ी रहती हैं। इसलिए, उन्होंने लिख दिया : 'ककड़ी खाओ।' लेकिन कूड़ा भी डालना होता है, इसलिए डैडी ने वहां पहले से ही 'कूड़ा' लिखा हुआ था। इसलिए अब slip में लिखा हुआ मिलता है : कूड़ा ककड़ी खाओ।

मैं भी अपने नोटिस लगाता हूं, जैसे : 'नहाना है !' 'पीछे वालों से बॉल मांग कर लानी है !' 'इस बार Atul, Anut को Shuttle Cock लानी है !' आदि-आदि।

हमारा बस-स्टॉप और बस

चिन्मय शर्मा

सुबह-सुबह मैं, मम्मी और दादा बस-स्टॉप की तरफ दौड़ते हैं। रोज लेट जो हो जाते हैं! ड्राइवर सज्जन है, इसलिए बस रोक लेता है, नहीं तो रोज ही बस छूट जाये। हमारे बस-स्टॉप से कुल मिलाकर सात जने आते हैं। तीन तो—मैं, मम्मी और दादा। बाकी (मौन्टू) पराग, (शारू) तुशार और विनीत शर्मा आते हैं। विनीत के साथ कोई उसका घरवाला भी आता है। विनीत, शारू—IInd class के हैं। सौन्टू सातवीं में पढ़ता है।

पराग अपने मोटे दोस्त के पैसे से चीजें खाता है। यह मोटा, खूब मोटा है। जब इसे गुस्सा आता है तो इसके नथने फूल कर बड़े हो जाते हैं। शारू और विनीत दोस्त हैं।

खैर, मैं रोज जहां बैठता हूं वहां कोई न कोई किस्सा छिड़ ही जाता है। जैसे एक बार शारू और विनीत बातें कर रहे थे। उस समय कुछ घुड़सवार कतार में आये। विनीत बोला: "ये सैनिक लड़ाई करने जा रहे हैं।" शारू—"हां पाकिस्तान ने हमला कर दिया है।"

उन घोड़ों में से एक पर घुड़सवार न था। वह ऐसे ही कतार में चल रहा था। विनीत बोला: "वो देख! एक सैनिक मर गया लड़ाई में, उसे गोली लगी होगी।" शारू—'हां...हां...।'

तभी एक आर्मी स्टाफ की बस आयी। शारू बोला: "यह बस मेरे डैडी की है। और भी बसेज हैं मेरे डैडी के पास।" (यह गप थी, क्योंकि उसके डैडी एयर-फोर्स में थे)। फिर शारू ने विनीत से पूछा: 'English आती है?' विनीत जोर से सिर हिलाता हुआ बोला: "Nonsense, ब्लैडी फूल, ईडियट्ट, गधा, घोंचू!" आदि। बस में और भी कई चीजें सुनायी देती हैं, जैसे "कल मैं 'कुंग फू ऑफ सेवेन स्टेप्स' देखकर आया। ओ बच्चू! क्या मूवी थी यार! काफी दिनों बाद एक सही मूवी देखी।" कहीं सुनाई देता है: 'ये क्या हो रहा है!' कहीं अन्ताक्षरी होती है, तो कहीं कॉमिक्स का जोर होता है।

लड़कियां तालियां बजाकर गाती रहती हैं : 'चार्ली चैप्लिन वेंट टु फ्रांस।'

कोई टार्जन, ब्रूस ली, के किस्से सुनाता है, कोई अपने। कहीं इंडिया की बैटिंग-फील्डिंग पर कमेन्ट्स होते हैं, तो कोई बाहर पत्थर मारता हुआ नजर आता है। कुछ बड़े बच्चे छोटों को हल्की-सी चपत मार कर कहीं और देखने लगते हैं। खैर, किसी तरह स्कूल पहुंचते हैं।

स्कूल में हमारी क्लास की 'सिचुयेशन' बहुत अच्छी है। दूर से ही दिख जाता है कि टीचर आ रहे हैं कि नहीं। पांच-छः बच्चे 'लुक-आउट' पर रहते हैं। अगर इन अंगरक्षकों से चूक हो जाती है, तो हमारे साथ भी ट्रैजेडी हो जाती है (टीचर कर देता है)। लेकिन कभी-कभी किसी क्लास वाले को ही टीचर दिख जाता है। तब तुरन्त खबर फैल जाती है और सब बच्चे हर्डल्स पार करते हुए अपनी सीट पर आ जमते हैं। जब टीचर आता है तो सब अपनी-अपनी किताबें पढ़ रहे होते हैं।

कभी-कभी दुर्घटनाएं भी होती हैं। जैसे एक दिन सब बच्चे अपनी-अपनी सीटों पर जम गये। एक लड़का बाद में भागता हुआ आया। जल्दी से घुसा और जैसे-तैसे बुक निकाली। तभी टीचर आये और सबको देखने लगे। कुछ बच्चे हांफ रहे थे, इसलिए उन्हें शक हो गया था। फिर घूमते-घूमते एक लड़के के पास पहुंचे और कहा : "क्या तुम हमेशा बुक उल्टी पकड़ कर ही पढ़ते हो ?"

हमारे प्रिंसिपल हमें पढ़ाते हैं—English। उनकी बेटी भी हमारी ही क्लास में है। हम प्रिंसिपल को 'आंडू' कहते हैं क्योंकि वह गजे हैं और उनका सर भी अंडे जैसा है। लेकिन 'आंडू' कहते वक्त इस बात का ध्यान रखते हैं कि उनकी बेटी आसपास नहीं हो। मेरे दोस्त के चाचा भी इसी स्कूल में थे। उन्होंने एक सर का नाम 'जू जू' रखा था। वह जू जू अब हमें पढ़ाता है।

आखिरी दो पीरियड्स फ्री थे, इसलिए मैं यूं ही घूम रहा था। IX-B से आवाजें आ रही थीं। तभी एक साउथ इंडियन टीचर—मिस्टर ईरू—आये। वह तेजी से अन्दर घुसे और ब्लैकबोर्ड की तरफ बढ़े। इससे पहले कि वह कुछ लिख पाते, बच्चे मद्रासी टोन में चिल्लाये : "सर्र वी वांट्ट टू सिंग ए सांऽग।"

सर ने साफ मना कर दिया। हो-हल्ला होने लगा। तभी पीछे से आवाज आयी—"अैयय्यो...ईईईरू टु सिंग ए जॉली सांऽग वी वांट्ट।" सर ने गुस्से में आकर एक-दो को पीटा और बाहर निकाल दिया। वे लोग कैन्टीन गये और फिर गले पर रूमाल बांध कर बबलगम खाते हुए बोले : "सर्र ! वी वांट्ट टू कम इन।" सर गुस्से में चिल्लाते हुए बोले : 'गेट्ट आउट्ट !!" वे लड़के 'अैयय्यो...अम्मांऽऽ...' करते हुए निकल गये।

किसी तरह पीरियड खत्म हुआ और सर पसीना पोंछते हुए निकले। बच्चे पीछे से चिल्लाये—'सर, टु-मॉरो वी विल सिंग ए सांग।'

डी. टी. बस उर्फ ट्रांसपोर्ट डिब्बा

चिन्मय शर्मा

यह लेख खास कर उनके लिए है जो दिल्ली से बाहर रहते हैं।

दूसरे शहरों की बसों में चढ़ने वाले यात्रियों के बारे में तो पता नहीं, पर मेरी और दिल्लीवासियों की सेहत का राज है—डी. टी. सी. बसें।

हालांकि डी. टी. सी. Delhi Transport Corporation का शॉर्ट फॉर्म है ; यह हिन्दी में भी डी. टी. सी. के बदनाम नाम से जानी जाती है। आपके सामान्य ज्ञान के लिए मैं आपको बता दूं कि हिन्दी में दिल्ली परिवहन निगम का शॉर्ट फॉर्म दि. प. नि. है। इस नाम की कोई चीज शायद ही किसी दिल्ली वासी को पता हो।

डी. टी. सी., स्कूलों में दरअसल डिब्बा ट्रांसपोर्ट के नाम से जानी जाती है।

डी. टी. सी. बसों के पीछे भागने से पैरों की मसल्स का विकास होता है। अगर आप स्प्रिंट मार कर बस पकड़ भी लेते हैं, तो already लटकने वाले आदमियों को आगे बढ़ने को कहिए और एक डंडे को पकड़ कर लटक जाइए।

आप तब तक वहीं लटके रहिए जब तक कुछ यात्री आगे नहीं बढ़ जाते।

इस क्रिया से आपके हाथ और कन्धे बलिष्ठ हो जाते हैं।

भीड़ में से चीरते हुए निकलना एक कला है और इससे आपकी body की ओवरहॉलिंग हो जाती है।

फिर बस से उतरिए और जल्दी से फुटपाथ पर आ जाइए—पीछे बस आ रही है।

डी. टी. सी. बसों में नींद भी तो सुखद होती है।

उसके लगातार खड़कते शीशों से आपको कोई परेशानी न होगी। जो नींद बस में आती है, वह कहीं और नहीं आती।

स्टूडेंट्स की Exams से पहले असली पढ़ाई भी बसों में होती है। (स्कूल, डी. टी. सी. बसें hire करता है)। जी हां, ये हैं डी. टी. सी. बसें।

इतवार है कि मुसीबत

सोना शर्मा

अम्मा सब काम निपटाकर एक कमरे में जरा सुस्ताने लेटी हैं। मन स्थिर है। चेहरे पर अलौकिक शांति है। जैसे हर अशांति के पीछे कोई-न-कोई कारण होता है, उसी तरह अम्मा की अशांति के पीछे एक बहुत बड़ा कारण है। कारण यह है कि अभी कुछ देर बाद उन्हें गोष्ठी में जो सुनाना है, उसकी तैयारी पिछले इतवार को ही कर ली गयी थी। यानी रिहर्सल पक्की है। अब डर काहे का ?

परदा दोपहर साढ़े ग्यारह बजे के कुछ देर बाद उठने वाला है—अभी विकासपुरी फोन से सम्पर्क करके आये सन्देश-वाहक बड़े भाई मुकुल ने बताया।

उधर चाचा को अभी-अभी अपनी पुरानी लिखी कविताओं का जखीरा मिल गया। वह अब निश्चित हैं; आत्मिक रूप से शांत हैं। उनकी भी तैयारी हो गयी; यानी गोष्ठी और गोष्ठी में लेख सुनाये जाने के कार्यक्रम के टल पाने की बची-खुची सम्भावना भी समाप्त !

और यह क्या ? मेज पर मुड़े रखे इन कागजों के मोड़ से झांकती इन लाइनों की लिखाई तो मुकुल भाई की ही है। यानी, वह भी तैयार...।

बच गयी मैं। मैं ?...मैं क्या सुनाऊंगी ? दिल की धड़कन तेज हो गयी। ठंडा पानी पीने को फ्रिज खोलकर बोतल निकाली और पानी पी रही थी कि यकायक आपाद मस्तक कांप जाना पड़ा...।

चाचा ने पूछा : "सोना, तुम्हारा लिखा कहां है ? लाओ !"

मिमियाते स्वर में धीरे-से मुंह से निकला : "मैं···मैं, आज सुनाऊंगी नहीं। बस सुनूंगी।"

"यह सब नहीं चलेगा। जल्दी निकालो कुछ-न-कुछ। अरे हां, 'गंगा' में जो छपा है वह नहीं सुनाता है। कुछ और तैयार करो, या जो लिखा हो ले आओ।"

"लेकिन मैंने तो कुछ लिखा ही नहीं .."

"तुम्हें मालूम नहीं था आज गोष्ठी है ?"

"मालूम था।"

"फिर क्या कर रही थीं अब तक ?"

उत्तर मुकुल ने दिया—"यह 'गंगा' की चर्चाओं से उबरकर कुछ सोचें-समझें तब तो कुछ लिखें भी। दफ्तर में आकर इनके दफ्तर का राग सुनते-सुनते कान पक गये। कितनी बार याद दिलाया कि गोष्ठी के लिए तैयारी कर लो। पर इनका तो दिमाग ही न जाने कहां रहता है। और अब मैं तो बैठकर लिखूंगा नहीं इनके लिए। इनसे कहो—अभी भी समय है, कुछ देख-दिखा लें।"

आज इतवार है या मुसीबत...।

'...समय है, कुछ देख दिखा लें।' जब कुछ लिखा ही नहीं, तो क्या देखूं, क्या दिखाऊं; क्या ढूंढूं, कहां ढूंढूं ?

खिसक आयी वहां से। आयी, तो दूसरे कमरे के दूसरे तखत पर खुद को पड़ा पाया। पास वाले तखत पर अम्मा लेटी है : निश्चिन्त गहरी नींद में।

और मैं हूं कि, लेटी कहां हूं। घबड़ाकर गिर पड़ी हूं तखत पर। अब तो उठा ही नहीं जा रहा। दिल पर भारी बोझ। बाजू पर सिर भी बहुत भारी है···ठसाठस भूसा जो भरा है इसमें ! बोझ से बांह ही कुचली जा रही है। सिर के नीचे से बांह को निकाल लिया। दर्द हो रहा है बांह में। ..उठने की कोशिश कर रही हूं—उठा नहीं जा रहा। बहुत कोशिश की, जोर लगाया, तो दो ही नतीजे सामने आये, एक बार दायें से बायें करवट और दूसरी बार बायें से दायें करवट...। पीठ तखत से नहीं उठी ! दिल पर भारी बोझ जो है—कुछ-न-कुछ लिखने का बोझ ! यह समय बीतने के साथ-साथ दिलो-दिमाग पर बढ़ता ही जा रहा है। मुझसे उठा ही नहीं जा रहा ..।

और, दरवाजे पर दस्तक हुई। गोष्ठी का समय आ गया।...लानत है मुझ पर जो मूड के भरोसे रही; लिखा नहीं।

तो लीजिए, पहले से लिख रखने में चूकने से उत्पन्न मन:स्थिति ही आपकी सेवा में।

उनकी वह दुनिया

सोना शर्मा

पिछले साल मैं जोधपुर गई थी। जिस सहेली के घर मुझे रुकना था, मैं उसके घर पहुंची तो ताला लगा था। पड़ोसियों के घर अपना सामान रखा और उनसे अपनी सहेली के स्कूल का पता लेकर उसके स्कूल जा पहुंची। स्कूल का नाम था 'गांधी बधिर विद्यालय'।

वहां बिल्कुल सन्नाटा था। एक वृद्ध बाबा जी दीवार की आड़ में बैठे थे। मैंने उनसे पूछा तो उन्होंने राजस्थानी में कुछ बोलते हुए मुझे एक कार्ड दिखाया। कार्ड पर बच्चों के खेल-कूद व सांस्कृतिक कार्यक्रमों का ब्यौरा था। बाबाजी की बोली से मैं मात्र इतना ही समझ पायी कि उनका लड़का इस स्कूल में पढ़ता है; वह गूंगा व बहरा है। कोई लड़का उन्हें यह कार्ड दे गया था और वह कह गया था, "सुबह नौ बजे तक जरूर पहुंच जाना।" देर न हो जाये इस डर से बाबाजी 8 बजे ही आ गये थे। किन्तु वह अभी तक, यानी दोपहर के 3 बजे तक, न तो अपने लड़के से मिल पाये थे और न ही वहां कोई कार्यक्रम आरम्भ हुआ था। सुबह 8 बजे से दोपहर के 3 बजे तक वह उसी स्थान पर ज्यों-के-त्यों बैठे थे। उनकी यह तपस्या देख मेरी अन्तर-आत्मा कांप उठी।

मैंने पास के बैंक से उस जगह का पता किया जिसका उस कार्ड पर नाम छपा था; फिर बाबाजी को लेकर टेम्पो में बैठकर उस स्थान पर पहुंची। सामते देखा कि खेल का मैदान है। मैदान में तम्बू लगा है। अन्दर कुर्सियां रखी हैं। पानी वगैरा का इन्तजाम है। छः-सात लड़के व कार्यकर्ता इधर-उधर घूम रहे हैं। बाबा जी को पानी दिया, कुर्सी पर बैठाया और बताया कि उनका लड़का जिस खेल में भाग ले रहा है, वह इसी जगह होगा। फिर कार्यकर्ताओं से अपनी सहेली के बारे में पूछा। ज्ञात हुआ—"निर्मलजी बस यहां आने ही वाली हैं।"

निर्मल उस स्कूल की प्रधान अध्यापिका थी। थोड़ी देर में देखा कि निर्मलजी हाथ में कुछ रजिस्टर सम्भाले तेजी से चली आ रही हैं। आते ही उन्होंने कार्यकर्ताओं को आदेश देने शुरू कर दिये। उनकी नजर जब मुझ पर पड़ी तो वह सुखद आश्चर्य में डूब गयीं। कुशल-क्षेम पूछने पर, डांटने-डपटने, गिले-शिकवे करने की सामान्य 'रस्मों' के बाद, उन्होंने मुझे बताया कि मैं बहुत अच्छे समय पर जोधपुर पहुंची हूं, उनके स्कूल में खेल टूर्नामेंट हो रहे हैं, सांस्कृतिक कार्यक्रम तो

उसी दिन शाम को है, फिर कल प्रदर्शनी है इत्यादि । मैंने इच्छा जाहिर की कि मैं फिलहाल तो घर जाकर, नहाकर और कपड़े बदलकर तरोताजा होना चाहती हूं, उसके बाद कार्यक्रमों का आनन्द लूंगी । उन्होंने अपने कमरे की चाभी दे दी ।

घर से नहा-धोकर मैं पुनः उस स्थान पर जा पहुंची ।

मैदान में प्रवेश किया तो बिल्कुल शांति मिली । मुझे शंका हुई कि कहीं प्रोग्राम रद्द तो नहीं हो गया । जरा पास पहुंची तो देखा कि तम्बू में बहुत लोग बैठे हैं । मैं भी एक सीट पर बैठ गयी; नजरें निर्मल को ढूंढ़ने लगी । खामोशी देख कर सोचा किसी का भाषण होनेवाला होगा । पर इतने में सामने मैदान में निर्मल एक लड़के के पास खड़ी दिखी । लड़के के हाथ में टाइम-वाच थी ।

अब देखती क्या हूं कि 8-10 लड़के ट्रैक पर भागते चले आ रहे हैं । निश्चित सीमा के पार जो पहले पहुंचा, उसे दो-तीन लड़कों ने भागकर गोद में उठा लिया । दूसरे नम्बर वाले की पीठ उसके मित्र ने थपथपाई । तीसरे व चौथे नम्बर वाले एक जगह खड़े होकर घुटनों पर हाथ टेके सुस्ता रहे थे । पर यह सब बिना किसी आवाज के हुआ । तम्बू में देखा तो कुछ बच्चे उछल रहे थे । बिना बोले वे जीतने वाले के प्रति खुशी जाहिर कर रहे थे । पर यहां भी कोई आवाज नहीं । बस कभी-कभी 'आ-आ' ही सुनायी देता—कभी तेज (उत्तेजना से भरपूर), कभी धीमा (समझाने या बात करने के स्वर में) ।

अब मेरा ध्यान पास-पड़ोस के बच्चों पर केन्द्रित हुआ । मैं देख रही थी कि ये गूंगे-बहरे बच्चे आपस में इशारों से कितने जोर-जोर से बातें कर रहे हैं और—उफ् तोबा ! कितने बातूनी हैं ये लोग !!

चेहरे सुर्ख हो रहे हैं, इशारे बिजली की तेजी से हो रहे हैं, बड़े ध्यान से एक-दूसरे की सुन भी रहे हैं और, जी हां, मजाक करने में भी कुछ नहीं ! तभी तो कभी-कभी हंसी के मारे बेहाल हो उठते हैं !

ये बच्चे—लड़के व लड़कियां—चौथी-पांचवीं कक्षा से लेकर 10वीं-11वीं कक्षा तक के थे । मैं अपनी सीट छोड़, तम्बू में इधर-उधर घूमने लगी और इन बच्चों की दुनिया में खो गयी ।

एक ग्रुप के पास पहुंचकर मैंने देखा कि चार-छः लड़कियां आपस में बातें कर रही हैं । ये इतनी आकर्षक थीं कि मेरे कदम वहां बस यूं ही ठिठक गये । देखा कि दो लड़कियां उठकर पानी पीने गयीं । पर पानी की जगह पहुंचने के बजाय आधे रास्ते से ही लौट पड़ीं । चेहरे पर परेशानी साफ नजर आ रही थी । उनमें से एक अपनी जगह पर पहुंची और वहां बैठी सहेलियों से इशारे से कुछ पूछा । थोड़ी देर में एक सहेली ने उसे एक पर्स दिखाया । पर्स लगभग छीनकर उसने अपने सीने से लगाया और संतोष की गहरी सांस ली । उसकी इस क्रिया से मेरी समझ में आया कि वह अपना पर्स छोड़ गयी थी । रास्ते में उसे ख्याल आया—'अरे पर्स कहां गया ?' और वह सहेली को लेकर लौट पड़ी थी... ।

उम्र से जुड़े ये प्रश्न

सोना शर्मा

"मांजी ! आपकी तबितत कैसी है ?"—यह प्रश्न अक्सर लोग पूछते हैं। मैं प्रश्न पूरा होने से पहले ही कह उठती हूं : "ठीक है बेटा ! हां अब तो काफी ठीक है।"

यह प्रश्न मेरी उम्र से जुड़ा प्रश्न है। प्रश्न साधारण है, पर मुझे इस प्रश्न से सख्त नफरत है। एक अरसे से मुझे कुछ ऐसे प्रश्नों का सामना करना पड़ा है, जो मेरी जिन्दगी से नहीं बल्कि मेरी उम्र से जुड़े रहे हैं। मैंने बमुश्किल तमाम इनमें से कुछ प्रश्नों का उत्तर दिया है और कुछ का नहीं भी दे पायी हूं। पर ऐसे प्रश्न कभी खतम नहीं हुए और शायद होंगे भी नहीं।...

बचपन में सुनती थी : "अच्छा, तो यह अपनी बेटी है ?...हां तो, मुन्नी, कौन-सी क्लास में हो ?"

'मैं तत्परता से चौथीं, पांचवीं या छठी—जिस क्लास में होती—उसका नाम ले देती।

मुझे लगता, शायद सभी को पता है कि मैं पिछले साल किस क्लास में थी और उन्हें यह बताना जरूरी है कि मैं वह क्लास पास करके उससे अगली क्लास में आ गयी हूं। यदि मुझे बताना पड़ा कि मैं पिछली क्लास में ही हूं, तो उनके चेहरे पर जो निराशा, जो विकृति उभर आयेगी वह मुझे इशारा करेगी कि मैं उनके पास बैठने के काबिल नहीं हूं, मुझे उनसे दूर हट जाना चाहिए। यदि मैं नहीं हटी, तो वे स्वयं दूर चले जायेंगे और मेरे मां-बाप को मेरे बारे में कुछ सलाहें देंगे, मानो मेरे मां-बाप वृद्ध हों, नासमझ हों !

स्कूल छूटा और कॉलेज में दाखिला हुआ। 'अब कौन-सी क्लास में हो' प्रश्न का रूप बदल गया। लेकिन उत्तर से जुड़ी प्रतिक्रिया वही रही, यानी उत्तर सकारात्मक हुआ तो...उपेक्षा ! बदनामी ! कलंक !!

अब जो प्रश्न सामने आया वह था—'कौन-सी डिवीजन आयी ? क्या परसेंटेज रहीं ?' सो अब परसेंटेजके बांट से मुझे तोला जाता। परसेंटेज कम तो मैं भी कम

ही ठहराई जाती।

खैर, इसी भाव-तोल की कशमकश में मुझे एक दिन पता चला कि मेरा भाव, यानी परसेंटेज, इतना कम नहीं है कि मुझे आगे पढ़ने की अनुमति न मिले। और, सबसे अच्छी बात तो यह कि अब मैं जो पढ़ूंगी उससे संबंधित मेरे ज्ञान को परसेंटेज के बांटों से नहीं तोला जायेगा। बस, इसी खुशी में मैंने पी-एच० डी० के लिए नाम लिखा लिया।

लेकिन नहीं ! मेरा भ्रम जल्दी ही टूट गया। मेरे अस्तित्व का नाप-तोल करनेवाला प्रश्न, समाज में मेरी कीमत आंकने वाला प्रश्न, मुझसे फिर आ जुड़ा। यह प्रश्न था :

"अभी थीसिस पूरी नहीं हुई ? स्कालरशिप मिल रही है या नहीं ?" मानो थीसिस नाम की चीज को पूरा कर देना, खतम कर देना, बड़ी भारी कामयाबी की बात हो—मानो कोई वजन हो, जिसे उठा लो तो तालियां, न उठा पाओ तो...

कुछ नहीं, सब बेकार।

और स्कालरशिप ? थीसिस पूरी करनेवालों को शक्ति पहुंचाने वाली खुराक ! जिसे पाये (या खाये) बिना, थीसिस पूरी करना असम्भव !!

यह तो दोहरा प्रश्न, मुझे पी-एच० डी० के दौरान दुधारी तलवार बनकर काटता। अपने जख्मों पर जस-तस पट्टी बांधकर, यह मंजिल भी पार की।

लेकिन जब थीसिस पूरी हुई, स्कालरशिप का झंझट मिटा, तो फिर प्रश्न ने रूप बदला। अब लोगों ने पूछना शुरू किया : "नौकरी नहीं है ? शादी नहीं हुई ?"

नौकरी मिली। शादी हुई। प्रश्न फिर बदला :

"कितनी तनखा है ? प्रमोशन कब मिलेगा ? पति कितना कमाता है ? दोनों की मिलाकर आमदनी कितनी है ? ऊपरी कमाई का कितना जुड़ जाता है ?"

जवाब होता—"काम चलाऊ तनखा है। पेट भर जाता है। तन ढंक जाता है, बस।" प्रश्न का यह उत्तर भाव-तोल के मार्केट में मुझे हल्का, जरा सस्ता, ठहराता।

"बच्चे कितने हैं ? कौन-से स्कूल में पढ़ते हैं ? अंग्रेजी बोल लेते हैं या नहीं ?"...और फिर—"कौन-सी क्लास में हैं ?"

उक्त प्रश्न के साथ मेरे बच्चों के सम्बन्ध में प्रश्नों का ठीक वही सिलसिला शुरू हो गया, जो कभी मुझसे संबंधित था।

बच्चों की नौकरी और शादी के बाद, पुनः प्रश्न-पर-प्रश्न...।

"बच्चे कितना कमाते हैं ? बेटी की ससुराल कैसी है ? शादी में क्या दिया ? ससुराल में बेटी खुश है या नहीं ? उसकी सास और पति कैसे हैं ? बेटा-बहू के संबंध कैसे हैं ? बेटा-बहू मुझे कैसे रखते हैं ? आदर करते हैं या नहीं ? मैंने जमा-

पूंजी का कैसे बंटवारा किया ? किसे कितना दिया ?" इत्यादि।

यदि बेटा-बहू मेरा आदर नहीं करते तो ..."च-च बेचारी बुढ़िया !!"

यदि मैंने उन्हें कुछ नहीं दिया है, तो...? तो फिर, मुझे "अपने घर क्यों रखे हैं ? अच्छा ? बच्चे खिलाने को !...ह-ह-ह... !!"

और जब मैं कहती हूं कि मेरे बच्चे मेरा आदर करते हैं और मैं भी उन्हें प्यार करती हूं। तो फिर प्रश्न..."तबियत कैसी है मांजी ?"

और इससे अगला प्रश्न जो होगा उसे मैं पहले ही जानती हूं। वह मुझसे नहीं मेरे अपनों से, मेरा नाम जानने वालों से, पूछा जायेगा। प्रश्न :

"मांजी अभी हैं ?"

और यदि 'नहीं हैं', तो "ओह ! कब ?···कब गयीं ? कैसे क्या हुआ ?"

इन प्रश्नों से हटकर भी एक जिन्दगी है। खट्टे-मीठे अनुभवों से भरी जिन्दगी, जिन्दादिल इन्सानों की जिन्दगी, मेहनतकश इन्सानों की जिन्दगी।

वह जिन्दगी क्या है ? कैसी है ?...यह मेरा प्रश्न है।

एक टुकड़ा सुख

सोना शर्मा

मैं कुम्भकरण नहीं हूं कि कानों के पास ढोल बजे फिर भी न सुनूं। लेकिन यह निगोड़ी नींद एक बदनाम वेश्या है जिसका जादू हर भोले इन्सान को मोहता है; तरह-तरह से लुभाता है। मैं इसके पास पहुंचती हूं, तो सब कुछ भूल जाती हूं।

लेकिन जब वापस लौटती हूं, यानी तखत से उतरकर जमीन पर पैर रखती हूं, तो पाती हूं कि मेरी जेबें खाली हो चुकी हैं, अर्थात् मैं अपना बहुत-सा बेशकीमती समय गवां चुकी हूं।

अब खाली जेब लिये शुरू होती है जिन्दगी की जद्दोजहद। तरह-तरह के कामों के भयानक राक्षस मुझे घेरकर अट्टहास करते हैं; मेरे नन्हे-से दिल को कच्चा चबा जाने के लिए उनकी जीभें लपलपाती हैं। मैं एक योद्धा की तरह इनसे जूझना शुरू कर देती हूं और एक के बाद एक सबको पराजित करती जाती हूं। अन्त में वह स्थिति भी आती है जब मैदान साफ हो जाता है, यानी रोजमर्रा के आवश्यक काम निबट चुके होते हैं; मैं एक विजेता की भांति गर्व से मुस्कराती हूं और सोचती हूं कि मुझे न दिखायी दे रहे दर्शक मेरे काम की अब प्रशंसा करेंगे।

लेकिन, नहीं। दर्शक कभी खेल के एक हिस्से की तो प्रशसा करते नहीं। वे तो पूरे नाटक का, यानी व्यक्ति के पूरे जीवन का, मूल्यांकन करते हैं?

दिन के इस प्रारम्भिक भाग के बीत चुकने के बाद मुझे महसूस होता है कि कोई दूर बैठा मेरी प्रतीक्षा कर रहा है। वह होता है मेरा अपना काम। सभी जानते हैं कि कुशल अभिनेता नाटक रूपी जीवन के इस अंश या भाग को भी प्रभावपूर्ण अभिनय से संवारता है और दर्शकों से प्रशंसा व सम्मान पाता है।

जीवन को कलात्मक ढंग से जीने और प्रशंसा प्राप्त करने का सुख कोई मामूली नहीं बल्कि बड़ा अहम सुख होता है!

लेकिन जीवन को कलात्मक ढंग से जीने वाला कलाकार एक मामूली इन्सान भी तो होता है! और मामूली इन्सान का सुख बहुत छोटा-सा सुख होता है! नाटक के मध्यान्तर में, स्टेज से हटकर, कुछ देर सुस्ता लेने का सुख बड़े अभिनेता

या बड़े कलाकार का नहीं, साधारण इन्सान का होता है। वह सुख वैसा ही होता है, जैसे लम्बे सफर पर निकले, सुनसान धूल भरे, तपते रास्ते पर चलते प्यासे राहगीर को कहीं दो बूंद पानी मिल जाने पर होता है।

ये छोटे-छोटे सुख बड़े प्यारे सुख होते हैं।

बतौर इन्सान मेरा भी एक छोटा-सा सुख है। छोटा होते हुए भी यह मेरे लिए बहुत महत्त्वपूर्ण है क्योंकि यह मेरा अपना, निजी, सुख है।

सुबह के काम निबटाने और फिर जीवन संघर्ष पर निकलने के बीच के कुछ क्षण मेरे अपने क्षण होते हैं। इन गिने-चुने क्षणों में घर के शान्त वातावरण में पीछे आंगन में छिटकी शरद की धूप में दो कुर्सियां जोड़कर, सूरज और अपने बीच अपने दुपट्टे का पर्दा खींचकर, इत्मीनान से थोड़ी देर लेट लेना ही मेरा अपना सुख है। निखरी धूप की नर्म गोद, रुकी-रुकी-सी हवा की हल्की-हल्की थपकियां और आंगन में लगे पेड़ पर बैठी चिड़ियों की लोरी—बस यही है मेरा अपना सुख। सड़क पर दौड़ती-भागती बसों की चिल्ल-पौं, स्कूटरों को घरघराहट, साइकिल-रिक्शों की टन-टनाटन, पड़ोसी के घर में कुटते कपड़ों की ठकाठक, सींकों वाली खुरखुरी झाड़ू की खरखराहट—ये सब शोर मेरे घर की चहारदीवारी के बाहर होते हैं।

मैं इन सबसे बचकर, छिपकर बस एक टुकड़ा सुख चुरा लेती हूं।

जो लिखा नहीं गया

सोना शर्मा

महानगर दिल्ली। इसी दिल्ली से निकलना शुरू हुआ एक दैनिक अखबार—'जागरण'। और मैं इससे जुड़ गयी।

सांस्कृतिक गतिविधियों की रिपोर्टें, महिला पृष्ठ, 'सप्तरंग', विविध विषयों पर लेख, फिल्म समीक्षा, जानी-मानी हस्तियों से साक्षात्कार . इतना कुछ परोसने पर भी दैनिक अखबार के लिए यह ऐसे ही था, जैसे ऊंट के मुंह में जीरा। दिन भर सड़कों पर पैर चलते और घर पहुंचने पर चलती कलम। बहुत कुछ लिखा मैंने और बहुत कुछ छपा। लेकिन फिर भी कुछ था, जो न लिखा गया और न छपा।

तो क्या था वह, जो न लिखा गया ? पेश हैं तीन बानगियां...

होटल मौर्या शेरेटन

इस पांच सितारा होटल में 'बालिका वर्ष' के उपलक्ष में आयोजित थी एक चित्र-प्रदर्शनी।

होटल का सुन्दर वातानुकूलित कमरा। कमरे में छोटे-बड़े आकार के चित्र। चित्रकला क्षेत्र के चर्चित और स्थापित कलाकारों की कलाकृतियां। महकता वातावरण और सुन्दर आरामकुर्सियां।

शीशे के दरवाजे को खोलकर कमरे में प्रवेश करते ही एक सुन्दर सुकोमल आधुनिका ने मुस्कुरा कर, हाथ मिला कर, मेरा स्वागत किया।

कमरे में इस समय चित्रों के विषय में अपने नोट्स लेने वाले केवल दो व्यक्ति थे : एक मैं और एक सूट-बूट धारी सज्जन, जो लगातार मोटा सिगार पी रहे थे।

अपना काम करके मैं चलने लगी तो उसी स्वागत करने वाली महिला ने दोपहर के भोजन के लिए आग्रह किया।

वह मुझे होटल की जनसम्र्क अधिकारी के पास ले गयी। अब हमारा स्वागत किया गया होटल के एक दूसरे मध्यम प्रकाश वाले भव्य कमरे में यानी डाइनिंग रूम में। होटल के नार्मस् के अनुसार सुसज्जित मेज। मेज पर जनसम्पर्क अधिकारी, सिगार पीने वाले सज्जन और मैं। आस-पास तीन बैरे। सिगार वाले सज्जन के लिए, जो दिल्ली के ही एक बड़े अखबर के रिपोर्टर थे, व्हिस्की और जनसम्पर्क अधिकारी व मेरे लिए जूस।

बातों का दौर चलता रहा। व्हिस्की और चिकन का भी दौर चला। मैंने मटर-पनीर और खास किस्म की तंदूरी रोटी और हान्डी के चावल खाये। सिगार वाले सज्जन जनसम्पर्क अधिकारी और मुझ पर अपनी विद्वत्ता का दबाव लगातार बनाये हुए। मुझ पर तो खैर बैरों की बोझिल उपस्थिति का भी खासा दबाव था। वे जूस के गिलास में रखी लकड़ी की पतली-सी चम्मच से मेरी न सुलझ रही उलझन, छुरी-कांटे के इस्तेमाल में मेरी सुप्रकट झिझक और कुरमुरे पापड़ के बार-बार गिरते टुकड़ों से उत्पन्न मेरी परेशानी को देख निश्चय ही समझ गये होंगे कि यह बड़े होटलों के तौर-तरीकों के मामले में निरी नौसिखिया है। दूसरी तरफ सिगार वाले सज्जन डटे हुए थे रौब पर रौब गालिब करने में।

घंटे-डेढ़ घंटे का यह 'लंच' अंततः समाप्त हुआ। अब जनसम्पर्क अधिकारी ने अपना कर्तव्य निभाते हुए हमें गाड़ी से घर तक छुड़वाने का ऑफर पेश दिया। सिगार वाले सज्जन ने जरा नखरे से अपनी गाड़ी खराब होने के संबंध में एक छोटी-सी दास्तान सुना डाली और झट ऑफर स्वीकार कर लिया। पर मैं तो पहले ही पांच-सितारा मुफ्त-भोजन वाले अहसान से इतनी दबी थी कि और ज्यादा अहसान ढो पाने की ताकत बची नहीं थी, सो शालीनता से मना कर दिया।

बाद में उस चित्र-प्रदर्शनी पर मेरी रिपोर्ट रंगीन चित्रों की सजधज के साथ छपी। काफी समय बाद, मैंने बड़े अंग्रेजी अखबार में उन सिगार वाले सज्जन की 'रिपोर्ट' भी देखी। प्रदर्शनी के संबंध में मात्र चार लाइनें थीं। जी हां, मात्र चार लाइनें।

हां तो उस मौर्या होटल में दाखिल होने का आलीशान 'मुख्य द्वार' मैंने यह सोच कर छोड़ दिया था कि 'चित्र-प्रदर्शनी' का द्वार शायद कहीं और होगा। प्रदर्शनी के द्वार की तलाश में मैं होटल के बिल्कुल पीछे जा पहुंची थी; पिछवाड़े से प्रवेश करके ही मैंने प्रदर्शनी वाले भव्य कक्ष को तलाशा था। इसी कमरे से लगा एक और कमरा था, जिसमें से संगीत की तेज आवाज आ रही थी।

मैंने द्वार जरा-सा खोलकर अंदर झांका। मद्धिम रोशनी में सम्पन्न घरानों के रोशन ख्याल लड़के-लड़कियां डिस्को डान्स और संगीत के अभ्यास में तल्लीन थे।

अंदर प्रकाश बेशक मद्धिम था, लेकिन मौर्या शेरेटन के पिछवाड़े तपती दोपहरी के खुले प्रकाश में नजारा कुछ और ही था। पीछे की दीवार पर, शायद किसी टंकी से, पानी का पनाला बह रहा था। जमीन पर पानी जमा था, जिससे बचा-बचा कर पैर रखने पड़े थे। दो ट्रक खड़े थे, कूड़ा लादने वाले। कूड़े से भरे एक हॉल-नुमा कमरे से मुंह पर पट्टियां बांधे जमादार कूड़ा निकाल कर ट्रकों में लाद रहे थे। बदबू से बुरा हाल था।

पीछे के दरवाजे से प्रवेश करने पर मुझे इस होटल के कुछ गलियारों से भी गुजरना पड़ा था। यहां वे कमरे थे, जहां खाना बनाया जा रहा था। कुछ कमरों में मुर्गे काटने का इंतजाम था। यहां मेजों पर और जमीन पर मांस के लोथड़ों और पंखों का ढेर था।

पांच सितारा होटल के पिछवाड़े की यह ठोस हकीकत अन्दर के मद्धिम प्रकाश की मखमली संस्कृति पर एक बड़ा प्रश्नचिह्न लगा रही थी।

ओशो तरंग

नृत्य-संगीत तथा अन्य कलाओं का प्रमुख केन्द्र मंडी हाउस। मंडी हाउस स्थित फिक्की सभागार। एड्स की शिकार युवा-पीढ़ी की सहायता के लिए एक संस्था की ओर से आयोजित संगीत का कार्यक्रम।

कार्यक्रम के आयोजक थे भगवान रजनीश के शिष्य एवं प्रचारक। भगवान रजनीश का जापानी नाम है—ओशो (यानी दोस्त)। अतः कार्यक्रम का नाम रखा गया था : 'ओशो तरंग'।

आमतौर पर सांस्कृतिक कार्यक्रम शाम को छः बजे से शुरू होकर रात साढ़े नौ बजे तक चलते हैं। घर दूर होने के कारण मैं नियमतः आठ बजे ही कार्यक्रम से उठ जाया करती थी।

'ओशो तरंग' कार्यक्रम की शुरूआत से पूर्व सभागार की सभी लाइट्स बुझा दी गयीं। फिर स्टेज पर एक गोलाकार प्रकाश उभरा। माइक्रोफोनों से गूंजने लगी भगवान रजनीश की पूर्व रेकार्डिड आवाज; आत्मानुभव की संक्षिप्त कहानियों और आत्मशांति के उपदेशों से भरी आवाज। इसके बाद शुरू हुआ वाद्ययंत्रों के संगीत का कार्यक्रम।

पहली प्रस्तुति के बाद आयोजकों ने संभवतः मान लिया कि संगीत के माध्यम से श्रोताओं का भगवान रजनीश से पर्याप्त तादात्म्य स्थापित हो गया है। अतः भगवान रजनीश के उपदेशों का, बल्कि कहना चाहिए प्रकाशमान उपदेशों का क्रम फिर से जारी। और तभी...। ओशो की आवाज से भिन्न एक आवाज गूंजी (सम्भवतः किसी उद्घोषक की): "संगीतज्ञों की साधना में और रस-मर्मज्ञ श्रोताओं के तादाम्य में विघ्न न पड़े इसलिए कृपया कार्यक्रम के समापन से पूर्व कोई भी

श्रोता बीच में उठकर बाहर न जाये।"

मैं चौंक पड़ी। सभागार के सभी दरवाजों पर नजर दौड़ायी। सभी बन्द। लगा यह तो सरासर कैद है।

अब संगीत से हट कर मेरा सारा ध्यान घड़ी की सुइयों और बंद दरवाजों पर केन्द्रित।

गरदन इधर-उधर, आगे-पीछे, घुमाकर मैं दरवाजों तक पहुंचने के छोटे रास्ते तलाश ही रही थी कि अचानक दिमाग में कुछ कौंधा। अंधेरे में टटोल कर पर्स से वह परिचय-कार्ड निकाला जिस पर संयोजक का नाम लिखा था। मध्यम प्रकाश में बड़ी मुश्किल से नाम पढ़ा और हिम्मत बटोरकर कुर्सी से उठ खड़ी हुई। अगली पंक्ति की कुर्सियों में ही मेरी कुर्सी थी, इसलिए बिना किसी को ज्यादा परेशान किये जल्दी ही स्टेज के पास वाले दरवाजे पर पहुंच गयी। द्वार-पालक से कहा, "मुझे संयोजक महोदय से (उनका नाम लेकर) मिलना है, यह देखिए उनका कार्ड।" द्वार-पालक ने मुझे स्टेज के पीछे पहुंचा दिया।

मैं थोड़ी देर तक तो 'ग्रीन रूम' की ओर बढ़ी, पर द्वार-पालक के आंख से ओझल होते ही, पलटकर बाहर निकलने का रास्ता तलाशा। और यह गयी, वह गयी...। भगवान की कृपा से मुझे 8.10 वाली अपनी बस मिल गयी। 'भगवान' से मेरा मतलब ओशो रजनीश से नहीं, नीली छतरी वाले से है।

स्टोरी

कुछ साधारण लोगों पर मैंने छोटे-छोटे स्केच लिखने शुरू किये थे। 'जागरण' में ही नहीं, 'साप्ताहिक हिन्दुस्तान' में भी इनमें से कुछ स्केच छपे।

इस तरह का अति साधारण लगने वाला लेखन कभी-कभी कितना जोखिम भरा हो जाता है, इसका अन्दाजा मुझे जल्दी ही लग गया।

हरिनगर घंटाघर की अपनी प्रेस वाली से मेरी खासी दोस्ती थी। प्रेस वाली सीधी-सादी कर्मठ महिला। उसका पति मिलिट्री कैन्टीन में नौकरी करता और अपने साहबों की 'सोहबत में' दारू पीता।

बकौल रामचन्द्र के (जी हां, प्रेस वाली के पति का यही नाम है) "साहब लोग जब खुश होकर देते हैं तो पीनी पड़ती है। भला ऐसे में कहीं मना किया जाता है, बहन जी ?" अपनी पत्नी सीता से उसकी इस लत के कारण अक्सर नोक-झोंक होती रहती। लेकिन सपना दोनों का एक ही था : 'किसी तरह अपना एक घर बन जाये।' सो 'जागरण' में इन पर मेरा स्केच छप गया।

एक दिन प्रेस वाली के पति ने कहा : "फलां लड़का बता रहा था कि अखबार में हमारा फोटो छपा है। वह अखबार हमें भी दे दो।" मैं टालती रही। कुछ समय बाद 'साप्ताहिक हिन्दुस्तान' में भी उन पर मेरा स्केच छपा। मैं 'साप्ताहिक'

प्रेस वाली को दिखाने ले गयी। तब रामचन्द्र घर में नहीं थे, इसलिए प्रेस वाली ने अंक रख लिया।

दुर्भाग्य ! इस बात की खबर कि उनकी फोटो छपी है, उनकी मकान मालकिन को भी मिल गयी।

अब तो मकान मालकिन के घर में तूफान उठ खड़ा हुआ। मकान मालकिन प्रेस वाली से कमरा खाली करवाने के लिए काफी समय से उस पर दबाव डाल रही थी। इस बात पर पुरानी तल्खियां भी थीं।

मकान मालकिन, खासी परेशान हालत बनाये मेरे पास आयी। लगी बार-बार रोने। उसने समझा था कि प्रेस वाली ने मुझसे जान-पहचान का फायदा उठाकर उसके खिलाफ अखबार में रिपोर्ट छपवा दी है।

आखिर मुझे मकान मालकिन के घर जाकर उसके दोनों बेटों-बहुओं के सामने सारा लेख पढ़कर सुनाना पड़ा। तब कहीं उन्हें तसल्ली हुई कि इसमें उनके खिलाफ कुछ नहीं लिखा गया है।

बात यहीं खत्म हो जाती तो गनीमत थी। कुछ दिन बाद मैं जब कुछ कपड़े प्रेस करवाने गयी, तो प्रेस वाली का रुख कुछ रुखा-रुखा लगा। चेहरा भी उतरा हुआ था। मैं समझी नहीं कि माजरा क्या है। कुछ इधर-उधर की बातों के बाद प्रेस वाली ने आखिर रहस्य पर से पर्दा उठा ही दिया।

बोली, "मेरे देवर ने मुझे बहुत खरी-खोटी सुनायी। कह रहा था : सारे खानदान की इज्जत मिट्टी में मिला दी मैंने। 'घर की बहुओं के यही लक्षण होते हैं कि दुनिया भर में ढिंढोरा पीटें कि पति शराबी है ? अरे मेरा भाई शराब पीता है, माना। लेकिन औरतों को तो नहीं ताकता। कमजोरी किसमें नहीं होती ? लेकिन तूने तो घर की इज्जत की ऐसी की तैसी कर दी'। और न जाने क्या-क्या सुनायी मुझे।" मेरा सर तेजी से घूम गया। मुझे याद आया कि मैंने उस दिन की घटना का वर्णन किया था जिस दिन पति महोदय, लगभग पंद्रह दिन लापता रहने के बाद, घर लौटे थे। फटे कोट की मैली जेब से अद्धे की बोतल झांक रही थी और वह घुटनों में सर छुपाए चुपचाप बैठे थे। बेशक, तब पत्नी का पारा सातवें आसमान पर था।

खैर, बड़ी मुश्किल से मैंने प्रेस वाली को समझाया कि लेख में तो उनकी तारीफ ही छपी थी। कहा, "हम और तुम जैसे साधारण लोग लड़-झगड़ लेते हैं, एक दूसरे पर अपना गुस्सा उतार लेते हैं और सारी बात साफ कर लेते हैं। लेकिन 'ऊंचे लोग', जो हम पर नाक-भौं सिकोड़ते हैं, उनके घरों में तो ऐसी-ऐसी गंदगियां जमा रहती हैं, जो कभी भी साफ नहीं होतीं। और आत्महत्याएं तक होती हैं।"

प्रेस वाली मेरी बात से कुछ शांत व संयत हुई। मैं कपड़े लेकर घर लौट आयी।

लेकिन इस 'स्टोरी' का अंत यहीं नहीं हुआ। एक दिन पुनः जब मैं प्रेस कराने के कपड़े देने गयी तो दूकान पर उपस्थित थे पतिदेव। पत्नी नदारत थीं। मुझे भय हुआ कि अब यह हजरत जरूर कोई कड़वी प्रतिक्रिया व्यक्त करेंगे। मेरा चेहरा उतर गया। मैं अपराधी की तरह नजरें झुकाये खड़ी थी।

पतिदेव ने इत्मीनान से तम्बाकू की पीक थूकी। लोहे की प्रेस का ढक्कन हटा कर कोयलों की आग को चिमटे से कुरेद कर और दहकाया तथा बुदबुदाये, "आप उस औरत की बात पर ध्यान मत देना। उस औरत को सैनबल (यानी सेंसिबिल-ले) बातों की कुछ समझ तो है नहीं, खामखाह बात करती है।"

दूकान से वापस भागने को उद्यत मेरे पैर जरा स्थिर हुए। दबी जबान से मैंने कहा, "मैंने उन्हें समझाया था कि लेख में कोई बुराई नहीं लिखी है।" "वही तो, वही तो। बेवकूफ, बेअक्ल, गंवार जो ठहरी। फोटो छपी देख लोगों के दिल पर सांप लोट गया, जलन के मारे उसे खरी-खोटी सुनायी और वह बेवकूफ भड़क गयी।"

इस समय रामचन्द्र मात्र कच्छा-बनियान पहने थे। जमीन पर उकड़ूं बैठकर उन्होंने बीड़ी सुलगायी और बताने लगे, "मैं मकान मालकिन के घर गया था। उन्होंने बताया कि आपने लेख सुनाकर उनकी तसल्ली कर दी है कि उनके खिलाफ कोई बात नहीं छपी है। उनके लड़के कह रहे थे, हमारी फोटो भी छपवा दो।" मैं मुस्कुराई। उन्होंने बहुत ही संजीदगी से बात जारी रखी—"अब इस औरत का (यानी पत्नी का) जितना दिमाग होगा उतनी ही बात तो समझेगी। मैंने यही कह दिया तो बिगड़ कर चल दी। खैर, आ जायेगी थोड़ी देर में।...आप ही देखो, दफ्तर में साहब लोगों के इत्ते फोन आते हैं। फौरन पहचान जाते हैं कि रामचन्दर ही बोल रहा है।"

आगे कहा :

"हाथ में घड़ी 12 से पहले का समय बता रही हो तो कहता हूं 'गुड मारनिंग सर !' और अगर 12 से 2 मिनट भी ऊपर हों तो कहता हूं 'गुड आफटर नून सर !' अब कोई तो वजह है कि साहब आवाज से ही पहचान लेते हैं। फोन पर कहते हैं 'कौन, रामचन्द्रर ?' मैं कहता हूं 'यस सर'...लेकिन वह बेअक्ल औरत क्या समझे कि मैं क्या हूं। भड़क गयी तो भड़क गयी...खैर आती ही होगी। कपड़े उसी के हाथ पहुंचवा दूंगा।"

मेरी कार्यशालाएं

मुकुल शर्मा

चाचा (पिता जी—सं) का दफ्तर मेरे लिए बचपन से ही आकर्षण का केन्द्र रहा है।

चाचा के दफ्तर में हम हमेशा उत्साहपूर्वक जाते रहते थे और दफ्तर में किताबों का स्टोर-रूम तो लाजवाब था। स्टोर-रूम में लगे रैक्स के खानों में रखी पुस्तकें 'अग्नि-दीक्षा', 'अकस्मात मुठभेड़', 'खोजा नसरुद्दीन,' 'निराला', 'वाल्तेयर' आदि पुस्तकें अनायास ही हमें अपनी ओर खींचती थीं।

सो, एक दिन जब चाचा ने मुझसे पूछा कि क्या मैं गर्मियों की छुट्टियों में उनके दफ्तर में काम करना पसंद करूंगा, तो मैं खुशी-खुशी राजी हो गया। मुझे कोई पैसा तो लेना नहीं था, अतः समय की कोई पाबंदी नहीं थी। सो मैंने अपने काम करने का समय साढ़े दस से चार बजे शाम तक स्वयं ही तय कर लिया।

अगले दिन जब दफ्तर जा रहा था तो सोच रहा था कि न जाने किस प्रकार का काम करना पड़ेगा। अगर प्रूफ रीडिंग का काम हो तो कोई परेशानी नहीं। लेकिन अगर कोई मशीन चलानी पड़ी तो ?...खैर, देखेंगे।

दफ्तर पहुंचने पर चाचा मुझे एक दूसरे केबिन में ले गये जहां अधेड़ उम्र के एक व्यक्ति से मेरा परिचय कराया। वह आचार्यजी थे। दफ्तर के मैनेजर। उन्होने कहा : "काम मन लगाकर करना।" मैंने कहा, 'ठीक है।'

उनके पास से चाचा मुझे स्टोर-रूम ले गये और कानन चाचा के सिपुर्द कर दिया।

कानन चाचा मुझे जहां अपने साथ ले गये, वहां बड़े-बड़े रैक्स किताबों से भरे थे। दो आदमी किताबों के पैकेट्स बना रहे थे। कानन चाचा ने उनमें से एक से—जो कुछ मोटे, लम्बे और चश्मा लगाये हुए थे—कहा कि जिन पुस्तकों पर नम्बर नहीं पड़े हों वे मुझे दे दें। मैं नम्बर लगा दूंगा।

जिस मशीन से नम्बर लगाने थे, वह मोहर टाइप जर्मन मशीन थी और उसमें स्याही भरने की आवश्यकता नहीं थी। ऊपर का हैंडल दबाने से नम्बर के

आगे का कवर खुल जाता और मोटे-मोटे काले नम्बर किताब पर छप जाते।

मैं काम में जुट गया। जब एक सेट खतम हो जाता, तो मैं दूसरा ले लेता। हर सेट में तीन सौ या चार सौ, किताबें होती थीं।

साढ़े तीन बजे एक लड़का एक गिलास में चाय, दो टोस्ट और एक मक्खन की टिकिया लेकर आया। यह मेरी उस दिन की पगार थी।

दूसरे दिन मुझे घर का राशन लाना था। राशन की दूकान पर देर हो गयी। गर्मी के दिन होने के कारण धूप भी बढ़ गयी थी। अतः मैं उस दिन दफ्तर न जा सका।

शाम को चाचा ने दफ्तर न पहुंचने का कारण पूछा, तो बता दिया। चाचा कुछ न बोले।

अगले दिन सुबह चाचा ने पूछा : "आज तुम आओगे या नहीं ? न आ सको तो हम दूसरा इंतजाम करें।"

"जरूर आऊंगा।" मैंने कहा।

दफ्तर पहुंचा तो देखा कि चाचा के केबिन में, ठीक उनकी बगल वाली कुर्सी पर, वही आचार्यजी बैठे हैं। मुझे देखते ही उन्होंने कड़क कर पूछा : "कल क्यों नहीं आया ?" मैंने कहा : "कुछ काम...।" "क्या काम ?" उन्होंने डाटते हुए कहा : "यहां काम नहीं है ? इस तरह नहीं चलेगा। ठीक से काम करो, नहीं तो हम दूसरा इंतजाम करेगा।"

इधर वह मुझे डांटे जा रहे थे, उधर चाचा होंठों के कोने में सिगरेट दबाये मुस्कराते हुए मुझे तिरछी नजरों से देख रहे थे।

खैर, उधर से स्टॉक-रूम पहुंचा। सोच रहा था—यह भी अजीब पिताजी हैं ! साहबजादे को डांटा जा रहा है और आप बैठे मुस्करा रहे हैं। इन्हें तो कल सारी बात बता दी थी। फिर भी चुप रहे। कुछ तो बोलना चाहिए था।

बहरहाल, मैं धीरे-धीरे रोज काम में व्यस्त होता चला गया। हर शाम चाय, टोस्ट और मक्खन मिल जाते।

पे-डे वाले दिन एक केबिन के काउण्टर पर एक आदमी 'पे' बांट रहा था। लोग आ-आकर अपनी पे ले जाते। थोड़ी देर बाद काउण्टर वाला आदमी चिल्लाने लगा : "मुंशी ! मुंशी !.. क्या बात है। पे नहीं लेनी। तुम नहीं लेगा तो हम ले लेगा।" काउण्टर के पास एक आदमी और खड़ा था। बोला : "चलो मुंशी का पे हम-तुम फिफ्टी-फिफ्टी कर लेता है।"

थोड़ी देर बाद देखा, चाचा तम्बाकू-चूना मलते आये और पन्द्रह मिनट तक काउण्टर पर खड़े बातें करते रहे।

एक दिन मेरे स्कूल का रिजल्ट आ गया और चाचा के दफ्तर जाना छूट गया।परन्तु, उस चाय, टोस्ट और मक्खन का स्वाद मैं आज तक नहीं भूल पाया।

सुबह सात बजे के सायरन के साथ ही कारखाने का गेट खुला और अन्य कर्मचारियों समेत मैं भी अन्दर दाखिल हुआ। गेट के बायीं ओर टाइम ऑफिस था। बाहर दस-पन्द्रह लड़के लाइन में खड़े थे। मैं भी उस लाइन में खड़ा हो गया। टाइम-ऑफिस की खिड़की पर एक आदमी उन लड़कों का नाम, उम्र और योग्यता पूछ कर उन्हें कारखाने के विभिन्न विभागों में भेज रहा था।

टाइम ऑफिस के ठीक सामने एक मैदान था। वहां शर्माजी एक व्यक्ति से बातें कर रहे थे। वह व्यक्ति कुछ अधेड़ उम्र का था। मैंने उस लाइन में खड़े-खड़े ही शर्माजी को हाथ जोड़े। उन्होंने हल्के से सिर हिलाकर अभिवादन का उत्तर दिया और उस व्यक्ति से मेरी ओर इंगित कर कुछ कहने लगे। वह व्यक्ति एकदम झुंझला-सा उठा। उसकी झुंझलाहट से साफ प्रकट हो रहा था कि वह मुझे काम पर लेने के लिए बिल्कुल ही तैयार नहीं है।

शर्माजी उसे काफी देर तक समझाते रहे। अन्त में हार कर वह व्यक्ति मेरे पास आया। मेरा नाम एक कागज पर लिख लिया और शाम की शिफ्ट में आने के लिए कहकर चला गया। मैं घर वापस लौट आया।

बाद में ज्ञात हुआ वह व्यक्ति श्री सी. डी. गुप्ता थे—जी एल एस प्लांट के इंचार्ज एवं टेक्नोलौजिस्ट।

ठीक चार बजे मैं दुबारा फैक्ट्री पहुंचा। टाइम-ऑफिस में बैठे आदमी ने मुझे एवं एक अन्य लड़के को जी. एल. एस. प्लांट में जाकर मि. रस्तोगी से मिलने के लिए कहा। प्लांट में घुसते ही जोरों की भांय-भांय से मेरा सिर चकरा गया और पैर कांपने से लगे।

वह लड़का फुर्ती से मि. रस्तोगी के पास पहुंचा और बोला : "साब, मुझे कहां काम करना है?" रस्तोगी ने कहा, "जा, पैंकिंग में काम कर।" फिर उस लड़के ने कहा—"यह मुकुल शर्मा है साहब, इसे भी काम पर लगाना है।"

रस्तोगी साहब मुझे एक मशीन पर ले गये। वहां फर्श के समानान्तर कमर की ऊंचाई पर एक लोहे की बेल्ट चल रही थी जिसमें छेद बने हुए थे। उन छेदों में शीशे के शेल्स उठाकर रखने का काम था। ये शेल्स बाद में बल्ब का रूप धारण कर आगे एक अन्य रबर की बेल्ट द्वारा वापस आते।

मैं शेल्स उठा-उठा कर उस चेन में रखने लगा। शर्माजी भी कहीं से आकर पास खड़े हो गये। थोड़ी देर बाद शर्माजी चले गये। तभी एक लड़का आया और शेल्स रखने को मना कर गया मैंने शेल्स रखना बन्द कर दिया। अब क्या था। चार-पांच आदमी आये और लगे चीख-चीख कर मुझे डांटने। उनमें से एक तो मुझे उसी समय गेट से बाहर कर देने को उतारू था। अब मि. सी. डी. गुप्ता भी आ गये और मुझे डांटने लगे।

बाकी सब लोग अपने-अपने कामों पर लौट गये। मेरी आंखों से पानी बह

रहा था।

शर्माजी कुछ दूर खड़े सब तमाशा देख रहे थे। थोड़ी देर में उन्होंने गुप्ताजी को सारी बात बतायी। गुप्ताजी मेरे पास आये और कहने लगे, "भई, तुम बोले क्यों नहीं? यह हैवी इण्डस्ट्री है। यहां बिना बोले काम नहीं चलता। बोला करो।" यह कहकर वह वापस लौट गये।

थोड़ी देर में काम पूरी तरह चालू हो गया। मेरे दाहिनो ओर एक ट्राली में खाली शेल्स रखे हुए थे। एक गाड़ी के शेल्स खत्म हो जाते, तो दूसरी गाड़ी को उसके स्थान पर लगाना पड़ता। बायीं ओर गोलाकार विशालकाय सीलेक्स मशीन घूम रही थी। इसमें पन्द्रह-बीस बर्नर लगे हुए थे जो बल्बों के हेड्स पर कैप्स को सील करते थे। पीछे एक लड़का बैठा हुआ था, जो हेड्स पर फिलामेंट सोल्डर कर रहा था। वह काफी दुबला-पतला था। सिर गंजा। उससे लटकती एक चोटी थी।

"तुम्हारा नाम क्या है?" उसने पूछा।

"मुकुल। और तुम्हारा?"

"देवीलाल! ..आज ही लगे हो?"

"हां।"

"किसने लगवाया।"

'शर्माजी ने। मेरा भाई उनके प्लांट में काम करता था।" मैंने झूठ बोला। फिर पूछा, "कब तक काम होगा?"

"साढ़े बारह बजे तक। आठ से साढ़े आठ तक लंच होगा।...खाना लाये हो?"

"हां।"

"रहते कहां हो?"

"हरिनगर। भाई के पास।"

"घर चाहिए हो तो बताना। हम मजदूरों की मदद करते हैं।" वह बोला।

सामने लगी हुई घड़ी में टाइम देखा। पौने पांच बजे थे। उफ, आठ बजे तक यूं ही खड़े रहना पड़ेगा! मैंने एक खेल खेलना शुरू किया। अपने दिमाग में पन्द्रह मिनट का हिसाब लगाता, फिर घड़ी की ओर देखता।

खैर, कुछ दायें कुछ बायें बातें करते आठ बज गये। खाना खाकर सामने काम करने वाले के स्टूल पर बैठ गया। अभी काम शुरू होने में कुछ क्षण बाकी थे। तभी गुप्ताजी उधर से गुजरे। मैं स्टूल छोड़कर खड़ा हो गया। वह मेरे पास आये। पूछा, "खाना खा लिया?" "जी साहब," मैं बोला। वह मुस्करा कर चले गये।

रात साढ़े बारह बजे फैक्ट्री बंद हुई। सवाल था कि घर कैसे जाया जाये।

एक स्कूटर तिलक नगर जा रहा था। उसमें पांच-छः आदमी थे। एक रुपया देकर मैं तिलकनगर पहुंच गया। वहां से पैदल चलकर रात ढाई बजे घर पहुंचा। छत पर सब लोग सो रहे थे। मैं भी एक दरी लेकर सो गया।

दूसरे दिन शाम को गेट पर अपना नाम लिखवा कर काम करने पहुंच गया। जिस लाइन-ऑफ-प्रोडक्शन पर मैं काम करता था, उसके ठीक सामने—बिल्कुल वैसी ही—एक और लाइन-ऑफ-प्रोडक्शन थी। वहां मेरी ही तरह का काम करने वाले एक सरदारजी थे, कुछ अधेड़ उम्र के। शेल्स रखने के साथ-साथ वह बल्बों के हेडस् भी शोल्डर करते थे। यानी जो काम मैं और देवीलाल मिलकर करते थे, वह यह अकेले ही किया करते थे। उनके हाथों में बिजली-सी फुर्ती थी, जिसके कारण वह दोनों काम संभाले हुए थे। देवीलाल ने बताया कि वह बहुत दिनों से वहां काम कर रहे हैं और परमानेन्ट हैं। उसने अपने बारे में बताया कि वह अभी कैजुअल है और डेढ़ साल से वहां नौकरी कर रहा है। हर नौ महीने बाद उसकी नौकरी को ब्रेक दिया जाता है। कैजुअल लेबर की तनख्वाह कम है और उनकी छुट्टियों के पैसे भी कटते हैं। उनको ओवर-टाइम भी सिंगल ही मिलता है।

उसी दिन शाम साढ़े 6 बजे के करीब एक लड़का मेरे पास आया। बोला, "अपना काम देवीलाल को थमाकर रिलीव ले आओ।" देवीलाल भी बोला, हां-हां, जाओ। रिलीव ले आओ।" मेरी समझ में न आया कि यह 'रिलीव' क्या बला है और कहां से लानी है।

उन्होंने मुझे समझाया कि मैं दस-पन्द्रह मिनट बाहर घूम आऊं और आराम कर लूं।

रस्तोगी साहब, जो वहीं खड़े थे, बोले, "ए! तुम यहीं काम करते रहो। कहीं मत जाओ।"

अचानक कई लड़कों की नजरें उनकी ओर घूम गयीं। उनके तमतमाये चेहरों को देखकर रस्तोगी साहब ने मुंह फेर लिया।

मैं हॉल के बाहर निकल आया। हॉल के गेट के पास ही एक बड़ा-सा कमरा था, जिसमें पेशाबघर भी था और ठंडे पानी का कूलर भी। उस कमरे में घुसते ही आंखों और नाक में धुआं भर गया। वह कमरा बुरी तरह धुएं से भरा रहता था। कूलर के पास दो बेंच पड़े थे, जिन पर लड़के बैठे बीड़ी पीते रहते थे और गप-शप करते रहते थे। इसी कारण इतना धुआं था। पानी ठंडा कम, कड़वा ज्यादा था। मैं जल्दी से बाहर चला आया।

यही बात रात दस बजे के करीब भी हुई। तब मालूम हुआ कि लड़के चार-चार घंटे की दो पालियों में पन्द्रह-पन्द्रह मिनट का 'रिलीव' ले सकते थे।

कुछ दिनों में मैंने अपने आपको एडजस्ट कर लिया। मुझे एक दूसरे काम पर लगा दिया गया। अब बल्ब सामने वाली बेल्ट से उठा कर ट्रे में रखने होते थे और ट्रे भर जाने पर उसे ट्रॉली में रखना होता था। एक ट्रे में करीब चौबीस बल्ब आते थे।

एक बार जब मैं ट्रे ट्रॉली में रखने जा रहा था तो मैं फिसल गया और ट्रे हाथ से छूट गयी। सारे बल्ब फूट गये। सामने रस्तोगी साहब भी खड़े थे। किन्तु कोई एक शब्द भी न बोला। बस एक लड़के ने कहा, 'कोई बात नहीं, ऐसा हो जाता है।' बाद में मालूम हुआ कि उन दिनों चूंकि लेबर ट्रबल थी, इसीलिए किसी ने इस ओर ध्यान नहीं दिया था।

एक दिन जब मैं कारखाने जाने के लिए मोती नगर बस स्टैंड पर उतरा, तो देखा कॉलेज के दो-तीन मित्र सामने सजे-संवरे खड़े हैं। मैं उनसे कतरा कर निकलने लगा। पर उन्होंने मुझे देख लिया था। ज्ञात हुआ कि वे सब पिक्चर जा रहे थे। और मैं...

पुराने सब लड़के मशीनों पर आ गये, तो एक आदमी मुझे तथा एक अन्य लड़के को पकड़ कर पैंकिग वाले सैक्शन में ले गया। वहां उसने बीस बड़े डिब्बों क़ी ओर इशारा करके कहा—"इनके बल्ब निकाल-निकाल कर टेस्ट करो और उन्हें वापस डिब्बे में रख कर दुबारा पैक करो।" एक बड़ी पेटी में सौ बल्बों के डिब्बे थे।

मैं और मेरे साथ का लड़का, दोनों, जमीन पर खाली डिब्बा बिछा कर बैठ गये और काम करने लगे। घंटे भर बाद वह आदमी दुबारा आया। जब देखा कि आधा डिब्बा भी खाली नहीं हुआ, तो वह जोर-जोर से डांटने लगा, 'तुम्हें सड़क पर खड़ा कर दें ? यहां क्या करने आये हो ! सारे समय बातें ही करते रहोगे ? घंटे भर में एक डिब्बा भी नहीं हुआ ?" पैंकिग वाले सारे लड़के हमें देखने लगे। उसने वहां से एक लड़के को आवाज देकर बुलाया और कहा, 'इनके साथ चैंक करवाओ !' और खुद वहां से चला गया।

देखते-देखते ही आधे घंटे में सारे डिब्बे चेक हो गये। वह जब दुबारा आया तो बोला, 'देखा कैसे काम होता है यहां ?' वहीं खड़े एक अन्य सुपरवाइजर से बोला, "जब तक इन्हें डण्डे नहीं मारो, ये काम नहीं करते !"

सारे दिन भारी दिल से काम करता रहा। रात को सोने से पहले सोच रहा था—क्या मेरे विरुद्ध कोई षड्यंत्र रचा गया है, जो मुझे इस प्रकार सुनना पड़ रहा है। हो सकता है मेरी असफलताओं से परेशान होकर चाचा-अम्मा ने मुझे हमेशा के लिए यहीं काम पर लगवा दिया हो !

यही सब सारी रात सोचता रहा।

दूसरे दिन दूसरे सुपरवाइजर मिश्रा जी थे। उन्होंने प्यार से मेरा नाम पूछा और फिर डिब्बे टेस्ट करने के लिए कहा। डिब्बे किस प्रकार टेस्ट होते हैं, यह अब तक मैं जान चुका था। हर डिब्बे में ऊपर वाले बल्ब ही बस टेस्ट करो। कुछ डिब्बे टेस्ट ही मत करो, बस ऊपर का कवर फाड़ दो—यही लगेगा कि टेस्ट हो गये ! यह काम तो बस क्वालिटी कन्ट्रोल वालों की आंखों में धूल झोंकने को है !

कुछ दिनों बाद तो मिश्रा जी मुझे बस यह बता कर चले जाते कि कौन-कौन सा माल चेक करना है और दो-तीन नये लड़के दे जाते जिनकी मदद से यह काम करना होता। बाकी प्लानिंग मेरी रहती।

वहीं एक सरदार लड़का 'लोडर' का काम करता था। वह बहुत हंसमुख था और कुछ लंगड़ा कर चलता था। मालूम हुआ कि वह बी. ए. फर्स्ट इयर में है, गुजारा करने के लिए वहां काम कर रहा है। यह भी मालूम हुआ कि यहां कुछ लड़के ग्रेजुएट भी थे, मगर उन्होंने अपने आपको आठवीं अथवा नवीं फेल ही लिखवा रखा था। यह सब नौकरी करने के लिए था केवल !

पैकिंग वाले सैक्शन से घड़ी दिखायी नहीं देती थी। लंच टाइम का इंतजार रहता था। हॉल की छत पर शीशे लगे हुए थे। उन शीशों से बाहर रोशनी दिखाई देती। 7-40 पर शाम को बाहर कुछ भी दिखाई देना बन्द हो जाता था। तब लगता था कि खाने का समय होने वाला है।

पैकिंग सैक्शन में एक विशाल डेस्क बना हुआ था। वहां लड़के बल्बों को डिब्बों में पैक करते थे। उनके हाथ बहुत तेजी से चलते थे। कई बार मैंने उतनी ही तेजी से हाथ चलाने की कोशिश की, पर असफल रहा।

एक रोज बस से घर लौट रहा था, तो बस में मेरी क्लास का दोस्त रवि मिला। उसने बताया कि रिजल्ट आउट हो गया है। पांच लड़कों की प्रथम श्रेणी है, उनमें वह भी है और मैं भी हूं।

कुछ ही दिन बाद कॉलेज खुलने वाले थे। कॉलेज खुलने से दो दिन पहले मैंने फैक्ट्री छोड़ने का निर्णय किया। काम के लिए धन्यवाद देने जब मैं श्री सी. डी. गुप्ता के पास गया, तो उन्होंने पीठ थपथपा कर उज्ज्वल भविष्य की कामना की।

ये मेरी कार्यशालाएं थीं इलेक्ट्रॉनिक्स उपकरणों की फैक्टरियों व नेशनल फिजीकल लेबोरेटरी (एन. पी. एल) में पहुंचने से पहले।

सुपर-कंडक्टर !...यह क्या है ?

मुकुल शर्मा

'सचेतक' के कुछ प्रमुख लेखकों का आग्रह है कि मैं 'सुपर-कण्डक्टर' के बारे में लिखूं। जैसे दसवीं पास लड़के से एम. एस-सी. का प्रश्न !

फिर भी मैं आपको कुछ अपनी 'सुपर-कण्डक्टिंग'—गतिविधियों का परिचय देने का प्रत्यन करता हूं।

उन दिनों मैं एक IBM के P.C. पर काम कर रहा था। तभी एक दिन डॉ. पांडे आये और बोले : 'मुकुल, तुम अपनी मेज लोहाना साहब के कमरे में डाल लो। हमने सुपर-कण्डक्टर का प्रोजेक्ट लिया है और उसमें तुम्हारा नाम भी डाला है।' मैंने बड़े अन्यमनस्क भाव से कहा : 'ठीक है।'

इस तरह पहली बार सुपर-कण्डक्टर का नाम सुना।

जब लोहाना साहब के कमरे में पहुंचा, तो उन्होंने पूछा : "मुकुल, सुपर-कण्डक्टर के बारे में कुछ पता है ?" मेरा उत्तर था : "वैज्ञानिक आप हैं या मैं ? उल्टी-सीधी चीजों का पता करना मेरा काम नहीं। कोई मशीन खराब हो, तो बोलिए।" और उनके कमरे में एक लम्बी-चौड़ी मेज लाकर पटक दी जो उसी दिन बाहर निकलवानी पड़ी क्योंकि वह एक 'काम करने की मेज' थी न कि 'बैठने वाली।' पता चला मुझे 'बैठने वाली मेज' चाहिए थी।

और, दस-पन्द्रह दिनों में एक मेज-कुर्सी उस कमरे में डाल ली। लेकिन अभी भी मैं कभी 'सिलिकन' और सोलर सेल' में, तो कभी SEM में डोलता रहता।

परन्तु अब 'फैराइट्स' में तब्दीलियां आने लगी थीं। कुछ नये वैज्ञानिक इस विभाग में बैठने लगे थे। एक डॉ. खेड़ी इस विभाग में आने लगे, जो पहले डॉ. सुधारकर के साथ थे। एक श्रीमती विमल आयीं जो पहले डॉ. चन्द्र के ग्रुप में थीं। 'सोलर सेल' से डॉ. बरनाला आये।

मुद्दतों से चूंकि इस विभाग में कोई काम नहीं हुआ था, इसलिए अधिकतर उपकरण खराब पड़े थे। धीरे-धीरे उन्हें ठीक करने का काम आने लगा।

इन वैज्ञानिकों से सुपर-कण्डक्टर शब्द सुना करता, लेकिन इसमें बिल्कुल भी

दिलचस्पी न लेता और अपने को खराब उपकरण ठीक करने तक सीमित रखे था। बाकी वैज्ञानिक भी अपनी दियचर्या में मस्त थे हां कभी-कभी डॉ. खेड्डी, डॉ. सुन्दर (फ्रांस में कार्य कर रहे भारतीय वैज्ञानिक) के साथ काली टेबलेट्स लिये इधर-उधर आते-जाते दिखाई देते।

एक दिन दोनों बडे परेशान से बैठे थे। मैंने यूं ही उनसे इस परेशानी का कारण पूछा तो बोले : "इस टेबलेट से चार तार जोड़ने हैं जो जुड़ नहीं रहे।" उस समय मैं खाली था। उनसे वह टेबलेट ले ली और करीब आधे घण्टे बाद चार तार जोड कर दे दिये।

थोड़ी देर बाद वे दोनों फिर दिखायी दिये। लेकिन इस बार बहुत प्रसन्न थे। उन्होंने तपाक से मुझे बधाई दी। शायद वे अपने सुपर-कण्डक्टर की किसी गुण-धर्मिता को किसी दूसरे विभाग में जांच कर लौटे थे। वे उसी के बारे में मुझे बता रहे थे जो मेरी बिलकुल भी समझ में नहीं आ रहा था। हां, इतनी खुशी बहुत थी कि मेरे लगाये तारों से उनका काम बन गया था।

अब सवाल था कि 'सुपर-कण्डक्टर' की resistivity (प्रतिबाधा) को कैसे नापा जाय?

डॉ खेड्डी इस बारे में आई. आई. टी. और डिपार्टमेंट ऑफ इलैक्ट्रॉनिक्स से कुछ नोट्स लेकर आये। डॉ. पांडे ने एक ट्रांसफार्मर बनाने का आदेश दिया। वर्क शॉप से एक सैम्पल होल्डर भी तैयार करवाया। लेकिन जब तक हम यह प्रयोग प्रारम्भ कर पाते, डॉ. विश्वास ने यह सोच कर मुझे फायर कर दिया कि इस काम की जिम्मेदारी मेरी है।

खैर, सैम्पल होल्डर में 'सुपर-कण्डक्टर' का सैम्पल रखकर और resistivity नापने के सारे उपकरण तैयार करके जैसे ही सैम्पल को तरल नाईट्रोजन में डाला—सैम्पल होल्डर चूर-चूर हो गया।

अब दुबारा सैम्पल होल्डर बनवाया गया—बैकेलाईट का। परन्तु उसने भी ठीक से कार्य नहीं किया। इधर हम resistivity नापने में बार-बार असफल हो रहे थे, उधर दूसरे ग्रूप वाले अपनी सफलताओं की बढ़-चढ़ कर चर्चा कर रहे थे। कभी लगता उपकरण खराब है, कभी लगता उनको भली प्रकार लगाया नहीं है और कभी शक होता—जो सैम्पल हम टेस्ट कर रहे हैं वह सुपर-कण्डक्टर है भी या नहीं!

हालांकि रीडिंग लेने में मैं असफल हो रहा था, तो भी मुझे सुपर-कण्डक्टर के बारे में कुछ-कुछ पता चल रहा था। मिसाल के लिए यह कि यदि 'सुपर-कण्डक्टर' के दो कोनों से विद्युत प्रवाहित करें, तो बीच में बिल्कुल वोल्टेज नहीं आयेगा, यानी resistivity शून्य होगी, और यह कि resistivity शून्य होने की वजह से उसमें से magnetic lines of forces नहीं निकल पायेंगी बल्कि उसे दूर की

तरफ धक्का देंगी ।

एक दिन यूं ही अपनी मेज कुर्सी पर बैठा था। उधर लोहाना और डॉ. बरनाला आपस में बातचीत कर रहे थे । मैंने पूछा : "क्या आपके पास कोई मैगनेट है ?" उन्होंने एक खराब वैकुअम यूनिट का बाल्ब मुझे दे दिया । बोले : "देख तो इलैक्ट्रो-मैगनेट बनता है या नहीं ?" किस्मत से वह अच्छा खासा मैगनेट बन रहा था ।

अब मैंने डॉ. सिंह और अन्य एक-दो वैज्ञानिकों से पूछा : "यदि एक सुपर-कण्डक्टर के सैम्पल को तरल नाइट्रोजन में ठंडा करके इस मैगनेट के पास ले जाऊं, तो यह सैम्पल दूर भागेगा या नहीं ?" और उन्होंने जो फिजिक्स समझायी उसके अनुसार सैम्पल पर कोई असर नहीं पड़ना चाहिए था ।

खैर, सोचा क्यों न करके ही देख लिया जाय ।

एक स्टैंड से सैम्पल को टांगा । नीचे इलेक्ट्रोमैगनेट रखा । बीकर में तरल नाइट्रोजन डालकर कुछ देर सैम्पल को ठण्डा किया । फिर मैं सैम्पल को इलैक्ट्रो-मैगनेट के पास ले गया । जैसे ही इलेक्ट्रो-मैगनेट को 'ऑन' किया, मेरी खुशी का ठिकाना न रहा ! सैम्पल दूर-दूर भाग रहा था । देखते-देखते विभाग के वैज्ञानिकों की भीड़ लग गयी । वे पहली बार सुपर कण्डक्टर के किसी गुण का प्रदर्शन देख रहे थे और मैं अपनी छाती चौड़ी किये सबों को प्रदर्शन दिखा रहा था । थोड़ी देर में विश्वास साहब भी आ गये ।

सारे प्रदर्शन को देखने के बाद पूछते हैं : "resistivity का क्या हुआ ?" मैंने धीरे से कहा, "प्रयत्न कर रहे हैं ।" लेकिन, ताज्जुब है, वह नाराज नहीं थे ! बोले : "परसों दफ्तर में एक प्रदर्शनी है । कुछ प्रदर्शित करना है । क्या किया जाये ?" और वैज्ञानिकों के मुंह से निकला—"क्यों न इसे ही प्रदर्शित किया जाए ।"

अब पता चला कि इस सुपर-कण्डक्टर की गुणधर्मिता का नाम था 'मेजनर इफैक्ट' ।

फटाफट इसके चार्ट तैयार किये जाने लगे । स्टैंड चमकाया गया । ऊपर से निर्देश था कि प्रदर्शन के लिए सिर्फ वरिष्ठ वैज्ञानिक ही होने चाहिए । लेकिन अपने विभाग से यह काम सौंपा गया मुझे और श्रीमती विमल को जो एक वरिष्ठ वैज्ञानिक हैं ।

उस दिन का अनुभव बड़ा ही रोचक रहा—दफ्तर के वैज्ञानिकों, कर्मचारियों और उनके परिवार के सदस्यों से लेकर स्कूलों-कॉलेजों के छात्रों और छोटे-छोटे बच्चों तक को यह प्रदर्शन दिखाना और उन्हें सुपर-कण्डक्टर के बारे में समझाना !

अन्य विभागों के वैज्ञानिकों की राय में—जिन्होंने अपना सामान भी प्रदर्शित करने के लिए रखा था—दर्शकों ने सबसे ज्यादा रुचि हमारे प्रयोग में ली । कॉलेजों

और सेकेण्ड्री क्लासों के छात्र-छात्राएं, 'ओह, सुपर-कण्डक्टर!' कहते हमारे स्टाल पर टूट पड़ते! बहुत-से अपनी शंका निवारण के लिए बार-बार हमारे स्टाल पर आते। उस दिन हालांकि बुरी तरह थक गया था, पर अपने प्रदर्शन की सफलता पर आत्मसंतोष था।

और कहना न होगा कि कुछ दिनों में हम सफलतापूर्वक resistivity नापने में सक्षम हो गये।

इतना सब कुछ होने के बाद अब आप शायद यह जानना चाहेंगे कि यह सुपर-कण्डक्टर है क्या बला? एक समय तो इस ग्रुप में काम करते हुए भी मैं यह जानने को उत्सुक नहीं था। कैसा अन्तर्विरोध है! लेकिन सुना है, विकास अन्तर्विरोधों से गुजर कर ही होता है। तो आइए आपको सुपर-कण्डक्टर की कहानी सुनाता हूं।

सबसे पहले आपको दो बातें बता दूं। पहली यह कि कण्डक्टर क्या होता है?

कुछ ऐसी वस्तुएं होती हैं जिनमें से विद्युत आसानी से प्रवाहित हो जाती है। इन्हें हम कहते हैं—सुचालक, यानी कि कण्डक्टर।

दूसरी वे होती हैं जिनमें से विद्युत प्रवाहित नहीं हो पाती। इन्हें हम कहते हैं—कुचालक, यानी इन्सुलेटर।

कण्डक्टर और इन्सुलेटर के बीच की स्थिति—सेमी-कण्डक्टर—ने साठ के दशक में विज्ञान के क्षेत्र में हंगामा खड़ा कर दिया था। लेकिन उसकी कहानी बाद में।

लोहा, पीतल, तांबा, स्टील आदि कण्डक्टर हैं; और लकड़ी, कपड़ा, गिलास आदि इन्सुलेटर। कण्डक्टर से विद्युत प्रवाहित होते समय विद्युत के प्रवाह में बाधा उत्पन्न होती है, जिसे हम उसकी resistance कहते हैं। लेकिन सुपर-कण्डक्टर में यह resistance 'शून्य' होती है और विद्युत के प्रवाह को किसी प्रकार के प्रतिरोध का सामना नहीं करना पड़ता।

दूसरी बात। यह तो आप सभी जानते हैं कि तापमान डिग्री सेल्सियम और डिग्री फैरनहाइट में नापा जाता है—जैसे व्यक्ति के शरीर का तापमान डिग्री फैरनहाइट में नापते हैं और किसी शहर अथवा स्थान का तापमान सेल्सियस में में। बर्फ का तापमान शून्य डिग्री सेल्सियस है। इसी तापमान की एक और इकाई है—कैल्यिन (K)। इस इकाई के अनुसार बर्फ का तापमान 273 कैल्विन है। या दूसरे शब्दों में हम इस इकाई की मदद से शून्य से 273 डिग्री कम सेल्सियस नाप सकते हैं।

उदाहरण के लिए, यदि आपके कमरे का तापमान 27 डिग्री सेल्सियस है तो कमरे का तापमान इस इकाई के अनुसार 273 + 27 = 300 कैल्विन हुआ।

जी हां, तो सुपर-कण्डक्टर की कहानी का प्रारम्भ होता है सन् 1908 से, जब से हॉलैण्ड के लेइदेन विश्वविद्यालय में कार्यरत Mr. Onnes को हीलियम गैस को तरल रूप में परिवर्तित करने में सफलता मिली। इस तरल हीलियम के उबलने का तापमान निकला 4.2 कैल्विन, यानी कि बर्फ के तापमान से 268.8 डिग्री सेल्सियस कम। तीन साल बाद उन्होंने सोचा कि क्यों न इस तापमान पर पदार्थों की resistivity नापी जाये।

Onnes महोदय के विचार से, यदि हम किसी metal का तापमान शून्य कैल्विन कर दें (अब हम कैल्विन इकाई में ही बात करेंगे), तो उसकी resistivity भी शून्य हो जानी चाहिए। इस प्रयोग के लिए उन्होंने सबसे शुद्ध रूप में उपलब्ध metal चुना—पारा (मर्करी)। उन्होंने देखा कि तरल हीलियम के वाष्पीकरण तापमान (4-2K) से जरा-सा नीचे आते ही, मर्करी की resistivity शून्य हो गयी। और मर्करी की इस स्थिति को, जिस पर resistivity शून्य थी, उन्होंने नाम दिया 'Superconducting state'।

कुछ पाठकों को यह जानकारी शायद बहुत रुचिकर लगे कि इस ऐतिहासिक प्रयोग के लिए जिस हीलियम का Onnes महोदय ने प्रयोग किया था, वह केरल के तटवर्ती क्षेत्रों से निकाली गयी थी।

सन् 1916 में श्रीमान Silsbee ने देखा कि यदि किसी सुपर-कण्डक्टर से Electric current प्रवाहित की जाय और उसे धीरे-धीरे बढ़ाया जाय, तो एक ऐसी स्थिति आती है जब वह पदार्थ 'सुपर-कण्डक्टर' नहीं रहता—यानी resistive बन जाता है। यह पदार्थ कितनी करेंट तक 'सुपर-कण्डक्टर' रहता है, एक महत्त्वपूर्ण संख्या होती है। (आजकल मैं अपने यहां इसी तरह करेंट को नापने की विधि को तैयार करने में लगा था)।

सन् 1933 में Mr. Meissner और Ochsenfeld ने देखा कि जब भी कोई पदार्थ सुपर-कण्डक्टर होता है तो उनमें से Magnetic lines of forces नहीं निकल पातीं—वे सुपर-कण्डक्टर को दूर धक्का देती हैं, यानी वह पदार्थ Paramagnetic state से निकलकर Diamagnetic state में आ जाता है। यह वही प्रयोग था जिसका ऊपर मैं जिक्र कर आया हूं।

मजे की बात यह है कि जो पदार्थ बहुत अच्छे कण्डक्टर होते हैं, वे बहुत अच्छे सुपर-कण्डक्टर नहीं होते—जैसे लोहा, सोना, चांदी आदि।

शायद कुछ युवा पाठक यह जानना चाहेंगे कि जब भी कोई पदार्थ resistive स्थिति से सुपर-कण्डक्टिंग में आता है, तो उसमें कौन-कौन से Physical changes होते हैं। ये इस प्रकार हैं:

1. Absence of electrical resistance.
2. Expulsion of magnetic flux.
3. Discontinuous change in specific heat.
4. Changes in thermal conductiviy.
5. Slight change in volume.
6. Near absence of ultrasonic attenuation.

इनमें पहले दो changes प्रमुख हैं।

अब आप कहेंगे कि, "यह सुपर-कण्डक्टर का हंगामा तो अभी शुरू हुआ है, और आप कहानी सुनाने बैठ गये सत्तर-अस्सी साल पुरानी।"

तो मैं यह कह रहा था कि वैज्ञानिकों को खेलने के लिए एक नया मैदान तो मिल गया था 1918 में ही, पर बहुत कम वैज्ञानिक खेलने के लिए उत्सुक थे। आप ही सोचिए सन् 1911 में जहां 4K पर सुपर-कण्डक्टर बना था, वहां 1930 तक 4K से बढ़कर 8K तक ही सुपर-कण्डक्टर बना पाये और 1950 में 15K तक ही पहुंच सके। 1980 तक में सुपर-कण्डक्टर 23K पर ही अटका था।

और अचानक 1987 के अप्रैल-मई महीने की पत्रिकाओं में सुपर-कण्डक्टर बुरी तरह छा गया। "Super- conductors warming up !" "The heat is on for super-conductors !" "Super-conductivity seen above tne boiling point of nitrogen !" जैसे लेखों द्वारा विज्ञान की पत्रिकाओं ने तहलका मचा दिया।

दरअसल IBM के दो वैज्ञानिक Alen Muller और George Bednorz सन् 1973 के metal oxides पर काम कर रहे थे। जनवरी 1986 में उन्होंने देखा कि जो सैम्पल बेरियम, लैंथनम और कॉपर के ऑक्साइट्स मिलाकर बनाया था, वह 35K पर ही सुपर-कण्डक्टर स्थिति में आ जाता था। 1986 की सर्दियों से पहले उन्होंने इसे घोषित नहीं किया। इसके बाद की महत्त्वपूर्ण घोषणा की ह्स्टन विश्वविद्यालय के पॉल चू ने। उन्होंने यिटरियम, बेरियम और कॉपर के ऑक्साइड्स से ऐसे सैम्पल तैयार किये, जो 90K पर ही सुपर-कण्डक्टर के गुण दिखाने लगे।

यह इसलिए और भी महत्त्वपूर्ण था कि 90K के लिए हमें तरल हीलियम की जरूरत नहीं पड़ती; इसके लिए तरल नाइट्रोजन से ही काम चल जाता है। और जहां एक लिटर तरल हीलियम का मूल्य पांच सौ रुपये है, वहीं एक लीटर नाइट्रोजन का मूल्य कुछ पैसे मात्र।

लेकिन यदि किसी सुपर-कण्डक्टर को किसी काम में लाना है, तो उसे लगातार तरल नाइट्रोजन में रखने की आवश्यकता है। तो क्या कोई ऐसा सुपर-

कण्डक्टर नहीं बन सकता जिसे हम कमरे या शहर के तापमान पर ही प्रयोग कर सकें ? जी हां, आजकल दुनिया भर के वैज्ञानिक इसी उधेड़बुन में लगे हैं। और उम्मीद है कि जल्दी ही इस कार्य में सफलता मिलेगी।

अब आप पूछेंगे कि किसी पदार्थ में ऐसा क्या होता है जो सुपर-कण्डक्टर बना देता है ? तो साहब, उसके लिए आपको BCS Thoery, यानी कि Bordeen, Cooper और Schriffor द्वारा 1955 में प्रतिपादित Theory का अध्ययन करना पड़ेगा और मैंने यह Theory अभी पढ़ी नहीं है। अगर मैं यह Theory पढ़ सका और समझ सका तो आपको इसके बारे में बताने का प्रयत्न करूंगा और अगर आप इसे पढ़ लें और समझ लें, तो कृपया मुझे समझाने का प्रयत्न करें।

फिर भी, मोटे तौर पर बता दूं कि किसी भी कण्डक्टर में करेंट प्रवाहित होती है उस कण्डक्टर के परमाणुओं के इलेक्ट्रॉन्स द्वारा। ये इलेक्ट्रॉन जब चलते हैं तो एक-दूसरे से टकराकर प्रतिबाधा (resistance) उत्पन्न करते हैं। परन्तु सुपर-कण्डक्टर में इलेक्ट्रॉन दो-दो के जोड़ा में चलते हैं, जिसे spinning कहते हैं और इनके आपस में टकराने की सम्भावना नहीं होती। उदाहरण के तौर पर, आपको एक हजार आदमियों की भीड़ में से दौड़कर निकलना हो तो आपको ज्यादा समय लगेगा और यदि ये ही एक हजार व्यक्ति पंक्तिबद्ध चल रहे होंगे तो आप उनमें से शीघ्र निकल जायेंगे।

अब शायद आप यह पूछेंगे कि ये सुपर-कण्डक्टर बनाये कैसे जाते हैं तो इन्हें बनाने की कई विधियां हैं। हम तो दो-तीन विधियों का प्रयोग करते हैं, जिनमें प्रमुख हैं: ceramic विधि। इसके बारे में मैं आपको विस्तार से बाद में बताऊंगा। अभी इतना ही बता दूं कि इस विधि द्वारा लोग अभी तक यिटरियम, बेरियम और कॉपर के आक्साइड्स मिलाकर सुपर-कण्डक्टर के सैम्पल्स तैयार करते थे, परन्तु अब वे बेरियम, बिसमथ कॉपर और स्ट्रोन्शियम के आक्साइट्स का प्रयोग करके सुपर-कण्डक्टर के सैम्पल्स बनाने लगे हैं। ये सैम्पल 125K पर सुपर-कण्डक्टर के गुणधर्म दिखाने लगते हैं।

प्रश्न उठता है : जब साधारण कण्डक्टर से बिजली अच्छी तरह उपलब्ध हो जाती है, तो यह सब करने की क्या जरूरत ? इस सुपर-कण्डक्टर के पीछे दौड़ने की क्या पड़ी है ?

लेकिन यह उस औरत के गोद के बच्चे की तरह अस्पष्ट नहीं है जिसने माईकल फैरेड़े के विद्युत के प्रथम प्रयोग को देखकर पूछा था : "इसका क्या फायदा ?" तो फ्रेरेडे का जबाब था : "क्या आप बता सकती हैं कि आपका बच्चा बड़ा होकर क्या बनेगा ?"

जब भी किसी तार से विद्युत प्रवाहित होती है तो उसके resistance की वजह से वह तार कुछ गर्म होता है, जिससे काफी ऊर्जा भी व्यर्थ जाती है। जहां

ज्यादा बिजली को supply करनी होती है, वहां बड़े-बड़े ट्रान्सफार्मर मोटे-मोटे तारों से बनाये जाते हैं।

परन्तु जब resistance ही नहीं रहेगी, तो तारों के गर्म होने की सम्भावना भी नहीं होगी ! और तब, जहां एक कमरे के बराबर ट्रान्सफॉर्मर की आवश्यकता होती है वहां एक डिब्बे के बराबर के transforms से काम चल जाएगा। दूसरी बात यह कि एक बार बिजली प्रवाहित हुई तो होती ही रहेगी, अतः बिजली का खर्च भी काफी कम हो जायेगा।

जापान वाले तो सुपर-कण्डक्टर से चालित ट्रेन पर प्रयोग कर रहे हैं। यह ट्रेन पटरियों से थोड़ा ऊपर उठकर चलती है। कम्प्यूटरों वगैरा से भी इसका बहुत उपयोग है।

मैं इससे अधिक जानकारी अभी नहीं दे पा रहा हूं, इसके लिए पाठक मुझे क्षमा करेंगे।

एक कलम की आत्मकथा

कादम्बरी शर्मा

मैं एक लाल रंग की कलम हूं। मुझे फाउण्टनपेन भी कहते हैं। आजकल तो लोग बॉलप्वाइंट-पेन अधिक इस्तेमाल करते हैं। लेकिन कुछ समय पहले हमारा ही चलन था।

मुझे वे दिन याद हैं जब चांदनी चौक के एक नुक्कड़ की दुकान पर मैं अपनी बहनों के साथ रहती थी। यह एक पेन की दुकान थी। हर रंग, हर साइज की कलमें यहां मिलती थीं। कुछ बड़ी सुनहरी नाजुक भी थीं और कुछ मेरी तरह साधारण।

अन्य कलमों की अपेक्षा मैं साइज में बड़ी व मोटी थी।

एक दिन एक ग्राहक दुकान पर आया और सरसरी निगाह दुकान पर डाली। और फिर उसकी नजर मुझ पर अटक गयी।

उसने मुझे खोलकर देखा। निब को चलाकर देखा। और सन्तुष्ट होकर दुकानदार को मुंहमांगे दाम दे दिये। मेरी बहनों ने मुझे ईर्ष्या की दृष्टि से देखा और मैंने उनसे विदा ली।

उस आदमी ने बड़ी लापरवाही से मुझे अपनी कमीज की जेब में ठूंस लिया। मुझे उसकी जेब में जगह बनाने के लिए सचमुच ही संघर्ष करना पड़ा। कारण यह कि अधिकतर जगह पहले ही एक माचिस की डिब्बी ने घेर रखी थी। फिर कागज के कुछ तुड़े-मुड़े टुकड़े थे, कुछ रेजगारी थी, एक बीड़ी व एक तमाकू की पुड़िया भी थी।

जेब के पुराने बाशिन्दे मुझे देखकर खुश नहीं हुए। मैंने बीड़ी को तो अपने भार से दबा दिया और तमाकू की पुड़िया को भी एक ठोकर मार दी।

मेरा नया मालिक कुछ सोचता हुआ चला जा रहा था। घर जाकर वह फौरन कुर्सी पर बैठा। उसने मुझे खूब सारी काली रोशनाई पिला दी और फिर एक कागज सामने रखकर मुझे उस पर चलाने लगा।

इससे पहले मैं कभी चली न थी। इसलिए, मैं कुछ घिसट-घिसटकर—खुर्र-

खुर्र की आवाज करती हुई—चल रही थी। निश्चय ही मुझे तकलीफ हो रही थी। लेकिन चलाने वाले ने इस बात की जरा भी परवाह न की और बस मुझे चलाता ही गया—चलाता ही गया।

मुझे निजात तब मिली जब उसकी पत्नी ने चाय उसके सामने रखी और फिर वह चाय की चुस्कियां लेने लगा तथा मैंने आराम की सांस ली।

धीरे-धीरे मैं नये माहौल से परिचित होने लगी। उस आदमी को भी मुझसे लगाव हो गया था और हमेशा वह मुझे अपने हो साथ रखता था। अक्सर उसकी पत्नी मेरा उपयोग धोबी के कपड़े व राशन का सामान या दूध का हिसाब लिखने के लिए करती थी। वह अक्सर बच्चों की रिपोर्ट-बुक पर साइन भी मुझसे ही करती थी।

लेकिन अब यह मेरी समझ में आ गया था कि यह आदमी एक लेखक था और लिखने से ही इसका व इसके परिवार का पोषण होता था।

एक आदमी ने मेरी टेढ़ी-मेढ़ी चाल को जल्दी ही ठीक कर दिया। और, अब मैं किसी भी किस्म के कागज पर सर्र-सर्र दौड़ती थी।

मुझे इस बात का गर्व था कि अपने विचारों को मूर्त रूप देने के लिए वह आदमी मेरा उपयोग करता है। कभी वह कागजों पर समाज में फैली बुराइयों से लड़ता, तो कभी वह अपने जीवन-संघर्ष की कहानी लिखता; कभी वह प्रकृति की सुन्दरता व जीवन की विविधता के गीत रचता तो कभी दुःख, तिरस्कार और अभावों की पीड़ा का वर्णन करता।

अक्सर वह पूरी-पूरी रात लिखता रहता। कभी लिखा हुआ काटता। फिर लिखता। और जब वह संतुष्ट हो जाता, तो एक साफ सफेद कागज पर गोल घुमावदार अक्षर बना-बनाकर बड़े प्यार से लिखता।

अपनी लिखी रचनाएं वह अपने मित्रों व परिवार के सदस्यों को सुनाता। मैं भी सुनती। जो रचना लोगों को पसन्द आती उसकी लोग तारीफ करते और कहते : "वाह, आपकी लेखनी में तो जादू है।"

तब मैं खुशी से फूली न समाती। मुझे लगता जैसे सारा श्रेय मेरा ही है।

उस लेखक की एक बेटी की नजर मुझ पर थी।

एक बार लेखक की अनुपस्थिति में उसने मुझे उठा लिया। पहले उसने अपनी होम-वर्क की कॉपी पर जमा, घटा, गुणा के सवाल किये। फिर भूगोल की कॉपी पर नक्शा बनाया। उसके हाथ बहुत छोटे थे और मुझसे चला नहीं जाता था। हर दो कदम पर मैं लड़खड़ा जाती थी। फिर उसने मुझे अपने डेस्क में डाल दिया।

वहां मैंने बहुत-सी छोटी, बड़ी, काली, पीली कलमों को देखा। वे बड़ी ही सोचनीय स्थिति में थीं। किसी का निब टूटा था, तो किसी का कैंप गायब था।

मुझे डर लगा कि मैं यहां रही तो मेरी भी यही स्थिति होगी। अब वह बेटी जी प्रायः मुझसे काम लेतीं। वह मुझे स्कूल ले गयीं और सहेलियों में मेरा प्रदर्शन भी किया। प्रायः वह मुझे अपने मुंह में डालकर चबातीं जिससे मेरे शरीर पर घाव हो गये। मैं बहुत दुखी रहने लगी।

एक दिन वह मुझे अपनी होम-वर्क की कॉपी में रखकर खेलने चली गयीं। मैंने मौके का फायदा उठाया और लुढ़ककर डेस्क के नीचे छिप गयी। उन्होंने आकर मुझे ढूंढ़ा। न पाने पर पेंसिल से काम करने लगीं।

मैं बहुत दिन तक उस अंधेरी सीलनदार जगह पर रही। इस बीच मुझे न पाकर लेखक बहुत परेशान व दुखी था।

एक दिन लेखक की पत्नी ने झाड़ू लगाते समय मुझे ढूंढ़ निकाला। और मैं लेखक महोदय की टेबिल पर पहुंच गयी! मुझे पाकर लेखक बहुत खुश हुआ। मैं भी प्रसन्न थी।

एक बार ऐसा हुआ कि मैं लेखक के साथ एक चाय पार्टी में गयी। एक भद्र महिला ने लेखक से कलम मांगी। फिर उस महिला ने काम करने के बाद वापस करने की बजाय मुझे अपने पर्स के हवाले किया। और चल दी। लेखक किसी और से बातों में व्यस्त था।

अरे इस पर्स में तो पहले ही एक सुनहरी कलम मौजूद थी। मैंने उसका हाल-चाल पूछा तो उसने बताया कि उसका कोई उपयोग नहीं। सिर्फ दिखाने के लिए उसे वह महिला ड्राइंगरूम की टेबिल पर सजा देती है। और जब अतिथि आते हैं तो उसके रूप, गुण व कीमत की चर्चा बड़े जोर-शोर से करती है।

उस भद्र महिला ने मुझे भी एक कलमदान में रख दिया।

मैं दुखी तो थी ही। एक बार जब वह कुछ लिख रही थी, तो मैं अपने को रोक न सकी और कुछ मोटे-मोटे स्याही के आंसू मैंने कागज पर टपका ही दिये।

बस, उसका तो पारा ही चढ़ गया और गुस्से में मुझे फेंक दिया।

एक धोबी ने मुझे उठा लिया। उसने मुझे अपने कान के पीछे खोंस लिया और मैं उसके घर पहुंची। यहां मेरा उपयोग न था। हां, कभी-कभी उसकी पत्नी चाय में चीनी मिलाने के लिए मेरा इस्तेमाल जरूर करती थी। एक बार चूल्हे की राख कुरेदने तक के लिए मेरा इस्तेमाल किया गया जिससे मैं जल ही गयी।

और अब? अब तो मैं अधजली हालत में कुछ कबाड़ के साथ पड़ी रहती हूं और लेखक के साथ के पुराने सुनहरे दिनों की याद करती रहती हूं।

किस्सा 'जैव विविधता' का

कादम्बरी शर्मा

सन् 1992 में ब्राजील की राजधानी 'रियो' में बड़े शोर-शराबे के साथ पृथ्वी सम्मेलन सम्पन्न हुआ था। विश्व के पर्यावरण की सुरक्षा के लिए बहुत-से विषयों पर बातचीत हुई थी।

एक मुद्दा 'जैव विविधता' (यानी बायोडाइवर्सिटी) से संबंधित भी था। विकसित व विकासशील देशों के बीच बहुत-से मतभेद थे। अमरीका ने तो जैव-विविधता संबंधी समझौते पर हस्ताक्षर करने तक से इन्कार कर दिया। ऐसा है किस्सा जैव-विविधता का!

आखिर जैव-विविधता है क्या? उत्तर व दक्षिण में इस पर मतभेद क्यों हैं?

वैज्ञानिकों का कहना है कि इस पृथ्वी पर जीव व वनस्पति की कुल 3 करोड़ प्रजातियां पायी जाती हैं। इनमें से भी मात्र 15 लाख प्रजातियों की वैज्ञानिक पहचान हो सकी है।

खतरे की बात यह है कि वनों की कटाई व अन्य पर्यावरण संबंधी समस्याओं के कारण 15,000 से 50,000 तक प्रजातियां प्रतिवर्ष की दर से विलुप्त हो रही हैं। इसका अर्थ यह है कि लगभग 40 से 140 तक प्रजातियां प्रतिदिन खत्म हो जाती हैं। इस अनुमान के अनुसार अगले 30 वर्षों में विश्व की एक चौथाई जैव-प्रजातियां समाप्त हो जायेंगी।

मजे की बात यह है कि विश्व की आधी से भी अधिक जैव-प्रजातियां उष्ण-कटिबंधीय वर्षा वनों में सीमित हैं: ये वन विश्व का मात्र 7% क्षेत्रफल घेरते हैं।

लैटिन अमरीका में जब एक छोटे-से देश 'बुनाई' के सिर्फ 15 हेक्टेयर टुकड़े पर 700 किस्म की जैव-प्रजातियां पायी जाती हैं। इतनी प्रजातियां पूरे उत्तरी अमरीका में भी न होंगी। इसी तरह अफ्रीका के घने जंगलों में वनस्पति की 80

प्रतिशत ऐसी किस्में हैं जो पृथ्वी पर कहीं नहीं मिलतीं।

इन सब बातों से निष्कर्ष यह निकलता है कि वे देश जो वनस्पति व जैव-प्रजातियों से भरपूर हैं प्रायः गरीब हैं, जैसे ब्राजील, अफ्रीका व लैटिन अमरीका के देश, भारत, दक्षिण एशियाई देश व मूंगा द्वीप (कोरल आइलैण्ड)।

एक ओर तो जैविक व प्राकृतिक संसाधनों से भरपूर पिछड़े देश हैं तो दूसरी ओर इन प्राकृतिक संसाधनों का बायोटैक्नालॉजी द्वारा उपयोग करने वाले समर्थ विकसित देश।

जैविक संसाधन विश्व के लिए बहुत महत्त्वपूर्ण भी हैं और उपयोगी भी। उदाहरण के लिए—

(1) लगभग 75,000 वनस्पति प्रजातियां हैं जो किसी-न-किसी रूप में खाने के काम आती हैं।

(2) कुछ वनस्पति प्रजातियां दवाइयों में इस्तेमाल की जाती हैं जैसे एक महत्त्वपूर्ण वनस्पति है जो केवल मैडागास्कर में मिलती है। इसका उपयोग ब्लड कैंसर जैसे घातक रोग का इलाज करने के लिए होता है।

(3) 'जीन्स' जीवन की इकाई माने जाते हैं। जीन्स को आपस में क्रास करके नयी प्रजाति भी पैदा की जा सकती है जो ज्यादा मजबूत व स्थायी हो सकती है।

जैव संसाधनों का उपयोग करने में समर्थ देश इन संसाधनों दवाइयां जैविक संकरण अन्य चीजें बनाते हैं।

इस प्रकार विकासशील देशों के प्राकृतिक संसाधन परिष्कृत होकर विकसित देशों की आय का साधन भी बन जाते हैं।

1992 के 'पृथ्वी सम्मेलन' में विकासशील देशों की मुख्य मांगें इस प्रकार थीं—

(1) जैविक संसाधनों से सम्पन्न देशों के 'जैव कोष' का प्रयोग बिना उनकी जानकारी व रजामंदी के कानूनन जुर्म माना जाये।

(2) यदि उनके देश के जैव कोष का उपयोग किगा जाता है तो उसे उपयोग में लाने की तकनीक यानी 'बायोटैक्नालॉजी' पर उनका भी अधिकार हो।

इन मांगों को अमरीका किसी हालत में नहीं मानना चाहता और यही कारण था उसका बायोडाइवर्सिटी कन्वेशन पर हस्ताक्षर न करने का।

जैव-प्रजातियों से प्रजाति-संकरण, दवाइयां व अन्य उपयोगी चीजें बनाने की जानकारी से लैस कारखाने विकसित देशों में हैं। इस तकनीकी जानकारी का उपयोग विकसित देश अपनी आर्थिक उन्नति के लिए करते हैं—जैसे जैव प्रजाति

से बनी दवाई/या अन्य वस्तु, पर बनाने वाले देश का अधिकार होता है जिसे 'पेटेंट राइट' कहते हैं।

इस पेटेंट राइट द्वारा वह देश रायल्टी लेता है। अर्थात् वह पेटेंट फार्मूला, बिना लाइसेंस व रायल्टी भुगतान के, दूसरा देश इस्तेमाल नहीं कर सकता।

'इन्टेलेक्चुअल प्रॉपटी राइट्स' (IPR) द्वारा एक देश जैविक (जीवित) वस्तुओं पर हकदार हो जाता है और इस कानूनी हथियार से वह प्राकृतिक संसाधनों से नफा कमाता है।

भारत पर ही दबाव था कि वह अपने पेटेंट कानून बदले क्योंकि भारतीय पेटेंट कानून में जीवित संसाधनों पर पेटेंट संभव नहीं है।

अमरीका को जैविक पेटेंट्स की रायल्टीं के भुगतान से प्रतिवर्ष 5 अरब डालर की आमदनी होती है। अमरीका का यह भी दावा है कि उसे रॉयल्टी का भुगतान अमरीकी कानून के अनुसार नहीं हो रहा है और इस प्रकार रॉयल्टी भुगतान न देने वाले विकासशील व पिछड़े देश 'लुटेरे' (Piratcs) है।

लेकिन यदि सच्चाई देखी जाय तो हम पायेंगे कि वास्तव में जैव-विविधता से भरपूर देश नुकसान में हैं और असलियत में अमरीका 27 अरब डालर का कर्जदार है। यह कर्जा उसे उन देशों के किसानों को चुकाना चाहिए जिनके बीजों, जंगलों व प्राकृतिक संसाधनों का वह बिना कुछ दिये ही उपयोग कर रहा है।

पृथ्वी सम्मेलन के बायोडाइवर्सिटी कन्वेन्शन में तीसरे देशों ने मांग की थी कि उन्हें तकनीकी जानकारी (Biotechnology) के उपयोग पर अधिकार हो।

दूसरी समस्या जिस पर बातचीत हुई वह यह थी कि 'जैव सुरक्षा' (Bio-safety) पर ध्यान दिया जाये। बायोटैक्नालॉजी पर रोक-टोक अमरीका को पसंद नहीं यानी ऐसे प्रयोगों पर जैसे इंसान व पशु के जीन्स के संकरण बनाना या पशु में वनस्पति के जीन्स ट्रांसफर करना आदि।

किन्तु इस तरह के प्रयोगों से कई तरह की परिस्थितियां, सांस्कृतिक, धार्मिक व नैतिक समस्याएं खड़ी हो सकती हैं। बायोडाइवर्सिटी कन्वेन्शन की धारा 14 'जैव सुरक्षा' (Bio-safety) व बायोतकनीक को नियम में बांधने की जरूरत पर बल दिया गया है और इस बात के महत्त्व पर जोर दिया गया है कि नयी तकनीकें 'जैव सुरक्षा' (Bio-safety) पर ध्यान दें।

इन महत्त्वपूर्ण मसलों पर बातचीत के बाद अमरीका पर दवाब तो पड़ा लेकिन अन्ततः किसी 'कानूनी कार्रवाई' का विधेयक पास न हो सका। बात केवल इस समझौते पर खत्म हो गयी कि बायोटैक्नालॉजी संबंधी जानकारी का लेन-देन देशों की आपसी 'समझदारी' पर आधारित होना चाहिए।

विज्ञान चर्चा : धरती के अन्तस्तल से...

राम नरेश शर्मा

माइन में से दो तरह का पत्थर निकलता है। एक को 'माल' कहते हैं और दूसरे को 'मिट्टी।'

'माल'—पत्थर में ही खनिज पदार्थ होता है। यूरेनियम के ऑक्साइड की माइनिंग की जाती है। इसके कण, पत्थर में ऐसे घुले-मिले रहते हैं कि बिना पत्थर को बारीक पीसे उन्हें अलग नहीं किया जा सकता।

अस्तु, माइन से ही लगी हुई 'मिल' रहती है। यहां इन 'माल' को पहले कूट कर (बड़े-वड़े क्रशर्स के द्वारा) छोटा कर लेते हैं, फिर 'ग्राइंडिंग मिल' में इसे बारीक पीसा जाता है। पीसते समय पानी भी मिलाया जाता है। इस मिश्रण को 'स्लरी' कहते हैं। इसमें पानी की मात्रा इतनी होती है कि इसे आसानी से पम्प किया जा सकता है।

इस 'स्लरी' को पहले एक बड़े टैंक में, जिसे 'थिकनर' कहते हैं, इकट्ठा किया जाता है फिर लोहे के बड़े-बड़े सिलैण्डर्स में, जिनके अन्दर रबर की लाइनिंग होती है, भरा जाता है इसमें हल्का गंधक का तेजाब मिलाया जाता और हवा से खलबलाते हैं। कुछ समय के बाद यूरेनियम तथा कुछ और घुलनशील पदार्थ घोल में आ जाते हैं। अब इस घोल को बड़े-वड़े डिस्क-फिल्टरों से छाना जाता है जहां बेकार का ठोस पदार्थ अलग हो जाता है, और यूरेनियम का घोल और भी सफाई करने के लिए उपलब्ध हो जाता है।

विज्ञान जगत भी विचित्र है। इसमें कुछ ऐसे पदार्थ हैं जिन्हें साधारणतया 'रेजिन' कहते हैं और इनमें से कुछ रेजिन ऐसे होते हैं जो केवल यूरेनियम को ही खोज कर पकड़ लेते हैं। ऐसे ही एक रेजिन से जब यूरेनियम के इस घोल को मिलाया जाता है तो सारा यूरेनियम के रेजिन पर लद जाता है, और बचा हुआ घोल, जिसे 'बैरन लिकर' कहते हैं, रह जाता है। यूरेनियम से लदे रेजिन को नमक

के पानी से धोने से यूरेनियम उससे छूट जाता है और रेजिन फिर से काम के योग्य हो जाता है। इस प्रक्रिया से मिला यूरेनियम बहुत साफ होता है।

अब कुछ और रासायनिक डाल कर यूरेनियम को प्रेसीपिटेट कर लेते हैं। यही 'फिनिश्ड प्रोडक्ट' होता है।

आगे चलकर इसे और भी साफ करना होता है, तब जाकर यह यूरेनियम रिएक्टर के योग्य होता है।

ईश्वर...या स्पेस-टाइम-कन्टीनुअम्

राम नरेश शर्मा

बचपन में मैं अक्सर देखता था कि दौआ नहाते समय कुछ बुदबुदा रहे हैं। एक बार मैंने पूछा भी कि वह क्या पाठ करते हैं तो उन्होंने बतलाया कि नहाते-नहाते विष्णु सहस्रनाम का जाप कर डालते हैं। तभी से मेरे मन में जिज्ञासा थी कि यह विष्णु सहस्रनाम क्या है।

बहुत दिनों बाद जादुगुड़ा में स्वामी चिन्मयानन्द की शिष्या ब्रह्मचारिणी शारदा देवी का ईशोपनिषद् तथा गीता के ग्यारहवें अध्याय पर प्रवचन हुआ। मैं भी रोज सवेरे और शाम सुनने जाता था। वहां किताबों की एक 'सेल' भी लगी थी। जैसे ही उसमें मैंने विष्णु सहस्रनाम देखा, खरीद लिया। (वैसे ऐसी किताबें मैं अक्सर मांग कर ही पढ़ता हूं)। जब किताब हाथ आ गयी, तो पढ़ना भी शुरू किया !

विष्णु का एक नाम 'लोकाध्यक्ष' भी है। व्याख्याकार ने अंग्रेजी तरजुमा प्रेसीडेण्ट लिखा। प्रेसीडेण्ट का काम है कि सभा में जब तक सब काम 'एजेण्डा' के अनुसार चल रहा हो उसे बीच में न पड़ना चाहिए, अपने विचार सभा पर न लादने चाहिए। अगर उसे कुछ कहना भी है तो उसे सचिव को पहले से बतला देना चाहिए, ताकि समय आने पर सचिव उन मुद्दों को उठा सके और उन पर विचार हो सके।

'विष्णु सहस्रनाम' के रचयिता ने यह सब सोचा था कि नहीं, अथवा स्वयं विष्णु इसका पालन करते हैं कि नहीं, यह मैं नहीं जानता। पर वह बात हमें जंच गयी और अब जब कभी भी हम किसी सभा का सभापतित्व करते हैं, तो इस गुर का पूरा प्रयोग करते हैं।

मैं जब कभी दिल्ली और मेरठ जाया करता था, तो दस-पांच साल में एक चक्कर पटियाले का भी लगा लेता था ! कारण, वहां ऊषा के ताऊ जी—जिन्हें आदर से मैं भी ताऊ जी कहता हूं—के दर्शन कर आया करता हूं। एक बार बातों बातों में मैंने वेद और उपनिषद के बारे में उनसे कुछ बात कही। इस पर उन्होंने

आलमारी से स्वामी सत्यानन्द लिखित 'एकादशापनिषत्संग्रह' मुझे दे दिया। मैंने थोड़ा बहुत पढ़ा, फिर रख दिया। चलते समय जब उन्होंने देखा कि किताब अभी मैन्टलपीस पर ही रखी है, तो मुझे उठा कर दे दी। कहा : "मेरी तो कुछ समझ में नहीं आता, तुम्हीं पढ़ लेना।"

इस किताब में सबसे पहला श्लोक है :

ओइम् पूर्णमदः पूर्णमिदं पूर्णात पूर्णमुदच्यते।
पूर्णस्य पूर्णमादाय पूर्णमेवावशिष्यते ।।

अगर हम यहां पूर्ण को=Infinity=ले लें तो "That is infinite and this is infinite. The infinite proceeds from the infinite. Taking the infinite out of the infinite, it remains as the infinite alone."

गणित में भी Infinity की परिभाषा कुछ इसी प्रकार है। रघुवीरा की डिक्शनरी में पहले ही पेज पर अथर्ववेद का एक श्लोक उद्धृत है जिसका अर्थ है : "जिसको हम देख सकते हैं उसे नाम देते हैं। जो दिखायी नहीं देता है, उसे हम नाम नहीं दे सकते हैं। इसका अर्थ यह नहीं कि जिसे हम नहीं देख सकते, वह है नहीं।"

भौतिक जगत् में इससे ज्यादा सार्थक कोई बात हो नहीं सकती। आये दिन नयी-नयी थ्योरी प्रोपाउण्ड होती हैं। पहले वे हाइपोथेसिस का रूप लेती हैं। कुछ 'प्रेडिक्शन्स' सही निकल आते हैं, तो उन्हें 'थ्योरी' का रूप दे दिया जाता है।

'थ्योरी ऑफ रिलेटिविटी' एक एब्स्ट्रैक्ट आइडिया ही रह जाता अगर उसका प्रेडिक्शन "फलां तारे से आती किरणें सूरज के गुरुत्वाकर्षण के कारण...झुक जायेंगी" सही न निकला होता।

आगे चल कर 'ब्लैक होल', और उसका पड़ोस के तारे को अपने में धीरे-धीरे करके सोख लेना, और इस क्रिया में एक्स-रे का पैंदा होना, और अन्त में उनका नापा जाना, सब उसी दिशा की ओर इंगित करते हैं!

क्वार्क : मैटर मोल्यूकूल से, मोल्यूकूल एटम से, एटम इलैक्ट्रोन, प्रोटोन और न्यूट्रोन से, और अब यह सब क्वार्क से बने माने जाते हैं। हो सकता है क्वार्क भी किसी शक्ति-पुंज से बना हो।

चूंकि देखा नहीं इसलिए नाम नहीं दे सकते, पर इसका मतलब यह नहीं कि वह है नहीं!

'ईशोपनिषद' में पहला श्लोक यों शुरू होता है "ईशावास्यमिदं सर्वम् यत्किञ्च कगत्याम. जगत्।..."

सारे संसार में ईश का आवास है।

यहां 'ईश' के स्थान पर अगर हम 'स्पेस-टाइम-कन्टीनुअम्' ले लें तो सारी समस्या सरल हो जाये। आखिर यह सारा संसार इसी से बना है।

संसार में जितना भी मैटर है, सब इसी का रूप है। वैज्ञानिकों का प्रयास इसी 'यूनीफाइड फील्ड थ्योरी' की ओर है कि सारे संसार के भौतिक नियमों (आकर्षण वाले) को एक में पिरोया जा सके और एक ही इक्वेशन से सबको लिखा जा सके।

और अन्त में 'नेति-नेति।' कोई अन्त नहीं है।

इन्हीं सब कारणों से मुझे उपनिषद् तथा वेद इत्यादि के बारे में पढ़ने में मजा आता है जब भौतिक शास्त्र में किसी नयी खोज के बारे में पढ़ता हूं, तो लगता है, हमारे 'थिंकर' सोचते बहुत थे, बड़ी-बड़ी कल्पनायें करते थे। अपने विचारों को सूत्रों में बांध कर रख देते थे।

पर वे कभी भी प्रयोग न करते थे। आज भी ज्यादातर काम थ्योरिटीकल साइड में ही हो रहा है—सिवाय सी. वी. रामन व जगदीशचन्द्र बोस जैसे दो चार वैज्ञानिकों के, बाकी सब थ्योरियों में उलझे रहते हैं। मुझे खुद थ्योरी पढ़ने में बड़ा मजा आता है!

अभी हाल ही में पढ़ा कि 'किट पीक' टेलिस्कोप से एक क्यासर्स (क्वासी स्टैलर सोर्स) की जोड़ी पायी गयी। ये क्वासर्स इस ब्रह्माण्ड की तकरीबन बाहरी सीमा पार है। वहां से पृथ्वी तक प्रकाश आने में लाखों बरस लग जाते हैं। वैज्ञानिक इस प्रकाश को एकत्रित कर उसका विश्लेषण करते हैं। यह पाया गया है कि हर एक क्वासर अपनी एक विशेषता रखता है—और अब तक एक जैसे दो क्वासर नहीं पाये गये हैं।

पर 'किट पीक' टेलिस्कोप ने दो एक जैसे क्वासर देखे। अब मसला यह था कि—ऐसा क्यों हुआ? इसके दो कारण बताये गये। एक तो यह कि हमारे इस क्वासर के बीच में एक बड़ा 'ब्लैक होल' है, जो प्रकाश की किरणों को झुका देता है और उससे एक ही क्वासर के दो प्रतिबिम्ब बन जाते हैं; अथवा 'बिग बैंग' थ्योरी के अनुसार जब एक बिन्दु मात्र से सारा ब्रह्माण्ड बनना शुरू हुआ, तो कुछ मसाला बजाय टूटने के छिटक गया और यही छिटका हुआ मसाला, जिसे वैज्ञानिक cosmic string कहते हैं, इन प्रकाश की किरणों को झुका रहा है।

मजे की बात यह है कि इस तरह के मसाले होने की संभावना गणितज्ञों ने पहले ही निकाल रखी थी।

सर्वं वा इद नाम च रूपं च।
देवो रूपाणि चक्रे वयं नामानि कृण्मसि।

—अथर्ववेद।

वाह रे 13

राम शंकर शर्मा

मालूम पड़ा कि मुझसे बड़े मेरे चौबे भइया सात के चक्कर में हैं। मकान का नम्बर सात ; रहने वाले प्राणी सात ; उनका जन्म सत्रह जनवरी, जिसमें भी सात। रिटायर हुए तो—दो सात वाले सन् में, यानी सन् सतत्तर में।

वैसे सुना है कि मेरे भतीजे विजय दस के चक्कर में हैं। उनकी पैदाइश दस तारीख, दसवां महीना, दस बज कर दस मिनट बतायी जाती है।

मैं थी कुछ इसी प्रकार तेरह के चक्कर में फंस गया हूं। देश में, और विशेष रूप से विदेश में, तेरह का अंक अशुभ माना जाता है। बड़े-बड़े होटलों में देखा गया है कि तेरह नम्बर का कमरा ही नहीं होता।

क्रिकेट का खिलाड़ी बैंटिंग करते समय बारह के बाद सीधा चौदह पर या उसके आगे पहुंचना चाहता है। वह एक रन बनाने के बजाय चौका मारने या दो रन बनाने के चक्कर में रहता है और अक्सर इसी हड़बड़ी में आउट भी हो जाता है और दोष देता है तेरह के अंक को।

यह तेरह का अंक मेरे कुछ ज्यादा ही पीछे पड़ गया है—शायद इसलिए कि उसे मालूम हो गया है कि मैं उसे अशुभ नहीं मानता हूं (बेचारे को कोई तो पूछने वाला मिला !

1950 में मैं जब एम. एस-सी. फाइनल की परीक्षा में वैठने जा रहा था, तो मेरा रोल नम्बर निकला : तेरह। लोगों ने समझा—गया काम से ! कुछ भी हुए।

पर जब रिजल्ट निकला तो तेरह नम्बर फर्स्ट डिवीजन की लाइन में था।

1971 में नागपुर आने पर मकान लिया तो उसका नम्बर भी तेरह ही निकला।

1976 में जब मैंने नई कार खरीदी, तो रजिस्ट्रेशन के लिए 1313 नम्बर मेरे दिमाग में था। R.T.O. ऑफिस में पूछा—"अपनी पसन्द का नम्बर पाने का क्या तरीका है ?" बताया गया कि तीन सौ रुपये देने पर अपनी इच्छा का नम्बर

मिल जाता है। मैंने सोचा—तेरह नम्बर को कोई पूछता नहीं है, चलो दे दो तीन सौ रुपये, क्या याद करेगा ! मैंने कहा, 'मुझे 1313 नम्बर चाहिए।' खिड़की पर बैठे बाबू ने घूर कर मेरी ओर देखा। शायद सोच रहा होगा—कहां तो लोग एक से ही घबड़ाते हैं, यह कौन है जो दो-दो 13 चाहता है। कहने लगा, 'नहीं मिलेगा !' मैंने पूछा : 'क्यों ?' बोला, 'दिया जा चुका है।' मैंने मन में सोचा—इस दिशा में मुझसे भी कोई आगे है ! कौतूहलवश मैंने पूछा, 'किसने लिया है ?' जवाब मिला : 'पुलिस कमिश्नर ने।' मन में सोचा ठीक ही है; उस बेचारे को ज्यादा लक की जरूरत है। मैंने पूछा, 'अगला नम्बर कौन-सा है ?' उसने कहा, '1113।' मैंने कहा, 'फौरन दे दो।'

1976 में ही भोपाल में मुझे फ्लैट मिलने वाला था। मेरे एक रिश्तेदार ने फोन पर बताया—'और तो सब फ्लैट दिये जा चुके हैं, केवल दो बचे हैं। एक तीसरी मंजिल पर है और दूसरा छठी मंजिल पर। आप कौन-सा चाहेंगे ?' मैंने कहा, 'तीसरी मंजिल वाला ठीक रहेगा। लिफ्ट खराब होने पर ज्यादा सीढ़ियां नहीं चढ़नी पड़ेगी।' वह कुछ झिझक के साथ बोले, 'वैसे तो सब ठीक है, पर उसका नम्बर तेरह है।' मैंने कहा, 'फौरन ले लीजिए।' उन्हें तेरह से मेरी दोस्ती का तब तक पता नहीं था!

मंकी ब्रिज का दादा

राम शकर शर्मा

आजकल तो दादाओं का जमाना है। हर जगह दादागिरी ही चलती है।

ये अपना रंग हर माहौल में जमाये रहते हैं। रंगदारी इन्हीं की चलती है—चाहे वह शहर की सब्जीमण्डी हो या देश की राजनीति का अखाड़ा। अपने-अपने इलाके के ये बिना ताज के बादशाह होते हैं।

ऐसे ही, जब हम लखनऊ यूनिवर्सिटी में पढ़ते थे तो एक मंकी-ब्रिज के 'दादा' हुआ करते थे।

यूनिवर्सिटी के पास गोमती नदी पर एक पुल था जिसके आसपास बहुत से बन्दर रहा करते थे। शायद इसीलिए उस पुल का नाम 'मंकी-ब्रिज' पड़ गया था। अब तो उस पुल को तोड़ कर, उस पुल से जरा सा हट कर, एक नया पुल बना दिया गया है जिसका नाम 'हनुमान सेतु' रखा गया है।

हमारे पुराने मंकी-ब्रिज तथा इस नये हनुमान सेतु में यही फर्क है कि पुराने मंकी-ब्रिज पर जहां बन्दरों की भीड़भाड़ रहती थी, वहां इस नये हनुमान सेतु पर वे दिखायी ही नहीं देते। पहले मंकी-ब्रिज पर बन्दरों के डर से जहां फलों, मूंगफली, आदि, के इक्का-दुक्का बेचने वाले मुश्किल से ही दिखायी देते थे, आजकल हनुमान सेतु के फुटपाथ पर बहुत से मूंगफली, सेब, संतरे, आदि बेचने वाले दिख जायेंगे। अब यहां बन्दरों का कोई डर नहीं है!

बढ़ती हुई आबादी तथा दुपहिए, तिपहिए व चौपहिए वाहनों की भीड़ ने 'हनुमान सेतु' पर बन्दरों के विचरने के लिए जगह ही नहीं छोड़ी।

पुराने मंकी-ब्रिज पर जब बन्दरों का एकछत्र राज्य था, तो मजाल थी कि आप कुछ खाते हुए, बिना कर चुकाये, वहां से निकल जायें! या तो वहां के दादा खुद

आ जायेंगे, या अपने किसी शागिर्द को भेज देंगे—कर वसूली के लिए। हफ्ते का रिवाज न था ! जब जिसको पकड़ा वसूल कर लिया।

वसूली भी बड़े ही शरीफाना ढंग से की जाती थी अगर आप जेब से निकाल कर मूंगफली खाते पुल पर से निकल रहे हैं, तो पहले आपको पुल बिलकुल साफ —खतरे से खाली—नजर आयेगा।

अचानक न जाने कहां से एक बन्दर आकर आपका रास्ता रोक कर बैठ जायेगा। आप कतरा कर दूसरी तरफ से निकलना चाहेंगे, तो वह हट कर उधर बैठ जायेगा। इतने में पास से निकलने वाला कोई आदमी आप से कहेगा, 'अरे वहू का तौ कुछ देव ! का सब अकेलेहे खा जाइहो ?' बात समझ में आते ही, आप जेब से मूंगफलियां निकाल कर नीचे फेंक देंगे। इधर मूंगफलियों का जमीन छूना होगा, उधर पुल की मेहराबों के झरोखों से निकल चेटी-पोटे मूंगफलियां लूटने लगेंगे। बड़े मियां अलग बैठे बस तमाशा देखते रहेंगे।

मूंगफलियां लूट कर चेटी-पोटे जब अपने-अपने अड्डों पर पहुंच जायेंगे, तो बड़े मियां आपकी तरफ मुखातिब होंगे—मानो कह रहे हों : 'और मेरा हिस्सा ?' आप हाथों से स्टॉक खतम होने का इशारा करेंगे, 'दादा' कोई इन्टरेस्ट न दिखाते हुए दूसरी तरफ देखते रहेंगे। आप समझेंगे कि जाने की इजाजत मिल गयी।...पर जैसे ही आप चलने के लिए कदम बढ़ायेंगे आपकी धोती, पैजामा, पैंट—जो भी आप पहने होंगे—पकड़ ली जायेगी। पैंट आदि पकड़ने का मतलब यह कि अभी उन्हें इत्मीनान नहीं हुआ कि आपका स्टॉक खतम हो गया है। अब उनकी आंखें आपकी उस जेब पर टिकी होंगी जिसमें से अभी आपने माल निकाला था। जब तक आप अपनी जेब उलट कर उन्हें दिखा नहीं देंगे, तब तक उनकी पकड़ छूटेगी नहीं और आप वहां से जा नहीं सकते। 'फिजीकल वेरीफिकेशन' के बाद ही आपको जाने दिया जायेगा।

एक दिन जब मैं यूनिवर्सिटी जा रहा था, तो मंकी-ब्रिज पर मेरे आगे एक मजदूर सिर पर छोटी-छोटी लौकियों से भरा झउआ (टोकरा—सं.) लिये चल रहा था। शायद केसरबाग की सब्जीमण्डी से थोक में खरीदा माल गोमती पार किसी फुटकर विक्रेता की दुकान तक पहुंचाने जा रहा होगा।

उसके हाथ में एक छड़ी भी थी। रोज का आने-जाने वाला रहा होगा। पुल पर के दादा की दादागिरी से वाकिफ रहा होगा।

पुल पर पहुंचते ही दो-एक 'सिपाहियों' ने उसका रास्ता रोकने की कोशिश की। पर, छड़ी घुमा-घुमा कर उसने उन्हें भगा दिया। पुल के मध्य तक पहुंचते-पहुंचते दो-एक और प्रयास हुए। पर सब विफल। उसने सोचा होगा, थोड़ा-सा

रास्ता और रह गया है, इसी तरह पार कर लेगा।

पर इतने में ही पता नहीं कहां से, मंकी-ब्रिज के दादा कूदते-फांदते पुल की मुंडेर पर आ पहुंचे, कुछ दूर दौड़े, फिर नीचे सड़क पर कूद एक झटके में मजदूर की कमर पर पैर रखा और पीछे से पकड़ लौकियों से भरा झउआ उलट दिया।

झउये के नीचे आते ही सारी लौकियां सड़क पर बिखर गयीं। इतने में पता नहीं कहां से बानरों की सेना आ गयी। 'सिपाही' एक-एक लौकी लेकर पुल की मुंडेर पर जा बैठे। अब तो उस मजदूर की हालत देखने लायक थी। छड़ी फेंक सिर पकड़ कर बैठ गया।

सारा मैदान साफ था। केवल 'दादा' एक तरफ पूर्ण निर्विकार भाव से बैठे थे। आने-जाने वाले भी तमाशा देखने के लिए रुक गए।

आखिर किसी भुक्तभोगी ने उस मजदूर को सुझाव दिया कि पुल के उस पार से गुड़-चना ले आये और इन्हें दे, नहीं तो एक भी लौकी हाथ नहीं लगेगी।

बेचारे ने गुड़-चना लाकर जब सड़क के बीचोंबीच रख दिया, तब बानर सेना लौकियां फेंकतीं हुई गुड़-चने पर टूट पड़ी। मजदूर ने जल्दी-जल्दी लौकियां बटोरीं और वहां से भागा। इस भगदड़ में उसकी लौकियां जरूर गोमती नदी के पानीं में जा गिरीं।

'दादा' अभी वैसे ही बैठे तमाशा देख रहे थे, मानों कह रहे हों : "है किसी की हिम्मत बिना मेरी इजाजत के पुल पर से कुछ लेकर गुज़र जाने की?"

बन्दर को चश्मे की जरूरत

रामशंकर शर्मा

सन् 1947 की बात है; बी. एस-सी. प्रीवियस में पढ़ता था। अप्रैल का महीना था। इम्तहानों के दिन थे। रात को छत पर पढ़ा करते थे। मेरे साथ में सबसे बड़े भाई साहब के साले गिरजा भी पढ़ते थे। वह बी. ए. प्रीवियस की परीक्षा दे रहे थे। हम लोग जमीन पर ही दरी वगैरा बिछा, लालटेन की रोशनी में पढ़ते थे। वैसे मैं अक्सर रात को देर तक यानी दो-तीन बजे तक पढ़ा करता था। पर इम्तहान के दिनों में नियम से रात बारह बजे सो जाता था। इसके विपरीत गिरजा पहले जल्दी सो जाते थे पर इम्तहान के दिनों में देर तक पढ़ना चाहते थे। मेरा जल्दी सो जाना उन्हें बहुत ही नागवार गुजरता था, क्योंकि मुझे सोते देखकर उन्हें भी नींद आने लगती थी। मेरी जल्दी सोने की आदत से वह मुझसे नाराज भी रहते थे। कहते थे, "खुद तो पढ़ लेते हैं, पर दूसरे को पढ़ने नहीं देते।"

रात को सोने से पहले मैं अपना चश्मा उतारकर सिरहाने रखने के बजाय, छत की मुंडेर से नीचे—थोड़ी निकली जगह पर—रख देता था ताकि रात में किसी के पैर के नीचे न आ जाये।

उस रात भी मैंने नियमानुसार सोने से पहले चश्मा उतार कर मुंडेर के पास रख दिया और सो गया। दूसरे दिन पेपर नहीं था, इसलिए कुछ देर में सोकर उठा। उजेला काफी हो चुका था। गिरजा उठकर नीचे चले गये थे। आदत के अनुसार उठकर मैं मुंडेर की ओर बढ़ा। पर जहां रोज चश्मा रखता था, वहां नहीं था। सोचा, नींद जोर से आ रही होगी शायद सिरहाने ही उतार कर रख दिया होगा। पर वहां भी नहीं था। इधर-उधर देखा, चश्मा कहीं भी नहीं दिखायी दिया। सोचा कि शायद मुझे तंग करने के लिए गिरजा मेरा चश्मा उठाकर अपने साथ नीचे ले गये हैं।

नीचे आया। हाथ-मुंह धोकर काफी देर बाद, मैंने उनसे कहा, "भई अब तो काफी देर हो गयी है, अब तो चश्मा दे दो।" पर उन्होंने तो बड़े आराम से कह दिया कि उन्हें नहीं मालूम कि मेरा चश्मा कहां है। थोड़ी देर बाद मैंने फिर

विनम्र निवेदन किया, भाई साहब कल मेरा आखिरी पेपर है। मुझे पढ़ना है। पर उन्होंने फिर वही उत्तर दिया कि उन्होंने चश्मा नहीं उठाया है। अब तो मेरा माथा ठनका। यदि गिरजा ने नहीं उठाया तो चश्मा गया कहां।

मैंने औरों से पूछताछ की। सबने अपनी अनभिज्ञता प्रकट की। बड़ी भाभी से जब पूछा तो उन्होंने भी कहा कि उन्हें नहीं मालूम। पर साथ यह भी कहा कि आज सुबह सामने नीरू की छत पर एक बन्दर बैठा था—"मुंह में कुछ पकड़े था। कहीं तुम्हारा चश्मा ही तो नहीं था !" मैंने सोचा बन्दर चश्मे का क्या करेगा; कोई खाने की चीज तो है नहीं। भाभी को भी इसी समय मजाक सूझा है !

काफी पूछताछ के बाद जब कहीं कुछ पता नहीं चला तो मेरे पास नया चश्मा लेने के सिवाय और कोई चारा नहीं था। कल इम्तहान है। बिना चश्मे के युनिवर्सिटी कैसे जायेंगे ? ग्यारह बजे के करीब नजीराबाद में राम औतार मिश्रा की चश्मे की दूकान पर पहुंचा। मिश्राजी तब तक दूकान पर नहीं आये थे; गणेश दादा दूकान पर थे। मैंने उन्हें सारी बात बतायी—"कल पेपर है। चश्मा अभी चाहिए। पैसे बाद में देंगे।" दादा ने दो घंटे में नया चश्मा बनाकर तैयार कर दिया। नया चश्मा लगाकर घर आया। पढ़ाई की। रात में चश्मा मुंडेर पर न रखकर नीचे अलमारी में रखा। दूसरे दिन पेपर दे आया।

अब तक मुझे भी विश्वास हो चला था कि हो-न-हो, बन्दर ही मेरा चश्मा ले गया है—वरना अभी तक तो मिल जाना चाहिए था। खैर, अब कर भी क्या सकते थे। बात मुहल्ले-पड़ोस में भी फैल गयी थी। लड़कों को भी मालूम पड़ गया था कि अवस्थी चाचा का चश्मा शायद बन्दर उठा ले गया है।

इम्तहान खत्म होने के दूसरे दिन, यानी चश्मा खोने के तीसरे दिन शाम, बाहर चबूतरे पर बैठे हम लोग गप लड़ा रहे थे कि इतने में एक लड़का दौड़ता हुआ आया बोला : "चाचा ! चाचा ! 'लालू दा' की छत पर एक बन्दर बैठा है और उसके मुंह में एक चश्मा भी है। कहीं आपका तो नहीं ?" हम लोग फौरन भागे। मैंने अपनी 'बानर सेना' को आदेश दिया कि पड़ोस की छतों पर चढ़ जाओ और बन्दर को भागने न देना। देखते ही देखते लालू दा की छत की चारों तरफ से नाकाबन्दी हो गयी। विद्यार्थीजी की छत पर चढ़कर मैंने भी देखा—बन्दर बैठा है, पर उसके मुंह में चश्मा नहीं है ! लड़कों को डांटा : "कहां है चश्मा जो तुम लोग हल्ला मचा रहे थे !"

बन्दर भी अपने आपको इस दूसरी वानर सेना से घिरा देखकर सहम गया था। कभी इधर, कभी उधर देख रहा था। शायद घेरे से भाग निकलने का रास्ता ढूंढ़ रहा हो। थोड़ी देर में वह उठकर भागा।

पर यह क्या ! उसने तो नीचे से उठाकर कोई चीज अपने मुंह में दबा ली। अरे यह तो मेरा ही चश्मा है !

जैसे ही मैं चिल्लाया, लड़के और जोर से चिल्ला कर बन्दर के भागने का रास्ता रोकने लगे। लाठी, डंडे, डब्बे, कनस्तर—बड़ा शोर होने लगा। आस-पास के लोग भी यह देखने के लिए कि क्या हो रहा है, अपनी-अपनी छतों पर आ गये। बन्दर एक जगह रुक कर बैठ गया। चश्मा उसने जमीन पर रख दिया। इतने में एक लड़के ने पत्थर चलाया। वह बन्दर के लगा। वह भागा। पर फिर चश्मा उसके मुंह में था!

मैंने लड़कों से कहा: "जब चश्मा बन्दर के मुंह में हो तो पत्थर मत मारना, वरना चश्मा टूट जायेगा।"

बन्दर बेचारा जिधर भागता उधर ही उसे शोर-शराबे के साथ मोर्चेबन्दी मिलती। आखिर हार कर वह एक मुंडेर पर बैठ गया। मैंने लड़कों से कहा: "बिना हल्ला किये घेरा धीरे-धीरे हल्का करो। पर ख्याल रखना कि बन्दर घेरे के बाहर न निकलने पाये।" धीरे-धीरे घेरा हल्का होने लगा। बन्दर कभी इधर तो कभी उधर भागता। पर जब भी चलता, चश्मा उठाकर मुंह में दबा लेता और रुकने पर नीचे रख देता।

इसी तरह एक जगह बन्दर चश्मा रखकर बैठा था कि एक लड़के ने पत्थर मारा जो सीधा बन्दर की नाक पर लगा। बेचारा बिलबिला गया। पेस्तर इसके कि दूसरा पत्थर आकर लगे, बन्दर ने वहां से भागना ही ठीक समझा। वह भागा, पर इस बार चश्मा उठाना भूल गया, या शायद जान-बूझकर छोड़ दिया। समझ गया होगा कि इस सारी विपत्ति की जड़ यही है। उधर बन्दर का बिना चश्मे के भागना था और इधर लड़कों ने और जोर से हल्ला मचाकर उसके जाने का रास्ता खाली कर दिया।

एक लड़का फौरन दो-तीन छतें फांद कर उस जगह पहुंच गया जहां बन्दर बैठा था और जोर से चिल्लाया: "चाचा मिल गया!" बड़े गर्व से उसने चश्मा लाकर मुझे दिया। मैंने देखा तो मेरा ही चश्मा था। पर ताज्जुब था कि उसमें एक कान की कमानी के निचले हिस्से में दांतों के निशान के सिवा और कोई खराबी नहीं आयी थी। न तो कहीं से टूटा था, न ही शीशे पर किसी प्रकार की खरोंच आयी थी। आश्चर्य तो यह था कि यह चश्मा 60 घंटे से अधिक समय तक बन्दर ने कैसे संभालकर रखा होगा; इसमें दो रातें भी शामिल थीं। शायद इन रातों को वह सोया भी न होगा!

मैंने चश्मा धोकर लगाया। बिलकुल ठीकठाक था। अब समस्या थी कि मेरे पास दो-दो चश्मे हो गये थे। अभी नये चश्मे के पैसे भी नहीं दिये थे।

मैं फिर गणेश दादा के पास पहुंचा। सारा किस्सा सुनाया। दादा ने कहा: "कोई बात नहीं! मैं नये चश्मे को रखे लेता हूं। अब जब बन्दर को दुबारा चश्मे की जरूरत पड़े, तो तुम अपना पुराना वाला उसे दे देना और यह नया वाला फिर ले जाना!"

टेप सुन लीजिए, यकीन हो जायेगा !

रामशंकर शर्मा

जियोलौजिस्टों को उनके फील्ड-वर्क के दौरान अनेक प्रकार के अनुभव होते हैं। हेडक्वार्टर वापस आने पर इन अनुभवों का आपस में आदान-प्रदान होता है।

ऐसी ही एक आपबीती जियोलौजिकल सर्वे ऑफ इण्डिया के मेरे एक सीनियर सहकर्मी ने एक बार मुझे सुनायी थी।

उन दिनों वह उड़ीसा के मयूरभंज जिले में काम कर रहे थे। नयी-नयी शादी हुई थी। पत्नी भी साथ थीं।

जाड़े बीत चुके थे। गर्मियां शुरू हो गयी थीं। एक पहाड़ी की तलहटी में गांव से कुछ दूर महुए के पेड़ों के एक झुरमुट के पास वे तम्बू लगाये कैम्प कर रहे थे।

महुए का सीजन था। रात में महुए खूब टपकते थे। सुबह गांव वाले बीन ले जाते थे। कभी-कभी गांव वालों के पहुंचने के पहले गांव के जानवर पहुंच कर महुए साफ कर जाते थे।

एक दिन फील्ड-वर्क के लिए जाते समय वहां भालू के पंजों के निशान भी दिखायी पड़े—यानी, रात में महुए खाने भालू भी आता था।

इधर एक और ऑफीसर को कुछ समय के लिए इनके साथ काम करने आना था। आखिर एक दिन वह अपने डेरा-डम्बर के साथ आ पहुंचे। बगल में, कुछ दूर पर, इनके तम्बू भी लगा दिये गये।

यह सज्जन अकेले ही थे। मतलब, शादी हो चुकी थी, पर पत्नी साथ नहीं आयी थीं।

दिन बातों में कट गया। रात को खाना खाने के बाद सब अपने-अपने तम्बुओं में चले गये। सपत्नीक साहब तो तम्बू बन्द करके सो गये, पर दूसरे सज्जन कुछ देर अपने तम्बू में लेटे किताब पढ़ते रहे। थोड़ी देर में तम्बू के अन्दर उन्हें गर्मी

लगने लगी। नौकर को बुला कर उससे कैम्प-कॉट बाहर डालने को कहा।

नौकर ने टेण्ट के आगे महुए के एक पेड़ से थोड़ी दूर इनकी खाट डाल दी और मच्छरदानी लगा दी। अब यह सज्जन जाकर मच्छरदानी में सो गये।

उधर दूसरे तम्बू के अन्दर सो रहे पति-पत्नी में से पत्नी की नींद रात में अचानक टूट गयी। बात यह थी कि बाहर से कुछ अजीब तरह की खर्र-खर्र की आवाज आ रही थी। कुछ देर तो वह सुनती रहीं। पर जब आवाज बन्द नहीं हुई, तो अपने पति को जगाया।

पति ने भी वह आवाज सुनी। रुक-रुक कर खर्र-खर्र के बीच कभी-कभी खों-खों की आवाज भी आ जाती थी। टॉर्च जला कर घड़ी देखी। सुबह के साढ़े चार बज रहे थे। वह उठे और तम्बू से बाहर निकले।

उत्तरार्ध रात्रि के ढलते चांद की रोशनी में उन्होंने बाहर जो दृश्य देखा, वह कुछ अजीब ही था।

बाहर खुले में मच्छरदानी लगी कैम्प-कॉट पर सो रहे सज्जन खर्राटे ले रहे थे। और उनकी खाट के आस-पास एक भालू का बच्चा चक्कर लगा रहा था।

खर्राटे की आवाज कम होने पर भालू खाट के पास आ जाता था—शायद यह पता लगाने के लिए कि कहीं हमारी बिरादरी का ही कोई भाई तो इस जाल में नहीं फंसा हुआ है। पर, खाट के नजदीक आने पर जैसे ही खर्राटा पूरे विस्तार पर पहुंचता, वह उचक कर दूर खड़ा हो जाता। थोड़ी देर में दूसरी दिशा से आकर वह फिर आवाज के स्रोत का पता लगाने का प्रयास करने लगता।

अब तक पत्नीजी भी तम्बू से निकल, पास आकर खड़ी हो गयी थीं—यह जानने के लिए कि आखिर माजरा क्या है! भालू को देखकर वह सहम गयीं। पति से कहने लगीं : 'इनको जगा दीजिए न! कहीं भालू हमला न कर बैठे!"

पति ने कहा : "चुपचाप खड़ी तमाशा देखती रहो। दुबारा देखने को नहीं मिलेगा।... उसे कुछ नहीं होगा!"

भालू खाट के पास आता, लेकिन खर्राटे के जोर पकड़ने पर उचककर झट दूर चला जाता। बच्चा तो बच्चा, चाहे आदमी का हो या जंगली जानवर का! उसे तो यह खिलवाड़ लग रहा था।

सहसा एक बार जब भालू सिरहाने की तरफ था, तो बड़े जोर का खर्राटा उठा। उस आवाज को सुनकर बेचारा नन्हा भालू ऐसा घबड़ाया कि मैदान छोड़ कर भाग गया, लौटने की हिम्मत नहीं हुई उसकी।

भालू के जाते ही पति ने खर्राटा-साहब को जगाया। उन्हें बताया कि अभी-अभी उनकी खाट के पास भालू घूम रहा था। भालू का नाम सुनते ही वह सज्जन बिस्तर छोड़, तम्बू की ओर इस तरह भागे कि पलट कर देखा तक नहीं!

मैंने इस घटना के बारे में पहले-पहल जब सुना था, तो इसे मैं अतिशयोक्ति समझता था। पर अब मैंने अपना मत बदल दिया है।

कारण यह कि हाल ही में मैंने कुछ टेप किये हुए खर्राटे सुने हैं। उनको सुनने के बाद मुझे लगा कि इन खर्राटों को सुनकर भालू तो क्या, बड़े-बड़े शेर भी मैदान छोड़कर भाग जायेंगे। वाकई, खर्राटों में भी बड़ा दम होता है। बस कोई लेने वाला हो।

यदि मेरी बात को आप अतिशयोक्ति समझ रहे हों, तो कभी मेरे पास आकर टेप सुन लीजिए, यकीन हो जायेगा।

फील्ड वर्क का वह आखिरी दिन

राम शंकर शर्मा

फील्ड-वर्क खत्म करके हेडक्वार्टर वापस जाने का समय आ रहा था। अप्रैल माह का अन्तिम सप्ताह ; गर्मी काफी पड़ने लगी थी। पूर्व निश्चित कार्यक्रम के अनुसार पड़ोस के इलाके में काम कर रहे मेरे एक साथी ऑफीसर साथ-साथ हेडक्वार्टर वापस चलने के इरादे से अपने तामझाम के साथ मेरे कैम्प आ पहुंचे थे।

गर्मियों के दिनों में हम लोग ज्यादातर किसी घने पेड़ की छाया में तम्बू लगाकर कैम्प करते थे। गांव से कुछ दूर, महुए के पेड़ों के एक झुरमुट में हमारा कैम्प लगा था। महुए के एक बड़े पेड़ के नीचे मेरा तम्बू था तथा पास के दूसरे पेड़ के नीचे मेरे साथी ऑफीसर का। दोनों तम्बुओं से कुछ हटकर पीछे की ओर हमारे नौकरों की दो छोलदारियां एक ही पेड़ के नीचे लगी थीं।

हमारा किचेन 'ओपेन एयर किचेन' हुआ करता था। खाना हम दोनों ऑफीसरों का अलग-अलग बनता था, पर खाते एक साथ बैठकर थे।

एक दिन नौकरों ने आपस में सलाह करके हम लोगों से कहा: "सर, अब तो कैम्प बन्द करने के दिन आ गये हैं। क्यों न कल हम लोग आप लोगों को स्पेशल खाना खिलायें ?" हम लोगों को क्या आपत्ति हो सकती थी। 'हां' कह दिया। यह पूछे जाने पर कि क्या-क्या बनेगा, बताया गया कि स्वीट डिश में कस्टर्ड होगा।

"बाकी जब आप लोग खाना, खाने बैठेंगे. तो पता चल जायेगा।"

दूसरे दिन हम लोग तड़के सूर्योदय से पहले ही फील्ड-वर्क के लिए निकल गये। मैंने सोच रखा था कि आज फील्ड-वर्क का अन्तिम दिन है, जल्दी ही कैम्प वापस आ जायेंगे। फिर उत्सुकता भी थी जानने की कि हमारे 'महारथियों' ने क्या क्या स्पेशल बनाया है।

पर, जैसा अक्सर होता है, जो सोचो वह नहीं होता। जब तक हम लोग काम खत्म करके कैम्प वापस आये, दोपहर के दो बज चुके थे।

आयी हुई डाक देखने के बाद नहाते-धोते खाने के लिए तैयार होते-होते शाम तीन बजे गये। भूख बहुत जोर से लग रही थी।

वैसे तो हम लोग दो फोल्डिंग टेबिलों को मिलाकर 'डाइनिंग टेबिल' का काम लेते थे, पर उस दिन यह सोचा कि आज कुछ चीजें ज्यादा होंगी; इसलिए क्यों न हम लोग भारतीय परम्परा के अनुरूप बैठ कर खाना खायें।

मेरे तम्बू के अन्दर की कैम्पकॉट और दूसरी तरफ रखे बक्सों की कतार के बीच की जगह पर दरी के ऊपर एक बेडकव्हर बिछाया गया जिसके ऊपर कुछ पुराने अखबार फैला दिये गये। यह हमारा दस्तरखान बन गया।

नौकरों ने खाना लगाना शुरू किया। जैसे-जैसे चीजें आती जातीं, हम लोग बर्तनों के ढक्कन उठा-उठा कर देखते जाते कि अन्दर क्या-क्या है।

धुली उड़द की दाल, दही-बड़े, दम आलू, कोफ्ते, पुलाव, चटनी, हम लोगों ने अपनी-अपनी प्लेटों में व्यजन परोस-परोस कर खाना शुरू किया। रोटियां गरम-गरम आ रही थीं।

अभी मुश्किल से दो या तीन रोटियां ही खा पाये थे कि तम्बू के पीछे कुछ सरसराहट की आवाज सुनायी दी। तम्बू के पूर्व की ओर खुले हुए द्वार से बाहर देखा तो सब शान्त नजर आया। अलबत्ता बाहर धूप जरूर कुछ फीकी-फीकी-सी लग रही थी। धीरे-धीरे आवाज कुछ नजदीक आती लगी। बाहर अंधेरा कुछ और बढ़ गया था।

इतने में एक नौकर दौड़ता हुआ आया और बोला : "साहब, सब खाना ढक दीजिए। आंधी आ रही है।"

खाली प्लेटों से खाना ढकने के बाद अखबारी कागज से हाथ पोंछते हुए हम लोग तम्बू से बाहर निकल आये। जैसे ही पश्चिम की ओर देखा तो सामने से एक मटमैली दीवाल अपनी ओर बढ़ती चली आ रही दिखी। मैंने सबसे कहा : "पहले जाकर अपने-अपने तम्बुओं के पर्दे बन्द करो; कहीं हवा अन्दर भर गयी तो तम्बू को ही उड़ा ले जायेगी।"

हम लोग तम्बू के अन्दर पहुंचे ही थे कि आंधी अपने वेग के साथ आ पहुंची। पूरे तम्बू को झकझोर डाला। तम्बू के अन्दर हवा के साथ सूखे पत्ते, गर्द मिट्टी भी आ भरे।

तम्बू के परदे को रस्सियों के सहारे पोल से बांध रखा था। यह बांस का पोल कुछ कमजोर था। डर था कहीं टूट न जाये, इसलिए उसे पकड़े आंधी रुकने का इंतजार करने लगे। परदे की दरारों से सामने दिख रहे पेड़ों की डालें हवा के जोर से कमान की तरह झुकी जा रही थीं।

सहसा चरचर करके किसी पेड़ के टूटने की आवाज आयी, पर सामने कुछ साफ दिख नहीं रहा था।

इतने में ओले गिरने लगे। डर था कि ओलों की मार से कहीं तम्बू का पुराना क़पड़ा फट न जाये। तम्बू के सामने ओलों की सफेद चादर-सी बिछ गयी थी।

ओले कम हुए तो पानी बरसने लगा। बाहर का पानी बह-बह कर तम्बू के अन्दर आने लगा। सारा दस्तरखान गीला हो रहा था ! पर सिवा तम्बू का पोल पकड़े खड़े रहने के और चारा ही क्या था !

राम-राम करके आंधी कम हुई। पर पानी अभी भी बरस रहा था। पेड़ टूटने की आवाज कहीं पास से ही आयी थी इसलिए देखना जरूरी था कि बाहर सब ठीक-ठाक है यह नहीं।

तम्बू पैक करके रखने वाले एक बोरे से सिर और पीठ ढंके हाथ में टार्च लेकर मैं बाहर निकला। पहले अपने साथी ऑफीसर के तम्बू की ओर नजर डाली। तम्बू तो खड़ा था। पास जाकर पूछा : 'सब ठीक है ?...' उत्तर मिला : "पता नहीं। तम्बू का एक पोल टूट गया था। हम उसे पकड़े खड़े हैं। छोड़ दिया तो सारा तम्बू गिर जायेगा।"

मैंने कहा : "ठीक है। मोर्चा संभाले खड़े रहो। मैं मदद का इन्तजाम करता हूं।" अब मैं नौकरों की छोलदारियों की ओर बढ़ा। उस तरफ देखते ही मेरी ऊपर की सांस ऊपर और नीचे की नीचे रह गयी। जड़ बनकर खड़ा रह गया।

सामने की दोनों छोलदारियां महुए के पेड़ से टूटकर गिरीं एक मोटी डाल के नीचे दबी पड़ी थीं। लगा आज जरूर कोई अनिष्ट होकर रहेगा। अन्दर से कराहने की कोई आवाज भी नहीं आ रही थी। पता नहीं नौकर जिन्दा भी हैं या नहीं !

बड़ी हिम्मत करके पहले अपने नौकर की छोलदारी के पास जाकर उसका नाम लेकर पुकारा।

'हां साहब'—आवाज सुनकर जान में जान आयी। लगा एक तो जिन्दा है। फिर मैंने दूसरी छोलदारी के पास जाकर आवाज लगायी। अन्दर से बड़ी घबड़ाई सी आवाज आयी : 'बड़ा नुकसान हो गया है, साहब।' हम समझे जरूर इसके हाथ-पैरों में कहीं चोट आयी होगी; डरके मारे बोल नहीं पा रहा है।

मैंने पूछा : 'क्या ज्यादा चोट आयी हैं ?' बोला : 'नहीं सर पर सारे चीनी मिट्टी के बर्तन टूट गये हैं।' मैंने कहा : 'कोई बात नहीं। तुम वहां जैसे बैठे या खड़े हो वैसे ही रहो। पानी रुकने पर जब तक हम न कहें बाहर न निकलना।' उन्हें क्या पता था कि वे कितनी मोटी डाल के नीचे दबे पड़े हैं !

पानी रुकने पर किसी तरह पास के गांव खबर भेजकर आदमियों को बुलवाया जिन्होंने कुल्हाड़ियों से डालें काट-काट कर नौकरों के बाहर निकलने की जगह बनायी। नौकरों ने बाहर निकलकर जो दृश्य देखा तो दहशत के मारे खड़े के खड़े रह गये। कुछ देर बाद उनमें से एक बोला : आज भगवान ने ही बचाया। अगर हम और थोड़ा पीछा होते तो इतना बड़ा यह जांघा ठीक हमारे ऊपर ही गिरता।" मैंने मन ही मन सोचा, तुम्हें ही नहीं हमें भी बचाया। इतना बड़ा हादसा हो गया और कहीं किसी के खरोंच तक नहीं आयी। आज अगर किसी को कुछ हो जाता तो हम क्या करते !

दास्तान-ए-दांत

रामशंकर शर्मा

अभी कुछ दिन पहले नरेश का आगे ऊपर का एक दांत टूट गया था। भाइयों में शायद अब मैं तथा सम्पादक जी ही बचे हैं, जिनके दांतों ने अभी तक उनका साथ नहीं छोड़ा है। वैसे, मेरे नीचे के दो दांत पिछले 4-5 सालों से मुझसे पिंड छुड़ाना चाहते हैं, पर हम हैं कि उनको आसानी से जाने नहीं देना चाहते, वैसे दो साल पहले डेन्टिस्ट की कुर्सी पर बैठ कर उठ आया था, यह कहकर कि टूर पर जा रहा हूं, लौट कर निकलवा दूंगा। पर मोह आ गया इन बेचारों पर 50 से ज्यादा सालों का साथ जो रहा है, मैं सम्पादक जी से तो नहीं जीत पाऊंगा, क्योंकि उन्हीं की तरह उनके दांत भी बहुत घिसे हुए हैं और जितने वे घिसते जाते हैं, उतने ही जड़ पकड़ते जाते हैं। (सम्पादक जी, अगर दांत नकली हों तो किसी को बताइयेगा नहीं। आपस का मामला है)।

हां तो साहब बात कहां से कहां पहुंच गयी। जिक्र हो रहा था नरेश के दांत का जिन्होंने अपना दांत टूटने पर दूसरों को दांत की देख-रेख पर काफी नसीहतें दीं। मसलन खाना खाने के 15 मिनट के भीतर ही दांत साफ कर लेने चाहिए वर्ना कीटाणु अपना काम शुरू कर देते हैं। इन्होंने एक बहुत आसान-सा नुस्खा भी बताया था—खाना खाने के बाद नमक और सोडे के मिश्रण से दांत भींच लेने चाहिए। वैसे, यह नुस्खा नया नहीं है, मैं इसका प्रयोगआज से करीब 3 साल पहले कर चुका था। लखनऊ में प्राय: रोज ही मुझे इस मंजन का प्रयोग करते देख मेरी भाभी जी (सरला भाभी जी) ने पूछा, 'क्यों अवस्थी, कौन-सा मंजन करते हो ?' मैंने कहा, 'देसी नुस्खा है ?' नमक और सोडा मिलाकर मंजन करने से दांत तो साफ होते ही हैं, मसूढ़े भी मजबूत हो जाते हैं, दांत देर तक नहीं गिरते।'

दूसरे दिन जब कहीं बाहर से आया तो घर में घुसते ही देखा भाभीजी अपने मुंह को पल्लू से दाबे बैठी हैं, सहानुभूति दिखाते हुए पूछ ही तो लिया—'क्या चोट

लग गयी है ?' फिर क्या था जो पुष्पों की वर्षा हुई वह आज भी याद है। 'हमारी तुमसे क्या दुश्मनी थी जो तुमने हमें यह मंजन बताया। 'आदि। सहसा मैंने पूछा, 'सोडा कौन-सा मिलाया था ?' जो उत्तर मिला उससे बात समझ में आ गयी।

अपनी गलती मानते हुए मैंने कहा, 'खैर जाने दो अब खाने वाला सोडा मिला कर करना, 'पर साहब दूध का जला तो छांछ को भी फूंक-फूंक कर पीता है, हमारी भाभीजी ने इस नुस्खे को दुबारा इस्तेमाल नहीं किया, तो फिर नहीं किया।

गुरुजी का हलुआ

रामशंकर शर्मा

एम. एस-सी. में विषय भू-विज्ञान था। उसमें क्लास की पढ़ाई के अतिरिक्त बाहर एक्सकर्शन भी ले जाये जाते थे। क्लास की और पुस्तकों की सीमित परिधि में भू-विज्ञान जैसे विषय को समझाना कठिन होता है। इसमें बाहर जाकर विभिन्न प्रकार की चट्टानों के निरीक्षण एवं अध्ययन से ही भू-विज्ञान की बारीकियां समझी जा सकती हैं। हम लोग साल में एक या दो बार बाहर एक्सकर्शन पर जाते थे।

एक बार हम लोगों को बिहार में डाल्टनगंज के आस-पास के क्षेत्र के निरीक्षण के लिए ले जाने का निश्चय किया गया। जाड़े के दिनों में क्रिसमस की छुट्टियों में जाना था। निश्चित तिथि पर हम लोग लखनऊ से देहरादून-हावड़ा एक्सप्रेस में बैठ कर देहरी-ऑन-सोन स्टेशन के लिए रवाना हुए। उन दिनों देहरी-ऑन-सोन से गाड़ी बदल कर डाल्टनगंज जाना पड़ता था। हमारी पार्टी में छात्रों के अतिरिक्त दो प्राध्यापक भी थे। प्राध्यापकों में मिश्रा जी रीडर थे तथा तिवारी जी लेक्चरर। दोनों ही बनारस के रहने वाले थे और वहीं से एम. एस-सी भी किया था।

हमारी गाड़ी सुबह नौ बजे के करीब लखनऊ से चलकर फैजाबाद, जौनपुर होती हुई संध्या चार बजे के करीब बनारस पहुंची। स्टेशन पर हमारे अध्यापकों से मिलने उनके परिवार के लोग तथा इष्ट मित्र काफी संख्या में आये थे। कुछ लोग कुछ सामान भी दे गये थे।

बनारस से गाड़ी छूटने पर सबको उत्सुकता हो रही थी कि गुरुओं के घरों से क्या आया है। कुछ मालटाल भी है या नहीं। कुछ देर तो सब सब्र किये बैठे रहे पर जब नहीं रहा गया तो एक लड़के ने मिश्रा जी को, जो इन्चार्ज थे, छेड़ा: "सर, आपको बैठने में तकलीफ हो रही होगी। आप अपना सामान इधर दे दीजिए और आराम से बैठिए।"

हम लोग मिश्रा जी के थोड़े मुंह लगे भी थे, क्योंकि हम सबको वह

बी. एस-सी. से जानते थे। तिवारी जी अभी नये-नये आये थे। उनके स्वभाव से हम लोग भली भांति परिचित न थे।

मिश्रा जी हम लोगों के इरादे भांप गये। कहने लगे : "अच्छा ?···तो तुम लोगों को भी मिलेगा। पर जल्दी क्या है? अभी तो काफी दिन साथ-साथ रहना है।"

हम में से एक ने कहा : "यह तो आपकी दया होगी, सर ! पर अगर कुछ बानगी हो जाये, तो अच्छा हो।"

मिश्रा जी समझ गये कि उनके शिष्य आसानी से मानने वाले नहीं हैं। धीरे से उन्होंने झोले में से, जो उन्हें बनारस में दिया गया था, एक डब्बा निकाला और उसे खोलना शुरू किया। हम लोग समझ तो गये थे कि इसमें मिठाई है, पर उत्सुकता थी कि कौन-सी मिठाई है। लड़के गर्दन उठा-उठा कर देखने का प्रयास कर रहे थे। जैसे ही उन्होंने एक तरफ का कागज हटाया, सबसे नजदीक खड़े लड़के ने जोर से चिल्ला कर कहा—"अरे, यह तो लाल पेड़ा है!" फिर क्या था ! सबने मिश्रा जी की ओर हाथ फैला दिये। पेड़े बड़े थे, इसलिए सबको आधा-आधा मिला। पांच पेड़े बंट गये। बाकी बन्द करके रख दिये गये।

अब तिवारी जी की बारी आयी। उन्होंने भी एक पैकेट खोला, जिसमें नमकीन मठरियां थीं। सबको एक-एक मिल गयी। हम सबको इससे संतोष नहीं हुआ, क्योंकि हम लोगों ने देख लिया था कि तिवारी जी को बनारस स्टेशन पर किसी ने एक बड़ा टिफिन कैरियर भी दिया था जो वैसा का वैसा ही रखा था। हम लोगों में तो यह कहने की हिम्मत न हुई कि तिवारी जी जरा यह टिफिन खोलिए, हम भी तो देखें कि इसमें क्या माल है; पर हम लोगों ने इशारे से मिश्रा जी का ध्यान टिफिन की ओर आकर्षित किया। मिश्रा जी ने शांत रहने का इशारा किया। हम लोग चुप।

थोड़ी देर में मिश्रा जी टिफिन उठाते हुए थोड़ा गुस्सा होने का नाटक करते हुए बोले : "यह टिफिन किस का है? बीच रास्ते में रख दिया है!" तिवारी जी ने फौरन क्षमा मांगी और कहा, "टिफिन उन्हें बनारस में दिया गया था अभी उसे ठीक से रखे देते हैं।" मिश्रा जी बोले : "अरे वाह ! यह बनारस से आया है ! तब तो इस पर हमारा भी अधिकार है, क्योंकि हम भी तो बनारस के ही हैं। यह तो अपने घर का ही है। खोलो, खोलो, देखें इसमें क्या है!"

बेचारे तिवारी जी को टिफिन खोलना ही पड़ा। जैसे ही ऊपर का ढक्कन हटाया गया, ऊपर वाला डब्बा गाजर के हलुए से भरा दिखाई दिया। फिर क्या था। लड़कों ने आंख बन्द करके हथेली-पर-हथेली रखते हुए चरणामृत लेने की मुद्रा में हाथ बढ़ा दिये।

पर तिवारी जी हलवा बांटने के मूड में न थे। बोले : "हमारे पास चम्मच

नहीं है । अगर हाथ लगाया तो हलुआ खराब होने का डर है। इसे सारे टूर भर चलाना है ।" एक विद्यार्थी ने फौरन अपनी जेब से माचिस की डिबिया निकाली और अन्दर की ट्रे तथा माचिस की तीलियों को जेब में डालते हुए ऊपर के खोल का नीचे का तला तोड़ कर देते हुए कहा : "लीजिए सर । हाथ लगाने की जरूरत नहीं पड़ेगी ।"

तिवारी जी के पास अब कोई चारा न था । उन्होंने हम सब को थोड़ा-थोड़ा हलुआ चखने को दिया । हलुआ स्वादिष्ट था, पर और मांगने की हिम्मत न हुई। हाथ पोंछ कर सब बैठ गये ।

गाड़ी रात आठ बजे देहरी-ऑन-सोन पहुंची । हम लोग उतर गये। जिस गाड़ी से हमें डाल्टनगंज जाना था, वह सुबह यहीं से चलती थी । रात भर हम लोगों ने वेटिंग रूम में विश्राम किया । सुबह पांच बजे डाल्टनगंज से करीब पन्द्रह किलोमीटर दूर हम सब केचकी पहुंचे । वहां से डाक बंगले पर जाना था, जो स्टेशन से कुछ दूर था ।

हम लोग जब इस बंगले पर पहुंचे, तो तबियत खुश हो गयी । दो नदियों— ओरेंगा तथा कोयल—के संगम पर स्थिति इस डाक बंगले से प्राकृतिक दृश्य देखते ही बनता है । सत्यजीत रे की बंगाली पिक्चर 'अरंडयेर दिन रात्रिरे' में डाक बंगले की शूटिंग इसी बंगले की है । इसी डाक बंगले में रहकर हम लोगों को आसपास के क्षेत्र का निरीक्षण करना था ।

डाक बंगले के एक कमरे में, दो पलंगों पर मिश्रा जी तथा तिवारी जी के सोने की व्यवस्था कर दी गयी थी तथा इसी कमरे में जमीन पर मुझे व एक और विद्यार्थी को सोना था। दूसरे कमरे में बाकी लड़कों के सोने का इन्तजाम था ।

सवेरे तिवारी जी सबसे पहले तैयार हो जाते और मिश्रा जी के बाथरूम से आने के पहले ही एक कोने में खड़े होकर टिफिन से चुपचाप हलुआ निकाल कर खा लेते और टिफिन में ताला लगा देते ।

हम दोनों विद्यार्थियों ने उन्हें छिपकर हलुआ खाते देख लिया था, पर बने ऐसे रहे जैसे हमें कुछ मालूम ही नहीं। दो-तीन दिन बीत गये। रोज यही कार्य-क्रम चलता रहा । हम लोगों को बड़ा नागवार लग रहा था कि तिवारी जी हलुआ अकेले ही अकेले खा रहे हैं ।

एक दिन हमारे साथी ने पेट में दर्द का बहाना कर फील्ड पर जाने से छुट्टी ले ली, साथ ही मिश्रा जी से यह भी आग्रह किया कि देख-रेख के लिए मुझे भी छोड़ दिया जाये । मिश्रा जी मान गये । सारी पार्टी के चले जाने के आधे घंटे बाद, जब किसी के वापस लौट आने की संभावना न रह गयी, तो हम लोगों ने तिवारी जी के टिफिन में लगे ताले का मुआयना किया । ताला मजबूत था । अपने पास की कोई चाभी नहीं लगी। पास के कमरे में रहने वाले लड़कों के कपड़ों की

जेबों में मिली चाभियां ट्राई कीं। पर, ताला न खुला तो न खुला। बड़ी कोफ्त हो रही थी। सारा नाटक असफल होने जा रहा था।

मैंने टिफिन का फिर से निरीक्षण किया। टिफिन में चार डब्बे थे। सबसे ऊपर वाले के ढक्कन पर चुनउटीनुमा एक छोटी-सी डिबिया थी, जिसके ऊपर टिफिन का हैंडेल आकर फिट होता था और हैंडेल में ताला लगता था। मैंने सोचा अगर किसी तरह इस चुनउटी वाली डिबिया का ढक्कन खुल जाये, तो फिर जगह हो जायेगी और ऊपर वाले डब्बे का ढक्कन भी खुल सकता है।

थोड़ा सोचने के बाद मैंने टिफिन कैरियर को अपने पैरों में दबाया और हैंडेल पकड़ कर अपनी ओर खींचते हुए अपने साथी से चुनउटी का ढक्कन हटाने को कहा। वाह ! यह तो पहली बार में ही चुनउटी का ढक्कन खुल गया ! फिर क्या था, ऊपर वाले डब्बे का ढक्कन आसानी से खुल गया। ऊपर के डब्बे से कुछ हलुआ खाया गया था, पर नीचे वाले तीनों डब्बों में अभी हाथ नहीं लगा था। सबसे ऊपर वाला डब्बा हम लोगों ने नहीं छुआ। पहले सबसे नीचे वाले डब्बे पर हम दोनों ने हाथ साफ किये।

हलुआ खाने के बाद ध्यान आया कि एक न एक दिन तो तिवारी जी को मालूम पड़ेगा। पता नहीं कैसा बदला लें। अच्छा हो, मिश्रा जी को भी इस साजिश में शामिल कर लिया जाय। फौरन चाय की एक प्लेट में हलुआ भर दूसरी से ढंक कर उनका हिस्सा अलग निकाल कर रख दिया गया।

दोपहर में लड़के फील्ड से आकर नदी में नहाने जाते थे। उस दिन भी जब सब लोग नदी में नहाने गये, तो मिश्रा जी को बहाने से डाक बंगले में बुला लिया गया और वहां उनके सामने प्लेट भर कर हलुआ रखते हुए हमने कहा : "तिवारी जी ने आपके लिए रखवाया था।" मिश्रा जी ने कहा : "तिवारी ने तो हम से कुछ नहीं कहा।" मिश्रा जी जब हलुआ खा चुके, तो हम लोगों ने कहा, "अब तो आपने हलुआ खा ही लिया है। पर तिवारी जी से कुछ मत पूछियेगा क्योंकि यह चोरी का माल है।" मिश्रा जी ने तिवारी जी का टिफिन उठाकर देखते हुए कहा, "पर तुम लोगों ने इसमें से हलुआ निकाला कैसे, इसमें तो ताला लगा है।" हम लोगों ने फिर रिपीट-परफॉर्मेंस दी। टिफिन खोला और बन्द कर दिया। मिश्रा जी मुस्कुरा कर बोले : "हम जानते थे कि तुम लोग मानोगे नहीं। गनीमत है, खा-पी कर बेचारे का टिफिन नदी में नहीं फेंक दिया।"

दूसरे दिन सुबह नित्य क्रम के अनुसार तिवारी जी ने कोने में टिफिन खोला, कुछ हलुआ खाया फिर ताला बन्द कर दिया। हम दोनों ने राहत की सांस ली। अभी पता नहीं चला था।

पर उस दिन फील्ड से लौटने पर देखा कि सचमुच ही हमारे मित्र की तबियत खराब है। थोड़ी-थोड़ी देर में लोटा लेकर भागना पड़ रहा था। पिछले दिन

उन्होंने कुछ ज्यादा ही हाथ साफ कर दिया था।

दो दिन बाद हम लोग केचकी से डाल्टनगंज आ गये। वहां भी डाक बंगले में ही रुके थे। कुछ दिन बाद जब तिवारी जी ने ऊपर के दो डब्बे खतम कर, तीसरा खोला तो वह खाली मिला और जब चौथा खोला तो वह बालू से भरा था। अगर टिफिन का वजन कम हो गया होता, तो तिवारी जी को फौरन शक हो जाता। खैर, बहुत नाराज हुए। मिश्रा जी से शिकायत की। मिश्रा जी ने कहा :

"आजकल के लड़कों का कोई भरोसा नहीं कि कब क्या कर बैठें। पर तिवारी, तुम्हारी भी तो गलती है। तुम भी तो सारा हहुआ अकेले-अकेले ही हजम कर जाना चाहते थे। अरे लड़कों को न सही हमको तो पूछ लिया होता !"

तिवारी जी समझ गये कि इसमें लड़के ही नहीं, गुरुघंटाल भी शामिल हैं। आगे कुछ न बोल सके।

स्पेशल डिश

रामशंकर शर्मा

जून के अन्त तथा जुलाई के शुरू में जब गर्मियों की छुट्टियों के बाद स्कूल-कॉलेज खुलने वाले होते हैं, तब देखा गया है कि सरकारी दफ्तरों में काम करने वाले कर्मचारी एक स्थान से दूसरे स्थान ट्रान्सफर पर जाते हैं। ज्यादातर लोग पहले अकेले ही आते हैं। फिर रहने, आदि की व्यवस्था हो जाने पर, परिवार को ले आते हैं। जब तक रहने की ठीक-ठाक व्यवस्था नहीं हो जाती, तब तक वे किसी मित्र या रिश्तेदार के यहां रह जाते हैं।

ऐसे ही एक सरकारी विभाग के चार ट्रान्सफरयाफ्ता कर्मचारी एक बार अपने एक मित्र के यहां रह रहे थे। मित्र की पत्नी, बच्चों सहित, अपने मायके गयी हुई थीं। स्कूल में गर्मियों की छुट्टियां चल रही थीं।

घर पर मित्र अकेले ही थे। सोचा, थोड़ी देर चौकड़ी जमेगी, फिर थोड़ी गपशप होगी, कुछ देर ताश खेल लिया करेंगे, समय कट जायेगा। उन्होंने, ट्रांसफर पर आये अपने इन चार मित्रों को पत्नी के लौटने तक अपने घर पर रहने के लिए आमन्त्रित कर दिया।

सुबह की चाय बाहर से मंगा ली जाती थी। दोपहर का खाना ऑफिस की कैण्टीन में खा लिया जाता था। शाम को बाहर होटल जाकर कुछ खा लेते थे। काम चल ही रहा था।

पर होटल का खाना कुछ जम नहीं रहा था। एक तो खाना अच्छा नहीं; ज्यादा मिर्च-मसाले वाला; महंगा भी; और ऊपर से होटल तक आने-जाने में समय भी बहुत बरबाद होता था। जितना समय होटल तक आने-जाने में लगता था, उतने में तो ब्रिज का एक रबर ही हो सकता था।

कुछ सोच-विचार के बाद यह तय पाया गया कि सब लोग पैसे मिलायें और राशन का सामान बाजार से लाकर कल से शाम का खाना घर पर ही बने।

कुल मिला कर पांच आदमी थे। ब्रिज खेलने के लिए चार की ही आवश्यकता होती है। इसलिए तय यह हुआ कि बारी-बारी से एक आदमी खाना बनायेगा,

बाकी चार ब्रिज खेलेंगे। हर एक की बारी चार दिन के बाद आती थी, इसलिए किसी को कोई आपत्ति भी नहीं होनी चाहिए थी।

बाहर से आये चार मित्रों में से एक ऐसे थे जिन्हें खाना बनाना नहीं के बराबर आता था। जिस दिन इनकी बारी होती, उस दिन यह एक मित्र को चाय-नाश्ता कराकर दफ्तर से थोड़ा जल्दी आने के लिए राजी कर लेते। ऊपर का काम यह कर देते, बाकी खाना वह मित्र बना देता।

दो-तीन बार के बाद, मित्रों ने सोचा कि इस तरह तो यह सज्जन खाना बनाने से हमेशा ही बचते रहेंगे; इसलिए अब की बार इनकी मदद कोई भी नहीं करेगा। इन्हीं पर छोड़ दिया जाय, यह जो चाहे बनायें।

पंचों का फैसला उन तक पहुंचा दिया गया। सुनकर वह बोले : "भई बात य है कि मुझे ठीक से खाना बनाना नहीं आता। मेरा बनाया खाना तुम लोग नहीं खा पाओगे।" इस पर एक सज्जन बोले : "तुम जो भी बनाओगे, हम लोग खा लेंगे। पर एक शर्त है : पहले तुम उसे खाकर दिखाओगे। अगर तुम खा लोगे, तो हम लोग भी खा लेंगे।" बेचारे के पास अब कोई चारा न था।

दूसरे दिन यारों ने सोचा कि यदि हम लोग घर में रहेंगे, तो यह जरूर ही घिघियायेंगे और हम लोगों को मदद करनी ही पड़ेगी। सो दफ्तर में ही उन सज्जन को सूचना दे दी गयी कि वे लोग आज थोड़ी देर से घर पहुंचेंगे—"तब तक कुछ खाना बनाकर रख लेना।" वह समझ गये कि आज ये सब मुझे तंग करने पर तुले हैं।

दफ्तर से आने के बाद इसी सोच-विचार में कि क्या बनाया जाय, काफी समय निकल गया। पहले सोचा, खिचड़ी बना ली जाय। दाल मिल गयी, पर चावल न मिले। सोचा, दाल के साथ रोटी। पर रोटी बनाये कौन? फिर सोचा, अरहर की दाल बना उसमें आटे की टिकियां डाल 'दाल-टिकियां' बना ली जायें। सोचा, पहले आटा सानकर फुलो दिया जाय, फिर दाल बनायी जाय। आटा फूल जाने पर, हाथ की बनी टिकियां कड़ी न रहेंगी।

आटे का डिब्बा खोला तो उसमें आटा कम लगा। एक बड़ी थाली में, थोड़ा छोड़, बाकी सब आटा निकाल लिया। गिलास से पानी डालकर आटा सानना शुरू किया। पर पानी का अन्दाज न रहने से आटा गीला हो गया। डिब्बे में बचाये आटे को भी निकालकर मिला लिया। पर आटा गीला का गीला। हाथों में चिपक रहा था।

इस आटे की टिकियां कैसे बनायें? अब और आटा भी न था। अब क्या किया जाये! सोचा क्यों न नमकीन लपसी ही बना ली जाय। नई डिश रहेगी। कढ़ाई ढूंढ़ी तो न मिली। एक बड़े भगोने में, सने आटे में थोड़ा पानी मिला—और गीला करके—चूल्हे पर चढ़ा दिया। स्वादिष्ट करने के लिए नमक मिर्च के अलावा,

मसालों के डिब्बों में जितने भी मसाले दिखे सब में से एक-एक चम्मच लेकर डाल दिया। हल्दी-धनिया के अतिरिक्त, गरम मसाला, चाट मसाला, काली मिर्च, आदि भी उन डिब्बों में रही होंगी। आटे में मसाले मिलाने के लिए एक करछी से उसे चलाना शुरू कर दिया गया। पर मसाला ठीक से मिल ही नहीं रहा था।

सोचा, थोड़ा और गीला होने से शायद ठीक से मिल जाय। लिहाजा, एक गिलास पानी और डाल करछी से अच्छी तरह मिला दिया। थोड़ी देर में आटा फदकने लगा। दुबारा जब चलाया तो देखा आटा भगोने की पेंदी में लगने लगा था। बेशक, पानी की और जरूरत होगी। सो, थोड़ा और पानी डाल उसे तस्तरी से ढंक दिया। थोड़ी देर बाद अजीबो-गरीब खुशबुयें आने लगीं। सोचा क्यों न थोड़ा चख कर देख लिया जाय। एक कटोरी में निकाल, ठण्डा कर चम्मच से चखा। बाप रे मसाला-नमक दोनों ही बहुत तेज। दौड़ कर पानी पिया। थोड़ा पानी और भगोने में डाला। एक अब तो भगोना भर गया था। ज्यादा पानी डालने की गुंजाइश भी न थी। खैर, पकने के लिए छोड़ दिया। बीच-बीच में चला जरूर देते थे। करीब आधा घण्टा पकाने के बाद भगोना उतार लेना ठीक समझा।

मन में सोच रहे थे, इस स्पेशल डिश को यह लोग खायेंगे कैसे। आज मेरी खैर नहीं है।

याद आया कि पहला इम्प्रेशन अच्छा होना चाहिए। फौरन डाइनिंग टेबिल पर करीने से कटोरे, तस्तरी, चम्मच, गिलास, सजाये। जग में पानी भर कर रखा गया। एक आलू काट कर उसकी पीठ पर अगरबत्तियां लगायीं। टेबिल के दो तरफ दो-दो कुर्सियां तथा एक सिरे पर एक कुर्सी लगायी। प्याज, टमाटर, काट कर सलाद की तस्तरी सजायी। कुछ अचार निकालकर रखा।

स्पेशल डिश को एक साफ भगोने में डाल, एक तस्तरी से ढंक कर, टेबिल-मैट पर, टेबिल के बीचों-बीच रख दिया गया। डिनर तैयार था। मित्रों के आने की बाट देखी जाने लगी।

ज्यादा देर इन्तजार नहीं करना पड़ा। जैसे ही दरवाजे की कुण्डी खटकी, इनका दिल जोर-जोर से धड़कने लगा। अपने को संभालते हुए इन्होंने दरवाजा खोला। भाइयों ने छूटते ही पूछा : "खाना बन गया?" उत्तर मिला : 'हां।' सब एक-दूसरे का मुंह देखने लगे। अन्दर आते ही सजी-सजायी डाइनिंग टेबिल देख लोगों की भूख और बढ़ गयी। बिना हाथ धोये ही टेबिल पर आ गये।

टेबिल के सिरे पर रखी कुर्सी पर बैठे हमारे 'मास्टर कुक' आगे की कार्यवाही का इन्तजार करने लगे। एक सज्जन ने जैसे ही भगोने पर की तस्तरी हटायी, भाप के साथ एक विचित्र प्रकार की गंध उड़ने लगी। एक ने पूछ ही लिया : "क्या

बनाया है ?" उत्तर मिला : "खा कर देखो !" लोगों को लगा, जरूर दाल में कुछ काला है ।

तब तक एक सज्जन को कल की बात याद आ गयी । बोले : "पहले तुम खा कर दिखाओ ।" यह कुछ सोच में पड़ गये । थोड़ा सोचकर बोले : "अच्छा अगर मैंने खाकर दिखा दिया, तो तुम सबको भी खाना पड़ेगा !" वे लोग बोले, "हां, हम लोग भी खायेंगे, पर पहले तुम खाकर तो दिखाओ ।" शर्त तो शर्त । इन्होंने एक कटोरे में भगोने से दो चमचे 'स्पेशल डिश' निकाल डाल ली । उसे चम्मच से चलाकर ठण्डा करने लगे । थोड़ी देर में चम्मच से चखा । जीभ, गला, सब जल गया । छोड़ें कैसे ? इज्जत का सवाल था ! बिना किसी प्रकार का भाव प्रकट किये हुए, इन्होंने चम्मच एक तरफ रख दिया और एक हाथ से कटोरा उठाकर, दूसरे हाथ से नाक दबाकर, उस घोल को पी गये । इसके बाद जग में सीधा मुंह लगाकर आधा जग पानी पी गये ।

कुर्ते की बांह से आंख और नाक से निकलते पानी को पोंछा । थोड़ा सन्तुलित होकर बैठे । और बड़े अभिमान से मित्रों की ओर देखा मानो यह कह रहे हों—"मुझे चैलेन्ज मत किया करो, वरना पछताओगे ।"

मित्रगण एक-दूसरे का मुंह देख रहे थे । एक ने हिम्मत करके एक चमचा 'स्पेशल डिश' निकालकर अपने कटोरे में डाली । थोड़ी देर में जैसे ही एक छोटे चम्मच से उन्होंने उसे चखा, थू-थू करते पानी के लिए भागे । अब तो बाकी लोगों की इसे टेस्ट करने तक की हिम्मत नहीं हो रही थी ।

अब हमारे 'मास्टर' कुक' की बारी थी । खड़े गये । बोले : "शर्त के मुताबिक जितना हमने खाया है, उतना ही तुम सबको भी खाना पड़ेगा ।" सब एक-दूसरे का मुंह देखने लगे । किसी को उसे चखने की भी हिम्मत नहीं हो रही थी । मौके का फायदा उठाते हुए यह बोले : "या तो जितना मैंने खाया है, उतना ही तुम सब खाओ—या फिर आगे से मुझसे खाना बनाने के लिए कभी मत कहना ।"

मित्रों ने फौरन इनकी दूसरी शर्त मान ली ।

इन्होंने मन में सोचा, चलो अच्छा हुआ; एक दिन कड़ुआ घूंट पीने से हमेशा के लिए छुट्टी तो मिल गयी !

पोखर

रामस्वरूप शर्मा

अगर आप कभी मेहरबान होकर हमारे गरीबखाने पर तशरीफ लाये होंगे तो आपने देखा होगा कि सामने एक काफी बड़ा मैदान है, जिसमें अच्छा खासा स्टेडियम बन सकता है। मैदान के दूसरे छोर पर टीले के ऊपर एक कोठी बनी है और बायीं ओर किनारे पर यह पोखर है। आने-जाने या बैठक का दरवाजा खोल कर खड़े होने पर पोखर सामने नजर आता है। जब करारी गर्मी पड़ती है, तो यह पैर की फटी बिवाई की तरह यह चटखा और सूखा पड़ा रहता है। मई-जून की धूल भरी लू समुद्र की उत्ताल तरंगों की भांति मैदान से उड़कर घर की तरफ आती हैं और उसे पार कर आगे बढ़ जाती हैं। कमरों की खिड़कियां लाख-बन्द रखने पर भी धूल छन-छन कर अन्दर प्रवेश करती है और सफाई करते-करते नाक में दम हो जाता है। किन्तु ऋतु-परिवर्तन के साथ-साथ सब बन आयी—गर्मी हो जाती है। जून का अंमित सप्ताह आते-आते एक दोंगरा पड़ जाता है और सारे मैदान में ऐसा छिड़काव हो जाता है, मानो यह काम कोई कुशल मिस्त्री कर गया हो और अच्छे काम के लिए जिसे मुकम्मिल पैसा दिया गया हो। दूसरा पानी पड़ने पर जमीन चिक्कन गीली हो जाती है। और पानी दरिया बनता हुआ पोखरोन्मुख होता है। शीघ्र ही तुलसीदासजी का कथ्य।

'सिमिटि-सिमिटि जल भरहिं तलाबा' चरितार्थ होता है और पोखर अपने रंग पर आ जाता है। घने काले बादल छाये हैं, जोर की हवा चलती है। किनारे के पेड़ नृत्य की मुद्रा में झूम-झूम उठते हैं। रात को 'दादुर-ध्वनि चहुं ओर' जोरों पर रहती है। जिस तरह मुख्य गवैया कलाकार के साथ अन्य कलाकार साथ देते हैं, उसी तरह यहां भी एक मुख्य कलाकार होता है, जिसका धीर—गम्भीर स्वर औरों से अलग सुनाई पड़ता है।

रात्रि में सो जाने पर पता नहीं रहता कितनी बारिश हुई। पोखर अब जल-मापक यंत्र का काम देता है। सवेरे उठकर देखते हैं तो पता चलता है कि पानी किनारे पर कितना चढ़ आता है। उसी से अनुमान होता है कि रात्रि में कितनी

वर्षा हुई । पानी जब नहीं बरसता तब पोखर सोया पड़ा रहता है। उस समय पोखर के किनारे चलते हुए आदमियों की छाया साफ प्रतिबिम्बित होती है । उनके सिर नीचे और पैर ऊपर ।

पोखर आमोद-प्रमोद का भी साधन रहता है । छोटे बच्चों को उसमें नहाने में जो मजा आता है, वह स्विमिंग पूल में क्या मिलेगा। पर सबसे ज्यादा सुख भैंसों को मिलता है जो झुंड बना-बनाकर बारी-बारी से आती हैं।

मैदान पार करते समय गति धीमी रहती है किन्तु पानी के पास आते ही तबियत मचल जाती है। वे दौड़कर पानी में प्रवेश करती हैं और थोड़ी गहराई पाते ही पसर जाती हैं । कुछ तैरती हैं, कुछ डुबकी लगाती हैं और फिर सभी पानी में बैठे-बैठे घंटों जुगाली करती रहती हैं । अच्छी जगह पाने के लिए आपस में लड़ाइयां भी हो जाती हैं । और, जब नहा-धोकर पंक्तिबद्ध वे अपने-अपने घरों को लौटती हैं तो उनके शरीर आबनूस की तरह चमकते और सांचे में ढले दिखाई देते हैं । धरम-करम में जल का बड़ा महत्व है । विशेष त्यौहारों पर लोग नदी में नहाने जाते हैं । नदी न मिले, तो नहर सही । पोखर में लोग नहाते तो नहीं, लेकिन पूजा-आराधना का काम यह अवश्य देता है । अक्सर स्त्रियां थाली सजाये बच्चों को साथ लिये, किनारे पूजा करती, फूल चढ़ाकर दीप दान करती, देखी जा सकती हैं।

किन्तु जहां सुख वहां दुख । कभी-कभी पोखर जानलेवा भी हो जाता है।

एक दिन दोपहर के समय बाहर वाले कमरे में लेटा हुआ किताब पढ़ रहा था कि बच्चों ने आवाज दी—देखो क्या हो रहा है ? एक तो अच्छी किताब मिलती नहीं और मिल जाय तो पढ़ते समय अगर कोई टोक देता है, तो बड़ा नागवार गुजरता है । बेमन से उठकर गया। देखा, एक घास वाला अपने जुते हुए रेहड़ी-तांगे को लिए पानी के अन्दर खड़ा है । गौर से देखने पर मालूम हुआ कि रेहड़ी में जुता घोड़ा पानी में उलट गया है । घोसी उसे सीधा करने की कोशिश कर रहा है, पर वह होता नहीं । किनारे पर खड़ा एक आदमी उसे बन्द खोलने की सलाह देता है । पर इतना समय कहां ? पानी में भीगा चमड़ा आसानी से खुल नहीं सकता । सोचा, बगैर पानी में धुसे कुछ हो भी नहीं सकता । युक्ति तुरन्त सुझानी चाहिए और उतनी ही फुरती से अमल में भी लायी जानी चाहिए क्योंकि घोड़े के नाक मुंह से पानी अन्दर जा रहा होगा । जब तक कुछ राह समझ में आये और लॉन का फाटक खोलकर बाहर जायें, तब तक घोसी के एक बार फिर जोर लगाने पर घोड़ा सीधा हो गया । हमारी जान में जान आयी ।

मैदान है तो उसका कुछ उपयोग भी होना चाहिए ।

जाड़ों में दिन भर और गर्मी में शाम को लड़के क्रिकेट खेलते हैं । यदा-कदा

नुमाइशें लगती हैं। खाकी वर्दीधारी सिर पर साफा बांधे पुलिस लाइन के घुड़सवार सुबह-सुबह घोड़ों को कवायद सिखाते हैं।

सूना मैदान पाकर घेरे में बैठे कौवे मजलिस जमाते हैं। बद-बद कर भैंसे लड़ाये जाते हैं। तो ऐसे ही मैदान में एक बार सरकस आया। अच्छा-खासा। सभी प्रकार के जानवर थे उसमें। मैटनी शो के पहले हाथियों को नहलाना और उनका शृंगार करना जरूरी था। पोखर पास, तो नहाने की क्या समस्या ?

देखा, आठ-दस हाथी कतार में चले आ रहे हैं। आगे सबसे ऊंचा और क्रमशः एक के बाद एक छोटे। महावत कुल तीन।

सदा की भांति पोखर पर अपना एकछत्र राज्य जमाये भैंसें इतमीनान से जुगाली कर रही थीं। हाथियों के पास आने पर उन्होंने विस्मयपूर्वक इस नये जन्तु को देखा और जब वह सीधे पानी में उतरने लगा तो ये भयभीत हो, पोखर छोड़कर बाहर भागीं।

अब हाथी कब्जा जमाये थे और भैंसें दूर खड़ी विस्फारित नेत्रों से देख रही थीं। इसमें ज्यादा देर नहीं लगी। उसी तरह हुआ कि : वह आया, उसने देखा और जीत लिया।

अब हाथी पानी के अन्दर चक्कर लगा-लगाकर नहा रहे थे। उन्होंने पोखर को मथ डाला : हाथी पदतल,

पोखर का जल, था गया मसल।

वे एक-दूसरे को धक्का देते, सूंड से पानी की फुहारें छोड़ते और लोट लगाते। यहां भी वे सरकस वाली अदा से चलते। चक्कर लगभग लाइन में दौड़ते हुए लगाते। एक-दूसरे को धकियाते, तो सहारे से। इस बीच आगे आने वाला सबसे ऊंचा हाथी संतरी बना पोखर के किनारे सीधा तना खड़ा था। एक महावत सवार था। यद्यपि वह शांत था किन्तु उसकी इस मुद्रा में बिजली की चपलता छिपी हुई थी। वह दूसरे हाथियों को सचेत रखने का एक चिह्न था। अन्दर के हाथियों में एक बहुत छोटा नहाने से कतरा रहा था। बार-बार घेरे जाने पर भी जुल दे जाता। काफी लुका-छिपी के बाद महावतों ने आखिर उसे घेर ही लिया। बैठाया, और पानी में लिटा दिया। खैर यहीं नहीं हुई। इशारा पाकर एक हाथी अपने दोनों अगले पैर रख कर उसे दबाये रहा। बेचारे की सूंड का अगला हिस्सा छोड़ शेष सब शरीर पानी के अन्दर था। यह तमाशा देखने के लिए बहुत भीड़ इकट्ठी हो गयी। साइकिल, स्कूटर सवार जाते-जाते रुक गये क्योंकि यहां सरकस से कुछ कम मजा नहीं था।

हमने भी सोचा कि यह तमाशा अक्सर देखने को मिला करेगा। लेकिन दूसरे ही दिन घोसियों का एक डेपुटेशन सरकस वालों के पास पहुंचा और शिकायत की कि हाथियों की वजह से हमारी भैंसों ने दूध देना बन्द कर दिया है।

इसलिए इस दृश्य को दुबारा देखने का मौका नहीं मिला।

चाट

रामस्वरूप शर्मा

क्या चाट भी कोई ऐसा विषय है जिसे एक प्रमुख अंग्रेजी दैनिक में स्थान मिले ? ऐसा ही कुछ दिन पूर्व हुआ जब 'इण्डियन एक्सप्रेस' ने दिल्ली के उन सब स्थानों का हवाला दिया जहां अच्छी चाट मिलती है। स्वाद की बात छोड़ दें तो इसमें कोई खास बात नहीं रह जाती।

सच तो यह है कि जब से मुद्रण कला ने तीव्रगामी प्रगति की तब से दुनिया के परदे पर शायद ही कोई विषय लिखे जाने से अछूता रह गया हो। और, अखबार तो जिधर जाइए उधर ही हर कोने पर मिलेंगे। दिन में तीन दैनिक मुझे भी देखने को मिल जाते हैं। एक खरीद कर, दूसरा अदला-बदली में, और तीसरा सौजन्य-वश। जब इतनी छपी सामग्री सामने हो, तो सबके साथ न्याय करना असम्भव है। इसलिए रुचि और स्वाद की ही चीज पर नजर पड़ती है।

और अब स्वाद की बात आयी तो फिर चाट की याद आयी।

मेरी नौकरी कुछ इस प्रकार की रही जहां भ्रमण और भिन्न-भिन्न लोगों से मिलने के काफी अवसर आते रहे। जिस जगह भी जाइए, रिवाज के अनुसार कुछ-न-कुछ स्वागत-सत्कार तो होता ही। अमूनन चाय से—कभी अकेली, कभी कुछ साथ लिये।

गाजियाबाद, जहां छठे दशक में रहने का अवसर मिला, इसका अपवाद था। उन दिनों वहां डीजल इंजन के कारखानों में उनकी निकासी देने का काम जिम्मे था। प्रतिदिन 10 या 12 ऐसी छोटी इकाइयों में जाना पड़ता। आप वहां पहुंचे नहीं कि मालिक ने इशारे से कोका-कोला मंगवायी। और जब तक आप कोई हीला-हवाल करें, उसने फड़ाक से बोतल खोल, उफनते झाग समेत, आपकी नाक के सामने कर दी। बहुत मना करने पर भी चार-पांच बोतलें थोड़ी ही अवधि में उदरस्थ करनी पड़तीं। इस सत्कार से थोड़े दिनों में ही तंग आ गये। पी इसलिए लेते कि गैरी सौबर्स की राय कि कोका-कोला अल्कोहल से भी बुरी है, तब तक पढ़ी न थी (सुनील गावस्कर 'आइड़ल' में)।

कुछ समय पश्चात् मुजफ्फरनगर में तबादला हो गया। कोका-कोला से पीछा छूटा। किन्तु एक विचित्र अनुभव हुआ। वहां खाण्डसारी कारखानों के निरीक्षण का प्रमुख कार्य था।

ऐसे ही कार्य हेतु पुरकाजी, जो कि जिले का एक अच्छा कस्बा है, जाना पड़ा।

फैक्ट्री पहुंचने पर मालिक महोदय आराम से बैठाकर कहीं चले गये। काफी देर बाद जब वह वापस आये तो हाथ में एक बड़ा दौना। ऊपर का पत्ता हटाने पर देखा कि दही, चटनी और सोंठ से परिवेष्ठित चाट। ताज्जुब हुआ, क्योंकि बात लीक से हटकर थी। समझ में न आया, क्या चाय बनवाने में कोई दिक्कत पेश आयी या यह स्वयं चाट के शौकीन हैं। मेरे पूछने पर कि यह सब क्यों—उत्तर केवल मिला 'खाओ साहब'।

मन-ही-मन मुझे उसकी सूझ की दाद देनी पड़ी। जो भी हो, वह चाट ऐसी थी जो आज भी याद है।

कुत्ता काटे की बरसी

रामस्वरूप शर्मा

जनवरी की 20 तारीख । आज कुत्ता काटे की बरसी है । आज के ही दिन एक वर्ष पूर्व प्रातः झुटपुटे में घूमने जाते समय बायें पैर में उसने वह मुंह मारा और जीवन में ऐसी घटना घटित हुई जैसी पिछले सत्तर वर्षों में नहीं घटित हुई थी ।

निश्चय ही इसकी बरसी मनाना समीचीन होगा । इस सु या कु अवसर पर किसको, या किस-किसको, याद किया जाये, विचारणीय है । निर्विवाद रूप से पहला अधिकार उस चतुष्पद प्राणी का बनता है जो इसका कारण था । वह निराकार निर्विकल्प परब्रह्म की भांति हृदय में तो समाया रहता है, पर बिना किसी रूप नाम के ।

ऐसी घटना होने पर भी प्रातः भ्रमण हेतु नियमित लीक छोड़ी नहीं जाती । सायर, सिंह, सपूत की श्रेणी में भले ही नाम न हो, किन्तु घर से बाहर निकलते ही पैर स्वमेव उस दिशा की ओर मुड़ जाते हैं जो मीना बाजार मैदान से पंचकुइयां की ओर जाती है, उस रास्ते पर जिसमें थोड़ी-थोड़ी दूर उनके बन्धु-बान्धव चैतन्यावस्था में कुछ भोज्य पाने को उत्सुकता से प्रतीक्षारत रहते हैं ।

अपने पास गालियां देने के अलावा कुछ नहीं होता, इसलिए भय बना रहता है कि पीछे से फिर कहीं लपककर काट न लें । इसलिए थोड़ी दूर आगे चलने पर पीछे मुड़कर देखना पड़ता है कि कहीं पीछा तो नहीं किया जा रहा । देखते क्या हैं कि वह अपने स्थान पर खड़ा-खड़ा हमें देखकर मानो फिल्मी अन्दाज में कह रहा है : "मुड़-मुड़कर न देख, प्यारे मुड़-मुड़कर न देख !"

अब मुड़कर न देखें तो क्या अपना पैर कटवा लें ?

इतने में कोई उसकी ओर टुकड़ा फेंक देता है और वह लपककर उसकी ओर भागते हैं । तुलसीदास को भले ही इस प्रकार के जीवन-यापन में कोई फल न दिखायी दे—'नर ते खर सूकर तवान समान कहौ तुलसी फल कौन जिये'—लेकिन ये अपनी स्थिति से पूर्ण सन्तुष्ट दिखायी देते हैं ।

स्मरण के इस क्रम में दूसरे स्थान पर उन लोगों को याद करना श्रेयस्कर होगा जिनकी कृपा से उनकी सेहत बिना किसी प्रयास के सुदृढ़ हो रही है। इनके पोषक प्राय: जूते या सब्जी के वे व्यापारी होते हैं जो अपना माल पहुंचाने के लिए प्रात: ही कार्य पर निकल पड़ते हैं। रिक्शे पर भारी गट्ठर रखे हुए और उस पर स्वयं विराजमान, दायें-बायें रोटी के टुकड़े फेंकते जाते हैं और ये ब्रह्म मुहूर्त प्रतीक्षारत इन टुकड़ों को सहर्ष ग्रहण कर रिक्शे के पीछे तब तक लगे चले जाते हैं, जब तक उनके दूसरे बन्धुओं की मर्यादा सीमा नहीं आ जाती।

इसके पश्चात् लोहामण्डी के उन लाला लोगों को याद करना उचित होगा, जो रत्नमुनि समाधि पर नित्य ही जाते हैं। कुछेक रिक्शे में बैठे केवल इनकी रोटी देने के लिए निकलते हैं, कुछ स्कूटर चालक के पीछे बैठे हुए ही दायें-बायें टुकड़े फेंकते जाते हैं। निश्चय ही, उनकी यह दानशीलता श्लाघनीय होती, यदि प्राप्तकर्त्ताओं में से ही एक ने पीछे से हमला करके काट न लिया होता। ऐसी दशा में हृदय से मेरी यह कामना रहती है कि ये लोग उनमें से एक-एक को ले जाकर अपने घर पर बांध लें। इससे इनके आने-जाने का कष्ट बचेगा तथा अन्य किसी का भी त्राण होगा।

अन्त में उन उदारमना महिलाओं को भी याद कर लें जिनका चतुष्पद प्राणियों के प्रति प्रेम विख्यात हो रहा है। मनुष्य का मनुष्य के प्रति प्रेम होना स्वाभाविक है, किन्तु हमारा देश विचित्र है। विभिन्न प्रकार के चतुष्पद प्राणियों से प्रेम है, मनुष्य से नहीं। अकारण काट लें, तो इंजेक्शन लगवाओ और घर बैठो। आपातकालीन दौर का ही उदाहरण लें जब जनता त्राहि-त्राहि कर रही थी, पर महिला विशेष का मुंह खुलना तो दरकिनार, होंठ भी नहीं हिले। और अब, हर प्रकार के प्राणियों के सम्भावित कष्ट से ही उनकी आत्मा तड़प उठती है। पत्र-पत्रिकाओं के माध्यम से उनकी सदाशयता का परिचय दिया जाता है। समय-परिवर्तन के साथ शायद हृदय में भी परिवर्तन हो जाता है। हमारे देश में ऐसे प्राणियों की कमी नहीं जो चतुष्पद को हृदय से प्यार उदर में स्थान देते हैं।

अप्रत्याशित भेंट : मैकबेथ की 'विच' लखनऊ में ?...

रामस्वरूप शर्मा

लखनऊ में हमारे तीन विद्यार्थी मित्र ऐसे रहे जिनका इण्टरमीडियट से यूनीवर्सिटी स्तर तक बराबर साथ बना रहा। वे थे सर्वश्री तीर्थप्रसन्न मुकर्जी (अब दिवंगत), कहानीकार गंगाप्रसाद मिश्र और श्री धर्मदेव श्रीवास्तव। हम लोग न केवल समवयस्क थे बल्कि हम लोगों की साहित्य व खेल-सम्बन्धी रुचियां भी एक सी थीं। श्री मुकर्जी को छोड़कर हम तीनों ने एम. ए. भी एक साथ हिन्दी में पास किया। यह विश्वविद्यालय का दूसरा बैच था। प्रथम बैच के श्री हरिकृष्ण अवस्थी आजकल उपकुलपति पद को सुशोभित (?) कर रहे हैं।

बी. ए. के परीक्षा-काल में हम और धर्मदेव घर पर (जो कि सुन्दरबाग व रामगोपाल विद्यान्त रोड के तिराहे पर था) साथ-साथ पढ़ा करते थे—मुख्य रूप से अंग्रेजी। गद्य पढ़ानेवाले शिक्षकों में अग्रज डॉ. रामविलास शर्मा व पद्य में श्री दयामय मित्रा थे। मित्रा साहब ड्रामा पढ़ाते तो बहुत तन्मय हो जाते और वहुत अंशों में पात्रों का अभिनय भी प्रस्तुत कर देते।

उस साल शेक्सपियर का 'मैक्वेथ' कोर्स में था। शेक्सपियर का नाटक और मित्रा साहब का पढ़ाना, दोनों ही लाजवाब थे। नाटक के प्रथम अंक का प्रथम दृश्य तब भी याद था और आज भी याद है। चुड़ैलें संग्राम स्थल पर मंडराती हुई आतीं और उनकी आपसी बातचीत नाटक में घटित होनेवाली घटनाओं का पूर्वाभास देती। कहतीं—

'व्हेन शैल थ्री मीट अगेन
इन थण्डर लाइट्निंग और इन रेन. . ."

हम लोग देर रात तक पढ़ते और जब मन उचटता तो बाहर टहल आते और फिर पढ़ने बैठ जाते।

ऐसी ही एक रात्रि में लगभग साढ़े दस बजे मैं और धर्मदेव कुछ मन बदलने के लिए बाहर निकल पड़े। लाल कुआं चौराहे से ऐबट रोड पर चलकर चारबाग स्टेशन की ओर गये। जब गाजिउद्दीन हैदर कैनाल के पुल पर पहुंचे तो वापस हो लिये।

इधर-उधर की बातें करते हुए चले आ रहे थे कि क्या देखते हैं टेक्नीकल इन्स्टीच्यूट वाले मोड़ पर दीवार के सहारे धुंधलके में कोई आकृति बैठी है। आस-पास सुनसान। राहगीर इक्के-दुक्के ही। कुतूहलवश पास जाकर देखने का निश्चय किया।

हम दोनों सधे कदमों से जब कुछ नजदीक पहुंचे तो स्पष्ट हुआ कि एक कृषकाय बुढ़िया जीर्ण-शीर्ण वस्त्रों में आवेष्ठित, तापने की मुद्रा में, उस एकान्त स्थल पर बैठी है। आश्चर्य कि आग वहां कोई न थी, किन्तु चन्द कंकड़ों को इस ढंग से सजाया गया था जैसे कोयलों को सहेजकर आग जलाने के लिए रखते हैं। यह सब देखकर हम लोगों के विस्मय का ठिकाना न रहा क्योंकि उसकी उस क्रिया का कोई तर्कसंगत उत्तर न था। हमने धीरे-धीरे आगे बढ़ते हुए आपस में इशारे से जानना चाहा कि आखिर माजरा क्या है!

सोचा, शायद कोई भिखारिन होगी जो अपना निश्चित बसेरा न होने के कारण यहां आकर बैठ गयी होगी। किन्तु इस प्रकार आग तापने की मुद्रा में बैठने का क्या अर्थ हो सकता है? अब हम दबे पांव धीरे-धीरे बिल्कुल उसके पास पहुंच चुके थे।

फासला गज-डेढ़-गज का रह गया होगा। हमने झुककर देखना चाहा कि उन कंकड़ों के नीचे थोड़ी-बहुत आग भी है या वे वैसे ही रखे हुए हैं। तभी एक विचार मन में कौंधा—कहीं यह मैकबेथ की 'विच' तो नहीं?... इससे पूर्व कि हम अपना अन्वेषण और आगे बढ़ाते, वह शान्त बैठी बुढ़िया अपने दोनों हाथ पसारकर हम लोगों की ओर लपकी और एक जोर की चीख ई-ई-ई-ई-ई उसके मुंह से निकली।

खुदा की मार। इस सबके लिए हम तैयार न थे। ऐसा लगा मानो हम आसमान से गिर पड़े हों। प्राणों पर संकट आया देख उस जगह से सिर पर पांव रखकर भागे और घर आकर ही दम लिया; एक बार पीछे मुड़कर देखने का साहस भी न जुटा पाये!

कहने की जरूरत नहीं कि यह शेक्सपियर के नाटक की और मित्रा साहब के पढ़ाने की कला का ही प्रभाव था। यह दैवयोग ही कहा जायेगा कि घटना उस समय घटी जब मानसिक पृष्ठभूमि इसके लिए एकदम उर्वरा थी।

पहली भेंट–निरालाजी से

रामस्वरूप शर्मा

लगभग पचास वर्ष पूर्व—लखनऊ। इण्टरमीडियट में दाखिला हो गया या। भैया और हम छितवापुर के एक मकान में रहते थे। श्रीराम प्रसाद यादव 'लल्लू जी' घर के ही आदमी थे और प्रायः रोज ही आया करते थे।

कई दिनों से बीच-बीच में मकान छोड़ने की बात चल रही थी। और एक दिन हम अपना मुख्तसर-सा सामान लेकर 58, नारियल वाली गली पहुंच गये जो आगे से हमारी रिहायशगाह होने जा रही थी।

मामूली जगह न थी वह—केवल इसलिए नहीं कि निरालाजी वहां रहते थे, बल्कि इसलिए भी कि उनकी महत्त्वपूर्ण लम्बी कविता 'तुलसीदास' का सृजन वहीं हुआ था। उस समय निरालाजी पूरे उत्कर्ष पर थे। स्वास्थ्य ठीक था और विरोधियों को सिर के बल खड़ा करने को सदैव तत्पर रहते थे। कवि सम्मेलनों में जाने की फीस यद्यपि खुलासा कर दी थी, किन्तु अपनी बांकी प्रभावोत्पादक अदा से भाग लेना नहीं छोड़ा था।

निरालाजी लखनऊ से बाहर गये हुए थे। ताला खोला और सामान ऊपर ले जाकर रखा। ऐसा नहीं याद पड़ता कि उनका पहले कहीं चित्र देखा हो। अवश्य ही दूसरे त्रिपाठीजी की कृपा से उनकी कविता से परिचय हो गया था और 'कविता कौमुदी' में छपी उनकी—

"तुम तुंग हिमालय शृंग
और मैं चंचल गति सुर सरिता,
तुम विमल हृदय उच्छ्वास
और मैं कान्त कामिनी कविता"

प्रायः गुनगुनाया करते थे। शब्दों का नाद सौन्दर्य, जो उनकी कविता की एक प्रमुख विशेषता थी, अनजाने ही आकर्षित किये थी।

और फिर उस मकान में रहने लगे। तिमंजले मकान में बीच का कमरा—हवादार, साफ-सुथरा—निरालाजी के रहने का था। बाहर छज्जे से सड़क दिखाई

पड़ती। दूसरी ओर, विपरीत दिशा में, बराण्डा। फिर आंगन के ऊपर मोटी सरियों का जाल। उसके बाद रसोई, गुसलखाना आदि।

एक दिन सुबह बाहर वाले छज्जे पर खड़े थे कि दूसरी ओर बराण्डे में कुछ बातचीत की आवाज सुनायी दी। कौन हो सकता है? भैया तो अभी अकेले थे। मुड़े और भागकर जा पहुंचे जहां वे नवागन्तुक से बातें कर रहे थे। अचानक नये व्यक्ति को सामने देख हतप्रभ रह गये। साथ ही यह समझने में भी देर न लगी कि यही निराजाजी हैं।

खद्दर का कुर्ता, धोती, बड़े बाल, हाथ में छड़ी। वैसे ही बाहर से आये थे—रास्ते की कुछ थकान लिए हुए। न दुआ, न सलाम, चरण स्पर्श को कौन कहे। एकाएक उन्हें सामने देखकर स्तम्भित रह गये। बातचीत एक क्षण के लिए रुकी। गर्दन को झटका देकर, जैसी उनकी प्रायः आदत थी, उन्होंने हमारी ओर देखा। मन-ही-मन समझा, कहा कुछ नहीं और अगले क्षण फिर बातचीत पूर्ववत चालू हो गयी।

बाद में निरालाजी की ओर से सदा ही स्नेह मिला। साथ रहे। घूमने भी साथ-साथ जाते। फुटबॉल मैच भी साथ-साथ देखे।

बाद में तो वह चुटकी लेने से भी न चूकते। दो व्यक्तियों के बीच में डेढ़ सेर दूध आता, जिसे हम छोटी बाल्टी में ग्वाले के यहां से लेने जाते। देख लेते, तो बैसवाड़ी में कहते—"अरे, छटांक भर तो दूध लाना है, लेकिन ले जा रहे हैं बाल्टा।"

छोटेपन में भुवन को खिलाते देखकर, उन्होंने एक दोहा रच रखा था, जो मौका देखते ही जड़ देते थे।

> "भुवन भौन छोड़े नहीं, चौबेजी की आस।
> बहु नरेश यहि देश में, जात न काहू पास।"

नरेशों की बात सम्भवतः उनके अन्तर्मन में ओरछा नरेश के 'गंगा पुस्तक माला' आगमन की रही हो, जब अन्य लोगों के खड़े हो जाने पर भी वह खड़े न हुए। और ओरछेश ने जब जानना चाहा कि यह कौन हैं, तो उन्होंने भूषण-छत्रसाल वाला सर्वविदित उत्तर दिया—"हम वो हैं जिनके बाप के बाप की पालकी में तुम्हारे बाप के बाप के बाप ने कन्धा लगाया था।"

केदार भाई

रामस्वरूप शर्मा

अंग्रेजी की एक प्रचलित कहावत है : 'फर्स्ट इम्प्रेशन इज द लास्ट इम्प्रेशन', यानी पहली छाप अन्तिम छाप। केदार भाई की याद आते ही उनका वही स्वरूप याद आता है जब उन्हें पहली बार 58 नारियल वाली गली, लखनऊ, में देखा था।

बात लगभग छप्पन वर्ष पुरानी हो गयी। गोरा रंग, भरा हुआ हंसमुख चेहरा, बातचीत में वैसी ही मिठास। कविता के लिए उन्होंने उपयुक्त ही नाम रख छोड़ा था—'बालेन्दु'। हम उनका जिक्र आने पर तब इसी नाम से सम्बोधित करते थे।

वह निरालाजी से मिलने आये थे। निरालाजी से बाद में, पहले हमसे ही मुलाकात हुई। संक्षिप्त-सा सम्भाषण, किन्तु प्रगाढ़ आत्मीयता पनप उठी। भाई साहब (राम विलास भैया—सं.) से उनकी घनिष्ठता थी और उनके मित्रों में उनका विशेष स्थान रहा।

वैसे भैया बाहर जायें या न जायें किन्तु केदार भाई से मिलने को सदैव उत्सुक रहते हैं।

उस छोटी-सी मुलाकात के बाद देखा कि उनका जब-तब आना होता रहता। होता क्यों न, जब लखनऊ के साहित्यकारों में अनेक उनके हमउम्र थे, जैसे राम विलास शर्मा, अमृतलाल नागर, नरोत्तम नागर, बलभद्र प्रसाद दीक्षित 'पढ़ीस' व रामरतन भटनागर 'हसरत', आदि।

इन साहित्यकारों में बड़ा जोश था। भौतिक सुखों की तनिक भी परवाह न करके सभी साहित्य में रमे रहते। उत्साह का कोई पारावार न था। घंटों बातचीत होती, बहसें चलतीं और नवीन योजनाएं बनतीं।

उन दिनों कान्यकुब्ज कॉलेज लखनऊ में हम इण्टरमीडिएट के विद्यार्थी थे। एक बार हम चार लोगों ने मिलकर कानपुर पैदल जाने की योजना बनायी।

अनुभवहीन तो थे ही, फिर भी तीस मील चलकर, अजगैन स्टेशन पर रात्रि-विश्राम कर, दूसरे दिन कानपुर पहुंचे। वहां कोई विशेष कार्यक्रम न था, किन्तु दो उपलब्धियां हुईं। हमारे लिए मुख्य थी 'बालेन्दु'जी से डी. ए. वी. कॉलेज में मुलाकात। बड़े प्रेम से मिले और जो स्वागत-सत्कार किया वह अब भी अविस्मरणीय है। दूसरी उपलब्धि यह थी कि पण्डित जवाहरलाल नेहरू की हाल में प्रकाशित 'आत्मकथा' देखी।

यह तो बहुत दिन बाद मालूम हुआ कि केदार भाई ने भी अपने सहयोगियों के साथ कानपुर से लखनऊ तक की यात्रा साइकिल से की थी।

धीरे-धीरे समय बीतता गया। वह सुदूर बांदा में रहकर वकालत करने लगे। बाद में डी. जी. सी. पद पर कई वर्षों तक कार्य किया।

इस अवधि में भी उनके हालचाल मिलते रहते: कभी भाइयों से, कभी समाचारपत्रों से—पर विस्तार से वीरेन्द्रजी से, जो बांदा में अध्यापन कार्य करते थे। जब भी वीरेन्द्रजी आगरा आते, तो बातचीत के दौरान शायद ही कभी ऐसा हुआ हो कि केदार भाई का जिक्र न आया हो।

इधर इन सबके अलावा दूरदर्शन पर भी केदार भाई जब-तब दिखायी दे जाते। कभी अकेले। कभी बच्चनजी की या किसी अन्य गोष्ठी में।

एक बार मालूम हुआ कि वह बीमार हैं। चिन्ता हुई। किन्तु कुछ समय बाद उनका टी. वी. पर एक प्रोग्राम देखा। उसे देखकर बड़ा आश्चर्य हुआ और वह प्रोग्राम भुलाये नहीं भूलता। इसमें वह अच्छी जिन्दगी जीने के बारे में कह रहे थे, लेकिन जोश-खरोश इतना कि मानो स्क्रीन तोड़कर बाहर ही न निकल आयें! यह सब देखकर तबियत खुश हो गयी।

जिस तरह उनके प्रथम दर्शन की छाप है, उसी तरह उनकी उस कविता की भी जिससे हमारा लखनऊ में प्रथम बार साक्षात्कार हुआ। वह थी—

"देख आया चन्द गहना
देखता हूं दृश्य अब मैं
मेड़ पर इस खेत की बैठा अकेला।
एक बीते के बराबर
यह हरा ठिगना चना
बांधे मुरैठा शीष पर

छोटे गुलाबी फूल का
सज कर खड़ा है।"   आदि

उनकी और भी कविताएं पढ़ीं जो एक से एक उम्दा हैं, फिर भी यह प्रथम स्थान पर जमी है।

उनकी कविता की विशेषता उसकी सहजता में है। उसमें प्रयास की रंच मात्र भी छाया नहीं दिखायी पड़ती, भले ही व्यक्तिगत रूप से उन्हें उसके सृजन में कितना ही कष्ट क्यों न सहना पड़ा हो। यही कारण है कि उनकी कविता जन-मानस के अन्तरतम को एकदम छू लेती है।

उनके 81वें जन्मदिन पर हमारी हार्दिक शुभकामनाएं। आशा करते हैं कि वह वर्षों तक जिन्दगी जियेंगे—अभी और, अभी और...

बुढ़ापे का सुख

रामस्वरूप शर्मा

आप कहेंगे कि आपको ही मुबारक हो। सही है, बुढ़ापे में सुख की तलाश ठीक उसी प्रकार है, जैसे चील के घोंसले में मांस खोजना। यह तो ऐसी अवस्था है जबकि सभी प्रकार की व्याधियां अपना-अपना सिर उठाने लगती हैं। एक को दबाइये तो दूसरी खड़ी, दूसरी को दबाइये तो तीसरी। आखीर में मनुष्य सोचने लगता है कि इन सबसे किसी प्रकार छुटकारा मिल जाये तो ही अच्छा हो।

और तो और, कविकुलगुरु प्रातः वन्द्य गोस्वामी तुलसीदासजी भी सारी रामकथा लिखने के बाद इस व्याधि की त्रासना से अछूते न रह सके। कहते हैं :

"देखत ही आयी बिदवायी, जो तैं सपनेहु नांहि बुलायी,
ताके गुन कछु कहे ना जाहीं, सो अब प्रकट देखु तन माहीं।"

यानी हाथ कंगन को आरसी क्या। सामने है, स्वयं अपने आप देख लीजिए। निरालाजी ने भी इसका अहसास किया :

"मैं अकेला देखता हूं—
आ रही मेरे दिवस की,
सांध्य बेला।"

मगर हम यहां सिक्के के एक ही पहलू की बात कर रहे हैं। दूसरी ओर उलट कर भी देखें। बकौल नागरजी (पं. अमृतलाल नागर—सं)के—"हर उम्र के अपने मजे हैं।" अगर स्वास्थ्य साधारण अच्छा है, किसी रोग ने शरीर रूपी मकान में स्थायी डेरा नहीं डाल लिया है, तो समझिये आधी बाजी आपने मार ली। इसको यूं भी कह सकते हैं कि मकान का यदि एक कमरा आपने किराये पर उठा दिया है, तो कोई बात नहीं, किन्तु यदि पूरा का पूरा मकान ही उठा दिया, तो यह अच्छा नहीं किया। साथ ही, दो वक्त की रोटी का भी प्रबन्ध होना चाहिए। खायेंगे नहीं तो जियेंगे कैसे? 'करतल भिक्षा, तरुतल वासा' सिद्धान्त पर अब भी कुछ हद तक रह सकते हैं। हमारे देश में केवल खाने के लिए तो जिया नहीं जाता।

यह तो जीवनयापन की बात हुई। सुख इसमें कहीं है ? सुख के पुराने मान-दण्डों की याद करें, तो घर में कुलवन्ती नारि और आज्ञाकारी पुत्र तो होने ही चाहिए। यह तो शाश्वत सत्य की तरह अपनी जगह अटल हैं। किन्तु हम इनसे हटकर ही बात करना चाहेंगे।

तो एक सुख तो यह है कि आप अनेक बातों की निस्सारता को तटस्थ भाव से देख सकते हैं, उनके गुण-अवगुण, बिना उनमें लिप्त हुए, दिखायी पड़ते हैं। एक प्रकार से गीता में वर्णित तटस्थता का भाव इतनी सहजता से आपके अन्दर आ जाता है जिसके लिए अन्यथा घोर परिश्रम व अपार संयम करना पड़ता।

एम. जी. रोड पर शाम के समय छविग्रहों के सामने लम्बी कतारें लगी हुई हैं। सभी उत्सुकता से चलचित्रों को देखने के लिए व्याकुल हैं, मानो जीवन का यही अन्तिम लक्ष्य है। इनके मन में यह विचार नहीं आता कि कोई इन्हें बेवकूफ बनाकर अनजाने में ही जेबें साफ कर रहा है। तो, चीजों को इस प्रकार से तटस्थता से देखने का अपना सुख है।

इसके साथ ही एक सुख यह भी है कि आपको दिखायी पड़ता है कि दूसरे आपको किस दृष्टि से देखते हैं। चूंकि सारे कार्यों से निवृत्त होकर आप अपनी राह आते हैं और जाते हैं, इसलिए लोगों ने आपको संज्ञाशून्य समझ रखा है। सोचते हैं कि इनको दुनिया से क्या लेना-देना !

देखिये सामने से आपके एक पुराने सहकर्मी मातहत साइकिल पर चले आ रहे हैं। आपके सामने जब ही देखो, छोटे-मोटे कामों के लिए सदा ही खड़े रहते थे। उनका आगमन किसी याचना से खाली ना जाता। एक बार एक जांच के सिलसिले में कुछ अफसर बाहर से आये। वे वर्दी पहन, बिल्ले लगाकर पूरी तरह तैयार बैठे थे। कमरे के बाहर गवाह, पंक्तिबद्ध, बेंचों पर बैठे थे। उनमें से एक को अन्दर से बुलाया गया और इन सज्जन का बयान टाइप करने के लिए, टाइप-राइटर पर कागज लगाने को कहा गया, तो ये अकस्मात बोले, 'सर मुझे प्रेशर लग रहा है।' सब स्तब्ध। और सारा काम वहीं रोक देना पड़ा। किन्तु आज उन्होंने आपको दूर से ही देख लिया है। इस प्रकार से बच निकलना चाहते हैं कि मानो आप वहां हैं ही नहीं। पर जब आप स्वयं संबोधन कर उनका अभिवादन कर देते हैं, तो उनकी मुद्रा देखते ही बनती है।

इसके अलावा एक सुख है : सहज में ही क्षमा का पात्र होना। आप एकाध बार गलती भी कर जायें तो जहां दूसरों से वे लड़ने-मरने को तैयार हो जाते वहीं आपके प्रति धैर्य व क्षमा का दृष्टिकोण अपनाते हैं।

उस रोज बिजली का बिल जमा करते समय जब एक बुजुर्गवार के पांच-दस पैसे खजांची ने न लौटाये, तो वह आपे से बाहर हो गये। अपना बिल लेकर तो वे लाइन से हट गये, किन्तु जोर-जोर से बिजली वालों को गाली देना शुरू कर

दिया। लम्बी कतार में लगे लोग तमाशा देख रहे थे। उनसे किसी ने कुछ न कहा, साथ में हंसते भी जा रहे थे कि अच्छा किया—दो-चार और। इधर खजांची व अन्य सहकर्मी भी चुप।

इसके अतिरिक्त इस वयस में कविता के रसास्वादन का भी अपना अलग सुख है। पहले कविता पढ़ी जाती थी। उसका कुछ विशेष अवसर न होता। किन्तु अब का पढ़ना हृदय में घर कर जाता है। वाणी रुद्ध हो जाती है और नेत्रों में आंसू आ जाते हैं।

पण्डित महावीरप्रसाद द्विवेदी के संस्मरणों में किसी ने लिखा था कि अमुक व्यक्ति कविता सुना रहे थे और द्विवेदीजी की आंखों से अविराम अश्रु बह रहे थे। तो यह है परमानन्द की अनुभूति, जो केवल इसी अवस्था में प्राप्त हो सकती है!

इस सबके बावजूद आदमी सोचता है: इतनी उम्र हो गयी। आंखें रही नहीं, दांत रहे नहीं। हाथ, पैर, कान, सब जवाब दे गये, फिर भी ताज्जुब है कि इस सब के बिना काम चलता है। कबीर ने ठीक ही कहा है:

"दास द्वारे का पींजरा, तामें पंछी पौन,
रहिबे को आचरज है, जाय तो अचरज कौन।"

बुढ़ापा

भगवान दीन शर्मा

"अरे बुढ़ापा तोरे मारे हम तौ अब नकन्याय गयन, करत धरत कछु बनतै नाहीं, कहां जान औ कैस करन।" एक बूढ़े का यह रोना है। और बूढ़ों ने भी अपना दुःख रोया है।

क्या खास बात है ! बुढ़ापा तो आता ही है !!

इस संसार में 'यत दृष्टम तद नष्टम' का नियम है। 'नष्टम' के दो ही मार्ग हैं : दुर्घटना या क्षीणता। प्रथम में, अचानक अन्त हो जाता है; पेड़ कट जाता है। दूसरे में, जड़ चेतन सभी क्षीण होकर नष्ट होते हैं। इस क्षीणता से कोई बचता नहीं, भले ही वह उसे भूला रहे।

अभी कल तक मैं यह नहीं सोचता था कि मैं बूढ़ा हो गया हूं।

विचारों से तो आज भी बूढ़ा नहीं हुआ।

जब मैं स्वप्न में विचरता हूं, तो कभी पहलवान बनकर गांव के अखाड़े में गांव वालों को ललकारता हूं, तो कभी क्रिकेटियर बनकर रणजी, जेसाप, ग्रेस, और वेलार्ड की तरह चौके, छक्के लगाकर अकेले ही पारी जीत लेता हूं। और कभी हॉकी में धड़ाधड़ गोल करता हूं, तो कभी टेनिस का मैच जीत कर लाखों की सम्पत्ति अर्जित कर लेता हूं। यही नहीं। कभी लोक सभा में भाषण देता हूं, तो कभी हेमा मालिनी के साथ पार्ट भी करता हूं।

क्या करूं, मजबूर हूं। बचपन में अंग्रेजी की किताब में अलादीन के चिराग का किस्सा जो पढ़ाया गया था, उसका प्रभाव जीवन भर रहा। बच्चों की पुस्तकों में ऐसे असत्य पाठ वर्जित होने चाहिए।

तो मैं इस बुढ़ापे और बूढ़ों को, सभी की तरह, बचपन से देखता आ रहा हूं। और, उनका अपना तथा दूसरों के प्रति भी, रोना और दूसरों की उनके प्रति खीझ भी देखी, सुनी, समझी है। इसलिए होश संभालते ही सुधारवादी दृष्टिकोण अपनाने के कारण सोचा कि अपने बुढ़ापे को, अथवा बुढ़ापे के कारण दूसरों के द्वारा प्राप्त दुःख को कभी नहीं रोऊंगा।

इस तरह, अपने बुढ़ापे का रोना तो समाप्त है ही। दूसरों की त्रुटियों का भी क्या रोना ! यह दुनिया तो ऐसी है ही और ऐसी ही चलेगी।

जिसमें अपने को सुधारने की प्रवृत्ति है वह सदैव ही अपने को सुधारता रहता है। और, जिसमें यह प्रवृत्ति ही नहीं है, जो अपने को त्रुटिहीन, सर्वश्रेष्ठ समझता है, उनको पहले ही 'ब्रह्मापि न रंजयति' कह दिया गया है। मारे-पीटे थोड़ा सुधरेगा भी, तो ऊसर का बौना वृक्ष रह जायेगा। इसलिए जो सुधरना चाहता है, जो उन्नतिशील है, उसको अपने अनुभव अवश्य दे दो।

अन्यथा, गाड़ी में बैठे तमाशा देखते चलो और जब स्टेशन आ जाय तो अपनी गलतियों पर पछताते हुए जैसे सब गये—तुम भी उतर कर चल दो। यह समय और संसार की गाड़ी तो चलती ही रहेगी !

अब यह तो हुई अपनी बात। परन्तु सभी बूढ़े मुझ जैसे नहीं होते। उन पर बुढ़ापे, वातावरण, समय का पूर्ण प्रभाव होता है।

वे अपने स्वभाव के कारण दूसरों को, और दूसरे उनको, अप्रिय लगते हैं। इसलिए इन अप्रिय कारणों को, एक अच्छे जीवन के लिए जानना-समझना आवश्यक है।

इन कारणों में पहला मुख्य कारण यह है कि इस निरन्तर परिवर्तनशील संसार में प्रत्येक दूसरी पीढ़ी में हर दिशा में कुछ-न-कुछ परिवर्तन हो ही जाता है, जिसमें भले बुरे का विशेष महत्व नहीं होता। अतः एक मनुष्य जिसने किन्हीं धारणाओं, मूल्यों को सही मानकर अपना मार्ग निश्चित किया है, उसे उस मार्ग, उन मूल्यों को छोड़ने में कष्ट होना स्वाभाविक है। इधर, दूसरी पीढ़ी में सुधार स्वरूप बदले हुए दृष्टिकोण, बदले हुए मूल्यों, का महत्व बढ़ जाता है जिनसे बूढ़ों की पटरी न बैठना अवश्यंभावी है। कारण कि उन मूल्यों के लिए उन्होंने मार खायी है, कष्ट सहा है। कहावत है—"सास-बहू को इसलिए तंग करती है कि उसको तंग किया गया है।"

ऐसी दशा में, उचित यही है कि नई-पुरानी दोनों ही पीढ़ी के लोग सद्बुद्धि से काम करें।

वार्द्धक्य की दूसरी कष्टप्रद बात काम करने के तरीके की है।

सभी स्त्री-पुरुषों का सौन्दर्यपूर्ण काम करने का स्वभाव नहीं होता। यह एक सुरुचि की बात है, जिसकी कोई सीमा नहीं।

यह सुरुचि सुन्दर, स्वस्थ भोजन बनाने में तो काम करती ही है—थाली परोसने, पानी रखने, चलने-फिरने में भी काम करती है। इसी का दूसरा प्रसिद्ध नाम 'कला' है, जिसके बिना मनुष्य 'साक्षात पशु : पुच्छ विषाण हीना' है। यह कला जीवन के एक अंग से लेकर सर्वांगीण तक होती है। यह जन्मजात भी होती है। मनुष्य में पैदा भी की जा सकती है और नहीं भी की जा सकती। कारण कि

प्रकृति में नियमानुसार विकास के लिए दो का संपर्क आवश्यक है। दो कैसे हैं, विकसित जीवन का भविष्य इसी पर निर्भर करता है।

इस तरह यह एक स्वयं सिद्ध तथ्य है कि एक पीढ़ी में कुछ न कुछ परिवर्तन हो सकता है। अतः, एक परिवार में अनेक प्रेरणास्रोत होते हुए उनमें मतभेद अनिवार्य है और बूढ़ों का अपनी ही राह पर चलने चलाने के कारण जीवन में खीझ का आना भी प्रायः निश्चित-सा हो जाता है।

इससे बचने के दो ही उपाय हैं : एक सुधार; दूसरा, सहनशीलता—जो दोनों पक्षों के लिए अनिवार्य है।

तीसरी बात है प्रतिष्ठा की जागीर की। यह मनुष्य में जन्मजात होती है। फिर, बूढ़ों का तो कहना ही क्या !

उन्होंने जीवन में जो कुछ वे कर सकते थे, सब कुछ अर्जित कर लिया होता है। इधर नई पीढ़ी भी उन्हीं से उत्पन्न विरासत में प्राप्त मान-अपमान में उनसे कम नहीं होती ! यह बात एक बहुत छोटे गोद के बच्चे में भी देखी जा सकती है।

यह भी एक बड़ी ऊंची सभ्यता, संस्कार और अभ्यास की बात है कि कोई सदैव ही किसी के मान-अपमान का ध्यान रखे। अस्तु, जरा-सी भूल, लापरवाही, एक प्रतिष्ठा का प्रश्न बन सकती है। इसलिए नित्यप्रति के जीवन में सद्व्यवहार, मान-अपमान का ध्यान, अपरिहार्य है, विशेषकर इसलिए भी कि बूढ़ों की रगों में खून धीरे दौड़ता है, वे देर में अपने मन को समझा पाते हैं; उधर छोटों का खून तेजी से दौड़ता है, वे जल्दी ही गरम हो जाते हैं।

अन्त में न टलनेवाली दशा आती है—क्रमशः शरीर का क्षीण होना, चैतन्यता का ह्रास, इन्द्रियों का शिथिल होना। चलते-फिरते अन्त होना भाग्यशालियों की, संयोग की, बात है। सभी के साथ ऐसा नहीं होता।

तो ऐसी दशा में सारी सहनशीलता का भार अगली पीढ़ी पर आ पड़ता है, जो उनकी अपनी इस विषय की एक कसौटी होती है। और साथ ही, वृद्धजनों के पूर्व अर्जित तथा तत्काल संयम की भी—जब उनकी इस जीवन की अप्राप्य अथवा अपूर्ण इच्छाओं, वासनाओं से विदाई होती है; उनके अपने कुकर्मों पर पश्चात्ताप होता है, अकाट्य सत्य के दर्शन होते हैं।

ईश्वर करे, किसी का ऐसा बुढ़ापा न आये।

परन्तु जीवन है, तो उसमें कहीं न कहीं सरसता भी छिपी रहती है। आवश्यकता है उसे ढूंढ़ने की—प्राप्त करने की।

सुकरात जहर पीकर भी कहता है—"अब मेरे पैर सुन्न हो गये, अब वह मेरे दिल की तरफ बढ़ रहा है", इत्यादि। अन्तिम समय तक सबसे बातें करता हुआ चल देता है—जानता है कि यह दुनिया एक तमाशा है। तमाशा करता है, तमाशा देखता है। बस।

रिश्तेदार ऐसे भी होते हैं

भगवान दीन शर्मा

इसी साल; फरवरी के अन्त की बात है। एक दिन जब मैं दुकान से लौटा तो देखा एक लड़की रानी से खड़े कुछ बातें कर रही है। सोचा—होगी कोई उसके स्कूल की परिचित। जब मैं ऊपर से कपड़े बदल, लाइब्रेरी किताब वापिस करने को नीचे उतरा, तो देखा कि एक अधेड़ महाशय चश्मा लगाये ऊनी टोपी की पी-कैप बनाये, पैन्ट, गाउन पहने, छड़ी हाथ में लिए इस तिरछी अदा से बैठे हैं मानो तसवीर उतरवा रहे हों। मैं उन्हें एक निगाह से देख बाहर जाने को उद्यत हुआ ही था कि श्रीमती जी ने मेरा ध्यान आकर्षित करते हुए कहा : 'यह मेरे साढू के बहनोई हैं।'

एक अपरिचित, दूर के सम्बन्धी के आने से आश्चर्य तो हुआ, पर सभ्यता के नाते मैं रुककर बैठ गया। मालूम हुआ कि आप ललितपुर के श्री मुरारी जी हैं। ब्लॉक डेवलप्मेन्ट से अभी रिटायर हुए हैं। लड़की एम॰ ए॰ पास है। यहां सर्विस के लिए एप्लाई किया था। कॉल आ गया। कल परीक्षा है, इसलिए आये हैं, इत्यादि।

लोग कहते हैं, दिल्ली के लोग बेरुखे होते हैं। स्पष्ट है कि ऐसा कहने वाले दिल्ली अथबा शहरी दिनचर्या से परिचित नहीं होते। इसके अतिरिक्त मेरे एक मित्र कहा करते थे : "सट्टुआ रिश्ता भी कोई रिश्ता है। एक दुकान से आपने मिठाई ली। कहा, अच्छी है। हमने भी ली : कहा, हां ठीक है। आप अपनी राह गये, हम अपनी राह गये।"

और भी। जब मैं पढ़ता था, तो कुछ शिक्षक और कुछ हम विद्यार्थी झांसी आये। महामना मालवीय जी से जिज्ञासा की : "अच्छे जीवन का कोई सहज मार्ग बताइए।" मालवीय जी ने एक क्षण सोचकर कहा : "बहुत अधिक मित्र सम्बन्ध बनाने का प्रयत्न मत करो। थोड़े से लोगों से जो सम्बन्ध हों, उसको घनिष्ट बनाओ, वह हार्दिक हो।"

औरों की मैं नहीं जानता पर मेरे हृदय में यह बात गड़ गयी, और स्वभाव के अनुसार, अथवा कुछ गांधी-प्रभाव के कारण, जो उचित प्रतीत हो उसका

अनुकरण करना मैं अपना कर्त्तव्य समझता हूं। अतएव दो साढुओं से अपना आना-जाना है और दो से नमस्कार मात्र है। क्या करूं ! जिस बोझ को लेकर चल ही नहीं सकता, उसको सिर पर रखने से क्या फायदा कि गर्दन टेढ़ी हो जाय।

यही नहीं। कुछ कोढ़ में खाज और भी थी। 45 बरस पुराने किराये के लिए बने, अब जर्जरित, अपने मकान की मरम्मत भी चालू थी। छोटा-सा घर, बालू-सीमेन्ट-मोरम से भरा था। खुदे हुए फर्श पर कांच की फंटियां बिछी थीं। एक जगह से दूसरी जगह जाना सरल नहीं था। रानी ऊपर जाकर भुनभुनाई तो, पर क्या इलाज। सोचा एकाध दिन में चले जायेंगे।

अगला दिन रविवार का था। साढ़े नौ बजे दोनों जने खाना खाकर चले गये और शाम 6 बजे लौटे। लड़की ने परीक्षा के बारे में कुछ उड़ती हुई बातें बता दीं। दूसरे दिन नाश्ता इत्यादि के बाद श्रीमान जी बोले : 'जरा रेडियो स्टेशन पर कुछ काम है। वहां हो आऊं।' मैंने कहा, 'रेडियो स्टेशन ?' बोले : 'हां ! गाने के सिल-सिले में तो मैं अक्सर यहां आया करता हूं।' मैं चुप। तीसरा दिन आया तो बोले : 'आये ही हैं तो दो एक रिश्तेदारियों में भी हो लें।' चौथे दिन : 'इस लड़की ने शहर नहीं देखा। जरा इसे शहर घुमा दें।' पांचवें दिन : 'इसको म्यूजियम, ज़ू भी दिखा ही देना अच्छा होगा। फिर इसका आना हुआ न हुआ।' इत्यादि। हम सभी, अड़ोसी-पड़ोसी तक चक्कर में। मुझे तो 'साप्ताहिक हिन्दुस्तान' का अन्तिम पन्ना 'मुसीबत है' —याद आने लगा।

विदाई का कोई इलाज नहीं सूझ रहा था। हमारी कठिनाई, बेरुखी का भी कोई असर नहीं था। लड़की सबेरे ही गैस में पानी गरम कर नहा-धोकर तैयार हो कुर्सी पर बैठ जाती। घर के काम में गिलास उठाकर भी नहीं रखती।

आखिर धीरे-धीरे सब्र का बांध टूटने लगा। श्रीमती जी ने सुझाया : 'आलम बाग में शारदा' (मेरी छोटी साली) का मकान काफी बड़ा है। वहां सब प्रकार की सुविधा है। स्टेशन भी नजदीक है।' इत्यादि। बोले : 'हां ! अभी उनके यहां भी जाना है।' इस प्रकार राम-राम करके 8-9 दिन में श्रीमान मुरारी जी टले। हमने सोचा : 'जान बची लाखों पाये।' रानी ने भी राहत की सांस ली।

संयोग से 8-10 दिन बाद श्रीमती सावित्री जी मिलीं (यह श्री मुरारी जी की चचिया सास की सौतेली भावज होती हैं), तो उन्होंने श्रीमान जी का दुःख रोना शुरू किया : 'क्या बतावें भैया ! कोई जान-पहचान नहीं। 11 बजे आकर जम गये। चाय-नाश्ता करा दिया। फिर भी उठने का नाम नहीं। लड़के सब खा-पीकर अपने-अपने काम पर चले गये। हमीं बाकी रह गये थे। महरी आ नहीं रही थी। धीरे-धीरे 2 बजने को आया। क्या करते ? फिर खाना बनाया और साढ़े तीन बजे उनको खिलाया। तब कहीं जाकर टले। बाज आये ऐसे रिश्तेदारों से !"

कुछ समय और बीता, तो आये हमारे साले श्री गिरजा नन्दन शर्मा। 2-3 दिन बाद एक दिन उन्होंने एक किस्सा सुनाना शुरू किया : 'एक हैं बहनोई ललितपुर के मुरारी शर्मा। अभी थोड़े दिन हुए कि वह रिटायर हुए। पेन्शन के कागज तैयार होने में जैसा कि आम तौर से होता है, कुछ देर लगी। तो उन्होंने एक प्लान बनाया और सपरिवार सागर स्टेशन पर जा उतरे। वहीं से लड़के द्वारा मुरारी को खबर भिजवायी कि हम लोग यात्रा पर जा रहे हैं, आप चाहें तो मिल लें।' अब भला ऐसी दशा में कौन साला होगा जो मिलने न आये और घर चलने का आग्रह न करे!

'यात्रा का तो एक बहाना था। श्रीमान जी डट गये सुसराल में सपरिवार। खातिर होने लगी, कुछ जेब-खर्च भी मिलने लगा। सुसराल सम्पन्न थी। बीच-बीच में साले के लड़के जो कि थाने में दरोगा थे, उसके यहां भी हो आते रहे—और उससे भी कुछ रुपया उधार के नाम पर घसीट लाते रहे।

'इस तरह कोई चार महीने बीतने को आये, तो साले के परिवार में कुछ बेचैनी बढ़ी—विशेषकर इसलिए कि बच्चों की परीक्षायें समीप आ गयी थीं। परन्तु उनका तो प्लान्ड मामला था! क्यों हटने लगे? अन्त में कुछ वैमनस्य बढ़ा और कटु शब्दों की स्थिति आ गयी। और अन्त में एक दिन बाहर कर दिये गये। क्या करते! घर आकर दूसरा प्लान बनाने लगे होंगे!'

इतना सब सुनने के बाद मैंने कहा : 'अब समझ में आया कि श्री मुरारी जी का यहां शुभागमन एक प्लानिंग थी; दूसरी या तीसरी तो कहना कठिन है। पर लड़की की नौकरी बहाना मात्र थी।' अन्त में मैंने साले साहब से पूछा : उन्होंने आपके यहां का प्लान नहीं बनाया?' उत्तर मिला : 'संयोग से उन दिनों मैं सागर में ही था। मुरारी के यहां का घटनाचक्र तो मेरे सामने ही घटित हुआ था।' मैंने कहा : 'तो तुम सौभाग्यशाली रहे।'

दाम्पत्य-जीवन : 1

भगवान दीन शर्मा

(पू. बड़े भैया ने कई विषयों पर गहराई से चिन्तन-मनन किया था ; इनमें विवाह और दाम्पत्य-जीवन भी हैं। उनके विचारों से सहमत होना या न होना अलग बात है, किन्तु इसमें सन्देह नहीं कि पारिवारिक जीवन की अनेकानेक समस्याओं को उन्होंने अपनी दृष्टि-परिधि में लिया था। यही उनके चिन्तन को विशेषता है।—सं.)

कुछ समय पहले की बात है। एक दिन पेपर में पढ़ा कि लखनऊ में नाका हिण्डोला मोहल्ले के अमुक इंजीनियर ने आत्महत्या कर ली। पता लगा कि दम्पति में कुछ कहासुनी हो गयी जिसके कारण ऐसा हुआ। केन्द्रीय तारघर में अमुक खन्ना मेरे साथ काम करते थे। स्वस्थ तथा चैतन्य व्यक्ति थे। सुना, घर में कुछ झगड़ा हो गया तो उन्होंने रात को खिड़की से सिर के बल गिरकर जान दे दी। अभी थोड़े दिन हुए, मेरे एक मित्र का हार्ट फेल हो गया, श्रीमती जी कुछ खटक गयी थी।

मेरे इन उदाहरणों का यह तात्पर्य नहीं है कि मैं स्त्रियों को दोषी ठहराना चाहता हूं।

दोष तो समाज का है ; स्त्री-पुरुष दोनों का है, उनके कुसंस्कारों का है जो उनमें जाने-अनजाने आ जाते हैं या भर दिये जाते हैं।

देखिए न, मिसेज इंजीनियर ठाठ-बाट में पलीं, बढ़ीं इंजीनियर देख, योग्य वर से शादी कर दी गयी। निश्चय ही, उनके अरमान ऊंचे रहे होंगे, जैसा सुना गया। पतिदेव उनको पूरा करने में असमर्थ रहे। वह कुछ भावुक, आदर्शवादी ; नम्बर दो की कमाई में विश्वास न करने वाले। समन्वय का अभाव, व्यंग्य-वाणों की बौछार, सहनशीलता की कमी। बस, इसी सबने उनकी इहलीला समाप्त कर दी। अमुक खन्ना की तथा तारघर वाले मित्र की कुछ ऐसी ही परिस्थिति रही होगी।

अब यहां यह सोचने-समझने की बात है कि यह सब क्यों होता है। पहली

कठिनाई तो यह है कि हमारी शादियों की गाड़ी उसी पटरी पर चल रही है, जिस पर प्राचीन काल में चली थी, अर्थात् हमारे विवाह 'पति ही देवता है' मान कर होते हैं जबकि समय के परिवर्तन के साथ, स्त्री शिक्षा के प्रसार के साथ, स्त्रियां प्रत्येक दिशा में पुरुष की बराबरी करने लगी हैं। जो नहीं भी बराबर हैं, वे अपना अधिकार नहीं छोड़ना चाहतीं।

तो ऐसी दशा में किसी भी विवाद का, जो दैनिक जीवन में प्रायः अनिवार्य होता है, कैसे सुलझाव हो?

जहां प्रेम है, समर्पण है, दूसरे की भावनाओं का ध्यान है, वहां एक तो विवाद उठता ही नहीं; उठता भी है, तो जल्दी सुलझ जाता है। परन्तु सदैव ही ऐसा नहीं होता। कारण कि प्रकृति ने दोनों ही गले में एक अहम् भाव का कंठा बांध दिया है। संस्कारोंवश 'हम ही ठीक हैं' की भावना हम में जड़ पकड़ गयी है।

और प्रकृति, संस्कारों, को बदलना किसी के भी लिए महा दुस्तर कार्य है। इसलिए आवश्यक है कि हम अपने तौर-तरीके, सामाजिक नियम, बदलें और इस नित्य-प्रति के जीवन में कुछ सुधार लायें।

यहां हमें कुछ मौलिक बातें समझ लेना आवश्यक हैं। पहले तो प्रकृति से ही स्त्री उतनी सबल नहीं है जितना पुरुष। साथ ही, उसको वह भार वहन करना पड़ता है, जो पुरुष को नहीं। इसीलिए सामाजिक नियमों में भी स्त्री पुरुष की अनुगामिनी होती है, उसके घर जाती है, उसके सहारे रहती है। अतः, पुरुष को अधिकांश दशाओं में, अगुआ या नेता मान कर ही चलना होता है। स्त्री उसकी सहधर्मिणी, अर्धांगिनी और आवश्यकता पड़ने पर अपनी योग्यता, बुद्धि के अनुसार उसके समकक्ष अथवा उससे अधिक हो सकती है।

वास्तविकता तो यह है कि दम्पति में जिसका भी सहज ज्ञान अधिक होगा, जो भी कुशाग्र-बुद्धि होगा, वही नेतृत्व करेगा। परन्तु इसमें बहुधा हठ आड़े आ जाता है, 'हम ही ठीक हैं' की भावना काम करने लगती है! अहम् जागृत होकर प्रतिष्ठा का प्रश्न बन जाता है! इसलिए यदि दाम्पत्य सम्बन्ध की मौलिक बात—समझौता, समन्वय—के मार्ग पर चला जाय, तो कोई कठिनाई सामने नहीं आयेगी।

वास्तव में आदि से ही वैवाहिक जीवन की इमारत समझौते की नींव पर खड़ी होती है। यदि कोई स्त्री अथवा पुरुष अपने को ही ठीक समझते रहना चाहता है, अपने अहम् को झुकाना नहीं चाहता, समझौता करने को तैयार नहीं है, तो उसे विवाह का स्वप्न नहीं देखना चाहिए।

हो सकता है कि दम्पति में एक-दूसरे के प्रति इतना समर्पण हो कि कभी कोई विवाद ही न उठे। परन्तु पहले तो यह असंभव-सी बात है; दूसरे, उनका जीवन उतना रसमय न होगा जितना समझौता करने वालों का होता है—एक-

दूसरे के लिए त्याग करने वालों का होता है।

वास्तव में, सुख की जड़ त्याग में पनपती है और स्वार्थ में सूखती है। राम, कृष्ण, बुद्ध, आदि, सब त्याग के कारण ही पूज्य हैं। और रावण, दुर्योधन, आदि, स्वार्थ के कारण हेय।

बहुधा सुना जाता है : 'अमुक के घर में अमुक की चलती है', 'अमुक का राज है', 'अमुक अपनी स्त्री से बिना पूछे कान-पूंछ भी नहीं हिला सकता', 'वह औरत ही क्या, जो आदमी को काबू में न रख सके—आदमी हमसे पैदा है', यानी जैसा कि क्लर्कों में सुना लाता है—'वह क्लर्क ही क्या जो अफसर से मनचाहा काम न करा सके।' वास्तव में ये भावनायें अच्छी नहीं हैं। इनसे स्वार्थ, धूर्तता, मक्कारी की गन्ध आती है। इनमें न्याय, सहानुभूति, समर्पण का अभाव है।

ऐसे कार्य जिनमें पति का समर्पण, सहानुभूति नहीं है, उनके सामने अपने मन्तव्य को स्पष्ट करके वे कार्य सरलता से कराये जा सकते हैं। मन्तव्य स्पष्ट करने से मार्ग प्रशस्त होगा। और, कार्य सहज, सुलभ हो जायगा।

दाम्पत्य-जीवन में एक बहुत छोटी, पर साथ ही बड़ी कठोर, न सुलझने वाली समस्या आती है—मान-अपमान की, 'प्रेस्टीज इश्यू' की, जो प्रायः सर्वसाधारण की, नित्य-प्रति की है।

मुझे एक न भूलने वाला उदाहरण याद आता है। मैं सन् '33 में झांसी तार-घर में काम करता था। शाम 6 बजे जब ड्यूटी पर आया, तो देखा कि दफ्तर में एक 25 वर्षीया गौर वर्ण सुन्दर स्वस्थ महिला, सफेद साड़ी में, टेलीफोन कॉल की प्रतीक्षा में बैठी हुई है। समय दूसरा था, मैंने थोड़ी देर में अपने मित्र इंजीनियर सुपरवाइजर के छोटे भाई को टेलीफोन पर इशारे से उन देवीजी को देखने के लिए काउण्टर पर बुलाया। क्वार्टर ऑफिस से लगा हुआ था। वह तुरन्त खिड़की पर आकर खड़ा हो गया और इधर-उधर की बातें करने लगा। पर उन देवीजी की शक्ल देखते ही तुरन्त ऑफिस में घुस आया और कुर्सी खींच उनके पास बैठ गया। मैं क्या, और साथी भी भौंचक्के रह गये। उस व्यक्ति ने एक बार देवीजी की शक्ल पर निगाह गड़ाकर कहा : 'हलो रोजा।' और तुरन्त ही जवाब मिला : 'हलो रौनी।' फिर तो दोनों, मित्रों की तरह, अंग्रेजी में बातें करने लगे और दो मिनट में दोनों ही उठकर क्वार्टर में चले गये। कुछ देर बाद कानपुर से कॉल आया, देवीजी आयीं।

इधर की अंग्रेजी में जो बातें मैं सुन सका उनका तात्पर्य यह था कि—'यदि राव साहब मुझे यहां लेने आते हैं, तो मैं आऊंगी—अन्यथा नहीं। वह राइट प्वाइण्ट पर हैं, तो क्या हुआ। उन्होंने मेरी इन्सल्ट की है।' बाद को उस व्यक्ति से मालूम हुआ कि यह देवीजी कान्वेण्ट में उसके साथ पढ़ती थीं, समय आने पर कानपुर के किन्हीं राव साहब से उन्होंने शादी कर ली। कुछ झगड़ा हो गया।

टेलीफोन पर मध्यस्थ का कहना था कि 'राव साहब तुमको वहां आकर ले आने को तैयार नहीं हैं ; यदि तुम कानपुर आ जाओ, तो वह तुमको मेरे यहां से लिवा ले जायेंगे ।' अब बात स्वयं लौटने, और झांसी-कानपुर के बीच अटकी थी ।

बाद को पता नहीं क्या हुआ । पर यह बात मेरे दिमाग में ऐसी गड़ी कि लगा कि शादी से पहले लड़के-लड़की को इसका समाधान ढूंढ़ लेना चाहिए, तभी शादी करनी चाहिए—हालांकि तब एक-दूसरे को इसका भान भी नहीं होता ! परन्तु यह है अति व्यापक बात । अन्यथा, सुभद्रा कुमारी चौहान जैसी सरल महिला, 'वह मान बान-सा चुभता है' न लिखतीं ।

जहां तक मैंने सोचा-समझा है, इन सब उलझनों का एक ही उपाय है । वह यह कि दम्पति में समझौते द्वारा सुन्दर, सुखमय, जीवन व्यतीत करने का दृढ़ निश्चय, डिटर्मिनेशन होना चाहिए । अपनी कमजोरी, अपनी गलती, मान लेने में संकोच नहीं होना चाहिए । बातचीत में गर्मी बढ़ने से पहले ही चुप हो जाना चाहिए । दम्पति में सवाल-जवाब, बहस, की स्थिति अच्छी नहीं होती । बहस में बहुधा अपने-अपने ही दृष्टिकोण रखे जाते हैं । एक-दूसरे को समझने का प्रयास नहीं होता—जो सहयोग की पहली सीढ़ी है ।

सहयोग में हार-जीत का प्रश्न ही नहीं उठता और न ही वहां काम के बंटवारे का सवाल होता है । वहां तो सहयोगी अपनी शक्ति के अनुसार, बिना किसी प्रदर्शन अथवा एहसान के, सहयोग करते हैं । 'तुम्हारी आवश्यकता मेरी आवश्यकता है, तुम्हारा कष्ट मेरा कष्ट है । तुम्हारी हानि मेरी हानि है'—जहां यह भावना होगी, वहां सुख अपने आप पनप उठेगा । उसका विस्तार होने लगेगा । और उसका फल दूसरों को भी मिलेगा ।

दाम्पत्य-जीवन : 2

भगवान दीन शर्मा

55 वर्ष पुरानी बात है। हम और राम विलास पत्रों में दम्पति के विचार-साम्य तथा सहनशीलता पर बल दे रहे थे। देखा जाय तो एक सीमा तक दोनों ही ठीक भी थे और बेठीक भी।

दम्पति में विचारों की समता होना है तो अति उत्तम, परन्तु ऐसे सम्बन्ध मिलना महा दुस्तर है। और सहनशीलता भी एक सीमा तक ही हो सकती है। बहुधा ऐसा देखा गया है कि दोनों ही थोड़ा-थोड़ा बर्दाश्त करते रहते हैं। और वह थोड़ा-थोड़ा जब इकट्ठा हो जाता है तो एक दिन ज्वालामुखी फूट पड़ता है।

इसलिए, सुचारु जीवन के लिए नित्य-प्रति घर की सफाई करते रहना चाहिए, नित्य न हो सके तो सप्ताह में एक बार, अथवा महीने में एक बार, सफाई कर ही देना चाहिए—अन्यथा आप जानते ही हैं, दिवाली पर कितना कूड़ा निकलता है जिसको बाहर वाले देखते हैं और उससे बच कर निकलते हैं। उत्तम तो यही है कि सुबह-शाम घर में झाड़ू लगती रहे और कूड़े को बाहर दूर फेंकते रहा जाय, तभी घर साफ रहेगा। हमारे यहां इसका प्रचार या परम्परा नहीं है—पर इस सफाई का सुन्दर समय सवेरे-शाम घूमते समय हो सकता है।

अन्त में, किसी घर का स्वच्छ रहना ही पर्याप्त नहीं है। उसका सौन्दर्यीकरण, डेकोरेशन, भी आवश्यक होता है। इससे रहने वालों के अतिरिक्त दूसरों को भी प्रसन्नता होती है, सुख मिलता है।

इस शरीर रूपी घर का भी सौन्दर्यीकरण कई प्रकार से होता है। पहला, बाह्य तो पोशाक तथा गहनों, इत्यादि, से हो जाता है; पर दूसरे जरा कठिनाई से साध्य हैं। परन्तु ये हैं इतने सुन्दर कि, इनकी प्राप्ति के बाद, बाह्याडम्बर सारहीन हो जाते हैं।

इनमें पहला तो दम्पति की आपसी समझदारी, अण्डरस्टैंण्डिग है, सद्व्यवहार है, जिसकी कोई थाह नहीं। इसकी गहराई इसी से नापी जा सकती है कि आपस में कितना प्रेम है, कितना कम बोले एक-दूसरे को समझ लेते हैं, बहस की नौबत

ही नहीं आती, एक-दूसरे के लिए त्याग करने को तत्पर रहते हैं—बिना किसी अहसान के।

इस दाम्पत्य-जीवन की सजावटों में एक मृदुभाषिता भी है, जिसका भीतर और बाहर सभी जगह बड़ा महत्व है और जो स्वयं में एक बड़ी भारी कला है।

दम्पति एक-दूसरे से बंध गए हैं, आपस में एक-दूसरे के कटु शब्दों, कटाक्षों, का बुरा नहीं मानते, ऐसा सोच मिष्ट-भाषण को तिलाञ्जलि देना उचित नहीं।

जीवन में भाषण तो प्रति पग की बात है। जाने-अनजाने जैसा भी आप भाषण करेंगे, उसका स्वतः ही अभ्यास होता रहता है, और वह अनायास ही मुंह से निकल जाता है। कोई पुलिस कर्मचारी कितनी ही मिठास अपनी बातचीत में पैदा करे, उसका नित्य-प्रति कठोरता का अभ्यास कहीं न कहीं फूट ही पड़ता है—उसकी निगाह, कनखियों, से उसका स्वभाव स्पष्ट हो ही जाता है। इसी के लिए स्वभाव के पारखी तुलसीदास ने कहा है : 'सहजहुं चितवत मनहुं रिसाने।'

एक बार कलाकार-लेखक—मेरे हेडमास्टर चण्डी प्रसाद 'हृदयेश'—ने सातवें दर्जे में आकर पंडित ब्रजभूषण लाल त्रिपाठी को (हिन्दी के अध्यापक—सं.) बातचीत करते हुए हम सब विद्यार्थियों के स्वभाव का परिचय दे दिया जो प्रायः बिल्कुल ठीक था—यद्यपि उन्होंने हमारी कक्षा को कभी पढ़ाया नहीं था ! मैं तो सबको जानता ही था। त्रिपाठी जी भी 'वाह-वाह' कह उठे !

आपकी मुद्रा, आंखें, आपके जन्दर का साइन-बोर्ड होती हैं। इसलिए इस मस्तिष्क-क्यारी में सद्गुणों के अच्छे बीज सदैव डालते रहना चाहिए, जो समय-समय पर पनपते रहते हैं। यही तो नित्य-प्रति का कर्म, अभ्यास, संस्कार, कल्चर, बन जाता है।

इसके बाद एक जीवन का अति महत्वपूर्ण भाग है—एकीकरण, सुधार, एडजस्टमेंट, विशेषकर स्त्रियों के लिए। यह इसलिए कि वे अकेली ही पति के घर आती हैं जहां उनको एक समुदाय का सामना करना पड़ता है। समुदाय के लिए अपने को बदलना कठिन होता है; वह आगन्तुक को ही बर्दाश्त करना ठीक होगा।

हां, पति-पत्नी को आपस में, अनिवार्य बातों को छोड़कर, 19-20 के एडजस्टमेंट के लिए अवश्य तैयार रहना चाहिए। इस एडजस्टमेंट में जीवन की सभी बातों का समावेश हो जाता है, जिनका समाधान एक दूसरे की रुचि, आवश्यकता को ध्यान में रख कर करना चाहिए।

फिर भी कुछ विशेष बातों की तरफ ध्यान देना अनिवार्य होता है, जैसे अर्थ-व्यवस्था। उत्तम तो यही है कि दाम्पत्य-सम्बन्ध सम-रुचि, सम-संस्कार, सम-स्थिति वालों में ही हों। परन्तु इस दुनिया की दौड़ में ऐसा होता नहीं है। इसलिए

स्त्री को सदैव ही एक समझौते द्वारा प्लानिंग के अनुसार चलना चाहिए। दूसरी अति महत्वपूर्ण बात है सयमित जीवन की। इस मरभुखी दुनिया में संभाल कर खाना, सयम से काम लेना, ही उचित है।

ठूंसना, गले तक भरना—ठीक नहीं। स्वस्थ रहने के लिए संयमित, नियमित, भोजन ही ठीक है।

यह ठीक है कि एक समय था जब 'लीजिए, लीजिए ! अभी तो आपने खाया ही क्या है !' का प्रचलन था। पर उचित यही है कि जीने के लिए ही खाया जाय, खाने के लिए जिया न जाय। इसमें परोसने वाले का बड़ा महत्व है। उसको खाने वाले की भूख का अनुमान होना चाहिए। जब परोसने वाला परोसेगा ही नहीं, तो खाया क्या जायगा। इसमें कोई दोष नहीं कि परोसेने वाला मना कर दे, कि 'भोजन हो गया। समय पर फिर मिलेगा। भूख तो जीवन का अंग है जो सदैव ही शरीर के साथ है।' हां, यहां यह भी उचित नहीं कि समय पर भरपेट भोजन न दिया जाय ; यानी, दूसरों को चोरी के लिए मजबूर किया जाय।

साथ ही, मनुष्य को तृष्णा और भूख का अन्तर भी समझ लेना चाहिए। बाजार में सजी मिठाई, खोंचा, देख सभी लालायित हो उठते हैं। पर यह तो दुनिया है। अपने-अपने व्यापार हैं। धूर्तों के जाल से अपने को बचाना चाहिए। 'जो चमकता है सदैव ही सोना नहीं होता।' हां, सोना भी चमकता है। दम्पति को सोना पहचानना आना चाहिए।

जब तक उन्हें सत्यं, शिवं, सुन्दरम् की ठीक पहचान न होगी, उनका जीवन सार्थक तो होगा ही नहीं, साथ ही कठोर भी हो जायेगा। याद रखिए, जो घड़ियां निकल गयीं, फिर लौटने वाली नहीं। इस मूल मन्त्र को कि—

"टूट-टाट घर टपकत, खटियौ टूट ;
पिये कै बांह उसिसवा, सुख कै लूट !"

कभी न भूलना चाहिए।

और अन्त में, 'एक तन्दुरुस्ती, हजार नियामत' का मन्त्र तो अमूल्य है। इसको 'हजार नियामत' के बजाय 'सारी नियामतों की जड़' कहा जाय, तो और भी ठीक होगा। इसमें तीनों काल का जीवन निहित है। इस धन को घटने न देना, बल्कि बढ़ाते रहना ही उत्तम है।

धन का गर्व झूठा है। इसलिए कि वह गतिशील है। गति किसी भी प्रकार की हो, इस संसार का नियम है।

जो भी पैदा होता है, उसी समय से मौत की तरफ दौड़ने लगता है। इस सत्य को समझ कर, जागरूक होकर हर कदम बढ़ाना चाहिए। निरुद्देश्य जीवन जाने-अनजाने मौत के मुंह में कूदना, उचित नहीं। जीवन में अस्वस्थता, बीमारियां

स्वास्थ्य-धन का चोरी-डाका हैं। इस चोरी-डकैती से बचना, स्वास्थ्य-धन को सुरक्षित रखना, मनुष्य का कर्त्तव्य है! यह सम्भव है कि दूसरे प्रकार का धन पुन: अर्जित हो जाय। परन्तु स्वास्थ्य-धन यदि लुट गया, तो फिर नहीं लौटता। भूचाल आ गया, इमारत हिल गयी। हिली हुई इमारत ऊपर से भले ही अच्छी दिखायी दे, पर वह अन्दर से तो कमजोर हो ही जाती है। इसलिए उक्त प्रकार की चोरी, डकैती, भूचाल, से सदैव बचना ही सुखदायक है।

अकलमन्द को इशारा काफी!

वास्तव में दाम्पत्य-जीवन मनुष्य जीवन के सुख का सार है, संसार के सभी सुखों में श्रेष्ठ है, मनुष्य का सारा परिश्रम, सारी कमाई, इसी की तृप्ति के लिए हैं। लगता है, मनुष्य जीवन इसी के लिए बना है। दाम्पत्य-जीवन में मित्र, माता-पिता, भाई-बहन सभी के भाव निहित हैं। अब यह दम्पति की अपनी बात है कि वह इन भावों का प्रयोग किस प्रकार करते हैं।

कृष्ण : मेरी समझ में

भगवान दीन शर्मा

बात जरा ध्यान से सोचने की है। यह आबादी दिन-प्रतिदिन बढ़ रही है, तो इतने पुराने कृष्ण के समय में कितनी कम रही होगी? मकान जो गिरता है, दुबारा उससे बड़ा ही बनता है। और शहरों का मेरे देखते-देखते कितना विस्तार हो गया।

तो, उस काल के मथुरा और गोकुल का अनुमान सहज ही लगाया जा सकता है। भक्त-जन तो कुछ इस दिशा में सोचते ही नहीं। वे तो किसी स्वप्नलोक की धारणा बनाया करते हैं और उसी में मग्न रहते हैं। परन्तु जो विचारक हैं, वे उस काल के दलों की जो धारणा बनाते हैं, वह गलत नहीं मालूम होती और यदि उस काल के सारे इतिहास पर से देवत्व का—ईश्वरत्व का—तामझाम और लिबास उतार दिया जाय तो भीतर का छिपा हुआ सुन्दर सुगठित शरीर सामने आ जाता है।

यह तो स्पष्ट ही है कि दो पार्टियां थीं। जरासंध ने अपनी रुचि के अनुकूल कंस को होनहार और उद्दण्ड देख, अपनी लड़कियां ब्याह दीं। फिर उसकी लड़कियां कम क्यों होंगी? दरोगा की लड़कियों में दरोगाई न आये, यह कैसे! (अपवाद तो हर जगह होते हैं और उनके भी कारण होते हैं)। उन्होंने और उद्दण्ड कंस ने, मिलकर मनमानी शुरू कर दी तो उसमें आश्चर्य क्या! अब इस सवाल के सामने दूसरे—कमजोर—पक्ष के लिए गुपचुप चालें चलना भी स्वाभाविक था।

इस दुनिया में जहां सब कुछ बदलता है, वहां समाज भी बदलता है। (उस काल के और शादी सम्बन्धों से यह बात बहुत स्पष्ट हो जाती है)। अतः वसुदेव से देवकी का प्रेम सम्बन्ध करा दिया गया; अथवा हो गया होगा।

यह बात बहुत स्पष्ट है और बड़े मार्के की है कि वसुदेव देवकी में पूर्ण सहयोग रहता है। जरा भी कहीं तुनफुन नहीं दिखायी देती! कंस जरा भी इसमें आपत्ति नहीं कर सका और देवकी को विदा करना पड़ा।

अब समय पाकर किसी ने निश्चय ही कंस के कान भरे होंगे: "वसुदेव दूसरी

पार्टी का है। इसके लड़के तुम्हारा तख्ता पलट देंगे।"

बौड़म कंस में सोचने की क्षमता कहां? उसने सीधे उनको नजरकैद कर दिया और सन्तान की सफाई का निश्चय कर लिया।

सन्तानें होना और कंस का उन्हें नष्ट करते जाना, सब स्वाभाविक था। वसुदेव फुरसत के समय क्रान्ति के बारे में सोचते ही रहे होंगे और यह भी निश्चित है कि सन्तान बचाने के लिए प्लान बनाते रहे होंगे—अन्यथा, यह कैसे संभव है कि नन्द और वसुदेव के एक ही समय में (हो सकता है 2-3 दिन का आगा-पीछा रहा हो) सन्तानें हों, फिर नन्द अपनी सन्तान को वसुदेव के आते ही देने को तैयार हो जायें! इस हेरा-फेरी की मंत्रणा में कुछ लोग बिचवानी भी कर रहे होंगे। यह सब एक बड़ा 'षड्यन्त्र' रहा, जो सफल हो गया।

ऐसी परिस्थितियों में वसुदेव का साहस अभूतपूर्व रहा। अब यह कोई बड़ी बात नहीं है कि उनके पहरेदारों में कुछ उन्हीं के पक्ष के हों, कुछ को मिला लिया गया हो; दो-एक को हटा दिया गया हो अथवा सुला दिया गया हो।

यमुना में कृष्ण को लेकर तैरा भी जा सकता है और नाव में तो जाया ही जा सकता है। नाग? नाग जाति के लोग रहे होंगे! कृष्ण का सांवला होना भी ठीक है। गर्भावस्था के समय जलन-कुढ़न से बच्चा सांवला होता है—सुख प्रसन्नता से गोरा। प्रमाण हम भाई लोग ही हैं। उस समय उत्तर-दक्षिण के सम्बन्धों में कोई विशेष रोक नहीं थी। इतिहास से यह बात बहुत स्पष्ट है। वह काल तो वीर पूजक काल था। ये सब यादव-गोप निश्चय ही मिले-जुले खून के रहे होंगे। फिर गोरे में जब सांवलापन आता है, तो निश्चय ही वह हल्का आकाशवर्णी होता है।

अब कृष्ण के जीवन को देखिए तो उसमें उनके मां-बाप की छाया, गर्भावस्था की परिस्थितियां, बहुत स्पष्ट दिखायी देती हैं। और, वैसे ही उनका विकास भी हुआ। नन्द के यहां दूध, दही, मक्खन की क्या कमी! कृष्ण ने खाया होगा ही। पर वह तो विरासत में लाये थे पार्टीबन्दी, नवाबी नहीं। उदारता, त्याग, साहस, सहयोग पार्टीबन्दी की जुड़ें हैं।

गायें चराने में साथियों के साथ पार्टीबन्दी होनी ही थी। पर, यशोदा सबको क्यों मक्खन खिलाने लगीं? तो कृष्ण ने मक्खन चुराना और सबको खिलाना शुरू कर दिया। देवकी ने एक दिन नहीं, अनेक दिन सोचा होगा कि यह बच्चा चोरी से गोकुल भेजना है। तो चोरी तो कृष्ण की नस-नस में भरी थी। मक्खन ही क्यों! आगे भी रुक्मिणी-हरण देखिए। सुभद्रा का भगाना देखिए। जरासन्ध को मारने भी शायद वेश बदलकर ये लोग गये थे!

सो इस तरह कृष्ण ने सबको मक्खन खिलाकर मजबूत बनाया, कुश्तियां लड़ायीं, दांव-पेंच सीखे-सिखाये और बहुत मजबूत पार्टी खड़ी कर दी, जिसका कोई मुकाबला नहीं।

कंस ने लड़कियां मार डालीं, परन्तु वास्तविकता का पता तो देर-अवेर उसे लग ही गया होगा। सो उसने भेजी पूतना। बच्चा निश्चय ही मां को छोड़ दूसरे का स्तन आसानी से मुंह में नहीं डालता। डालता है, तो एकदम पीने नहीं लगता। कृष्ण—पूतना का स्तन मुंह में न डाल रहे होंगे; डाला भी होगा, तो फौरन कड़वा, बेस्वाद लगा होगा। पैदायशी बलशाली। जिद्दी। उन्होंने निपिल को बड़े जोर से काटा होगा। पूतना चीखी होगी। भेद खुल गया होगा। कृष्ण ने वैसे ही थूका होगा। उनका मुंह साफ कर दिया गया होगा और पूतना को मार डाला गया होगा। कृष्ण की और अधिक देख-रेख होने लगी होगी।

कृष्ण कुछ बड़े हुए होंगे। बाहर जाना कैसे रुकता ? शकटासुर गाड़ी में छिपा होगा। बकासुर, केशी इत्यादि को कृष्ण की अगुआई में साथियों ने मार गिराया होगा।

कृष्ण के जीवन में कुछ अद्भुत बातें हैं। मनुष्य के साधारण चलन-स्वभाव से कुछ थोड़ा हटकर। और ये ही बातें हैं जिन्होंने उन्हें देवत्व प्रदान किया।

उनमें पहली बात है : इतना रसिक होते हुए, इतना बलशाली होना। उनका स्त्री जाल में न फंसना। इसके लिए मैं उनका अद्भुत परिस्थितियों में पैदा होना मानता हूं। देवकी वसुदेव एक साथ कैद थे। सेक्स की बातों से अधिक परिस्थिति. छुटकारे, कंस के विनाश, आदि की ही बातें होती होंगी। स्वभावत:, कृष्ण के जीवन में—जैसे भी हो—लक्ष्य तक पहुंचने का प्रयत्न बहुत उभरकर आता है। वह गोपियों, स्त्रियों, में घुले-मिले होकर भी उनमें लिप्त नहीं थे। सब कुछ मनो-रंजन तक सीमित था।

चित्रकूट में मिले स्वामी सियारामशरण ऐसे ही थे। 70 वर्ष की आयु में 35 वर्ष के लगने वाले, तखत पर कूदते हुए बैठकें लगाते थे।

साथ में 'सीताराम, सीताराम, सीताराम' कहते जाते थे। उनकी कसरत डेढ़-दो घण्टे से अधिक की ही होती थी। चित्रकूट में मैंने उनका स्वस्थ शरीर ही देखा था।

एक दिन डाकखाने आये तो मुग्दर देखकर बोले : "अच्छा, बाबूजी को भी मुग्दरों का शौक है ?" (मुग्दर मैंने घुमाने के लिए एक पण्डे की मांग लिये थे)। यह बात सन् 1930 मई-जून की है। सन् 41 में मैंने स्वामी जी को नौगांव में फिर देखा और कसरत करते देखा। तो कृष्ण तो बहुत मोह वाले वैसे भी नहीं थे। इसीलिए गीता सुना दी : "कहां के चाचा-ताऊ ? कहां के भाई-भतीजे ? मारो बदमाशों को !" कृष्ण ने क्या अपनी जन्म-कथा नहीं सुनी होगी ? सोचते होंगे : "जीवन बच गया—बड़ी भारी बात हो गयी वरना मर तो गये ही थे ! क्या किसी से मोह ! लगा दो जान की बाजी बेरहमी से : "हटाओ दुनिया से इन बदमाशों को !"

और इस दिशा में अर्जुन, भीम तो उनके साधन मात्र थे। उनका लक्ष्य तो दुष्टता का विनाश था—उस दुष्टता का विनाश जो उनकी जान लेने को तुली हुई थी। कंस को मारकर तो कृष्ण अलौकिक पुरुष बन ही गये थे और उनको प्रसन्नता भी हुई होगी। परन्तु जरासन्ध के मरने पर भी कम प्रसन्नता न हुई होगी !

वसुदेव-देवकी स्वभाव के अच्छे थे, ऐसा आभास इतिहास से होता है। तो कृष्ण भी स्वभाव से अच्छे थे, यह भी बहुत स्पष्ट है। उनकी धूर्तता, दुष्टों के नाश में काम करती थी : अन्यथा वह सबका भला ही चाहते थे। महाभारत में सुलह की बात करना, इसका बहुत अच्छा प्रमाण है।

यहां महाभारत में बहुत दंद-फंद हुआ—अथवा किया गया, या कराया गया।

पर सोचने की बात है : कृष्ण को क्या यह खला न होगा कि भीष्म, द्रोण, कर्ण सरीखे समझदार वहां सभा में बैठे थे पर किसी का मुंह न खुला कि "हां, तुम ठीक कहते हो, पांडवों को कुछ मिलना चाहिए ! माना कि वह पाण्डु पुत्र नहीं हैं, पर कुन्ती पुत्र तो हैं ही ! मनुष्यता के नाते कुछ तो उन्हें देना ही चाहिए !" पर सभी गूंगे बने रहे।

वास्तव में किसी कार्य में अग्रसर होने के लिए मनुष्य की प्रवृत्ति—संस्कार—काम करते हैं। स्पष्ट है, पितृ-आज्ञा को जिस दृष्टि से राम देखते थे, वह लक्ष्मण की दृष्टि से भिन्न थी। भीष्म, द्रोण, कर्ण—कृष्ण की बात ठीक समझते हुए भी चुप रहे। चुप रहना ही ठीक है; युद्ध से उदासीन रहना अथवा उस तरफ जाना ठीक नहीं है—मानते थे।

'विश्व बदर इब तुम्हरे हाथा' अर्थात् तुम संसार को अच्छी तरह समझते हो। आवश्यकता है, मनुष्य को संसार के समझने की। सत्य को समझने की। परम्परा क्या है ? लोग क्या कहेंगे ?—इसका कुछ महत्त्व नहीं है। परम्पराएं बिना विचारे प्रतिस्पर्धाओं में बनती हैं। कहने वाले अपनी आदत व रुचि के अनु-सार जैसा समझते हैं, कुछ-न-कुछ कहते ही हैं। राम और कृष्ण भी बुरे कहे जाते हैं। यहां महत्त्वपूर्ण बात है—किसी भी कार्य के दूरगामी परिणाम सोचने की और उस पर चलने की !

इस संसार में परिस्थितियां बदलती रहती हैं इसलिए यही मार्ग ठीक है, ऐसी हठधर्मी ठीक नहीं है। इस मार्ग परिवर्तन से न तो परिवर्तित मार्ग पर चलने वाले का महत्त्व कम होता है, और न उस कार्य का।

उदाहरण के लिए, राम और कृष्ण को ही देख लीजिए ! राम वचन-पालन, पितृ-आज्ञा को कितना महत्त्व देते हैं ! पर कृष्ण के साथ ऐसी कोई बात नहीं है। उनके सब अवगुण—आर्ष प्रयोग की तरह—क्षम्य हो गये; उनको नाना रूपों में

देखा जाने लगा। आरम्भ से ही चोरी करना शुरू की। स्त्रियों के साथ रहना, उनको बाहर बुलाना, कपड़े चुराना—ये किस आदर्श की बातें हैं ? आगे शादी-ब्याहों में भी ऐसी ही बातें हैं। और राम की तरह वचन-पालन जैसी कोई चीज तो है ही नहीं। भीष्म पर—और कुछ नहीं मिला तो—पहिया लेकर ही टूट पड़े।

तो यह पहली बात है आदर्श की, परम्परागत उचित कार्य की (रघुकुल रीति सदा चलि आयी), राम के वचन-पालन को महत्त्व देने की।

परन्तु उधर, कृष्ण के साथ कोई आदर्श, कोई परम्परा का विचार नहीं—सब नवीन।

पर उस सबकी अच्छाई की कसौटी है : परिस्थिति और उसके अनुकूल विचारपूर्ण कार्य; लक्ष्य की प्राप्ति ! और उन सब अवगुणों के साथ राम तो 12 कला वाले ही भगवान रह गये, पर कृष्ण 16 कला वाले भगवान माने गये।

तो यह बात है एक विचारक की, दूरगामी परिणाम सोचने वाले की, और उस मार्ग पर चलने वाले की। कौन क्या कहता है इन सब बातों को छोड़कर, कृष्ण ने जनसाधारण को अच्छा मार्ग बताया।

पर लोग उस मार्ग पर चलने के बजाय कृष्ण का नाम जपने लगे। राम के आदर्शों पर चलने के बजाय 'राम-राम' रटने लगे—जैसे कोई रामायण पढ़ने के बजाय 'तुलसी' 'तुलसी' कहने लग जाये।

अभी कहीं पढ़ा—आरम्भ में गांधी जी अपनी तैयारी में, संवरने में, बहुत समय लगाते थे। परन्तु अन्त में वह देहाती कछौटे पर उतर आये। यहां उनको बदलने में मुख्यत: 2-3 बातें काम करती हैं। प्रथमत:, उनके मां-बाप की देन। मां सीधी, पूजक, भक्ति-परायण; पिता न्यायप्रिय, शासक, परिस्थितियों से जूझने वाले। गांधी में ये सब बातें बहुत स्पष्ट रूप से आयीं।

परिस्थितियों ने गांधी को बदल दिया, परन्तु उनको विद्रोही, क्रान्तिकारी (रिबेल)—चन्द्रशेखर आजाद—नहीं बना दिया।

जरा मुझे ही देखिए। रुद्रनारायण के अड्डे का अगुआ। शचीन्द्र बख्शी से मिलने वाला पहला। दूसरों को ले जाकर उनसे मिलने वाला। जितना क्रान्तिकारी साहित्य उस समय मैंने पढ़ा, औरों ने नहीं पढ़ा।

और वंश से ? मां तो बहुत ही सीधी, भक्त, अन्धविश्वासी ! पिता, सज्जन, भावुक, परम भक्त, कर्त्तव्यपरायण। मास्टर रुद्रनारायण ने कहा : "कुछ करता है।" (पर पूछने पर न तो मा० रुद्रनारायण ने बताया कि क्या करना है और न बख्शी ने। कहा : "यह सब एक्शन के टाइम पर ही बताया जायेगा")। जरा गौर करने की बात है। मेरे बाप-दादे बुद्धि से काम लेते आये थे, भिड़न्तू थे, बैसवाड़े के थे, फौजी थे, मारकर मरना सीखा था।

मैं भी आंख मूंदकर कुएं में गिरने के लिए तैयार न हुआ। उसका—(एक्शन का)—कुछ तो आभास होना ही चाहिए था। मुझे छोड़ दिया गया। इधर मैं नौकरी में आ गया।

पर मेरा, बाबा का किया हुआ विद्रोह, मास्टर जी के यहां और बख्शी से प्राप्त—जागृत रहा।

रुद्रनारायण ने शादी कर ली, शराब पी (सक्सेना थे न, कोई सामाजिक प्रतिबन्ध नहीं), कैन्सर हुआ, लड़के से बनती नहीं थी (कैसे बनती ?) और शीघ्र ही अन्त हो गया। और बख्शी ने तो एक प्रकार से औरों की तरह जुआ ही डाल दिया। शादी। बच्चे। बीवी से अलगाव। सबसे कमजोर बात है—क्रान्ति का मार्ग छोड़ना !

उनसे तो हम ही अच्छे, जो शिक्षा, समाज सुधार का मार्ग अपनाया, उस पर जीवन-पर्यन्त डटे रहे, यथासंभव कुछ-न-कुछ करते रहे। जुआ तो नहीं डाला ! और रामविलास ने भी मार्ग छोड़ना तो दूर, उन्होंने वह किया ज़ो पार्टी के दिग्गज नेता नहीं कर सके।

तो यह है कमजोर और मजबूत जड़ की बात। अपने-अपने जन्मजात संस्कारों की बात ! अपनी दृढ़ता की बात ! पैण्ट, सूट, अचकन, पैंजामा, कमली, शाल-दुशाले, का मूल्य नहीं है। मूल्य है, उसके अन्दर हड्डी कैसी है ! हड्डी के अन्दर विचार कैसे हैं ! विचारों की दृढ़ता कैसी है ! मार्ग छोड़ने का अर्थ हुआ, मार्ग को गलत कहना ! क्रान्ति की आवश्यकता अब भी वैसी ही बनी हुई है !

वैसे तो मनुष्य सदैव ही सीखा करता है. यानी मरते दम तक। पर जन्मजात प्रवृत्तियां भी, उसका बिल्कुल ही साथ छोड़ दें, ऐसा नहीं होता।

बाह्य ज्ञान से उसे अपने को संस्कारों के अनुसार तैयार करते रहना होता है जब कि वंशज प्रवृत्तियां उसमें स्वयं उठती हैं। उसे कुरेदती रहती हैं। और, मनुष्य को अपने से लड़ते रहना होता है। इसी को तो कहा है : 'न मारा आपको जो खाक ही अक्सीर बन जाता !"

बात थी कृष्ण की ! "यदा-यदा हि धर्मस्य...!" क्या अक्ल है ? अरे, भगवान होते तो धर्म की हानि ही क्यों होती ? अथवा, हानि होते समय भगवान कहां सो रहे थे ? यह तो अधर्म स्वयं ही कृष्ण-गांधी के पैदा होने जैसी परिस्थितियां पैदा कर देता है—और उन परिस्थितियों में कोई-न-कोई कृष्ण, राम (एक पत्नीव्रत), बुद्ध, गांधी उठ खड़ा होता है !

टि-पु-रि-हा...

भगवान दीन शर्मा

यह एक सत्य है कि समय बदलता है। और, समय के साथ मनुष्य के मूल्य बदलते हैं।

एक समय जो गांधीवाद त्याग और तपस्या का द्योतक था, वह आज स्वार्थ तथा कुर्सी की दौड़ का प्रतीक है। उस काल का युवा वर्ग, जो विदेशियों को मार भगाने को तत्पर था, आज धोखेधड़ी से किसी को भी मारने, लूटने, आतंक फैलाने में साहस का परिचय दे रहा है।

मैं भी सयानपन के दरवाजे के अन्दर झांक रहा था। मुझे समाज को शिक्षित करने, उन्नत करने का भूत सवार था। इसमें पिता का भी सहयोग था।

मैं अपनी पहली स्त्री के छोटे भाई को झांसी पढ़ाने ले गया। परिस्थितियां। दो-तीन साल बाद उसके पिता, बावजूद उसके चैतन्य बुद्धि होने के, उसे वापिस घर लिवा ले गये। इसके बाद मेरे एकमात्र छोटे बहनोई परमेश्वर दीन का नम्बर आया। परमेश्वर को लेने के लिए जब मैं उनके घर नबीनगर गया, तो उस समय उनके पिता—पंडित तुलसीराम—एक बारात में कानपुर गये हुए थे। निश्चय हुआ कि मैं परमेश्वर को, कानपुर में उनके पिता से मिलाकर, झांसी ले जाऊं। और, मैंने ऐसा ही किया।

आज के लोग शायद 'टिपुरिहा', उस काल के प्रचलित शब्द, से परिचित न होंगे। इस शब्द की जड़ तो शायद राम विलास जैसे लोग ही जानते होंगे, मैं तो केवल उसका भाव तथा प्रयोग मात्र ही जानता हूं। इसका साधारण अर्थ है: सामाजिक तथा दैनिक कार्यों में बाल की खाल निकालने वाला।

ऐसे ही थे हमारे गांव के एक नारायण नाऊ।

उनकी उपस्थिति में पुरोहित लोग पनाह मांगते थे। करभटों में जरा-सा भी छूटने पर वह पण्डित को फौरन टोक देते। स्त्रियां खाना परोसते घबड़ातीं। नारायण लोटे पर पानी की एक बूंद चुआते; यदि पानी की बूंद फैल गयी तो ठीक, लोटा साफ है। और, यदि बूंद यथास्थान रही, तो लोटा साफ नहीं है।

ऐसे ही टिपुरिहा एक और थे—टूंसी के हरिनाथ राय। इनको सम्बन्धों के ऊंच-नीच का बड़ा ध्यान रहता था। अपने से ऊंचे, कुलीन के यहां ही कच्चा, खाना, भात खायेंगे, दूसरे के यहां नहीं। मेरा और उनका, नबीनगर के नाते, कई शादियों में साथ रहा।

तो, मैं परमेश्वर को लेकर उस रात उस धर्मशाला—(जनवासा)—में पंडित तुलसीराम के पास कानपुर पहुंचा। संयोग की बात। उस रात बारात को भात खाने जाना था। वहां के सम्बन्धों की ऊंचाई-नीचाई को न मैंने तब जाना न अब। परन्तु पण्डित तुलसीराम तथा हरिनाथ रायजी की बातचीत मैं आज तक न भूल सका।

पंडित तुलसीरामजी का कहना था, "आपको तो लोग जानते हैं, इसलिए आप तो छूट जायेंगे। पर मुझे तो जाना ही पड़ेगा। मान्य की दक्षिणा देकर, वे खाने के लिए मजबूर कर देंगे।" इस पर हरिनाथजी का कहना था, "जाना पड़े तो जाओ। पर खाना नहीं। परोसते समय शुरू से ही कहना 'थोड़ा ! थोड़ा !' फिर वक्त जाया करना। कौर मुंह तक ले जाना और लौटा लाना। कुछ भात पत्तल के नीचे सरका देना। कुछ सानकर छोड़ देना। आगे परसाना नहीं।" इस पर पंडित तुलसीराम ने कुछ खिन्न होकर कहा : "यहु सबु हमते न होई।"

उस समय उनके पास ही बैठा हुआ मैं अपने मन में सोच रहा था—जब वहां आप पत्तल पर बैठेंगे, तो आप भात खायें या न खायें समाज तो आपको भात खाया हुआ ही मानेगा। आपने भात नहीं खाया, इसका फैसला किस कचहरी में होगा ?

हरिनाथजी को छोड़ हम सब भात खाने गये और खाया भी। हां, छत पर से जीने द्वारा नीचे उतरते समय, बगल के दरवाजे से, स्त्रियां जरूर बहुतों की उघारे बदन पीछे से लांघ खींच, चोंटियां ले, दुर्गति कर रही थीं। गाली गाने, इत्यादि से शायद उनकी तृप्ति न हुई हो। कानपुर था। सामाजिक प्रथा। बाबा तुलसीदास समर्थित। खैर।

हम लोग विदा हो रहे थे। स्टेशन के पुल पर खड़े थे। मोहवश पंडित तुलसी राम की दोनों आंखों से आंसू ढरक पड़े। हरिनाथजी ने उन्हें समझाया। सान्त्वना दी। और, हम लोगों ने पैर छू कर विदा ली।

चुनाव : हरियाणवी

रामशरण शर्मा मुंशी

हरियाणा में चुनाव प्रचार बन्द हो चुका था। प्रचारक लौट रहे थे अपने-अपने घर।

17 जून 87। समय 2 बजे। दोपहर नहीं; प्रात:काल। आप चाहें तो कह सकते हैं 16 जून की रात 2 बजे।

सारा मोहल्ला गहरी नींद में है।

अचानक खट-खट-खट। हरिनगर घंटाघर के हमारे घर का आयरन गेट कोई बार-बार, जोरों से, खटखटा रहा है। जी हां, आधी रात को 2 बजे।

इतनी रात को कौन आया हो सकता है ! मेरे छोटे भाई अवस्थी ?...इतनी रात को ? डाकिया ?...कोई तार है क्या ! या...

अभी दो ही दिन पहले तो ग्रेटर कैलाश-II में वह हादसा हुआ है। लेकिन, हमारे मोहल्ले में आतंकवादी ?

मैं खिड़की के किवाड़ें खोलकर चबूतरे की तरफ झांकता हूं। 'कौऽऽन ! ..' दरवाजा खोलने से पहले पूछ लेना चाहिए। इतनी सावधानी बरतना तो एकदम जरूरी है। इन दिनों क्या भरोसा किसी का ! "ना जाने केहि रूप में नारायण मिल जायं !"...

"दरवाजा जल्दी खोलो"—कड़क भरी आदेशात्मक आवाज सुनायी देती है। साथ ही, आयरन गेट का कुंडा फिर जोरों से खड़कता है। "कोई कूदा है छत पर से बाहर..."

खिड़की खोलने पर दो आकृतियां गेट के बाहर खड़ी दिखायी देती हैं।

"जल्दी खोलो ! दरवाजा खोलने में इतनी देर क्यों लग रही है ?" स्वर इस बार और अधिक कर्कश है।

मेरे पुत्र मुकुल अब तक अपने कमरे से मेरे कमरे में आ चुके थे। मैंने उनके

हाथ में आयरन गेट की ताली दी।

इस बार मैंने वाहर खड़े लोगों को सम्बोधित करते हुए, जरा ऊंचे स्वर में पूछा : "बात क्या है ?..."

साथ ही बाहर खड़ी आकृतियों पर ध्यान से नजर डाली। पुलिस ?...दो पुलिस वाले !!

साथ ही, मेरा ध्यान छत पर जाने वाले बाहर के उस जीने की तरफ गया जिसमें हम लोगों ने अब तक किवाड़े नहीं लगवाये हैं। बड़ा गुस्सा आया अपने ऊपर ! हां, चबूतरे पर की छोटी-सी दीवाल लांघकर कोई भी हमारी छत पर पहुंच सकता है। आराम से वहां सो सकता है। हमारी छत पर से दूसरी छतों पर जा सकता है। दूसरों के मकान में उतर जा सकता है।...

तो क्या पड़ोस में कोई डाका डाल रहा था और लोगों के अचानक जाग उठने पर हमारी छत पर से बाहर कूदा है ! नहीं, जीने में किवाड़े लगवाने में अब देर नहीं की जा सकती !!

मुकुल आयरन गेट खोलकर पुलिस वालों से बात कर रहे हैं। पुलिस वाले मुकुल को पड़ोस के निक्की साहब के मकान की तरफ, जो हमारे घर के एकदम बगल में है, ले जा रहे हैं। क्या बात है ? कुछ समझ में नहीं आता !...

थोड़ी देर में मुकुल दौड़कर घर आते हैं। "कोई निक्की साहब की छत से कूदा है..." कहते हुए वह अन्दर, शायद टॉर्च की तलाश में लपकते हैं।

ओह, तो कोई हमारे जीने से छत पर ऊपर गया और पड़ोस में चोरी करके निक्की साहब की छत से कूदा है। यह तो और भी गड़बड़ मामला है। मोहल्ले वाले जरूर कहेंगे—"शर्मा साहब, जीने में किवाड़ न लगवा कर आपने चोरों के लिए रास्ता खुला छोड़ रखा है।" इसी को तो कहते हैं—सरासर लापरवाही, भूल, मूर्खता ! कल ही किसी बढ़ई को पकड़ना चाहिए, किवाड़े बनवाने के लिए।

मुकुल को टॉर्च नहीं मिली। वह फिर भागते हुए बाहर गये हैं।

लेकिन इस बार वह जल्दी ही लौटकर आ जाते हैं। "निक्की साहब का सब से बड़ा लड़का है। छज्जे पर से गिरा है।"...कहते हुए वह छत पर पहुंचते हैं। अपनी छत से वह कुछ देर निक्की साहब के दूसरे सुपुत्र डिकी को आवाज देते हैं—"डिकी ! डिकी !!" कोई जवाब न मिलने पर मुकुल कूद कर निक्कीजी की छत पर पहुंचते हैं और अब गला फाड़-फाड़कर आवाज दे रहे हैं : "निक्की साहब ! निक्की साहब ! दरवाजा खोलिए !..."

निक्की साहब का बड़ा लड़का !...वही न जिसकी बॉब्ड हेयर बीवी बड़ी ठसक से बाजार आती-जाती और सब्जी-तरकारी वालों से बड़ी तू-तड़ाक से बोलती है। अरे हां उसका मर्द एक दिन रात को देर से शराब पीकर जब लौटा

तो उसे डांटता हुआ कह रहा था—"अब तू आधी रात को मुझसे लड़ना और सारे मोहल्ले को जगाना चाहती है !" हां, उस रात बहुत देर तक एक स्त्री के रोने की आवाज भी तो निक्की साहब के मकान से सुनायी देती रही थी !

लेकिन उस मर्द की उम्र तो अड़तालीस-पचास साल की होगी। छज्जे से गिरा कैसे !...

मुकुल छत पर से उतर कर फिर सड़क पर हैं।

निक्की साहब स्थानीय नेता हैं। धीरे से दरवाजा खोलकर बाहर निकले। उनका बेटा डिकी भी जागकर आ गया है।

मुकुल लौटकर आयरन गेट का ताला बन्द करते हैं।

"निक्की साहब और डिकी आ गये हैं। निक्की साहब ने बताया उनका दामाद है। हरियाणे से आज ही आया है। मुंह से शराब की इस कदर बदबू आ रही है कि पास खड़े होना नामुमकिन है। जमीन पर खून भी पड़ा है ..!"

सामने के मकान के छज्जे पर भी एक परिवार खड़ा है। एक मर्दानी बलन्द आवाज आधी रात में गूंजती है :

"इतनी शराब पीकर आया था, तो उसकी संभाल का बन्दोबस्त क्यों नहीं किया ?"

"पुलिस वाले ?..." कोई पूछता है।

"उन्हें निक्की साहब ने भगा दिया है !...दामाद को अस्पताल ले गये हैं।"

अगले दिन निक्की साहब से मालूम होता है कि दामाद के दोनों हाथों में और एक पैर में फ्रैक्चर हो गया है !...

पढ़ना और पढ़ाना

रामनरेश शर्मा

यह किस्सा दक्षिण भारत का है। यहां मन्दिरों के अपने हाथी भी होते हैं। एक बार इसी तरह के एक मन्दिर का हाथी का बच्चा खो गया। बहुत ढूंढ़ा, पर कहीं न मिला। सब लोग परेशान थे। तभी पुजारीजी का दस साल का लड़का वहां पहुंच गया। जब उसे यह मालूम पड़ा कि हाथी का बच्चा खो गया है और उसे कोई ढूंढ़ नहीं पा रहा है, तो तुरन्त उसने उसे ढूंढ़ निकालने का बीड़ा उठाया।

कोई दो घंटे बाद देखते क्या हैं कि श्रीमान्‌जी हाथी के बच्चे की सूंड़ पकड़े चले आ रहे हैं। सब लोगों को बड़ा आश्चर्य हुआ। लोग बड़े आश्चर्य में कि इतना छोटा-सा लड़का, जंगल से हाथी के बच्चे को कैसे ढूंढ़ लाया!

पूछने पर उसने बताया—"मैंने सोचा अगर मैं हाथी का बच्चा होता तो क्या करता? पहले नदी में जाता, धूमपेल मचाता, फिर नदी पार करके केले के जंगलों में केले खाता और जब पेट भर जाता, तो वहीं सो जाता।

"बस, यह सोचकर मैं नदी पार चला गया और देखा कि बच्चूजी (हाथी का बच्चा) सोने की तैयारी कर रहे थे।"

मैं भी पढ़ाते समय अक्सर अपने को उसी गरीब शिक्षार्थी की जगह पहुंचा देता हूं जिसे हर पांच मिनट बाद डांट खानी पड़ती है—यहां तक कि जो कुछ उसे आता-जाता है, वह भी भूल जाता है। सोचता हूं, आखिर इतनी सरल-सी बात इसकी समझ में क्यों नहीं आती।

यह तो अब मेरी समझ में आया है कि जो बात मेरे लिए इतनी सरल है उसके लिए उतनी ही कठिन।

मैं एम. एस-सी. में था। बड़े भैया 'टेलीग्राफ मास्टर' की परीक्षा देने के लिए कभी-कभी 'इलेक्ट्रीसिटी' वगैरा के बारे में मुझसे पूछ लेते थे।

एक दिन मैं उन्हें एटम का 'स्ट्रक्चर' समझा रहा था। बीच में 'न्यूक्लियस' होता है और उसके चारों ओर 'इलैक्ट्रोन्स' घूमते हैं, इत्यादि। मैं हवा मे उंगली से

प्वाइंट (बिन्दु) लगाकर 'न्यूक्लियस' बना देता और फिर उसी उंगली को घुमाकर 'इलैक्ट्रोन्स' की 'ऑरबिट' बना देता।

सभवत: भैया को बात जम नहीं रही थी। एक आध बार और समझाकर हम भी झुंझला उठे और कह बैठे : "इतनी-सी बात आपको समझ में नहीं आती ?" और भैया का वह रिमार्क मेरे लिए ब्रह्म वाक्य बन गया : "पढ़ाना तो खुद को नहीं आता और मुझ पर गुस्सा दिखाते हो !" उन्होंने उंगली का उसी प्रकार प्वाइंट और 'ऑरबिट' बनाकर कहा : "इससे मेरी समझ में क्या आयेगा !"

अक्सर पढ़ाने वाला चूंकि पहले से जवाब जानता है, इसलिए उसी उत्तर की प्रतीक्षा करता है। और, उत्तर न मिलने पर लाजमी है कि उसे गुस्सा आता है। पर वह भूल जाता है कि अभी उसी प्रकार का इमेज स्टूडेन्ट के दिमाग में नहीं बना है।

मुझे छोटे और बड़े बच्चों दोनों को पढ़ाने का अवसर मिला है।

एक साहब थे। बड़े अमीर। लड़के थे तीन। पर एक से एक उस्ताद। अच्छे-अच्छे मास्टरों को पानी पिला दिया था। कोई मास्टर दस दिन से ज्यादा न टिकता था। इश्तहार निकले : "एक मास्टर की जरूरत है। रहना, खाना-पीना फ्री। फीस ऊपर से।"

एक गरीब बेचारा हमारी तरह का था। सोचा, "साले पढ़ें न पढ़ें; रहना खाना तो पक्का है। ऊपर से फीस भी मिलेगी; जब इम्तहान आयेंगे, देखा जायेगा !"

पहुंच गये, नौकरी के लिए। जमींदार ने ऊपर से नीचे तक देखा। बोला, "पढ़ा लोगे ?" जवाब मिला, "हां, पढ़ा लेंगे।"

जमींदार को तरस आया। फिर भी उसने सोचा, "चलो ट्राई तो कर लें।"

अगले दिन मास्टर साहब पढ़ाने आये। लड़के भी किताबें लेकर बैठे। मास्टर साहब ने थोड़ी देर बाद इधर-उधर झांककर देखा, मैदान साफ था। लड़कों को पास बुलाया। कहा : "तुम पढ़ना नहीं चाहते हो न ?"

लड़कों ने कहा, "हां।"

मास्टर साहब, "ठीक है। मैं भी पढ़ाने नहीं आया हूं। चलो लॉन में खेलेंगे।"

थोड़ी देर में चारों कबड्डी खेलने लगे। एक दिन पार हुआ। लड़के भी खुश, मास्टर भी खुश।

एक दिन जब लॉन में खेल चल रहा था तभी झाड़ी में से एक खरगोश निकाला। मास्टर साहब ने लड़कों का ध्यान उधर खींचा। थोड़ी देर में एक और निकला। जब तीसरा खरगोश निकला तो मास्टरजी ने पूछा, "अच्छा बताओ कि अब कुल कितने खरगोश निकले ?" बड़े वाले (भाई) ने छोटे की तरफ इशारा

किया, "अबे, ये तो खेल-खेल में ही पढ़ा रहे हैं !"

पर तब तक मास्टर और लड़कों में इतनी दोस्ती हो गयी थी कि लड़कों ने पढ़ाई से इन्कार न किया।

मेरी समझ में मास्टर को सबसे पहले स्टूडेण्ट्स से पक्की दोस्ती करनी चाहिए, फिर पढ़ाई की बात। ऑल माई स्टूडेण्ट्स आर माई बेस्ट फ्रेंड्स।

अभी भी मेरे दोनों पुत्र बिल्लू-पिण्टो हाथी के बच्चे वाले किस्से को सुनकर खूब हंसते हैं और इसी प्रकार नये-नये स्टूडेण्ट्स फांसते हैं।

गणित कितना कठिन विषय है। यह तो उनसे पूछिये जो इसमें बार-बार फेल होते हैं। लाख कोशिश करने पर भी चीज दिमाग में नहीं घुसती। गणित की पहली सीढ़ी पहाड़े; टेबिल्स। आज भी वे लोग जो गणित में फेल होते थे, सोचकर देखें कि उन्हें ठीक से पहाड़े याद हैं या नहीं। हमने सोचा कि टेबिल्स में वह संगीत कहां जो हिन्दी के पहाड़ों में। मसलन पन्द्रह का पहाड़ा ले लीजिये। पन्द्रह दूनी तीस, तियां पैंतल्ला, चौके साठ, पंचा पिछत्तर, छक्के नब्बे, सते पिचोकर, अट्ठे बीसा, नौ पैंतीसा, धूम-धड़ाका डेढ़ सौ।

अंग्रेजी में टेबिल्स मुझे बड़े कठिन लगते हैं, तो पहाड़े revise करने के लिए एक agreement हुआ कि जब बिजली चली जायेगी तो पहाड़े याद किये जायेंगे। पर एक शर्त थी : एक हम सुनायेंगे और एक ये लोग। फिर उल्टे पहाड़े, इत्यादि-इत्यादि। इस प्रकार हमने पहाड़े पक्के कर लिए थे और अब भी यह करते रहते हैं।...

इम्तहान से पहले रिवीजन का काम शुरू होता था। अब किसी से सारे सवाल फिर से लगाने को कहो, तो उसे बुखार आ ही जायेगा। तो एक नया 'कानून' बनाया गया जिसका नाम रखा गया—एक्सप्लोरेंशियल लॉ। इसके अनुसार रिवीजन के समय पहले पांच सवाल छोड़ दो, छठा सवाल करो; फिर चार सवाल छोड़ दो, ग्यारहवां करो; फिर तीन छोड़कर, पन्द्रहवां करो; दो छोड़कर, अट्ठारहवां; एक छोड़कर, बीसवां; और इसके बाद सब।

तो इस तरह से 25 में से आपने केवल दस सवालों में पूरी एक्सरसाइज रिवाइज कर ली।

सेकेण्ड रिवीजन में 7वां, 13वां, 18वां, 22वां, 25वां—5 सवालों में ही रिवीजन हो जाता है। इस तरह से ये लोग कई बार सवाल रिवाइज कर लेते थे।

एक तीसरा तरीका भी था। लॉटरी निकालने का।

कॉण्ट्रैक्ट होता था—आज बस दस सवाल करें। जो भी सवाल आ जावें—और अन्त में गोला; यानी जो सवाल प्रथम प्रयास में न आये उस पर एक गोला

चढ़ा दो। जब दुबारा करो, फिर भी न आये तो दूसरा गोला और अगर तीसरी बार भी न आये तो तीसरा गोला ! इस प्रकार से कठिन सवालों का ग्रेडिंग हो जाता था।

गणित पढ़ाते समय गणित पर खूब सारी नई-पुरानी पुस्तकें होना आवश्यक है। इससे तरह-तरह के सवाल लगाने को मिलते हैं।

पढ़ाने से पहले बच्चे की रुचि उस विषय में पैदा करना आवश्यक है। गणित में रुचि पैदा करना और भी आवश्यक है। इसके लिए उस विषय पर जनरल डिस्कशन करना बहुत जरूरी है। इससे उस विषय की रूपरेखा, उस विषय की आवश्यकता, इत्यादि पर प्रकाश पड़ता है।

मैं अक्सर बच्चों को वैज्ञानिकों की जीवनियों में से किस्से सुनाया करता था और उसके माध्यम से बहुत-सी बातें बड़ी आसानी से उन्हें समझा देता था। आगे चलकर जब वही विषय ये लोग पढ़ते थे, तो समझने में कोई कठिनाई नहीं होती थी। पर इस ट्रिक को भी परखनेवाले जान गये थे।

एक बार मिनी-आशू जादूगुड़ा आये थे। मिनी को +2 के लिए फिजिक्स पूरी करनी थी। हमने वही चाल चली। थोड़ी देर बाद आशू अचानक पूछ बैठे : "फिर चाचा आइन्सटीन ने क्या कहा ?" हम समझ गये, लेग पुलिंग हो रही है। तब से हमने पढ़ाने के और नये तरीके सोचना शुरू किये। कहने का तात्पर्य यह है कि पढ़ाने के तरीके निरंतर विकसित करने पड़ते हैं।

पढ़ाते समय यह आवश्यक है कि शिक्षक जमकर विद्यार्थी के पास न बैठा रहे। मैं क्या करता था कि एक सवाल तो स्वयं लगा देता था—यह दिखाने के लिए कि यह कितने सरल सवाल हैं। दूसरा सवाल आधा निकालकर छोड़ देता था कि अब उसे पूरा कर लो। और, तीसरे के समय वहां से दस मिनट को खिसक जाता था। सवाल आ गया तो वाह-वाह और नहीं आया तो थोड़ी-सी ऐड़ लगा दी, और फिर चल दिये। इस तरह से लड़के को अकेले सवाल लगाने की आदत पड़ जाती है।

इस प्रयोग की सबसे अच्छी मिसाल है—यशवीर भटनागर। यशवीर भटनागर (बबलू) मेरे पास पढ़ने तब आये, जब वह नवें दर्जे में थे। उनकी दशा देखकर मुझे आश्चर्य हुआ कि ये आठ दर्जे कैसे पास हो गये थे। हमने तो केवल मजाक में कहा : "इस रफ्तार से तुम कभी पास न होगे। अपना पाजामा-कुर्ता लेकर यहीं आ जाओ।" और, वह दूसरे दिन सचमुच आ गये। इनकी एक ही विशेषता थी, यह कठिन परिश्रम से भागे नहीं। बेचारे ने डांट तो डांट, मार भी खायी।

इन सज्जन ने अन्त में इतनी प्रगति की थी कि बारहवें दर्जे में मैं इनसे जब-

तब पूछता था कि कुछ पूछना तो नहीं है। और जवाब मिलता था—"नहीं अंकल ! हम खुद कर लेंगे।"

बच्चों को पढ़ते समय कभी-कभी मुझे कठिन समस्याओं का सामना करना पड़ता था। वे ऐसे टेढ़े-मेढ़े सवाल पूंछते थे, जिनका उत्तर उसी समय देना बड़ा कठिन होता था।

बात उस समय की है जब बड़े भैया के पुत्र जिन्हें सब बच्चे दादा कहते हैं दसवें दर्जे का इम्तहान देने वाले थे। नवां पासकर, गर्मियों की छुट्टी में हमारे साथ दिल्ली आ गये थे। तुर्कमान गेट वाले मकान पर वह अपने मुंशी चाचा के पास रहते थे। सवेरे हम उन्हें काम दे जाते थे और शाम को आकर चेक करते थे।

अक्सर बच्चे दादा हमें चरका दे देते थे।

हमने सोचा—चलो, इन्हें पढ़ाने में हमें क्या प्रॉबलम्स आती हैं, जरा उसका थोड़ा मजा इन्हें भी लेने दें।

सो, एक दिन हमने इन्हें मुंशीजी के बेटे मुकुल को पढ़ाने का काम दे दिया। यह बड़े खुश, 'आज तो हमें पढ़ना नहीं पड़ेगा।'

पर जब शाम को मिले तो कुछ रुंआसे और खिन्न-से नजर आये।

हमने पूछा, "क्या बात है ?" कहने लगे, "हम मुकुल को नहीं पढ़ायेंगे।" मैंने पूछा, "आखिर क्यों ?" बोले, "यह उल्टे-सीधे सवाल पूछता है।" मैंने कहा, "फिर भी बताओ तो, कैसे सवाल।" कहने लगे, "मैंने इसे जोड़ का सवाल दिया था। पर बजाय इकाई की तरफ से जोड़ने के, हजार की तरफ से जोड़ना शुरू किया और हासिल को इकाई के दाहिने रख दिया। जब मैं सही ढंग बताता हूं, तो यह मानता नहीं है। कहता है, "जब हम अंग्रेजी बायें से दायें लिखते हैं, हिन्दी बायें से दायें लिखते हैं, तो सवाल दायें से बायें क्यों करें ?' "

अभी भी जब कभी मैं किसी इण्टरव्यू बोर्ड में बैठता हूं तो मौका पाते ही कैण्डीडेट से यह सवाल जरूर पूछ लेता हूं।

मेरी भतीजी कदम ने एक बार मुझ से कहा था : "चाचा साइन्टिस्टों के जो किस्से आप बच्चों को सुनाया करते थे, उन्हें ही लिख दें।" तो यह सब कदम के आग्रह पर। [पढ़ाई के बीच में गपशप मारना हम लोगों का नियम था। कुछ तो रिलैक्सेशन के लिए और कुछ ज्ञान वर्धन के लिए।]

प्रोफेसर आइन्सटाइन उन दिनों अमेरिका में प्रिंसटन यूनिवर्सिटी में पढ़ाते थे। शाम

के समय वे अक्सर अपने घर के बरामदे में बैठा करते थे। पास ही के एक मकान में एक लड़की रहती थी। हिसाब में कमजोर। कोई खास बात नहीं, लड़कियां अक्सर हिसाब में कमजोर होती हैं।

इस लड़की को कहीं से पता पड़ गया कि पास वाले मकान में जो आदमी बैठा रहता है, वह गणित का बड़ा ज्ञानी है। एक दिन हिम्मत करके वह प्रोफेसर के पास पच गयी। समस्या थी : दो सर्किल्स पर कॉमन टैन्जेन्ट कैसे खींच। प्रोफेसर ने सवाल समझा दिया। फिर क्या था ! जब उसे जरूरत पड़ती थी, प्रोफेसर के पास पहुंच जाती। गणित में उसके बड़े अच्छे नम्बर आये। मां ने जब मार्क्स-शीट देखी तो बड़ा आश्चर्य हुआ : "अरे तू गणित में इतनी तेज कैसे हो गयी ?"

लड़की ने जब अपनी तेजी का राज बताया, तो मां को काटो तो खून नहीं। फौरन दौड़ती हुई प्रोफेसर के पास पहुंची और माफी मांगने लगी। पर प्रोफेसर का कहना था :

"इसमें माफी की क्या बात है। सच में तो मैंने उससे बहुत कुछ सीखा है। जब वह मुझसे सवाल पूछती थी, तो मैं हमेशा यह जानने की कोशिश करता था कि इतनी सरल-सी बात इसकी समझ में क्यों नहीं आ रही। हो सकता है कि जिन्हें मैं बहुत बड़ी समस्याएं समझ रहा हूं, वे सचमुच बड़ी सरल हों और लड़की की तरह मैं भी उन्हें समझ नहीं पा रहा हूं।"

प्रोफेसर मैक्स बौर्न फिजिक्स के जाने-माने गुरुओं में से थे। उनको 72 वर्ष की आयु में नोबेल प्राइज मिली थी, जब कि उन से पहले उनके 5 विद्यार्थियों को यह प्राइज मिल चुकी थी। इन्हें 'फादर आफ क्वान्टम् मेकैनिक्स' कहा जाता है।

यह जर्मन यहूदी थे और शुरू में ब्रासलू यूनिवर्सिटी में एस्ट्रोनॉमी पढ़ना चाहते थे।

पर कैलकुलेशन्स् में अक्सर गलती कर देने की वजह से वहां से गौटिन्गन यूनिवर्सिटी आ गये और बाद में थ्योरेटिकल फिजिक्स पढ़ाने लगे।

इन्हीं प्रोफेसर के एक छात्र थे—श्री ओपनहाइमर; वही, जिन्होंने निवादा (मैक्सिको) में प्रथम एटम बम के परीक्षण का भार संभाला था।

जर्मनी में उस समय प्रोफेसर की बड़ी इज्जत की जाती थी। क्लास में बीच में कोई सवाल तक नहीं पूछता था। पर श्री ओपनहाइमर क्लास में अक्सर प्रोफेसर को टोक देते थे। चूंकि यह अमेरिका से आये थे, इसलिए सब बर्दाश्त किया जाता था। अब आप इनकी जुर्रत देखिए।

एक दिन प्रोफेसर बौर्न ने अपना एक पेपर, जो हाल ही में छपने वाला था, अपने इन शिष्य महोदय को दिया। कहा : "जरा देख लेना।" दो घंटे बाद श्री

ओपनहाइमर आये, पेपर प्रोफेसर के सामने रखकर बड़ी गम्भीरता से पूछा : "क्या सच ही यह पेपर आपका लिखा हुआ है ?" प्रोफेसर बौर्न : "क्यों ?" ओपनहाइमर : "इसमें कैलकुलेशन की कोई गलती नहीं है, इसीलिए पूछा !"

मैं बच्चों को पढ़ाते समय कभी-कभी जानबूझ कर गलती कर देता था कि देखें ये कितना सजग हैं। नतीजा यह होता था कि गलती न करने पर भी भाई लोग मेरी गलती ढूंढ़ने में जुटे रहते थे।

फिजिक्स में एक सिद्धान्त है : 'पौली एक्सक्लूजन प्रिंसिपल' (एक ही तरह के दो इलेक्ट्रोन एक ही परिधि में नहीं रह सकते)। पौली साहब का सारा कार्य थ्योरेटिकल फिजिक्स पर था। प्रयोगों से इनका इतना ज्यादा 'रिपल्शन' था कि कहीं अगर अच्छा-खासा प्रयोग चल भी रहा हो, तो इनके पहुंचते ही वह चौपट हो जाता।

ऐसा एक बार नहीं, कई बार हो चुका था। लोग इनसे इतना तंग आ गये थे कि इनको प्रयोग दिखाने के लिए बुलाते तक न थे।

एक बार कुछ ऐसा हुआ कि एक साहब का प्रयोग, जो अच्छा-खासा चल रहा था, अचानक बन्द हो गया; 'एपारेटस' खड़बड़ा कर गिर गया। इन सज्जन ने मजाक में प्रोफेसर पौली से पूछा कि फलां दिन फलां समय वह कहां थे। उत्तर मिला कि उस दिन उस समय वह ट्रेन में थे और इन सज्जन की लैबोरेटरी के पास के स्टेशन से गुजरे थे।

यकीन मानिए, ऐसा होता है : तभी तो बगल के कमरे में बिल्लू के एक प्रोफेसर के पढ़ाने से ही इन भाई लोगों को क्लास में ही कुछ जरूरत से ज्यादा नींद आने लगती है !

प्रोफेसर मैक्स बौर्न और प्रोफेसर आइन्सटाइन में बड़ी दोस्ती थी। इनके पत्रों का संकलन भी प्रकाशित हुआ है। इसी में एक किस्सा पढ़ा था।

नाजियों से सताये जाने पर प्रोफेसर बौर्न जब इंग्लैण्ड चले गये, तो वहां उन्हें मालूम पड़ा कि जाने-माने गणितज्ञ व्हाइटहेड ने एक पुस्तक लिखी है जिसमें उन्होंने कहा है कि प्रोफेसर आइन्सटाइन की सारी रिसर्च 'ओरीजनल' नहीं है, कि उन्होंने अपने से पहले के वैज्ञानिकों—लौरेन्ज, मिलकिन आदि—के कार्य को चुराया है और उसके ऊपर ही अपनी थ्योरी बनायी है।

प्रोफेसर बोर्न ने आइन्सटाइन को पत्र लिखा : "व्हाइटहेड की किताब नहीं पढ़ी हो, तो पढ़ लेना और उसका समुचित उत्तर अवश्य देना।" आइन्सटाइन का उत्तर था :

"पहले तो मैंने किताब पढ़ी ही नहीं; दूसरे पढ़ने की आवश्यकता भी नहीं समझता—उत्तर देना तो बहुत दूर। हो सकता है वह सही हो—मैं वह कंजूस नहीं हूं जो कुछ कौपर्स (पैसों) को अपने सीने से लगाये रहूं और कहता रहूं कि ये-मेरे हैं, मेरे हैं।"

कुछ शरारती छात्र अक्सर प्रोफेसर आइंस्टाइन से कहते थे: "जैसे आपने न्यूटन की थ्योरीज को सूक्ष्म अणुओं के लिए गलत साबित कर दिया है, वैसे ही एक दिन आपकी थ्योरी भी गलत साबित कर दी जायेगी।" उत्तर था :

"I wish it is in my life time, so that I know where I committed mistake."

हम लोगों ने घर में एक डिब्बा अलग रख छोड़ा था। इस पर लिखा रहता था: 'आइडिया बौक्स'। पढ़ते-पढ़ाते जब कहीं कोई चीज बढ़िया-सी मिल जाती तो लिखकर उसके अन्दर डाल देते थे। उनमें से एक है :

'दण्डम् दश गुणम् !'

शायद ही विज्ञान का कोई ऐसा विद्यार्थी होगा जिसने रदरफोर्ड का नाम न सुना होगा। एटम खोखला है—सबसे पहले इन्होंने ही सिद्ध किया था। पर कैसे ? एटम के अन्दर घुस कर नहीं, और घुस भी नहीं सकते थे—काफी मोटे-ताजे, बहुत हद तक देहाती थे। उन्होंने प्रयोगों द्वारा पता लगाया कि एटम खोखला है। उसका सारा भार और विद्युत चार्ज तो केवल एक बिन्दु मात्र में सीमित है। और बिन्दु भी कितना छोटा ? अनुमान कीजिए ! इलैक्ट्रौन से भी छोटा !!

समय बड़ा बलवान होता है। न्यूजीलैण्ड में एक लकड़ी काटने वाले के यहां इनका जन्म हुआ। सोचिए, तेरह भाई-बहन थे। मरते-जीते चार बचे। उन चार में से भी एक बचपन में नदी में बह गया। इस तरह से इनका नम्बर दूसरा हो गया। एक अनजान शिक्षक ने विज्ञान में रुचि पैदा की ! कैसे ? कहा: "पूछो, कितने सवाल पूछ सकते हो !...पूछो !"

खड़िया मिट्टी न होने पर जमीन में बालू में स्केच बनाकर मास्टरजी समझाते थे। प्रयोग करने को कहते थे।

उस समय वायरलेस का जन्म नहीं हुआ था। पर इन्होंने उच्चरूप चुम्बकीकृत लोहे की कीलों के एक गुच्छे पर तार लपेट कर इलैक्ट्रो-मैगनेटिक वेव को रिसीव करने का यन्त्र बना लिया था। इसी बीच इंगलैण्ड जाने के लिए स्कौलरशिप की परीक्षा हुई। जनाब दूसरे नम्बर पर थे। अगर पहले नम्बर वाला चला गया होता, तो आज मैं यह लेख न लिखता होता। पर भाग्य, नम्बर एक ने मना कर दिया। उसकी शादी जो होने वाली थी। विवाहित दम्पति का खर्चा स्कौलरशिप में न चलता।

सरकारी कछुवा

इन्दु जेटली

पापा का अक्सर दौरे पर जाने का काम रहता था।

प्राय: दो या तीन दिनों के लिए जाते। वापस आने पर रात में खाना वगैरा खा-पी कर, बिस्तर में लेटने के बाद, वह हम लोगों को दौरे की कुछ न कुछ घटनायें या अन्य कहानियां सुनाया करते थे।

अधिक थके होने के कारण बीच-बीच में उन्हें कभी-कभी झपकी भी आ जाया करती थी।

बात मुजफ्फरनगर की है। पापा दौरे पर से लौटकर आये थे। खूब बड़ा-सा आंगन था। बड़े पलंग पर पापा का साफ-सुथरा बिस्तर बिछा था। अन्य चार-पाइयां हम लोगों की थीं।

हमेशा की तरह पापा अपने बिस्तर पर लेटकर दौरे के संस्मरण सुनाने लगे। वह जहां दौरे पर गये थे, वह जगह मुजफ्फरनगर और रुड़की की सीमा पर थी। वहां गंगा की अनेक सहायक नदियां बहती थीं। इन्हीं में एक के किनारे उन्होने कुछुवों के बच्चों को विचरण करते हुए देखा था। वह बता रहे थे—कछुवा कैसा होता है, उसकी पीठ कितनी कठोर होती है, खतरे का आभास होते ही कैसे वह अपनी गर्दन, पैर, आदि पीठ के अन्दर सिकोड़ कर छिपा लेता है इत्यादि।

हम लोगों को कछुवे के बच्चों के बारे में सुनकर बहुत मजा आया। उन दिनों सड़क या गली में कुत्तों के छोटे-छोटे बच्चे अच्छे लगते पर हम लोग अक्सर पकड़ कर ले आते थे। एक-दो दिन उन्हें घर पर रखते, उनकी देखरेख करते, फिर कुछ खिला-पिलाकर कर उन्हें गली में छोड़ आया करते थे।

सो, इसी शौक की वजह से हमने पूछा: "पापा, कछुवे के बच्चे को आप लेकर क्यों नहीं आये?"

पापा, थके होने के कारण, निद्रा देवी की गोद में पहुंच चुके थे। पर शायद सोते समय भी अपने काम के विषय में सोच रहे थे। तन्द्रावस्था में ही बोले: "वह कछुवा तो सरकारी था।"

हमारी वह गली

कादम्बरी शर्मा

तुर्कमान गेट का मकान था। कमरे के पीछे की लम्बी पतली गली। गली कल्याणपुरा। निरंतर चलती। याद आती है गर्मी की भरी दोपहरी में जलजीरे वाले की आवाज और उसका खनकता हुआ गीत : 'जलजीरे की आ गयी बहाऽऽर हमारी गली वाला ..जलजीरा पानी वाला...जिसको पीते ही आये डकार... हमारी गली वाला।' ठेले पर रखा घड़ा। लाल कपड़े में लिपटा। घड़े के गले में गेंदे के फूलों की माला। ठेले पर नीबू व गिलास। जलजीरे का पानी निकालने की लम्बे डण्डे वाली घंटी। घंटी के हैंडल पर घुंघरू। गीत के हाथ वह इन घुंघरुओं को बजाता था—छन-छन-छन।

फिर निकलता था चूरन वाला। 'चूऽऽर...न।' वह ज्यादा नहीं बोलता था। लेकिन बच्चों की भीड़ की भीड़ उसके पीछे रहती। हर तरह का चूरन, खट्टा, मीठा, तीखा रखता था वह। उसकी चूरन की गाड़ी, यानी ठेले, पर कई शेर लिखे थे।

एक कुल्फी वाला भी निकलता था—'ठंडी मीठी कुल्फी।'

लम्बी, छोटी, इलायचीदार, खुशबू वाली, कई तरह की कुल्फियां ठंडी में लगी बिकती थीं।

जाड़े के दिनों में एक आवाज सुनाई देती थी : 'चने की दाल काऽऽलवा...चने की दाल काऽऽलवा।' वह बेचता था चने की दाल का हलवा जो हमने कभी खाया नहीं।

इनके अतिरिक्त सुबह-सबेरे आता धोंतू वाला—पीं...पीं। कागज की सीटी वाले धोंतू, जो खूब बजते थे। उसके होता हरा व लाल गत्ते का चश्मा, प्लास्टिक के छोटे-छोटे पर्स, गुड़िया के गहने छोटे गत्तों के टुकड़ों पर टंके हुए, और गुब्बारे। हमें उसके आने का समय मालूम था। अपनी कपड़े की गुड़ियों के लिए हम अक्सर ही उससे मनचाहे गहने व पर्स खरीदते थे।

बचपन की याद है सुबह-सबेरे की एक और आवाज : 'ढ़प्प-रोटी-ई-ई।' यह

डबल रोटी वाला था। खरीदते समय खुद चाकू से डबल रोटी के स्लाइस करता था। संभवतः तब अनेक ब्रांडों वाली डबल रोटियां ज्यादा प्रचलित नहीं थीं।

गली में हर रोज एक भिखारी भी निकलता था। पैर नहीं थे उसके। लकड़ी के टुकड़े पकड़े हुए जमीन पर घिसटता आता। उसकी आवाज सुनते ही, सोना (मेरी छोटी बहन) दौड़ कर अन्दर जाती। अम्मा से कहती: 'अम्मा, अल्ला-बल्ला आ गया। पैसे दो।' और अम्मा तांबे का एक सिक्का निकाल कर दे देतीं।

हम सब उसे 'अल्ला-बल्ला' कहते थे क्योंकि वह संभवतः कहता था, 'अल्ला भला करे...' जिसे हम लोग समझ नहीं पाते थे।

गली में मुसलमानियां बुर्के पहने, पैरों में सुनहरी सैंडल डाले, खटर-पटर करती निकलतीं। उनका बुर्का चारों ओर झूमता रहता।

गली में काफी कायस्थ थे।

होली पर छतों व खिड़कियों से रंग डाला जाता गली में आने-जाने वालों पर। कभी-कभी किसी मुसलमानी के बुर्के पर भी रंग पड़ जाता। वह चेहरे से बुर्का हटा कर ऊपर को देखती, हाथ नचा-नचा कर गालियां देती और फिर मुस्कुरा कर चेहरे पर बुर्का डाल आगे बढ़ जाती।

गली के कुछ बच्चे अपने ही किसी छोटे भाई या बहन को एक टायर पर बैठा टायर में एक रस्सी बांध खींचते हुए निकलते थे—इस आवाज के साथ: 'किसी का बच्चा खो गया हो तो ले लो!'

रात हो जाती तो क्या गली सो जाती? नहीं जनाब। रात बारह बजे के शो के बाद अचानक गली जाग उठती। चप्पलों व जूतों की सटर-पटर और ठक-ठक के साथ हिट फिल्मों के सुपरहिट गीत गाते निकलते मनचले फिल्म दर्शक। जिन दिनों 'गंगा-जमुना' फिल्म चल रही थी, गली में पंचम स्वर में फिल्म के डॉयलॉग भी कभी गूंज उठते: 'धन्नो!...अरी ओ धन्नो!' हम में से किसी ने फिल्म देखी नहीं थी। चाचा कभी-कभी दफ्तर से आधी रात को आते। ऐसे में हमारी अम्मा को ये आवाजें बड़ी अटपटी लगतीं...।

एक अध्यापिका की कहानी

शालिनी शर्मा

बचपन में जब मैं के. जी. क्लास में पढ़ती थी, तब लगता था टीचर से अच्छा और महान कोई दूसरा हो ही नहीं सकता। घर आकर अपनी सहेलियों के साथ 'Teacher-Teacher' का खेल खेलना बहुत अच्छा लगता था।

मुझे आज भी याद है कि बचपन में मैं Teacher बनकर खेलना चाहती थी और आशू, पिन्टो व बिल्लू ड्राइवर और जीप का खेल खेलना चाहते थे। इस पर हम लोगों की खूब लड़ाई होती थी, जिसके परिणामस्वरूप मेरे मुंह पर कई नाखूनों के निशान होते थे।

पर टीचर बनने की यह इच्छा, जैसे-जैसे बड़े होते गये, धूमिल पड़ती गयी। कॉलेज में पढ़ते समय तो टीचर बनने से चिढ़ सी हो गयी थी यहां तक कि B. Sc. करने के बाद चाची, (मैं मां को ही चाची ही कहती हूं) ने बहुत समझाया कि B. Ed. कर लो, पर मैंने एक न सुनी। पता नहीं मेरे मन में क्या आ गया था कि मुझे टीचर बनना तो बिल्कुल पसन्द नहीं था। और मुझे तो किसी तरह की कोई नौकरी करना भी पसन्द नहीं था।

जब मैं M.A. कर रही थी तब मेरे पास काफी खाली समय रहता था। यूनिवर्सिटी जाती थी तो दोपहर 1 बजे—और, 4 बजे लौट आती थी। सुबह आती थी। सुबह और शाम, दोनों ही समय, खाली रहती।

इन्हीं दिनों मेरी एक सहेली—शशिकला राव—ने मुझे प्रेरित किया : 'तुम कुछ काम क्यों नहीं करती हो ?' मैंने पूछा : 'मैं क्या कर सकती हूं ?' उसने बताया कि वह एक कम्प्यूटर ऑफिस में काम करती है व डाटा एन्ट्री ऑपरेटर है। मेरे मन में कम्प्यूटर के बारे में जानकारी प्राप्त करने की जिज्ञासा हुई।

सो, एक application लिखकर भेज दी। बाद में, लिखित परीक्षा के लिए कॉल आयी। पापा को बताया, तो उन्होंने कहा : 'Test दे दो। सर्विस करना है या नहीं यह बाद में देखा जायेगा।'

खैर, टेस्ट हुआ। इण्टर्व्यू हुआ। और, सेलेक्ट हो गये।

काम बहुत ही रुचिकर लगा। सबसे पहली तनखा मिली—350 रुपये। मुझे लगा जैसे 3000 रुपये मिले हों। बड़ी प्रसन्नता हुई अपनी मेहनत की कमाई देखकर। सबसे पहले उन पैसों से बाई की लड़की की किताबें व ड्रेस खरीदी ! मन को काफी सन्तोष मिला।

फिर तो शाम की क्लासेज में Business Management Course भी कर लिया। व्यस्तता बहुत बढ़ गयी। सुबह आठ बजे से रात नौ बजे तक सांस लेने की भी फुरसत नहीं मिलती थी।

सन् '83 की बात है। सितम्बर के महीने में मेरे परमानेण्ट होने का ऑर्डर आया। ऐसा लगा, हम भी कुछ कर सकते हैं !

सोचा, कलकत्ता जाकर C.M.C. से प्रोग्रामिंग का course करेंगे। हमारे ऑफिस वाले स्पौन्सर करने को भी तैयार हो गये। पर...

अक्तूबर में सगाई हो गयी। दूसरों से पता चला कि हमारी ससुराल वाले हमारा नौकरी करना पसन्द नहीं करेंगे। सो, 10 नवम्बर 1983 को मैंने आंसुओं से भीगा हुआ अपना त्यागपत्र दे दिया। उस दिन जितना दुःख हुआ, शायद ही कभी हुआ होगा।

खैर, 26 नवम्बर को शादी हुई व अपनी ससुराल—भोपाल—आ गयी। कई दिनों तो चुप रही। नये वातावरण में रहने का धीरे-धीरे अभ्यास किया। पर शादी से पहले इतना व्यस्त रहने के बाद, यहां बड़ा खालीपन-सा लगता था।

धीरे-धीरे यह समझ में आने लगा कि घरवाले इतने पुराने विचारों के नहीं हैं, जितना मुझे आभास दिया गया था : वे दूसरों की भावनाओं की कद्र करते हैं। दबी जबान से अपनी इच्छा प्रकट की : 'हम भी कुछ करना चाहते हैं।' प्रति-क्रिया कोई बुरी नहीं हुई।

फिर, चीकू जी (सुपुत्र विरंचि—सं.) आ गये। बात टल गयी। चीकू जी जब एक साल के हो गये, तब हमारे पतिदेव (श्रीकृष्ण जी—सं.) कम्प्यूटर के ऑफिस में मुझे ले गये। परन्तु मुझे वहां का वातावरण पसन्द नहीं आया। फिर समय भी ऐसा था कि मैं घर की तरफ ध्यान नहीं दे सकती थी। घर की तरफ से लापरवाह होकर मैं कार्य करने के पक्ष में नहीं थी।

तब हमारे पतिदेव ने सुझाव दिया कि तुम B. Ed. करो। घर संभालते हुए कोई कार्य करना चाहती हो, तो टीचर की लाइन ही सबसे अच्छी लाइन है।

टीचिंग से तो मुझे बहुत चिढ़ थी। पर लगा, भागते भूत की लंगोटी ही भली; कुछ नहीं, तो यही सही।

भोपाल में B. Ed. करने के लिए कम्पटीशन होता है। खैर, परीक्षा में बैठे। पास भी हो गये। कॉलेज जाना शुरू किया। शादी के बाद कॉलेज जाना भी एक अलग और नया ही, अनुभव था। वहां सभी मुझे दीदी कहते थे।

अध्यापिकाओं की मैं सबसे प्रिय छात्रा थी। मुझे B. Ed. class का C.R. बनाया गया। मैंने Picnic, इत्यादि भी organise की। काफी मेहनत भी करनी पड़ी।

इसी बीच हमारे जेठजी की शादी हुई।...पर इसी तरह से हमने घर और कॉलेज का सन्तुलन बनाये रखा।

पर, सारी परेशानियां भूल गये—जब B. Ed. का परिणाम आया। Theory व Practical, दोनों में, फर्स्ट डिवीजन था। इसका पूरा श्रेय हमारी पूजनीय सासुजी एवं पतिदेव को है। उनके सहयोग के बिना यह संभव नहीं था।

खैर, पूरे एक साल चीकूजी काफी neglect हो चुके थे। इसलिए, हमने फैसला किया कि एक साल अब हम कुछ नहीं करेंगे।

फिर, July '89 आया। मैंने दो स्कूलों में सर्विस के लिए आवेदन पत्र दिया, दोनों convent थे। दोनों में ही चुनाव हो गया।

मैंने जो छोटा स्कूल था उसे चुना। मुझे वह स्कूल पसन्द आया।

पहले दिन कक्षा में पहुंचे। यहां मैं बता दूं कि स्कूल केवल लड़कियों का था। मुझे छठी कक्षा की क्लास टीचर बनाया गया व अन्य कक्षाओं में भी English, Science और Maths विषय पढ़ाने को दिये गये।

English और Science तो अपने ही विषय थे, पर Maths से मुझे बड़ा डर लगा। इस विषय से मैं बचपन से ही बहुत घबराती थी, अब वही पढ़ाना था। खैर, सोचा—जब ओखली में सर डाला ही है, तो मूसलों से क्या डरना ?

पहले दिन कक्षा में पहुंचे, तो लगा—अरे, हम कैसे पढ़ा पायेंगे। अपने पुराने अध्यापकों, अध्यापिकाओं, को याद किया। उनके पढ़ाने की शैली का भी स्मरण किया। उसी के अनुसार थोड़ा-बहुत पढ़ाया। राम-राम कर एक दिन समाप्त हुआ। अगले दिन खूब तैयारी करके पहुचे।

लड़कियों को जब मेरा पढ़ाया हुआ समझ में आने लगा, तो मेरे मन को बड़ा संतोष मिला ; ऐसा लगा कि मैं पढ़ा सकती हूं। फिर तो धीरे-धीरे जो काम बेमन से कर रही थी, उसी में रस आने लगा। मुझे बच्चों को पढ़ाना अच्छा लगने लगा।

दो सप्ताह पढ़ाने के बाद मेरी इच्छा हुई कि पता लगाऊं कि लड़कियों को मेरा पढ़ाना अच्छा भी लगता है या नहीं।

एक तरकीब सूझी। एक दिन मैंने लड़कियों से कहा : 'सब एक खाली पन्ने पर अपनी सभी अध्यापिकाओं के बारे में निष्पक्ष रूप से अपने विचार लिखो।' बिना नाम के पन्ने थे, इसलिए लड़कियों ने बेझिझक अपने विचार लिखे।

मैंने सबके पन्ने इकट्ठे किये और घर लाकर पढ़े।

आश्चर्य ! पढ़ने के बाद एक जबरदस्त झटका लगा ! सभी ने स्पष्ट लिखा

था कि मेरा Maths पढ़ाना उन्हें सबसे अच्छा लगता था, पर साइंस पढ़ाने का तरीका पसन्द नहीं था ! बड़ा आश्चर्य हुआ ! साइंस पढ़ाने में तो मुझे इतना आत्म-विश्वास था, और वही विषय उनकी समझ में नहीं आता था !!

अगले दिन सिर्फ एक लड़की को चुपचाप अपने पास बुला कर पूछा : 'मेरा साइंस पढ़ाना तुम्हें क्यों नहीं अच्छा लगता ?' उसने जो कारण बताये, उन सभी का ध्यान रखते हुए अगले दिन मैंने जब पढ़ाया, तो लड़कियां बहुत खुश हुईं।

हमारी प्रिंसिपल—सिस्टर सरिता—भी मुझसे बहुत प्रसन्न थीं क्योंकि मैं लड़कियों को न तो डांटती थी और न ही उन्हें punishment देती थी। मेरी सजा एकदम नये ढंग की ही थी।

उदाहरणस्वरूप : एक दिन कक्षा में एक-दो लड़कियां हाजिरी लेते समय बड़ा शोर मचा रही थीं। एक-दो बार धीरे से उन्हें मना किया। पर लड़कियां चंचल तो होती ही हैं। नहीं मानीं। मुझे एक उपाय सूझा। बजाय डाटने के मैंने उन दोनों लड़कियों के पास जाकर हाथ जोड़े और कहा : 'कृपया, आप दोनों शांत रहने की कृपा करें।' पूरी कक्षा हंसने लगी, और वे ही दोनों लड़कियां झेंप कर चुप हो गयीं। इस तरह सभी लड़कियां मुझे बहुत प्यार करने लगीं। आज तो ऐसा लगने लगा है कि अध्यापन से अच्छा और कोई कार्य है ही नहीं !

किन्हीं कारणोंवश मुझे इस साल पढ़ाना छोड़ना पड़ा। मन को इतना दुःख हुआ कि व्यक्त करना कठिन है। रोज सपने में भी देखती हूं कि लड़कियां मुझसे प्रश्न कर रही हैं। खैर, अब अगले साल का इन्तजार है जब मैं उसी स्कूल में दोबारा जाऊंगी।

तो यह थी कहानी एक अध्यापिका की, जिसे कभी अध्यापन से इतनी चिढ़ थी कि कुछ कहना नहीं, लेकिन जिसे वही काम अब सबसे अच्छा लगने लगा है।

जहाज पर रहने का अलग ही मजा है

बाला शर्मा

अक्सर मैं जब लोगों से मिलती हूं तो वे मुझसे जहाज और उस पर जिन्दगी के बारे में पूछते हैं। मेरा यही कहना है कि जहाज पर रहने का एक अपना अलग मजा है।

रात में चांद की रोशनी में समुद्र को देखते ही रहने का मन करता है। ऐसा लगता है, जैसे जीवन में कोई परेशानी नहीं है। सब काम जहाज पर आराम से होते रहते हैं। वहां पर तो आराम ही आराम है। घर-गृहस्थी की कोई चिन्ता नहीं।

न तो पानी भरने की चिन्ता, न खाना बनाने की और न ही घर का और किचन का सामान सम्भालने की। गर्मी अधिक होने और बिजली चले जाने की भी कोई चिन्ता नहीं। सारे तनावों से दूर जहाज की जिन्दगी बहुत अच्छी मालूम होती है। मगर यह सब कुछ दिन तक ही अच्छा लगता है। कुछ दिनों बाद घर का खाना याद आने लगता है, घरवाले याद आने लगते हैं।

हां, रात में 'ब्रिज' पर से छोटी-छोटी नावें दिखायी देती हैं। (इन्हें हमारी बेटी चिन्की 'चिड़िया बोट' कहती हैं)। नावों को देखकर ऐसा लगता है कि यदि कोई नौका विहार पर निबन्ध लिखने को कहे तो अच्छा निबन्ध लिखा जा सकता है।

इस बार हम लोग जिस जहाज में थे उसमें चार फ्लोर थे। सबसे ऊपर ब्रिज था। उसके नीचे वाले हिस्से में कैप्टेन, चीफ इंजीनियर, ड्रेजर मास्टर और सीनियर इंजीनियरों के केबिन थे। उससे नीचे जूनियर आफिसर्स रहते थे। सबसे नीचे वाले फ्लोर में गैलरी थी, यानी किचन और क्यू के केबिन थे।

ड्रेजर पर कुल मिलाकर लगभग पचास आदमी काम करते थे। चौबीसों घंटे काम चलता रहता था। आठ-आठ घंटे की तीन शिफ्टें थीं। पन्द्रह दिन के बाद

तीन दिन के लिए जहाज एलांगसाइड (तट के निकट सं.) आता था। इन तीन दिनों में जहाज के लिए फ्यूल, पानी आदि लिया जाता था और छोटा-मोटा रिपेयर का काम हो जाता था।

ये तीन दिन हम लोगों के अपने होते थे जिनमें हम लोग शॉपिंग और साइट सीइंग करते थे। वैसे तो ट्रेनिंग के दौरान भी हम लोग शहर जा सकते थे, पर ड्रेजर से 'शोर' तक आने के लिए बोट राइड में काफी समय बर्बाद हो जाता है। बोट राइड में काफी थकान भी हो जाती है। वैसे, दिन में पांच बार बोट ड्रेजर पर आती है।

जहाज पर जो केबिन होते हैं उनके एक कमरे में ही सारी फेसिलिटीज होती हैं। एक डबल बेड, वाश बेसिन, कुर्सी, मेज, सोफा और फ्रिज सभी एक कमरे में। सामान वगैरा रखने के लिए भी काफी कबर्डस होते हैं। कैप्टेन और चीफ इंजीनियर्स के केबिन थोड़े बड़े होते हैं। उनमें दो कमरे होते हैं: एकडे-रूम और दूसरा नाइट-रूम। इनमें बाथरूम भी अटैच्ड होते हैं।

जहाज पर तीन मैस होते हैं : (1) आफिसर्स मैस; (2) क्यूज मैस; और, (3) पेटी आफिसर्स मैस।

एक मैस-इंचार्ज होता है। महीने के शुरू में ही सब मैस का एडवांस दे देते हैं।

महीने के अन्त में जितना खर्च होता है, उसेसभी के बराबर बांट दिया जाता है और जो बैलेन्स होता है उसे एडजस्ट कर लिया जाता है।

यहां जो सबसे ज्यादा काम करता है, वह है : हेड कुक। सारे समय खाना बनाना। वह भी गर्मी में।

जहाज पर दिन में पांच बार चाय मिलती है। सुबह छः बजे, फिर सात बजे, फिर दस बजे, दोपहर में तीन बजे और शाम को पांच बजे। तीन बजे की चाय से बचने के लिए अक्सर लोग केबिन से बाहर 'नो टी' ('No Tea') का बोर्ड लटका देते हैं। 'नो टी' के बोर्ड में भी खूब वैराइटी होती है। ऐसा लगता है जैसे सब लोग अपनी कलाकारी इसी माध्यम से दिखाना चाहते हों। हां, कुछ ऐसे आराम-तलब भी होते हैं जो एक लम्बे से कागज में 'नो टी' बड़े-बड़े अक्षरों में लिखकर ही टांग देते हैं।

सुबह साढ़े आठ से नौ बजे का समय नाश्ते का होता है। नाश्ते में जूस सर्व करने का भी आजकल नया रिवाज चल पड़ा है।

अगर नाश्ते में पूड़ी आलू बने हैं तो समझो आज शनिवार है। जहाज पर तो दिनों का पता ही नहीं चलता है

साढ़े बारह से एक बजे तक का समय लंच का होता है और शाम साढ़े छः

बजे से सात बजे तक डिनर का। जो लोग समय पर खाना खाने नहीं पहुंचते उनका खाना हॉट केस में रख दिया जाता है। लोग अपनी सुविधानुसार लेकर खा लेते हैं। खाने में काफी वैराइटी होती है, तो भी कुछ दिन बाद घर का खाना याद आने लगता है।

जहाज पर कुछ सब्जियों के कॉम्बिनेशन तो मैंने पहली बार देखे जैसे अरबी व भिण्डी का, रसेदार भिन्डी; टमाटर के पकौड़ों का।

रोज डिनर के बाद एक स्वीट डिश होती है और लंच के बाद फ्रूटस दिये जाते हैं। दिन में एक बार सुबह दस बजे लाइम जूस भी दिया जाता है।

वैसे तो जहाज में थोड़े दिन रहने के बाद बोर हो जाते हैं, पर कुछ और परिवार जहाज पर हों तो मन लग जाता है। कभी वीडीओ देखते हैं, कभी शाम को 'तम्बोला' खेला जाता है। इस बार तो ड्रेजर पर चार बच्चे भी थे। उनके कारण छब्बीस मई को 'बारबिक डॉल' का जन्मदिन मनाया गया। सभी लेडीज ने मिलकर केक बनाया।

मुझे इस बार पहली मर्तबा गैली, यानी किचन, देखने का अवसर प्राप्त हुआ। हम लोगों ने दो-एक डिशेज भी बनायीं जो सभी ने शौक से खायीं।

जहाज पर एक बच्चे के रहने से भी काफी रौनक रहती है। यही कारण था कि चिन्की की काफी मांग थी।

अक्सर वह दूसरे केबिन्स से चाकलेट, फल व बिस्कुट आदि लेकर लौटती थी। उसे देखकर शायद सभी को अपने बच्चों की याद आ जाती थी।

हम लोग इस बार जब लखनऊ वापिस आ रहे थे तो जहाज के सभी लोग हमें बोट तक छोड़ने आये। चिन्की के 'दाढ़ी वाले अंकल', 'चॉकलेट अंकल', 'मोटे अंकल', 'छोटे अंकल', 'सिगरेट अंकल' और 'ज्वाय अंकल' सभी उसे बहुत प्यार करते हैं। और उसके जाने से सभी को बुरा लग रहा था।

चिन्की का साथ होने से वहां हमारे भी मजे थे। फ्रिज में हमेशा चॉकलेट रहती थी। (चाकलेट मुझे भी बहुत अच्छी लगती है)।

जहाज पर रहना एक फाइव स्टार होटल में रहने के समान है। शहर के शोरगुल से दूर कुछ दिन यहां रहने में मजा भी आता है। दूसरे, हर बार नया जहाज मिलता है जिसके कारण नये-नये लोगों से मिलने का अवसर प्राप्त होता है।

अब तो जहाज छोड़ते समय कभी-कभी ऐसा लगता है मानो अपने घर से दूर जा रहे हो।

'राम तैलम'

आशुतोष शर्मा

जब मैं इस जहाज पर आया था, मैं मन-ही-मन सोचता : "कहां इन गंजों के बीच आ फंसा ! जिसको देखो वही गंजा !" सोते, जागते, उठते, बैठते—बस गंजे ही गंजे नजर आते !

कप्तान गंजा, चीफ इंजीनियर गंजा, चीफ अफसर गंजा, इलेक्ट्रीकल अफसर गंजा। दो-तीन छोटे पेट्टी अफसर (Petty officers): सो वे भी गंजे। समझिए कि गंजों की जमात लगी हुई थी।

खैर ! अब साथ रहते-रहते आदी हो गया हूं और उनकी हरकतें देख, कुछ मजा भी आने लगा है।

जितने लोगों का ऊपर मैंने जिक्र किया है, उनकी उम्र 40 से 55 के बीच है। सबकी सनक एक है। जवान लगने की। लोग जवानी से बुढ़ापे में कदम रखते हैं; पर यहां गंगा उल्टी ही बह रही है ! जिन्दगी का मकसद कहिए या लक्ष्य कहिए—बस एक ही है : जवान लगना !

एक बार इलेक्ट्रीकल अफसर कोई तमिल पुस्तक पढ़ रहे थे। जी हां, जैसा कि मैंने बताया, यह भी गंजे हैं। इनकी नजर पड़ी एक पते पर जो तमिलनाडु में पोलाची स्थान का था। उसके आगे लिखा था कि एक ऐसे तेल का आविष्कार हुआ है जिसके लगाने से गंजों का सिर भर आता है और सफेद बाल काले हो जाते हैं।

अब क्या था ! इन्होंने आव देखा न ताव, एक पोस्टकार्ड दे मारा। मजे की बात यह कि दस दिन के अन्दर ही उनके पास वी. पी. पी. से तेल आ गया। कीमत केवल 22 रुपये। तेल का नाम था 'राम तैलम'।

'राम तैलम' का ऐसा प्रचार हुआ कि हर गंजे के पास एक-एक शीशी। कइयों ने तो तीन-तीन एक साथ मंगायीं। मन-ही-मन सब जवान हो गये !

'राम तैलम' के आने से सब चमकने लगे। सुबह-सुबह चमकते टक्कल नजर आते। तेल लगाते अभी दो-तीन दिन से ज्यादा नहीं हुए थे। पर जिस केबिन में जाओ वहां गंजे लोग शीशे के सामने मस्तक झुकाये, आंखें गाड़-गाड़कर नये-नये

बालों को खोजते मिलते।

सूर्योदय का समय; मैं उठकर बाहर कुछ ताजी हवा लेने जाता हूं। देखता क्या हूं ? एक सज्जन सूर्य के सामने अपना टक्कल झुकाये तेल मल रहे हैं। सूर्य की किरणें उनकी घुटी चांद में सबेरे-सबेरे चार चांद लगा रही हैं।

उम्र 50 साल। जवानी का जोश। 'राम तैलम की कृपा। इन सज्जन को जीन्स (Jeans) पहनने की झक चढ़ी। उठा लाये कहां से। पता नहीं इन्होंने दूकान पर पहनकर भी देखी या नहीं; जहाज पर पहनी तो देखा इनकी दोनों टांगें जीन्स की एक ही टांग में बड़े आराम से चली जा रही थीं। हमने नाम दिया : तम्बू-जीन्स। ऐसा लगता था मानो दर्जी ने जीन्स के अन्दर बैठकर सिलायी की हो। बहुत छेड़ा उन्हें। आखिरकार बेचारों ने शरमाकर अपने लड़के को पार्सल कर दी।

एक छोटे (पेट्टी) अफसर हैं। मैंने उनका नाम रखा है : Moring Alarm ! सुबह-सुबह बिना चूके मेरे केबिन में आते हैं। सिर झुकाकर मुझसे अपने नये बालों की गिनती कराते हैं : "शर्मा साहब ! जरा देखना कुछ बाल आया ?" कुछ तो सचमुच आने लगे हैं; कुछ मैं उनका मन रखने के लिए बता देता हूं। बड़े प्रसन्न होते हैं।

एक बार किसी काम से मैं कप्तान के केबिन में गया। देखता क्या हूं कि यह सज्जन वहां भी खड़े हैं। दोनों सिर झुकाये एक-दूसरे से बालों की गिनती करा रहे हैं। बड़े जोरों से एक-दूसरे की चांद का निरीक्षण चल रहा था। मेरी हंसी रोके न रुकी। उल्टे पांव भागा।

एक बार मैं दो गंजों का वार्तालाप सुन रहा था। एक-दूसरे के सिर का निरीक्षण करते हुए अपने-अपने कमेन्ट्स दे रहे थे। पहला कहता है : "अरे यार, तुम्हारा यह बाल नहीं है। 'लुई' है 'लुई' !" लुई मतलब पूछने से पता चला— लुई बालों की जड़ को कहते हैं। पर दूसरे का जवाब सुनने लायक था। एक तो बेचारा डिमोरलाइज्ड था पहले से ही; ऊपर से उसे बड़ा निगेटिव उत्तर मिल रहा था। झुंझलाकर बोला : "अबे गधे ! बच्चा क्या पैदा होते ही बड़ा हो जाता है ? कुछ टाइम लगता है कि नहीं ? एक महीने बाद सिर दिखाऊंगा तुझे।" बेशक, तर्क उसका सही था !

अब सोचता हूं, जन कल्याण के लिए 'राम तैलम' का पता लिख ही दूं। तो यह लीजिए पोलाची का पता :

'राम तैलम'; तमिल सिद्धार निलयम; वैंकटेश्वरा कॉलोनी; पोलाची— 64200, तमिलनाडु।

कौन जाने किसी को इसकी जरूरत पड़ ही जाये ! हां, जो सज्जन इसे इस्तेमाल करें वह बाल गिनने के समय मुझ नाचीज को बुलाना न भूलें !!

सफर के साधन : अलग-अलग रंग

आशुतोष शर्मा

सौभाग्य से कहिए या दुर्भाग्य से भारत के कई शहरों में घूम चुका है। और, हर शहर में भिन्न-भिन्न भाषाओं के अतिरिक्त यातायात के साधनों का अनुभव भी हुआ है।

यातायात साधनों, खासकर बसों में घूमकर कुछ भाषा-ज्ञान भी हुआ है। जैसे बम्बई में 'चला-चला लौकर-लौकर' (चलो-चलो जल्दी-जल्दी), कलकत्ता में 'बेहाला जाब्बेन, ताड़ा तोड़ी' (बेहाल उतरना है जल्दी-जल्दी), गोआ में 'वोस रे ए ए ए, वोस-वोस' (कोंणकी में बोस मतलब 'चलो'), विशाखापटनम में तेलुगु में 'पैकरंडी कूचंडी' (मनलब है, 'आगे चलकर बैठिए') इत्यादि। इसके अतिरिक्त, कुछ संख्या ज्ञान भी हुआ। इसका कारण है टिकट—कहीं टिकट लेकर ज्यादा पैसे न दे दें। तो, कलकत्ता में 'एकटा कुड़ी', बम्बई में 'सहा पन्नास', विशाखा-पट्नम में 'रिंडम पांव' इत्यादि भी सीख लिया।

इन सभी शहरों के यातायात को देख बम्बई का साधन सबसे श्रेष्ठ लगता है। इतनी संख्या को यातायात प्रदान करना कोई आसान कार्य नहीं है; परन्तु फिर भी इसके बारे में किसी की शिकायत नहीं रहती।

इसका मुख्य कारण यह है वहां का अनुशासन और लोगों का 'ट्रैफिक सेंस'। बस के लिए हमेशा लोग कतार में मिलते हैं। यह नहीं कि कतार सिर्फ बस के आने तक ही रहती है और उसके बाद झुण्ड बन जाता है। 12 से ज्यादा यात्री खड़े नहीं मिलते बस में।

एक बार मैं ट्रैफिक सिगनल पर बस में चढ़ गया। कण्डक्टर ने मेरी ओर घूर कर देखा। कहा : "नया आया है !" और बस से उतार दिया।

टैक्सियों की तो भरमार है। कोई ऐसा समय न होगा और कोई स्थान नहीं होगा, जहां टैक्सी न मिले। कहते हैं—संसार में किसी भी एक शहर में सर्वाधिक टैक्सी बम्बई में पायी जाती हैं।

इसके साथ ही, वहां जिस साधन का लोग सबसे अधिक प्रयोग करते हैं, वह

है बम्बई की लोकल ट्रेन्स। हर तीन या चार मिनट पर आपको एक-न-एक 'लोकल' मिल ही जाएगी। ऑफिस के समय तो वहां भीड़ देखते ही बनती है इतने लोग, इतने लोग कि—क्या कहा जाय। आप इस समय अगर चर्चगेट स्टेशन या विक्टोरिया टर्मिनल पहुंच जायें तो ऐसा लगता है मानो चींटियों का झुंड चला जा रहा हो ..बस आगे देखते हुए एक ही रफ्तार से। कोई आगे आये और टकरा जाय तो थोड़ा-सा हटकर फिर उसी रफ्तार से आगे बढ़ने लगे।

और, खुदा न खास्ता आप उस भीड़ में ट्रेन के अन्दर फंस जायें तो?...एक बार मेरे दोस्त ने ऐसे ही भीड़ में अपने को ट्रेन के अन्दर पाया। बेचारा जरा कद का मारा हुआ! ऊपर से पैरों में सैण्डल पहने। डिब्बा खचाखच भरा। बस, जिस तरह खड़े वैसे ही स्थिर खड़े रहना! हिलने की भी जगह नहीं। इतने में किन्हीं महाशय ने उनके पैर पर अपना जूता रख ही तो दिया। बेचारा दोस्त! कुछ झुंझलाया, कुछ चिल्लाया और फिर मरता क्या न करता ..उसने उचककर ऊपर का रॉड पकड़ा और लटक गया। फिर, अब रॉड छोड़ा—तो नीचे जमीन ही नहीं। हवा में ही अटका रह गया। स्टेशन का प्लेटफार्म आया और वह मेरा दोस्त भीड़ के बीच फंसा, बिना जमीन पर पैर दिये, प्लेटफार्म पर! स्टेशन का नाम देखा तो ..बांदरा! जाना था उसे—गोरेगांव। भागकर फिर ट्रेन पर लटक लिया!!

इन 'लोकल्स' पर ही बम्बई का जीवन चलता है। एक तो दूरियां इतनी और ऊपर से वहां की जनसंख्या! किसी दिन लोकल बन्द हो जाय तो वहां का सारा जीवन अस्त-व्यस्त हो जाता है। इन सब साधनों की देखभाल का दारोमदार 'बेस्ट' (BEST-Bomcay Electric and State Transport) पर है। और लोग ठीक ही कहते हैं : BEST is best !!

साइकिल रिक्शों में हैदराबादी रिक्शों का जवाब नहीं। आ हा हा हा! जिस दिमाग ने भी उसे डिजाइन किया है उसे मेरी तरफ से शत-शत 'प्रहार'!

बैठने की और पैर रखने की जगह एक ही सतह पर। आलथी-पालथी मारकर बैठिए। और, अगर सामने सामान रख लिया, तो समझिए आप घुटनों को छाती से लगाकर फिर गर्भावस्था में पहुंच गए! मेरी सलाह तो यही है कि आप कभी हैदराबाद पहुंचकर रिक्शे में न बैठें और अगर किन्हीं कारणवश बैठना ही पड़े तो कमर के दर्द, पेट के दर्द, और घुटनों, पैरों, के दर्द की दवा साथ अवश्य रखिए।

अब लखनऊ आइए। यहां के टेम्पो, जिन्होंने यहां के यातायात को निहायत ही

सस्ता, सरल और तेज-रफ्तार कर दिया है, किसी 'हवाई सवारी' से कम नहीं ! पीछे छह और आगे दो सवारियां बैठाकर ये टेम्पो जो रफ्तार पकड़ते हैं, तो पलक झपकते ही आप स्टेशन से अलीगंज पहुंच जायें और कीमत सिर्फ ढाई रुपये। आप कहीं उनके ड्राइवर के साथ आगे की सीट पर बैठ गये तो उनकी Driving skill का पता चलता है।

छोटी-से-छोटी जगह मिलने पर अपना टेम्पो उसमें घुसाने में माहिर ! और ऐसा करते, रफ्तार उनकी कतई कम नहीं होती। एक बार एक्सीलरेटर दब गया तो उसको छोड़ना शान के खिलाफ, फिर चाहे उन्हें कट मारने पड़ें या रास्ते में गति-अवरोधक ही क्यों न आयें ! दो टेम्पों आपस में कभी टकराते नहीं देखे; एक-दूसरे की नब्ज खूब अच्छी तरह समझते हैं। इनके चालकों की आंखें भी बड़ी पैनी रहती हैं। सड़क को 'स्कैन' करने के साथ-साथ हवाई रफ्तार से चलते हुए, सवारियां भी ढूंढ़ते रहते हैं। मजाल क्या कि कोई हाथ दिखाये और उन्हें दिखे नहीं ! यहां तक कि गलियों से आते लोग भी उन्हें दिख जाते हैं !!

यह सब जब तक आप टेम्पो में बैठे रहते हैं अच्छा लगता है। पर अगर आप को खुद कार चलाते हुए सड़क पर इनका सामना करना पड़े, तो बड़ा गुस्सा आता है, लगता है, ट्रैफिक के लिए वे एक न्यूसेन्स हो गये हैं।

लखनऊ की सड़कों पर से अगर टेम्पो निकाल दिये जायें तो सड़कें खाली लगने लगें।

[दिल्ली की D. T. C. बसों में घूमने का अवसर मुझे ज्यादा नहीं हुआ। इसकी जानकारी के लिए दिल्ली के 'सचेतक' कार्यालय से सम्पर्क करें।]

सीखी भी तो क्या : हजामत

आशुतोष शर्मा

पंत अस्पताल जाने की तैयारियां शुरू थीं । अगले दिन रामविलास ताऊ जी को डा. सरीन के पास जांच के लिए जाना था । शाम से ही कुर्ता, तहमद, बनियान, लंगोट इत्यादि इकट्ठे कर रख दिये गये थे । दाढ़ी ताऊजी की, मेरे अनुमान से, तीन-चार दिन की बढ़ी हुई थी । सुबह आठ बजे जाने का प्रोग्राम था, अत: उन्होंने सायं ही दाढ़ी बना लेना उचित समझा ।

मुझे बुलाकर पूछा : "आशु, हजामत बना लेते हो ?—भुवन अच्छी बनाते थे, विजय डरते हैं और नाई की हजामत मुझे पसंद नहीं आती ।"

जिस विश्वास के साथ प्रश्न किया गया था, मैंने भी उसी विश्वास के साथ 'हां' कह दी ।

मैंने मन-ही-मन कहा, "जब भुवन भैया बना सकते हैं तो मैं क्यों नहीं बना सकता ।" और हर चीज की एक 'पहली बार' होती है ।

मेरे दिमाग में विभिन्न प्रकार के तरीके घुमने लगे : पापा का, मेरा, नाई का । मैंने सोचा, सभी भाइयों की आदतें मिलती-जुलती हैं इसलिए पापा का तरीका अपनाया जाय । हो सकता है ताऊजी भी ऐसे ही बनाते हों । मैंने भी फैसला कर लिया ।

बताये गये समय पर मैं उनके पास सामग्री लेकर पहुंच गया । ताऊजी लेटे थे । मैंने कहा : "आप लेटे रहिए, मैं बना दूंगा ।" उनका थोड़ा खिझियाया जवाब मिला : "मैं अपाहिज नहीं हूं, बैठ सकता हूं ।" मैंने कहा, "आपके लेटे रहने से मुझे दाढ़ी बनाने में सहूलियत होगी ।" इस पर उन्होंने सन्तुष्टि से कहा 'अच्छा' ।

मैंने पापा का तरीका अपनाते हुए हजामत शुरू कर दी । पहले ब्रश को गरम पानी में डुबोकर ताऊजी की दाढ़ी पर मला । फिर दाढ़ी गीली होने के बाद, मैंने ब्रश पर क्रीम लगायी और धीरे-धीरे झाग बनाना शुरू विया । मुझे डर था कि कहीं जोर से करने पर ताऊजी गुस्सा न हो जायें । थोड़ा झाग बनाते ही मैंने ब्रश रखा और रेजर उठाया । मैं अपनी ट्विन ब्लेड रेजर का इस्तेमाल कर रहा था

मैंने पुरानीं ब्लेड को ही लगा रहने दिया—यह सोचकर कि नये ब्लेड से स्किन जल्दी कटती है, कहीं ताऊजी को तकलीफ न हो जाय। खैर किसी तरह उन लहराते गालों की खाल डरते-डरते खींच-खांचकर मैंने दाढ़ी बनायी।

हजामत खत्म हुई। उससे न तो मुझे संतुष्टि हुई और मैं जानता हूं, न ही ताऊजी को हुई होगी। मैंने अंत में उनका ध्यान आफ्टर शेव लोशन की तरफ खींचा, तो मुस्कराते हुए बोले : "लगाओ, इसी से प्रोफेशनल टच आयेगा।"

पंत अस्पताल का चक्कर लग चुका था। थकावट के बावजूद अगले दिन ताऊजी थोड़े रिलैक्स्ड लग रहे थे।

सुबह-सुबह उन्होंने मुझसे अपने पैड पर तारीख लिखवायी, फिर यह पंक्ति। "बड़े भाग मानुस तन पावा।"

नित्य कर्म के बाद मुझे फिर हजामत के लिए बुलाया गया। और मैं सामग्री सहित हाजिर हो गया।

मुझसे पहला प्रश्न किया गया : "चार्ली चैप्लिन की 'ग्रेट डिक्टेटर' देखी है ?" मैंने सिर हिलाते हुए 'हां' में उत्तर दिया। बोले : "जिस तरह वह जोर-जोर से ब्रश घुमाते हुए खूब सारा झाग बनाता है, उसी तरह बनाओ। इससे दाढ़ी मुलायम हो जाती है और हजामत आसानी से बनती है।"

मुझे क्लू मिल गयी। मैंने उसी प्रकार जोर-जोर से ब्रश फेरकर खूब सारा झाग बनाया। आत्मविश्वास बढ़ने के कारण मैंने एकदम नया ब्लेड लिया और गालों को बेझिझक खींचते हुए रेजर चलाया।

दाढ़ी इस बार काफी अच्छी बनी। ताऊजी को भी पसन्द आयी। यह मुझे तब अहसास हुआ जब उन्होंने, अपने उसी पैड पर जिस पर सुबह एक पंक्ति लिखायी थी, मेरे आफ्टर शेव लोशन का नाम लिखवाया। मुझे भी संतोष हुआ।

ताऊजी ने इतने निकट पहुंचकर, जो ज्ञान के विशाल भंडार हैं मैंने सीखी भी तो क्या : हजामत।

किताब की आत्मकथा

चिन्मय शर्मा

मैं एक लाल जिल्द की किताब हूं।

मेरे पूर्वजों को भारत की स्वतंत्रता से पहले लिखा गया था। जिस लेखक ने मुझे लिखा, उनका नाम किसी को नहीं पता। वह लेखक एक देशभक्त थे जिन्होंने भारत की स्वतंत्रता के बारे में मुझे लिखा था। उन्होंने जब मुझे लिखा, तो मेरी तारीफ के पुल बंध गये। लोगों ने मेरी खूब तारीफ की।

अब मैं 'एयर फोर्स स्कूल' की लाइब्रेरी में पड़ी हूं। अब मुझे लगता है, मेरा कोई महत्व नहीं है। चूंकि देश स्वतंत्र हो चुका है, अब किसी को स्वतंत्रता की चिन्ता नहीं है ! सब पैसे बनाने में लगे हुए हैं। मैं पड़ी हूं Library की सबसे कोने वाली अलमारी में। उस अलमारी के सबसे नीचे वाले शेल्फ में अगर आप कोने में देखे तो हो सकता है आपको मेरा धूल से सना चेहरा नजर आ जाये। सारे दिन कोने में पड़ी पुराने दिन याद करती हूं। मुझे उसी तरह लग रहा है जैसे एक कुत्ते को, बूढ़ा हो जाने पर, इंसान के छोड़ने पर लगता है।

अभी काफी किताबें ली जा रही हैं। एक मैं ही हूं जो ऐसे पड़ी हूं। 30 Nov, '86 को मुझे इस स्कूल में तीन वर्ष हो जायेंगे। इन तीन लम्बे वर्षों में मुझे कोई गलती से दो बार ले गया होगा। मेरी सहेलियां भी लोगों द्वारा खूब पढ़ी जाती हैं। हमारा लाइब्रेरियन भी मुझे नहीं झाड़ता।

कभी भी कोई अलमारी में से निकालता है, तो झट नाक चढ़ाकर वापस रख देता है !

मैं कल्पना करती रहती हूं कि बाहर का वातावरण और दृश्य कैसा होगा। अरे ! कोई अलमारी खोल रहा है ! अच्छा ! फिर मिलेंगे !...

माबदौलत का एक दिन

चिन्मय शर्मा

"चीनू उठ जा ! सात बज गये !" मम्मी की आवाज सपनों में सुनायी दी। मम्मी ने थोड़ा जोर से कहा—तो धरती पर उतरे (सपनों से)।

मम्मी ने टी. वी. 'ऑन' कर दिया, पर अभी भी अपनी बादलनुमा रजाई से निकलने का मेरा कोई मूड नहीं था। लेकिन तभी टी. वी. पर समाचार में इण्डिया-न्यूजीलैण्ड क्रिकेट मैच की खबर सुनी, तो रजाई एक तरफ और मैं टी. वी. के सामने। मम्मी को स्कूल के लिए देर हो रही थी, सो जल्दी-जल्दी में मुझसे टक्कर होते-होते बची और—मैं न्यूजीलैंड से विकासपुरी में वापस।

खैर साहब सुबह हो ही गयी। जल्दी-जल्दी में मंजन किया और सुबह के काम निपटाकर, नाश्ता करके, कॉलेज के लिए तैयार हो गया। क्या कहा—"नहाया कि नहीं ?" अरे साहब, क्या जल्दी है ! आकर नहा लेंगे।

और घर से बाहर निकल लिये।

मुंह में सैंडविच दबाकर, हाथ में बस्ते के नाम पर प्लास्टिक का बैग लेकर, दूसरे हाथ को आसमान में उठाकर, अपनी U-स्पेशल (यूनिवर्सिटी स्पेशल—सं) के पीछे भाग लिये। बस-स्टैंड पर किसी तरह पकड़ ही ली और यार-दोस्तों से हाथ मिलाते हुए—एक हाथ से बस के डण्डे पर लटक लिये। कॉलेज पहुंचे—और हाथ मिलाने का सिलसिला जारी रहा। बेंच 'पर' न बैठकर उसके 'ऊपर' (यानी usual बैठने की जगह पर पैर और बाकी ऊपर) बैठकर प्रैक्टिकल्स की फाइल कम्पलीट की।

लड़कों ने आसपास खड़ी गाड़ियों के नम्बर और रंग देख-देखकर पता कर लिया कि प्रैक्टिकल्स के दोनों टीचर अभी तक तशरीफ नहीं लाये हैं। पर जैसे ही खबर फैलने लगी, तभी दोनों टीचर्स की गाड़ियां फिलमी स्टाइल में आकर रुकीं और हम सब पिटे हुए हीरो की तरह slow background music के साथ लैब में पहुंच गये।

प्रैक्टिकल्स के बाद ही क्लास थी और सब क्लास में पहुंच गये। पुराना टीचर काफी दिनों से बीमार था, इसलिए नया टीचर पढ़ाने आया था।

कुछ तो टीचर नया था और कुछ टॉपिक बोरिंग था, सो लड़के पीछे राजा-मन्त्री—चोर-सिपाही खेलने लगे। हम भी बीच-बीच में स्कोर पूछ लेते थे। जैसे-तैसे पीरियड खत्म हुआ और अगला पीरियड खाली होने की वजह से हमारी टोली मैदान में पहुंच गयी।

कॉलेज में क्रिकेट के नाम पर टूटा हुआ बैट और साबुत विकेट्स मिलती थीं (गेंद आपको घर से लानी है)। ऊपर से स्पोर्ट्स का सामान देनेवाला भी हमेशा एक ही बैट से सारे कॉलेज को खिलवाना चाहता था। इसलिए लड़कों के मन में उसके लिए 'आदर भाव' को आप समझ ही सकते हैं। खैर, हम उसे ढूंढ़ते रहे पर वह नजर नहीं आया। तभी एक लड़के को वह नजर आ गया और वह आदर से बोला : "वो देखो, कुत्ते का बच्चा वहां लोट रहा है!" हम सबने अपनी नजरें घुमायीं और देखा कि वह धूप में घास पर सो रहा था। हम सब उसके पास पहुंचे और बोले : 'भगवती, ओ भगवती!' उसने हमें उधार मांगने आये लोगों की तरह देखा। 'क्या है ?' वह बोला! हमने पूछा : 'Volley Ball ?' 'नहीं है।' 'Foot Ball ?' 'नहीं है।' 'Basket Ball ?' 'नहीं है।' आखिरकार उसे जबरदस्ती उठाया और रूम में ले गये। टूटे हुए बैट से और प्लास्टिक की गेंद से खेलना शुरू किया।

थोड़ी देर में भगवती के और कुछ निठल्ले दोस्त आये और वे सब ताश खेलने बैठ गये। कॉलेज के आसपास के इलाकों के बच्चे कॉलेज के मैदान में कभी-कभी खेलने आ जाते हैं। ऐसे ही चार-पांच छोटे सरदार भगवती के आसपास डोलने लगे। वे लोग ताश में इतने डूबे हुए थे कि उन्होंने देखा ही नहीं कि एक छोटा लड़का उनके पास में पड़े कुछ पत्तों को उठाकर भाग गया। जैसे ही भगवती को पता चला तो वह चिल्लाता हुआ उसके पीछे भागा। बाकी लोगों ने सबसे पास भाग रहे एक बच्चे को पकड़ लिया। खैर, 'चोर' तो भगवती की पकड़ में नहीं आया, पर उसने चोर के ही एक साथी को और पकड़ लिया। फिर उसने एक सरदार को स्पोर्ट्स रूम में बन्द कर दिया और दूसरे से गब्बर सिंह की आवाज में बोला :

"अगर यह लड़का चाहिए, तो उससे (चोर से) कह देना कि पत्ते वापिस दे जाय।"

आगे क्या हुआ, मालूम नहीं—क्योंकि हम सब इस पॉलिटिक्स को छोड़कर अपनी क्लास अटेण्ड करने चल पड़े थे।

क्लास के बाद हम सब कैण्टीन की तरफ चल दिये। यहां पर जो ऑर्डर लेता है, वह कभी भी आसानी से पकड़ में नहीं आता। हम सब चिल्लाये : "राओ!

ओ राओ ऽऽऽऽऽ !" मगर उसके कान पर कुछ भी नहीं रेंगा। राओ अपने आप बस तभी आता है, जब या तो उसे पैसे लेने हों, या फिर जब हमसे गिलास, प्लेट, आदि, टूट जाये। हम में से एक चिल्लाया : "राओ ! प्लेट टूट गयी !" उसने एक तिरछी नजर मारी और फिर हम से बेखबर हो गया। एक लड़के ने पास से एक टूटी हुई प्लेट का टुकड़ा उठाया और जमीन पर दे मारा। "क्या हुआ ?" राओ हाजिर। "अबे भांग पी के आया है क्या ?" हम बोले, "सुनता क्यों नहीं ?"

खैर, उसने ऑर्डर लिया—और फिर से बेखबर हो गया। हम सब हर पांच मिनट बाद उसे आवाज देते। और, बिना सुने ही वह अपना सर जल्दी से हिला कर 'हां, हां' कहकर चला जाता। एक लड़का उसकी मोनो एक्टिंग करने लगा :

"राओ तू पागल है।"

"हां, हां !"

"राओ, तेरी भैंस भाग गयी ?"

"हां, हां !"

"राओ, तेरे घर में आग लग गयी ?"

"हां, हां !"

और हम सब लोटपोट हो गये। 15 मिनट बाद, राओ हमारी टेबिल की तरफ आया, और ब्रेड-रौल्स की जगह ब्रेड-पकौड़े और चार चाय की जगह छः चाय रख गया। हम में से एक ने कहा : "चार चाय के साथ दो फ्री ?" राओ अपनी आदत से मजबूर : 'हां, हां !' लेकिन फिर जल्दी से बोला : "क्या मतलब ?" हमने मतलब समझाया और खाने-पीने के बाद कैण्टीन से निकल लिये।

एक-दो क्लासेज के बाद घर की तरफ चल दिये। अब, कमेण्ट्स मारे बिना तो किसी को मजा आता नहीं। इसलिए जहां मौका मिलता है, वहीं लड़के कमेण्टस मार देते हैं।

एक रिक्शा वाला अपना रिक्शा साफ कर रहा था। उसे देख एक लड़का बोला : "बस बस, भैया ! एक रुपये का एक ही मिलेगा दो नहीं मिल जायेंगे ! और चाहे तू खुद भी नहा कर आ जा, फिर भी रुपया एक ही मिलेगा !"

आगे एक छोटा लड़का मूली बेचने वाले से मूली कटवा रहा था। मूली वाला कुछ बेकदरी से मूली छील रहा था। हम में से एक टी. वी. के एक परिवार-नियोजन विज्ञापन के अन्दाज में बोला : "अ ह ह ह ह ! जरा सम्भल के भइया ! तू मूली पर नहीं इस लड़के के दिल पर छुरियां चला रहा है।" और वह लड़का हंस पड़ा।

फिर बसों में लटकते-लटकते घर पहुंच गये। घर में खाना खाया। थोड़ी देर लोट लिए और थोड़ा पढ़कर शाम कर दी। शाम को पड़ोसी के पिल्ले से हाथ मिलाया और आंखें चार कीं। फिर थोड़ा घूमघाम कर घर आ गये। कुछ पढ़

लिए, थोड़ा टी. वी. से आंख मटक्का करके आठ बजा दिये।

हां, हां—नहा भी लिए।

चूंकि आज थर्सडे था इसलिए यहां पर लगने वाली साप्ताहिक-सब्जीमण्डी को लूटने जाना था। डैडी थके हुए थे, इसलिए मैंने और मम्मी ने थैलों से लैस होकर बाजार की तरफ कूचकर दिया।

एक आदमी अपने आलुओं की कैम्पेनिंग कर रहा था : "ताजा है ! पहाड़ी है।" उसका पड़ोसी, जिसकी चप्पलें बिक नहीं रही थीं, उसी के साथ-साथ चिल्ला रहा था : "झूठ है ! झूठ है !!" खैर चप्पल वाले का भी ग्राहक आ गया, और वह चुप हो गया वर्ना आलू वाले ने अपने हाथ में एक भारी-सा 'पहाड़ी आलू' तो उठा ही लिया था।

लूटते-लुटाते हम एक सन्तरे वाले के पास पहुंचे। बेचने वाले बुजुर्गवार थे और जाहिर था कि उन्होंने टिंडे वाले के अमरीकी टिंडे नहीं खाये थे (क्योंकि टिंडे वाले का दावा था कि अगर कोई बूढ़ा उसके टिंडे खा ले तो जवान हो जाये, रोगी कूदने लगे, आदि)। मैं उस टिंडे वाले से पूछने ही वाला था : अगर कोई बच्चा खा ले तो क्या हो ? तभी देखा, मम्मी संतरे वाले तक पहुंच गयी हैं।

"क्या हिसाब ?" मम्मी ने पूछा। "डेढ़ रुपये का एक" बूढ़ा गुर्राया (शायद उसका एक प्यारा सन्तरा बस के नीचे हलाल हो गया था) मम्मी ने कहा : "लाओ, दो दे दो—साम्पल के लिए।"

इस तरह की कई घटनाओं के बाद मैं मम्मी से जल्दी चलने को कहने लगा—क्योंकि नौ बजे सीरियल 'कुछ खोया, कुछ पाया' आने वाला था। पर मम्मी ने अपना समय लिया और मैंने सीरियल का और English news reader से Good Evening करते हुए घर में पहुंचा।

खैर साहब, खाना खाया, कुछ पढ़ा-लिखा और सो गया।...और सुबह तक हिटलर को मारा, दस Oscar Awards जीते, और आंठवां Grammy Award लेने ही वाला था कि मम्मी की आवाज आयी : "चीनूं, उठ जा ! सुबह हो गयी !"

परिवर्तन

स्वाति शर्मा

1

इस परिवर्तनशील दुनिया में हर चीज समय के साथ परिवर्तित हुई। यहां तक कि लोगों के अभिवादन करने का तरीका भी परिवर्तित हुआ।

जो शीश पहले किसी बड़े को देखकर चरण-वंदना को झुक जाता था, अब हाथ मिलाने से काम चलने लगा। राजीव बाबू तो गये—यह कहकर कि भारत को इक्कीसवीं सदी में प्रवेश करा ले जायेंगे। परन्तु और कोई इक्कसवीं सदी में प्रवेश करे न करे, अभिवादन के तरीके ने तुरन्त प्रगति की।

जो हाथ मिलाये जाते थे, अब एक-दूसरे को देखकर हिलने लगे। 'डैडी' के 'डैड' हो गये और 'हलो' की हो गयी 'हाय'। पुराने जमाने में लोग इस हाय को बहुत बुरा समझते थे। माताएं अपने बच्चों को टीका लगाया करती थीं कि किसी की हाय न लग जाय! दादी-नानी कहा करतीं : 'पता नहीं निगोड़ी किसकी हाय लग गयी।' किसी को भी 'हाय' से बात करने की छूट नहीं थी। कोई चलता-फिरता परलोक सिधार जाय, तो लोग कहा करते : 'पता नहीं किस की हाय खा गयी?' मतलब हर प्रकार से 'हाय' बुरी।

धीरे-धीरे यह 'हाय' बदली और नमस्कार, चरण-स्पर्श और 'राम-राम' को लग गयी। लोग 'हाय' कहकर मिलने लगे।

जमाने के साथ जो बदल जाय, वही आधुनिक सो, हमने भी देखा-देखी 'हाय' को अपनाया और आधुनिकों की श्रेणी में अपना नाम दर्ज करा लिया।

पिछले दिनों बिट्टू के स्कूल में हमने बाकायदा मास्टरनी बनकर प्रवेश किया। स्टाफ रूम में दो-चार 'हाय' हमने छोड़ीं, पर लोगों ने उत्तर में सूक्ष्म 'हाय' देकर पूछा : 'नयी हैं?' बस। कहां हम इतने बोलने वाले और कहां यह सजा कि केवल अति सूक्ष्म 'हाय' ही पल्ले पड़ी!

हमने सोचा, कभी तो पुराने पड़ेंगे और प्रण किया कि किसी नये को 'हाय' के लिए तरसने न देंगे ! जो 'हाय' हमारे बचपन में हमसे बचायी जाती थी, उसी को हम ऐसे गले लगायेंगे—कभी सोचा न था।

अन्त में : यदि संक्षेप में दो शब्द 'हाय' के लिए कहने हों तो मैं कहूंगी : 'बुरा हो इस 'हाय' का जो भेष बदल कर हमारे बीच घुस आयी है।'

2

भारत ने सदा से विभिन्नता में एकता का सिद्धांत अपनाया है। सही भी है। सदियों से हम कहते आ रहे हैं : एकता में बल है।

हमारे इस विशाल देश में विभिन्न जातियों और धर्मों के लोग रहते हैं। फिर भी, जहां देश की आनबान का प्रश्न होता है, हम कह उठते हैं : 'हम सब भारतीय एक हैं।' या फिर गुनगुनाते हैं : 'मिले सुर मेरा-तुम्हारा तो सुर बने हमारा।'

समय के साथ हमारी संस्कृति भी बदलती जा रही है। पुराने समय में बच्चे मां के गर्भ से ही वीरता की गाथाएं सुनते जीवन पाते थे; आज के बच्चे 'डिस्को' संगीत सुनकर सोते-जागते हैं।

आजकल इस एकता की छवि एक स्थान पर अक्सर दिखायी देती है। आविष्कारक के खोजी मस्तिष्क की कल्पना करती हूं कि उसने क्या सोचकर यह आविष्कार किया, या फिर समय के साथ ही यह परिवर्तन सम्भव हुआ !

यह परिवर्तन है : हमारा आधुनिक कहलाने वाला 'बुफे सिस्टम', खाना खाने का नया तरीका।

दावत का यह चलन जब से प्रचलन बना, लोग मिट्टी के बर्तनों की सोंधी सुगन्ध भूले और फिर भूले स्टील की कटोरियों की खनक और चमक। आ गये एक सीधी सपाट बड़ी प्लेट पर।

भारत के लोगों ने बड़ी प्रगति की है। जहां जनसंख्या में वृद्धि हुई, खाने-पीने में कमी होती गयी। और यही असर शायद खाना खाने के बर्तनों पर भी पड़ा। आजकल सिर्फ एक प्लेट में खाने का चलन है।

जहां एक ओर यह तरीका कष्टकर है, वहीं दूसरी ओर आपको स्मरण हो आयेगा भारत की एकता का भी।

कहीं दावत में गये हैं, प्लेट उठायी और शुरू हो गये एक तरफ से।

सलाद, चावल, गुलाबजामुन, छोले, दही-बड़े, मीठी सोंठ, दो-एक सूखी सब्जियां, एक-दो रसेदार सब्जियां, सब थोड़ी-थोड़ी ही डालिए तो भी प्लेट भर जायगी। उसी में एक ओर कचौड़ी-पूड़ी भी सरका लीजिए। अब एक तरफ या

किसी घेरे में, खड़े होकर बतरस के साथ खाना शुरू कीजिए। पता चलता है, पुलाव में मीठे चावल का आनन्द आ रहा है। जी हां, नमकीन में मीठा, क्योंकि चावल से स्पर्श करता गुलाबजामुन जो रखा है !

और अब गुलाब जामुन चखा, तो यह भला नमकीन कैसे न हो ! वह छोले के रसयुक्त आसन पर विराजमान है !

पूड़ी खाइए तो लगेगा नमकीन पानी में गिर गयी है। पर ऐसा है नहीं सिर्फ पूड़ी का तला पनीर की सब्जी में भीग चुका है।

ऐसे में यदि पापड़ भी है, तो वह भी इस आधुनिक सभ्यता को दण्डवत करता दिखेगा।

इस प्रकार नमकीन व्यंजन को मीठा और मीठे को नमकीन समझकर खाते जाइए।

एक बात और। कुरकुरी को मुलायम करके खाने से आपकी दन्तावली को कम से कम कष्ट होगा।

भारत की विभिन्नता में समानता के दर्शन कीजिए !

हमारे इस आधुनिक तरीके के आविष्कारक को कोटि-कोटि नमन।

पड़ोसिन

स्वाति शर्मा

मेरे आसपास रहनेवाली महिला-मंडली को, अन्दर ही अन्दर, मुझसे यह शिकायत रहती है कि मैं अकेले क्या किया करती हूं ? पति और बच्चों के दफ्तर और स्कूल चले जाने के बाद, खाली समय को मैं कैसे बिताती हूं ? यह प्रश्न मुझे नहीं बल्कि आसपास रहनेवाली महिलाओं को काफी परेशान करता है, जब कि स्वयं मुझे यह पता ही नहीं चलता कि मेरे पास समय भी था। सब घरेलू काम जल्दी-जल्दी समाप्त कर मैं बैठ जाती हूं आंगन में रसोई के पास पड़ी खाट पर। बस यहीं सारा दिन पढ़ते, लिखते, सुनते बीत जाता है।

वैसे मेरे विचार भले ही इस महिला-मंडली से मेल न खाते हों, पर इन लोगों का वार्तालाप मेरा बिना कोई टैक्स लिये, मनोरंजन कर देता है। कहीं जाने की जरूरत नहीं है, स्वयं सब सुनाई दे जायेगा। भले ही आपकी श्रवण शक्ति कितनी भी क्षीण हो, आप आराम से सुन सकेंगे, क्योंकि इस महिला-मंडली का स्वर तार सप्तक को छूता है।

'पैंजी कोन-सी बुनाई पाइ ए ?' (बहनजी कौन-सी बुनाई डाली है ?)

'अजी आपने सुन्या सोहनलाल तो रैन्दा ए बार, कार आंदे ने धरम भाई ?' (आपने सुना, सोहनलाल तो रहता है बाहर, घर आते हैं धरम भाई)।

'आदमी कुछ कैन्दा नी ?' (आदमी कुछ कहता नहीं ?)

'अजी उस्ने बी कर रखी हैगी दूसरी' (अजी उसने भी रख रखी है दूसरी)।

'दूसरी ?'

'अजी ओरत नी कुछ कैन्दी ?' (अजी औरत नहीं कुछ कहती ?)

'जी बोत लड़दे हैं जी !' (बहुत लड़ते हैं)।

इसी प्रकार के बहुत से सवाल और उनके जवाब। बस यों समझ लीजिए, जो खबरें समाचार-पत्रों में छपने से रह जाती हैं, उन सबकी जानकारी आपको हो सकती है। कई बार पतिदेव पूछते हैं : 'घर बैठे मुहल्ले भर की जानकारी कैसे मिल जाती है तुम्हें ?' खैर।

इन्हीं महिलाओं में एक हैं, जिनके पति ग्यारह साल ओवरसियर रहे। अब कुछ महीने से अफसर बने हैं, उनकी श्रीमतीजी की भाषा में 'अश्टैंट इन्जीनीयर।' यह देवीजी मुझसे कुछ खफा रहती थीं। कारण मेनगेट में रात को वह ताला डाल देती थीं—क्योंकि जितना धन, उतने वजनी ताले।

धनवान यह सोचकर भारी ताले लगाता है कि काला धन, काली रात में कम न हो जाय। गरीब ताले लगाता है, हल्के ही सही, कि दिन-भर जो पसीना बहाकर कमाया है, सुरक्षित रहे।

सो उस मेन-गेट को खोलने की जरूरत सबसे पहले हमें होती थी। हुआ यह कि एक दिन श्रीमान ने उनसे कह दिया कि 'आप ताले लगाती हैं', तो खोल भी दिया करें।' बस इसी बात पर मुझ से तन गयीं। कई दिन तने रहने के बाद वह अचानक एक दिन रात को हमारे घर अवतरित हुईं।

'देवी का पाठ रख्वाया है, कल खत्म होगा, जुरूर-जुरूर आना।'

मैंने भी प्रसन्न भाव से कहा : 'जुरूर जी !'

हमारे देश में एक आम प्रथा चली आ रही है। वह यह कि आदमी नम्बर दो का पैसा कमाता है, देवी-देवता की पूजा-अर्चना करवाकर, ऊपर वाले को भी हिस्सेदार बनाता है। सो सबेरे-सबेरे हम भी उस प्रथा का एक और नाटक देखने जा पहुंचे उनके घर।

कमरे के एक कोने में कुछ देवी-देवता सजे थे; धूप, अगरबत्ती, दिया—अपना अस्तित्व खोने में लगे थे और वातावरण सुगन्धित था, श्रोता के नाम पर कोई नहीं था। एक तरफ टेपरिकार्ड पर फिल्मी गीत बज रहे थे—'माता वैष्णो देवी' के। हम एक तरफ बैठ गये। देवी-देवता के आगे एक कम उम्र के पंडितजी गुनूर-गुनूर गुंज-गुंज—पता नहीं क्या—बड़बड़ा रहे थे। पन्ने पलटने से लग रहा था। जल्दी में हैं। पर वह क्या बांच रहे हैं, यह शायद पंडितजी को भी नहीं मालूम था।

महिलाओं का आना शुरू हुआ। 'नमस्ते जी, नमस्ते जी'—की ध्वनियां आती रहीं और टेप पर बज रहे गीत और पंडितजी की गुनुर-गुनुर में मिलती रहीं। धूप और अगरबत्ती की तेज खुशबू में अब महिलाओं की साड़ियों से उठ रही इत्र की महक भी विलीन हो रही थी। जिस प्रकार टेप और पंडितजी के स्वर से ऊंचा इन महिलाओ का कोलाहल था, उसी प्रकार मेरे पास बैठी महिला के दांतों से आ रही पायरिया को दुर्गंध—धूप, अगरबत्ती और इत्र के बावजूद—अपना अलग प्रभाव छोड़ रही थी।

यह महिला, जिसके मुंह से दुर्गन्ध की भभक उठ रही थी, जरूरत से ज्यादा बोल रही थीं। बार-बार नजर मेरे ऊपर फिरा लेती थीं, मानो कह रही हों, 'तुम भी कुछ बोलो जी।' मैं सोच रही थी कि अगर अपने मुंह को कष्ट न देना हो और आंख, कान, खुले हों तो भी मनोरंजन हो सकता है। मैंने देखा, जैसे हो कैसेट

समाप्त हुई और टेप काऑटोस्टाप बटन उठा 'खट्ट'—पंडितजी की गुनुर-गुनुर ठहरी, नजर टेप पर पड़ी और कुछ रुककर, फिर गुनगुन चालू हो गयी। थोड़ी शान्ति रही। फिर एक तरफ से स्वर उभरा :

'अजी, ओ पंजाबी दी कसट्ट लगाओ, रौणक रैन्दी ए।' (अजी वह पंजाबी का कसेट लगाओ, रौनक रहती है)।

और कसेट उलट कर लगा दी गयी : 'सारे बोलो जै माता दी।' महिलाओं की बातचीत का क्रम चलता रहा।

'अजी कल तो था इतवार, जो बिना न्हाये धोये रै गये। पर आज तो माता के काम से आना था। सो जल्दी-जल्दी न्हाये।'

'हां जी सो तो है। मैं चाहे शादी-ब्याह में न जाऊं, पर माता दे काम में तो जरूर जाती हूं।'

'भैंजी, मैं भी चाये फिल्मों को देखने नई जाऊं, पर पूजा में तो भाई आना ही था। यों तो पड़ौस में ही टी. वी. है, पर हर फिल्म देखने नहीं जाती।'

"अजी वो कल की फिल्लम कौन-सी थी?"

"जिद्दी।"

"बेकार थी, आशा पारेख तो किसी काम की नई।"

"बड़ी बेकार लगी पैंट पहन कर तो।"

"वीरवार को कौन-सी फिल्लम-सी?"

"कार-कार दी कानी।" (घर-घर की कहानी)।

"बड़ी चंगी-सी।" (बड़ी अच्छी थी)।

"निक्के-निक्के मुंडे ते कुड़ी ऐड्डा चंगा काम करया-सी।" (छोटे-छोटे लड़के और लड़की ने इतना अच्छा काम किया था)।

और इस 'सी' पर जो मैली दंतपंक्ति खुली—पहली बार लगा कि गाढ़े लाल और पीले रंग का मेल इतना बेमेल भी हो सकता है। जितना समय उन्हें लिपि-स्टिक की गाढ़ी रेखा खींचने में लगा होगा, काश जरा-सा हाथ वह अपने दांतों पर भी फिराने का कष्ट कर पातीं।

इसी बीच पंडित जी ने पाठ कब समाप्त कर लिया, पता ही न चला। वह आंगन में जा बैठे, हवन करवाने। गृहस्वामी को साइट पर जाने की जल्दी थी। पर हवन में बैठना भी जरूरी था। पति-पत्नी जब गांठ जोड़कर बैठे, तो कमरे से उठकर महिला-मंडली भी आंगन में चुहल करने जा पहुंची। कोई भी अपने को सलहज के हक से वंचित नहीं रखना चाहती थी। चालू हो गयी।

"अजी वचन याद कर लो।"

"फ़ेरे ले लो।"

पंडितजी को भी कमरे से मुक्ति मिली थी, सो खुली हवा में उस चुहलबाजी

का आनन्द ले रहे थे। मैं कमरे के एक कोने से ही आंगन का आनन्द ले रही थी, पर औरों की नजर में बोर हो रही थी।

हवन समाप्त हुआ। पति-पत्नी कमरे में देवी-देवता के सम्मुख जा बैठे। महिलाओं ने याद दिलाया, 'छन्द सुना देयी !' 'भावज बनाओ या साली, हम बन जायेंगे !' खी-खी-खी ! पंडितजी बड़े प्रसन्न। महिला-मंडली इस चुहलबाजी से कुछ फुर्सत पाकर फिर चालू हुई।

"नाचना में ओवसीयर कुट्ट (पीट) दिया !"

"तो क्या हुआ ! सारे ओवरसीयर ने मिल के एक्सीऐन को खूब हो पीट्टा।"

"चलो चंगा होया।" (चलो अच्छा हुआ)।

प्रसन्न मन से ओवरसीयर श्रीमतियों ने चैन की सांस ली। एक ने दूसरी के कान में राज की बात बताते हुए कहा : "वैसे हमारे इनसे तो सब ये कहते हैं कि 'चोपड़ा साब' आपने समय से दफ्तर में ट्रांस्फर करा लिया, बड़ा खराब समय है। चैकिंग बड़ी चल रही है।"

"और फिर बीबी-बच्चे छोड़ के साइट पै पड़े हैं, तो चार पैसे कमाने को ही तो !"

"पर नहीं जी, आज के समय तो दफ्तर ही भला।"

"अब ये राजीव और आया है। सुनते हैं, खाना-पीना बन्द करायेगा।"

"अजी नेताओं की क्या हैं ! इनके पेट तो भरे हैं। हम जैसे ही मरते हैं !"

इतने में एक महिला के सपूत, जो कि पांच साल के होंगे, आकर उनके गले से झूल गये। बेटे ने एक पैर में नीला मोजा और एक में काला मोजा पहन रखा था, जब कि उसकी माता—बनारसी साड़ी से मैच करता ब्लाउज, चूड़ी, बिन्दी यहां तक कि जेवरों के नगों का रंग भी मेल खाता था—खूब सजी-बजी थीं।

बोलीं : "भौत शैतान है। लाड़ आयेगा तो कहेगा 'मम्मी मैं आपको गोली मार दूंगा, ठां से' !" और बेटे को लाड़ से गोदी में लिटा लिया। पास वाली महिला कब चुप रहने वाली थी। "हमारा बेटा तो बड़ा है, तेरह साल का। लाड़ आयेगा तो कहता है, 'रोज गैस से जलकर इतनी मर जाती हैं, तू नहीं मरती' !" और मिली-जुली हंसी। मैंने सोचा, मेरे बच्चे मुझे लाड़ न करें तो अच्छा। आरती हुई। भोग लगा। वार्त्ताक्रम चलता रहा। पूजा समाप्त हुई। पंडितजी बोले : "जै माता दी बोलो।" प्रसाद बंटा। मैंने भी लिया। चलने को हुई, तो गृहस्वामिनी ने रोका : 'अजी चाय-शाय पी के जाना। मैंने कहा : "जरूरी चीज ले ली। अब चलूंगी।" उन्होंने बेमन से विदा दी, क्योंकि उनकी नजर में अभी तो देवी-पाठ समाप्त हुआ ही था। बातें करना तो बाकी था !

घर आते ही अपनी चिरपरिचित खाट पर जैसे ही बैठी, उनके घर से जोरदार आवाज आयी टेपरिकार्डर की—'दे दे प्यार दे, प्यार दे दे !' मतलब कैसेट बदल गयी थी। जै माता दी !

एक कमरा—अपना-सा

स्वाति शर्मा

हमारे पिताजी की एक आदत रही है, कमरा सुविधा-सम्पन्न होना चाहिए—वह कैसा दिखता है, इससे कोई फर्क नहीं पड़ता। कमरा ही क्या ! उनके कपड़े भी इसी प्रकार सुविधाजनक होने चाहिए—कैसे दिखते हैं, यह बाद की बात है।

यह 'सुविधा-सम्पन्नता' की रीति हमारे घर में बहुत पुरानी चली आ रही है। वैसे तो हम भारतीयों की पहचान यही है कि हमने किसी चीज को प्रयोग किया नहीं कि भावनात्मक रूप से उससे जुड़ जाते हैं और काफी सोचकर भी उस चीज को फेंक नहीं पाते। कभी-कभी वह चीज पुन: बार-बार काम में आती है और कभी बरसों बेकार पड़ी रहती है ! बस यादें उसके साथ जुड़ जाती हैं और कभी एकान्त में पुराने चलचित्र का आनन्द देती हैं।

पुरातत्व विभाग ने बहुत से संग्रहालय भारत में खोले हैं। पर यदि हम अपने आस-पास, और स्वयं अपने घर पर ही, दृष्टि डालें तो राजीव बाबू की भाषा में 'हम देखेंगे' कि यह पुरातत्व विभाग हमारे घरों में भी अपने छोटे रूप में विराजमान है।

मेरी सास ने भी बहुत से मिट्टी के छोटे-बड़े मटके बहुत संभालकर रखे थे और घर में आने वाली नयी बहू को वह बड़े उल्लास से बताती थीं : "जे बड़ौ लल्लू हुऔ तब कौ है, जे हमाय ससुर हते तब कौ है !" उनका वर्णन ऐसा सजीव होता कि उन मटकों में से बड़े लल्लू और ससुर जी झांकते-से नजर आते।

मेरी अम्मा के पास मैंने एक कांच की शीशी देखी थी : "बाबा इसमें कुनैन रखते थे।" अम्मा बार-बार बक्सा लगाने पर उस शीशी को धोती के पल्ले से पोंछ कर कपड़ों की तह में संभालकर रखती थीं, मानो साक्षात् बाबा की आत्मा उस बक्से में विराजमान हो।

मेरी दादी की कोठरी (ऊंचगांव) में पुरानी मटकियां, बड़े चाचा के पुराने कपड़े, चिट्ठियां, मुंशी चाचा के यहां पुराने पत्र, अखबार, पत्रिकाएं जमा करने का शौक रहा है। मुंशी चाचा के यहां तो घर के सदस्य भी पुरातत्व विभाग के

कार्यकर्त्ता से लगते हैं—जब देखो इस ताक में रहते हैं कि कुछ पुराना मिल जाय !

कहने का मतलब यह कि बात कर रही थी कमरे के सुविधा-सम्पन्न होने की और पहुंच गयी पुरातत्व विभाग पर। खैर।

इधर मेरा सीकर जाना हुआ।

कमरा कितना सुविधा-सम्पन्न हो सकता है—यह जाना मैंने ललित भाई के कमरे को देखकर। मैं बहुत प्रभावित हुई। कितना आराम है उस कमरे में, क्या बताऊं।

यदि आप एक दिन रह लें तो निकलने का मन नहीं करेगा। एक विशेषता इस कमरे की और है—यह स्नेह गंध से लबालब भरा है। बहुत अपनापन लिये है यह कमरा।

कमरे में चार खिड़कियां, दो दरवाजे हैं। मुख्य दरवाजा बाहर खुलता है। उस पर पक्का ताला लगा है—लोग तंग न करें इसलिए। जिन्हें पता है, वे दूसरा दरवाजा खटखटाना याद रखते हैं। अब एक अदद ऐसा कमरा जहां मिलने वाले तंग न करें, कहां मिलेगा आज के माहौल में ?

कमरे में आंगन के दरवाजे से घुसिये। एक बड़ा-सा पलंग बिछा है; आप लेटिये या बैठिये। टी० वी० देखना है ? न-न ! उठने का कष्ट क्यों करते हैं ? सिरहाने बटन दबाइये और नजरें घुमाकर आनन्द लीजिए।

हमारे घर में जमीन पर लोट लगाने में सबको आनन्द आता है। अब आपका भी मन लोट लगाने को होता है ! कहां लोटें ? पलंग से उतरिये और नीचे बिछी दरी पर पसर जाइए।

क्या कहा ? कपड़े बदलने हैं ? दो-दो स्टील की आलमारियां सामने ही खड़ी हैं; जो कपड़ा आपके मतलब का हो, खींच लीजिए।

अब ताश हो जायें। मतलब, चार के लोटने की जगह तो हो। अभी लीजिए। फटाफट पलंग के नीचे से दूसरी दरी खींचिये, बिछाइये और लोट जाइए।

खेलते समय आप ज्यादा हार रहे हों, तो पत्ते बांटते-बांटते प्यास लगना स्वाभाविक है। किससे कहें पानी ला दो ! अजी किसी से कहने की जरूरत नहीं। बगल में ही तो फ्रिज है; हाथ बढ़ाइये और गला तर कीजिए। ताश में ज्यादा ही पिटाई हो रही हो तो ईश्वर का स्मरण कीजिए। बीच खेल से उठकर मन्दिर जाने की जरूरत नहीं—बस नजरें ऊपर उठाइए; सामने आलमारी में अपने मन-पसन्द देवता को ढूंढ़कर दर्शन पाइए। ताश में ज्यादा बेईमानी देखकर आपका मन कह उठता है, काश पिताजी यहां होते तो उनसे शिकायत करते। निराश क्यों होते हैं ? देवताओं के ऊपर वाले खाने में पिताजी की ही तस्वीर है—कह

डालिए जो कहना है !

ताश खेलते थक गये हैं, तो टांगें इधर-उधर घुमाइए, यहा तक कि पलंग के नीचे भी ।

वहां पर रखा एक बड़ा भगोना आपको निमंत्रण देता है : कोई मुंडन, नामकरण संस्कार करना हो, तो उसका इन्तजाम भी पूरा है ।

भोजन का सोचकर ही भूख लग आयी ? कोई बात नहीं, दरी पर अखबार बिछाइये और भोजन करिये । अधिक बर्तन चाहिए ? अभी लीजिए । पलंग पर चढ़कर लकड़ी का खोखा उतारिये और जितने बर्तन जरूरत हों, ले लीजिए । जहां एक ओर आधुनिक स्टील के बर्तन आपको निमन्त्रण देंगे कि उन्हें जूठा किया जाय, वहीं दूसरी ओर आपकी यादें आपको आकर्षित करेंगी कि जिन बर्तनों में बचपन में खाया था उनमें खाया जाय ।

ललित भाई को हमारे घर के पुरातत्व-बिभाग का अगर विभागाध्यक्ष घोषित कर दिया जाय, तो मेरी राय में अनुचित न होगा ।

कांसे की घिसी थालियां आपको अतीत में खींच ले जायेंगी, जिनमें कभी हमने भी अम्मा के हाथों बनी खिचड़ी को खूब घी में मिलाकर, अमृत की तरह, खाया ही नहीं चाटा भी था । खैर ।

खा-पीकर अखबार समेटिये और पुनः लोटिये । सो गये क्या ? कोई बात नहीं ।...लेकिन अब तो शाम हो गयी है । अब उठिये और कपड़े बदलिये । घूमने की इच्छा है ? अभी लीजिये, आलमारी से सटकर ही खड़ी है नयी हीरो होंडा । शान की सवारी । उठाइये और घूम आइए ।

घूमकर लौटे हैं, थके हैं । "टी० वी० देखने का मन नहीं । कितना अच्छा होता रेडियो पर कोई मधुर संगीत आ रहा हो तो आंखें बन्द कर आनन्द लेते ।" सोच कैसा ?

सामने आलमारी में शायद इस परिवार का प्रथम रेडियो सेट रखा है—ऑन कीजिए, संगीत सुनिए । यह रेडियो, जहां तक मुझे याद है, '58 के आस-पास नरेश चाचा द्वारा निर्मित है ! अब तो यह एक विशाल प्लास्टिक की बॉडी से ढका है । पर, मैंने इसे अपने असली रूप में देखा है, खूब सुना है ।

पढ़ाई के दिनों में संगीत बिना अपनी पढ़ाई न होती थी । सो, तौलिये से ढंक कर भी सुना है, इसलिए कि डाट न पड़े !

रेडियो सुनकर, खा-पीकर, आपको नींद ने आ घेरा है । सबके लिए अधिक बिस्तर उसी कमरे में मिल जायेंगे । बिछाइये और सोने की तैयारी कीजिए ।

क्या ?...ईश्वर को धन्यवाद देना चाहते हैं कि दिन अच्छा बीता ! आलस में, आलमारी की तरफ गर्दन घुमाने में भी कष्ट होता है ?...कोई बात नहीं ! सामने कई कैलेण्डरों में स्थापित देवताओं को नमन करिये और सो जाइए ।

कोई पुस्तक पढ़ना चाहें, तो दुर्लभ पुस्तकों का संग्रह भी बड़े भाई के इसी कमरे में है। पढ़कर भी सो सकते हैं।

बड़े भाई का स्नेह, कि आपको याद नहीं रहता, क्या-क्या खाया और कितना खाया, रात को पेट में दर्द है, किसे जगायें ? किसी को नहीं। हाथ बढ़ाइये, आलमारी के नीचे के खाने में छोटी-मोटी दवाइयां मिल ही जायेंगी। एक हाथ से दवा खींचिए और दूसरे हाथ से फ्रिज का दरवाजा खोलिये; पानी से दवा गटकिये और सोने की चेष्टा कीजिए।

दूसरे दिन वहां व्याप्त स्नेह गंध से आपकी आंख खुलेगी और एक बार पुनः हाजिर होगा वह अतिसुविधा-सम्पन्न कमरा आपकी सेवा में !

शौक-ए-बागवानी

भुवन मोहन शर्मा

यहां विश्वविद्यालय के क्वार्टरों में प्रातः आगे-पीछे खुली जमीन होती है, जिसमें आमतौर पर लोग कुछ फूल-पत्ती और साग-सब्जी लगा लेते हैं। कुछ लोगों को बागवानी का शौक पहले से ही होता है, पर कुछ को अगल-बगल देखकर मजबूरन पैदा करना होता है।

हमें जो क्वार्टर मिला है, उसमें पहले हमारे ही कृषि संस्थान के डा० अमुक जी रहते थे। एक तो इन्हें बागवानी का शौक पहले से ही था, दूसरे ज्ञान भी। अतः इनका क्वार्टर, बिश्वविद्यालय लॉन और किचिन-गार्डन प्रतियोगिता में अक्सर प्रथम आता रहा। लोग अक्सर ही उनसे शंका समाधान करने आते और लाभ उठाते।

एक बार एक सज्जन डा० अमुक जी से मिलने आये। उन्होंने अपना परिचय दिया और बताया कि वह भी कॉलोनी में आ गये हैं तथा उन्होंने भी अपने क्वार्टर में कुछ सब्जी लगायी हैं। पर पौधे तेजी से नहीं बढ़ रहे हैं। "इसका कुछ उपाय बताइए।"

डॉ० अमुक जी उनके क्वार्टर गये। स्थिति देखकर कहा : "जरा घास वगैरा निकाल दीजिए। अच्छी तरह गुड़ाई कर दीजिए। जड़ों को हवा मिल जायेगी, फिर तो पौधे अपने आप ही बढ़ चलेंगे।"

डा० अमुक जी राय देकर अपने घर को चल दिये और वह सज्जन तुरन्त तहमद बांधकर बगीचे में पहुंच गये।

दोपहर में ही उन्होंने एक-एक पौधे को खोदा। प्रत्येक की जड़ से मिट्टी को झटकारा। थोड़ी देर हर पौधे को इधर-उधर जोर से घुमाया। मतलब यह कि हर पौधे को हवा दिखायी और फिर गाड़ दिया। बेचारे शाम तक पसीने में लथ-पथ इस प्रक्रिया में लगे रहे।

ब-मुश्किल तमाम रात काटी। अगले दिन सुबह होते ही खुशी-खुशी बगीचे में पहुंचे—इस आशा से कि पौधे दूने तो हो ही गये होंगे। पर वहां का दृश्य देखते

ही उनके पैरों के नीचे से जमीन खिसक गयी। सारे पौधे शव आसन कर रहे थे।

अब क्या था! अगले दिन से शुरू कर दिया उन्होंने डा० अमुक जी की बुराई का अभियान। जो भी सुनता, मन-ही-मन खूब हंसता।

हमारे एक दूसरे मित्र अक्सर लॉन के कम्पटीशन में बाजी मार लेते थे। इनके एक पड़ोसी, जो एक क्वार्टर छोड़कर अगले में रहते थे, अपने लॉन पर बड़ी मेहनत करते। पर कभी कन्सोलेशन प्राइज भी न मिलती। उन्हें लगता कि घास तो उनकी भी ठीक है, पौधों में फूल भी हैं, फिर आखिर उनका नम्बर क्यों नहीं आता!

एक बार उन्होंने अपनी घरवाली की सलाह मानकर बड़ी मेहनत से फूलों के उन सभी पौधों को उसी तरह लगाया, जिस तरह हमारे मित्र के यहां थे। हमारे मित्र जिस रोज गुड़ाई करते, एक घण्टे बाद उनके यहां भी गुड़ाई हो जाती; पानी देते तो उनके यहां भी तत्काल पानी दे दिया जाता।

हमारे मित्र बेचारे इस नक़ल से बड़े परेशान हो गये। उन्हें अपने लॉन के प्रथम आने पर संशय होने लगा। कारण यह कि पड़ोसी महोदय दूरदृष्टि, कड़ी मेहनत और पक्का इरादा वाला फार्मूला अपनाये हुए थे।

आखिर कम्पटीशन को तीन दिन रह गये। हमारे मित्र शाम को घर लौट रहे थे। उन्होंने देखा कि पड़ोसी सज्जन अपने लॉन की एक-एक सूखी पत्ती बटोरने में व्यस्त हैं। लॉन जंच रहा था।

मित्र को एक युक्ति सूझी। वह अपने घर के अन्दर गये और एक झाबे में बालू भरकर रख दी। अपनी लड़की को कुछ समझाकर वह बाहर आये और अपने लॉन में टहलने लगे।

थोड़ी देर में उन्होंने अपनी लड़की को जोर से आवाज दी : "विमला, ओ विमला! झाबे में जो यूरिया रखा है, वह दे जाओ।" पड़ोसी पेड़ के पीछे छिपकर सब देख-सुन रहे थे। लड़की झाबा लेकर बाहर आयी और हमारे मित्र वह बालू इधर-उधर छिड़ककर अन्दर चले गये—छिपकर तमाशा देखने।

उनके अन्दर जाते ही पड़ोसी महोदय भी एक झाबा लाये जिसमें यूरिया भरा था। बड़े इतमीनान और परिश्रम से उन्होंने वह पूरे लॉन में छिड़का।

अगले दिन वही हुआ जो होना था। पड़ोसी की घास जगह-जगह जल गयी थी। पूरा लॉन चितकबरा लैंडस्केप बन गया था। और बाजी फिर मित्र के हाथ!

भूल सुधार

भुवन मोहन शर्मा

बात सन् 1964-65 की है, जब यू० पी बोर्ड की हाई स्कूल और इण्टरमीडिएट की कॉपियां परीक्षक के घर जंचने जाया करती थीं।

एक रोज शाम को जब कॉलेज से घर लौटा, तो पत्नी ने बताया कि दो लड़के आगरे से किसी का पत्र लेकर आये हैं। मैंने पूछा : "कहां गये हैं ?" मालूम हुआ—खाना खाकर घूमने गये हैं। लगभग आठ बजे रात को ये लोग लौटे और आते ही एक पत्र दिया।

खोला। पढ़ा। मालूम हुआ कि इन लोगों की कॉपियां यहां आयी हुई हैं और नम्बर बढ़ाने का काम है।

बड़ा अजीब लगा। गलत काम। फिर, कॉपी मेरे पास तो है नहीं कि नम्बर बढ़ा दूं!

मन में आया, साफ मना कर दूं कि मैं कोई मदद नहीं कर सकता।

इस बीच पत्नी ने खाना लगा दिया। वे लोग तो खाना खाने लगे और हम एक अजीब उधेड़-बुन में दिमाग खपाने लगे। सोचा, काम तो गलत है—पर लड़के बड़ी उम्मीद लेकर आये हैं।

संयोग से, जिस परीक्षक के पास कॉपियां थीं, उनके मित्र से मेरा परिचय था। सोचा, जरा-सा कह देने से इनका काम हो जाये तो इनका मुकद्दर।

बहरहाल, अगले दिन अपने परिचित को—जो परीक्षक के मित्र थे—दोनों रोल नम्बर दे आया और कह दिया कि इनकी यदि कोई मदद हो जाए तो ठीक है, वरना चिन्ता करने की कोई बात नहीं।

दो दिन बाद परिचित महोदय ने बताया कि उन्होंने अपना काम कर दिया है और ईश्वर चाहेगा तो बात बन जायेगी। बालकों को शुभ समाचार सुनाया, तो खुश हो उठे।

चार दिन गंगा स्नान। मन्दिर दर्शन। शहर भ्रमण। तब, उन्होंने प्रस्थान किया।

चलते समय मैंने कहा, "रिजल्ट निकलने पर सूचित करना। इस विषय में कितने नम्बर आये, यह भी लिखना।"

अभी इन लोगों को गये तीन दिन ही हुए होंगे कि रात के आठ बजे मैं और पत्नी जब खाना खा रहे थे तो किसी ने कुण्डी खटखटायी। पत्नी खोलने गयीं; मैं खाना खाता रहा।

आवाज सुनायी दी : "बुआ जी, पांय लागी।" पत्नी चुप! आवाज आयी : "लगत है बुआ जी, आपन ने हमें पहचानो नाय।" मेरी पत्नी फिर चुप। "अरे बुआ जी आपन ने हमें रग्घो जी के यहां तो देखौ होगो! फूफा जी कहां गये हैं?" पत्नी अन्दर आयी और धीरे-से बोलीं : "एक लड़का है। पहचान तो नहीं पा रही उसे, पर वह सबको जानता है।"

फूफा कहकर शायद पहली बार किसी ने मुझे सम्बोधित किया था। सहसा फूफा वाला एक किस्सा दिमाग में घूम गया। एक देहाती लाला जी गंगा स्नान करने बनारस आये। घाट पर इधर-उधर वह ताक ही रहे थे कि कपड़े कहां रखें और कहां नहायें कि इतने में ही एक लड़का सामने आया और "फूफा जी पांय लागी" कहकर पैर छू लिये। देहाती लाला जी बोल उठे—"पहचाना नहीं बेटा तुम्हें!" लड़के ने फड़ाक से जवाब दिया : "फूफा जी, हमारी मूछें थोड़ी बढ़ गयी हैं, इसीलिए आप हमें पहचान नहीं पा रहे! पर आप में तो कोई फरक नहीं आया। चलिए फूफा जी, घर चलकर जलपान करिये।" फूफा जी बोले : "जरा यह झोला और कपड़े देखते रहो बेटा; बस, गंगा स्नान करके चलते हैं।" लाला जी नहाकर लौटे। देखा वहां न झोला है, न कपड़े और न ही उनका भतीजा। फकत एक भीगी नेकर में इधर-उधर ताकते खुद सीढ़ियों पर खड़े हैं! दबी जबान से लगे चिल्लाने : "अरे भई हम किसके फूफा हैं, किसके..."

सो, मैं भी अब दरवाजे की तरफ चला—यह देखने कि मैं किसका फूफा हूं!

तो साहब, इससे पहले कि मैं भतीजे राम से कुछ पूछताछ करूं उन्होंने "ओह फूफा जी!" कहकर मेरे पैर छुए और अटैची लिये सीधे कमरे की ओर बढ़ गये!

बातचीत करने पर मालूम हुआ कि वह पट्टीदारी में हमारे दूर के भतीजे लगते हैं। पट्टीदारी की पट्टी भी काफी लम्बी थी। अब मालूम हुआ कि यह भी नम्बर बढ़वाने आये हैं। बड़ा गुस्सा आया कि फिर चार-पांच रोज की भाग-दौड़। खैर, गुस्सा पीना पड़ा—भतीजा ससुराल की ओर से जो आया था, भले ही ससुराल वालों को इस बात का पता न हो! पर डर इस बात का था कि कहीं वहां जाकर यह न कह दे कि बनारस गये तो बुआ जी और फूफा जी ने पहचानने से इन्कार कर दिया।

सो इनके काम के लिए भी भाग-दौड़ की।

इन दो वर्षों में कई लोग आये। सब तरह की बातें हुईं। जिसका जो कुछ भी काम बन पड़ा, किया। पर बनारस से लौटकर इनमें से किसी एक ने भी पत्र न डाला कि उसका रिजल्ट कैसा रहा!

एक सज्जन, जो बनारस का अटैची-समेत टूर करके जा चुके थे, इत्तफाक से राजामंडी में मिल गये। इधर-उधर की बातें करके मैंने डरते-डरते उनसे पूछा: "आजकल क्या कर रहे हो?" बोले: "बी० एस-सी० पार्ट वन में पढ़ रहा हूं।" मैंने कहा: "इसका मतलब कि फिजिक्स में तुम्हारा काम हो गया था!" बोले: "भाई साहब, बड़ी लीनियन्ट मार्किंग हुई थी। एक-दो लड़के ही फेल हुए थे।"

इस बीच इन लोगों के बारे में, काफी जानकारी मिली। जब कोई इस प्रकार से अटैची लेकर टूर पर निकलता है, तो वह हिसाब लगा लेता है कि रेल से जाने-आने का भाड़ा कितना लगेगा, रिक्शे का किराया कितना बैठेगा—रहने के लिए तो जिसके यहां जायेंगे, रहेंगे ही और खाने को मिलेगा ही, क्योंकि उस आदमी को अपने मित्र या रिश्तेदार की इज्जत मजबूरन रखनी होती है! हां, ये लोग भूल जाते हैं कि खातिर के अलावा उस आदमी का काफी समय भाग-दौड़ तथा जोड़-तोड़ बैठाने में लगता है। और, सबसे बड़ी बात यह कि उसे नाहक दूसरे के सामने छोटा होना पड़ता है, उसका अहसान लेना पड़ता है।

यह सब सोच-विचार कर मुझे अपनी भूल का एहसास हुआ।

अब मैंने भी स्थिति में कुछ सुधार करने का फैसला कर लिया।

सुधार लाने की नियत से अपने एक मित्र के यहां गया। मित्र शरीर से लम्बे-चौड़े, रौबीले चेहरे और बड़ी-बड़ी आंखों वाले थे। रहन-सहन में शौकीन तबियत के। घर में ड्राइंग रूम में कारपेट। टेलीफोन। दो विलायती कुत्ते। नौकर। सब सुख-सुविधाएं। उन्हें देखकर किसी को भी उनके बड़े प्रभावशाली व्यक्ति होने का एहसास आसानी से हो सकता है। मैंने उन्हें, अपनी समस्या बतायी और समझाया कि उन्हें थोड़ी-सी ऐक्टिंग करनी होगी। वह राजी हो गये—और मैंने उन्हें उनका पार्ट समझा दिया।

कुछ दिन बाद फिर एक सज्जन ब्रीफकेस लेकर आये और मेरे आगे एक लिफाफा देखकर बढ़ा दिया। लिफाफा देखकर ही हम मजमून समझ गये। खोला, तो बात सच निकली।

मैंने बड़े सहज भाव से कहा: "मेरे एक मित्र बड़े प्रभावशाली हैं। चार-पांच नम्बर के लिए तो वह किसी से करा सकते हैं; यदि कोई परिचित परीक्षक हो तो फिर तो बात और ही है।" सो, नाश्ता कराकर इन सज्जन को हम अपने मित्र के यहां ले गये।

मित्र से मैंने इन सज्जन का परिचय कराया: "यह मेरे बहुत ही जिगरी

दोस्त के छोटे भाई हैं ! वैसे यह बड़े मेधावी छात्र हैं, पर बेचारे बीमार हो गये थे, इसलिए इनका अंग्रेजी का पर्चा जरा गड़बड़ा गया है। कांपी डॉ...के यहां आयी है, जो आपको बहुत मानते हैं। क्या कुछ मदद हो सकती है ?" मित्र बड़े रोआब से बोले : "अरे उस साले के पचासों काम मैंने किये हैं ! क्या मेरे घर के बच्चे का जरा-सा काम वह नहीं करेगा ?" मित्र ने अपने आफिस का फोन मिलाया और बोले : "भई सुना है कि अंग्रेजी की कापी तुम्हारे पास आयी है। अच्छा-अच्छा . मेरे घर का लड़का . है। काम ध्यांन से सुनो ...! रौल नम्बर... है। काम हो जाना चाहिए समझे ? . अच्छा, अच्छा ..। हां, तुम्हारा काम भी हो जायेगा, मुझे ध्यान है।" जब तक आफिस से बाबू पूछे कि किसका रौल नम्बर, किसकी कॉपी और कौन-सा काम—मित्र ने फोन पर इतना और जड़ दिया, "यह तो मैं जानता ही था कि काम हो जायेगा।" और फोन रख दिया। मुस्कराकर बोले : "बच्चा जाओ तुम्हारा काम तो हो गया। पढ़ाई किया करो। यहां का काम तो हो गया, अब अगले पर्चे की चिन्ता करो !"

नतीजा यह कि न रिक्शे का फालतू खर्चा, न भाग-दौड़ और न किसी का एहसान। लिफाफा लाने वाला खुशी-खुशी शाम की गाड़ी से अगले परचे की पैरवी पर, और हम तसल्ली से अपने घर पर।

यह मूड

राम शंकर शर्मा

यह 'मूड' भी अजीब चीज है। कभी तो बिना बताये ही आ जाता है, और कभी आप चाहे जितना बुलाओ—नहीं आता, तो नहीं आता।

जहां अमूमन नहीं आना चाहिए—जैसे दफ्तर मे—वहां भी कभी-कभी यह बिना किसी पूर्व-सूचना के आ धमकता है। यह भी नहीं देखता कि कोई बैठा है या कोई जरूरी काम कर रहे हैं। अब आ गये तो आ गये।

अगर पास में किसी को बैठा देखा, तो थोड़ी ही देर में कुछ नोट कराकर चला जाता है। और अगर देखा कि कमरा खाली है, तो देर तक के लिए भी जम जाता है। दो-चार बार पन्नों का मसाला दे देना इसके लिए कोई बड़ी बात नहीं है।

कभी जब आप फुरसत में हों और चाहें कि मूड आ जाए और अगर इसे नहीं आना होता, तो नहीं आता—आप चाहे जितनी भी कोशिश कर लें।

अभी पिछले दिनों की ही बात है। लगातार दो छुट्टियां पड़ गयीं—'सेकेंड सटर्डे' तथा 'संडे' की। मेरी पत्नी रक्षा भोपाल गयी थीं। घर में अकेले ही था। सोचा—मूड को बुला लिया जाय। शायद लिखने के लिए कुछ सामग्री मिल जाये।

पर हमारे बहुत कोशिश करने पर भी, वह नहीं आया तो नहीं आया। हमने भी कहा—"अच्छा, अब हम भी नहीं मनायेंगे! देखें यह कब तक नहीं आता!!'

सुबह आफिस चले गये। कोई विशेष काम नहीं था। कमरे में मैं अकेले ही था। एक-दो बार उसने झांका। कुछ कहा भी। पर न मैंने ही रुकने को कहा, न वह ही रुका।

शाम को दफ्तर से आने के बाद मैं खाना खा लेता हूं। नियमानुसार खाने के बाद थोड़ा आराम कर रहा था। लेटे-लेटे अखबार के पन्ने पलट डाले। फिर 'सचेतक' की पुरानी फाइल पलटने लगा।

थोड़ी देर में देखा कि हजरत आ रहे हैं। फिर क्या था ! मैंने भी पास पड़े पैड पर नोट करना शुरू कर दिया—जो वह बोल रहे थे।

दो-तीन पेज के बाद मैंने सोचा कि अब यह जायें, तो मैं टी. वी. पर 'अपराधी कौन' देखूं—क्योंकि शाम के साढ़े आठ बज चुके थे। पर यह जनाब थे कि जमे हैं तो जमे हैं। हटने का नाम ही नहीं लेते। मैंने भी कहा—चलो अपराधी कौन है, यह तो मैं जानता ही हूं। पर यह मूड तो जल्दी-जल्दी आता नहीं। फायदा ही उठा लिया जाये।

लीजिए, वह बिना कुछ बताये-चताये ही चल दिये ! खैर, 'सचेतक' के एक अंक के लिए तो कुछ मसाला दे ही गये ! अब देखिए वह फिर कब आते हैं।

मैं अपने 'हाथों' पर खड़ा हूं

अनुपम शर्मा

कहां गये वे लोग ? वे दोनों धोबी । जमालपुर होस्टल वाले । होस्टल छूटा तो वे भी छूटे ।

अब हर रविवार जब कपड़े लेकर बैठते हैं तो नानीजी के साथ वे भी बहुत याद आते हैं ।

वे भी क्या दिन थे ! धोबी दरवाजा खटखटाता । "कौन ?" "धोबी साब ।" (कमबख्त कहां से आ गया ।) "शाम को आइयेगा ।" "अच्छा साब ।" अब लगता है वह आ जाये—चाहे रात को दो बजे ही कपड़े लेने आया करे !"

महीने के बंधे बीस रुपये लेता था । चाहे कितने कपड़े दो । हफ्ते में एक बार आता था। "महीने के बंधे बीस रुपये... very good"। हफ्ते भर में जितने कपड़े बाहर दिखते, उसे दे देते थे। याद है—एक बार 41 कपड़े दिए थे (छोटे-बड़े मिलाकर) । हां, 25-30 तो हर हफ्ते हो ही जाते थे ।

कहना न होगा, जब तक होस्टल नहीं छोड़ा कभी 'सर्फ' के पैकेट, या 'रिन' की बट्टी की शक्ल नहीं देखी थी।

यह हाल होस्टल में रहने वाले सभी प्राणियों का था । हां, कपड़ों के जरूर बारह बज जाते थे : जैसे कि Coffee रंग की पैंट Pink हो गयी । शर्ट के बटन ऐसे मुड़े और टूटे हुए, जैसे कि आणविक संयंत्र disaster में से आ रहे हों। कभी-कभी धोबी को धमकाते थे : "अगर ऐसे ही बटन टूटते रहे तो हम आपके साल में एक महीने के पैसे काट लेंगे ।" लेकिन धोबी साहब जानते थे कि सारे कपड़े तो उन्हीं के पास जाने हैं !

कहते हैं, सन् 1955 में एक ऐसे साहब हमारे होस्टल में आए जो कुछ कपड़े खुद धोने में विश्वास करते थे। उनकी कुछ ऐसी खिचाई हुई कि उनका नाम 'आंटी' पड़ गया। आंटी नाम का उन दिनों एक धोबी था ।

अब वह रेलवे के काफी बड़े अफसर बन गये हैं, लेकिन अभी भी 'आंटी' के नाम से ही जाने जाते हैं ।

खैर, अब तो बस यादें ही रह गयी हैं। अब धोबी का सहारा कहां? अपने 'हाथों' पर खड़े हैं !!

हां, अब भी आसपास धोबी दीखते हैं। लेकिन, यदि होस्टल की रफ्तार पर उनसे कपड़े धुलवाए, तो महीने में कम से कम 120 रुपये लग जायेंगे।

इसलिए, कपड़े खुद ही धोना सीख रहे हैं! अब तो कई तरीके पता हैं। जैसे कि—'रिन' की बट्टी मिलती है। कपड़े अच्छे धोती है। लेकिन महंगी है। क्यों? इसलिए कि दो या तीन शर्ट धोने में ही खत्म हो जाती है। 'सर्फ' का पैकेट इससे अच्छा। एक बार घोलो—तो चाहे जितने कपड़े निकालो। हमारा धोबी जरूर इसी का इस्तेमाल करता होगा।

नहीं-नहीं। उसकी बात न कीजिए। उसकी याद से हम दुखी हो जाते हैं।

हां, इस सबके बाद बावजूद एक बात है। जब पहली बार शर्ट धोयी तो ऐसी तृप्ति मिली कि बस क्या कहें। लगा, वाह! बड़े दिनों में पहली बार कोई 'प्रोडक्टिव' काम किया है।

लेकिन क्या वास्तव में अब सारे कपड़े खुद ही धोने पड़ेंगे?...इतनी मेहनत!

आइस्टीन ने कहा था, "जो complicated हो वह mathematics नहीं। सवाल का हल अगर complicated हो रहा है, तो जरूर आप गलत रास्ते पर हैं।" नहीं, जीवन इतना complicaed नहीं हो सकता।

सो, क्या मेरे सवाल का कोई हल है?

एक हल तो मेरे आजकल के रूम-मेट ने ही बता दिया। आज जब मैं कपड़े धो रहा था तो देखा—गुसलखाने के दरवाजे के ऊपर से उनकी एक शर्ट उड़ती चली आ रही है। बोले: "यार इसे भी धो देना।"

मैंने कहा, "चल यार! मुझसे पहले तूने ही रास्ता दिखा दिया।"

खर्राटे : सिनॉप्सिस एक रिसर्च पेपर का

अनुपम शर्मा

जी हां, इसे मेरे लम्बे रिसर्च पेपर का एक छोटा-सा सिनॉप्सिस समझिये । अतः, इसे गम्भीरता से लीजिए ।

तो, यह कहना मेरे लिए अतिशयोक्ति नहीं होगी कि मैंने खर्राटे बहुत सुने हैं । और खर्राटों के बारे में दूसरों के व्याख्यान भी सुने हैं । बहुत से खर्राटेबाजों के बारे में भी सुना है मैंने । साथ ही, खर्राटों के बारे में विज्ञान की असमर्थता के बारे में भी सुना है !

कारण। आप ही बताइये कि क्या खर्राटों के बारे में आज तक किसी ने निश्चित और पक्की रिसर्च की है ? यदि किसी ने की भी है, तो उसे पूर्णरूपेण स्वीकार नहीं किया गया । आज भी 'विशेषज्ञों' में ऐसे बुनियादी मुद्दों पर बहस है कि खर्राटे लेने वाला व्यक्ति गहरी नींद में सोता है, या कच्ची नींद में । कई लोग जहां यह कहते हैं कि खर्राटे लेने वाले व्यक्ति के सामने उसकी बुराई न करो, वह खर्राटों की स्थिति में भी सब कुछ स्पष्ट सुन लेता है, वहीं कुछ दूसरे लोग इस विचार को बेबुनियाद मानते हैं ! अधिक से अधिक वे यह बात मानने को तैयार होते हैं कि खर्राटे लेने वाला केवल अपने खर्राटे सुन सकता है ।

कहना न होगा कि इन बुनियादी मसलों को हल किया जाना अभी बाकी है ।

अस्तु, मनुष्य जहां कुछ ही वर्षों में चांद पर स्थायी कॉलोनी बनाने वाला है, जहां वह पूरी धरती को उड़ा देने के लिए पर्याप्त से ज्यादा परमाणु अस्त्र बना चुका है,—वहां अभी नक खर्राटे नाम के इस प्राकृतिक क्रिया-कलाप पर नियन्त्रण के उपायों से अनभिज्ञ है !

इसका सबसे बड़ा कारण शायद यह है कि खर्राटे लेते समय अपनी मनः-स्थिति का सबसे सही-सही विवरण केवल खर्राटे लेने वाला व्यक्ति ही दे सकता है । पर संकट यह है कि अधिकतम खर्राटेबाज इस बात से ही मुकर जाते हैं कि वे खर्राटे लेते हैं । आप उन्हें लाख समझाइए, पचासों गवाह पेश कर दीजिए, यहां

तक कि उन्हीं के खर्राटे टेप पर सुना दीजिए—पर वे आपकी बात मानने को तैयार नहीं होंगे। टस से मस नहीं होंगे।

वे तो खुद अपनी स्वर-लहरी सुन कर भी साफ-साफ इन्कार कर देंगे। कहेंगे : "अजी ये मेरे खर्राटे हैं ही नहीं।" अत्यधिक सामाजिक दबाव के तहत कुछ सुप्रसिद्ध खर्राटेबाजों को औपचारिक तौर से यह तो मानना पड़ा है कि—'हां, खर्राटे हम लेते हैं।' पर अनुसंधान कर रहे विशेषज्ञ इससे आगे उनसे कुछ भी कबूल कराने में असफल रहे हैं।

"क्या आप खर्राटे लेते समय कुछ सुन सकते हैं?" "क्या उस समय की छोटी-मोटी खटपट से आपकी एकाग्रता भंग होती है ?" "क्या पास में यदि कोई दूसरा खर्राटे ले रहा हो तो आपकी अपनी मौलिक शैली में कोई बाधा उत्पन्न होती है ?"—इन सब आधारभूत प्रश्नों का एक छोटा-सा जवाब होता है उनके पास : "यार, पता नहीं।"

इस तरह, बात घूमघाम कर उसी बिन्दू पर आ जाती है। अर्थात् इस बिन्दु पर कि खर्राटों के बारे में महज उतना ही लिखा जा सकता है, जितना उनको मात्र सुनकर लिखा जा सके।

खर्राटों के चरम-विशेषज्ञों का कहना है कि खर्राटे कई प्रकार के होते हैं। अक्सर पाया गया है कि एक साधारण खर्राटेबाज लगातार 'दहाड़ता' है। ऐसे व्यक्ति के आस-पास वालों को अधिक तकलीफ नहीं होती। शुरू में जरूर अखरता है, लेकिन एक ही किस्म के उतार-चढ़ाव की मोनोटोनी से अन्ततः नींद आ जाती है !

इसके बाद वाले हैं वे लोग जो खर्राटों में कुछ विविधता लाते हैं। जैसे, धाऽऽएं-धुस्स-धाऽऽएं-धुस्स...! पहली तरह के खर्राटों से ये अधिक मर्मस्पर्शी होते हैं। लेकिन ट्रेन में बहुत सफर करने वालों का कहना है कि इनकी रसानुभूति आसान है। उनका कहना है—और शायद सही भी है—कि असली दिक्कत इससे अधिक कलात्मकता में आती है, जब खर्राटेबाज अपनी विशिष्टता को निखारता है; जैसे धाऽऽएं-धुस्स-ट्डुक-ट्डुक-धाऽऽएं-धुस्स-ट्डुक-ट्डुक...! ऐसा लगता है मानो वह फिलॉसफी के किसी गम्भीर विषय पर लाउड थिंकिंग कर रहा हो !

कुछ ऐसे भी खर्राटेबाज होते हैं, जो धूम-धड़ाके के अपने नाद-स्वर के बीच अचानक उठ बैठेंगे और कोई सवाल कर बैठेंगे। पहले आपको आश्चर्य होगा : अरे, यह क्या ! उनके सवाल के गाम्भीर्य से लगेगा कि यह मियां जागे हुए थे। जहां आपको यह विश्वास हुआ नहीं और आपने कुछ कहा नहीं कि वे एक मंजे हुए कलाकार की तरह फिर नाद-मृदंगम के सुर-ताल में आ जायेंगे।

अनाड़ीपन में कभी यदि आप बाद में पूछ बैठे : "जनाब, आप तो खर्राटे लेते-लेते उठ बैठते हैं, कुछ बोलते हैं, फिर अपने स्थान पर लौट जाते हैं ?" तो

ये ऐसे 'हाः ! हाः !' करेंगे मानो कह रहे हों : 'तुम अच्छे जोक मारते हो !'

लेकिन मेहरबान, कद्रदान, साहिबान ! इस रिसर्च-पेपर का मकसद तरह-तरह के खर्राटों का बखान करना मात्र नहीं है; न ही सामान्य खर्राटेबाजों की मनः स्थिति को परखना ही है। इस स्टडी का उद्देश्य है दुनिया को एक नये प्रकार के खर्राटेबाज से परिचित कराना, जो इस समय (लिखते समय) इसी कक्ष में रुद्र-निद्रा में लीन है !

इनके खर्राटों में बड़ी अनूठी विविधता है। कभी तो यह लगातार ही दहाड़ रहे होते हैं, जिससे रेस्ट हाउस के बाहर चौकीदार का भी दिल दहल जाय। और कभी यह उक्त दहाड़ को बदलकर मद्धिम सुर पर आ जाते हैं। फिर, अचानक दो दहाड़ें। और जहां आपके दिल की रफ्तार बढ़ी, यह तुरन्त 'फुस्सु'-'फुस्स' करने लगेंगे, मानो किसी के कान में फुसफुसाकर कोई महत्वपूर्ण सलाह दे रहे हों और अब जैसे ही आपको लगा कि—यार, यह आदमी तो कमाल का है, वैसे ही यह सज्जन 'चुप्प'। अंधड़, आंधी, तूफान के बाद जैसे वातावरण एकदम शांत !

कुछ ही पल। और फिर ये नये जोश से दहाड़ उठेंगे और वही पहले वाली धूम-धाम ! वाह ! वाह, वाह, वाह ! फिर वही कार्यक्रम। मद्धिम में आये ; दो दहाड़े—और फुसफुसाये। फिर शान्त ! जैसे धारा 144 लगा दी गयी हो !

पल दो पल। और पुनः भरपूर तैश से टूट पड़े—अर्थात् ऐसा लगता है जैसे कि गली में दो कुत्ते लड़ रहे हों।

ये सज्जन 'चित्तरंजन रेल इंजन कारखाने' से दो दिन के लिए झांसी आये हैं। रेल इजन बनाते-बनाते खुद एक छोटे-मोटे इंजन बन गये हैं।

कल शाम ही भोपाल के लिए निकल पड़ेंगे, वहां जरूरी काम है। हां, ठीक ही है।

किसी जीनियस(कलाकार) को उसके कला प्रदर्शन से रोकना भी तो मानवता के प्रति अन्याय है। और फिर ऐसे जीनियस को रोका भी नहीं जा सकता। देखिए, इस बीच मैंने कई बार कुर्सी हिलायी, टेबिल पटकी, चूं-चूँ करती अलमारी बार-बार खोली—लेकिन इनका देशव्यापी अभियान और परम पूज्य परमेश्वर का संदेश जारी है !

ऐसी किसी प्रतिभा से जब भी आपको मिलने का सौभग्य प्राप्त हो, तो उसका पता और उसके बारे में पूरी जानकारी हमारी रिसर्च के दिल्ली स्थित को-आर्डिमेटिंग ब्यूरो ('सचेतक' कार्यालय) के पास भेजना न भूलियेगा। रिसर्च जारी जो रखनी है ! मेरा 'फील्ड वर्क' चल रहा है।

बन्दर–बैठे रहेंगे...

अनुपम शर्मा

आजकल ट्रेनिंग के जरिये खूब इंजन में बैठकर सफर करना पड़ता है। कभी-कभी ट्रेन खुद भी चला लेते हैं।

पटरियों पर बैठे जानवरों को भगाना एक बड़ी समस्या है। 200-250 किलोमीटर में एक न एक गाय चपेट में आ ही जाती है। मार सीटी बजाते रहिए। हट कर ही नहीं देती।

जो सबसे alert गाय होती है, वह इंजन को देख उल्टा भागती है। लेकिन, पटरी के ही साथ-साथ!

इसके विपरीत हैं बन्दर। बैठे रहेंगे साले—जब तक इंजन दस मीटर नजदीक तक न आ जाय। पटरी पर vibrations से ही फासले का अन्दाज कर लेंगे। और ऐन वक्त पर फुर्ती से छलांग मारकर अलग हो जायेंगे।

अपनी faculties पर वाकई आदमी को भी इतना भरोसा नहीं होता, जितना बन्दर को होता है!

सन् बीस सौ अट्ठासी

अनुपम शर्मा

19वीं शताब्दी की शुरूआत में यदि कोई यह कहता कि प्रकाश तरंगों की तरह चलता है, तो उसे पागल ही कहा जाता। यह तो 20वीं शताब्दी की खास अन्वेषण व खोज का ही नतीजा है। मैक्सवेल ने यह साबित किया कि इलेक्ट्रोमैग्नेटिक वेव के रूप की कुछ रेडियेशन होती हैं। लाइट भी उनमें से एक है।

लेकिन उसी 19वीं शताब्दी में माइकल फैरेडे ने मरते समय एक बन्द लिफाफा दिया था। इसे उसने 100 साल बाद खोलने को कहा था।

1937 में जब वह लिफाफा खोला गया, तो बड़े-बड़े दिग्गज यह पढ़कर अवाक् रह गये कि फैरेडे सौ साल पहले ही लिख गया था कि लाइट दरअसल लहरों की तरह चलती है। लेकिन उस समय यह साबित करने के लिए उसके पास समसामयिक रिसर्च का आधार नहीं था।

फैरेडे की होशियारी—अपने 'हंच' पर उसका इतना भरोसा—सदियों तक उसके नाम को सम्पूर्ण इतिहास के दो-तीन मुख्य वैज्ञानिकों में अटल रखेगा।

उसी फैरेडे के समय से सौ वर्ष पूर्व, एक विख्यात वैज्ञानिक थे जिन्होंने 18वीं शताब्दी में ही यह घोषणा कर दी थी कि विज्ञान को जितनी प्रगति करनी थी वह पूरी हो चुकी हैं, अब कोई गुंजाइश नहीं है।

अर्थात्,जहां आदमी की आविष्कार, अन्वेषण व खोज करने की काबलियत की कोई सीमा नहीं, वहीं उसके अज्ञान का भी कोई अन्त नहीं।

तो साहब, सवाल अब यह है कि आज तो 1988 है। 2088 कैसा होगा—यानी आज से सौ साल बाद क्या होगा!

कहीं आपकी राय 18वीं शताब्दी के पूर्वोक्त प्रतिभाशाली वैज्ञानिक जैसी तो नहीं।

सच पूछिए तो यदि 'सचेतक' के सभी पाठक अपने-अपने कार्यक्षेत्र में होने वाली प्रगति पर लिखें तो हम सब उस जमाने की कुछ झलकियां देख सकेंगे जिसमें हम में से काफी लोग शायद कदम ही नहीं रख पायेंगे। और जिन सज्जनों को

यह लग रहा है कि कल क्या नयी चीज आये क्या पता और वह तो 100 साल की बात है !—तो ऐसा सोचना सरासर गलत है ।

कम से कम विज्ञान और टेक्नोलॉजी में तो यह तय है कि 100 साल बाद वाली टेक्नोलॉजी आसमान से नहीं आयेगी । यह तो वही होगी, जो आज रिसर्च की स्टेज में है ।

अनुसंधान कार्यशाला से सफल सुपर-कन्डक्टर को उपयोग में लाने में ही 30-40 साल लग जायेंगे—और ये कम-से-कम 75-80 साल तक तो सारी टेक्नोलॉजी के लिए रक्तदायक रहेंगे ।

आज से 100 साल पहले भी डीजल इंजन के सारे में सोचा जाता था। करीब 1940 के प्रथम डोजल इंजनों ने धावा बोला । आज भी हम डीजल इंजन-को बड़े गर्व से काम में लाते हैं । बल्कि सच तो यह है कि आज भी डीजल इंजनों में कमाल के डेवलपमेण्ट हो रहे हैं !

अर्थात भविष्य में झांकना असम्भव कतई नहीं, भले ही कुछ मुश्किल जरूर हो !

जैसे : कई विशेषज्ञों का कहना है कि जहां तक ऊर्जा का सवाल है, 100 साल बाद परमाणु-ऊर्जा-केन्द्र ही रह जायेंगे । ये आजकल के सुपर-थर्मल स्टेशनों से कहीं बड़े होंगे और इनको बिजली शहरों के लिए होगी । देहात में छोटे सोलर स्टेशन होंगे; हर गांव के लिए एक ।

परमाणु ऊर्जा के विरुद्ध आज कुछ आवाज अवश्य सुनायी देती है : पर यह क्षणिक है । परमाणु ईंधन के न केवल अपार भण्डार हैं, अपितु इन केन्द्रों की विशाल क्षमता है ।

जनाब कुछ राजनीतिज्ञों का कहना है कि सौ साल बाद कोई भारत, अमेरिका रूस, श्रीलंका जैसे देश नहीं रह जायेंगे ! जिस तरह सौ साल पहले ऐसे देशों का कन्सेप्ट नहीं था, वैसे ही सौ साल बाद नहीं रहेगा !

तो क्या लड़ाई, जंग, इत्यादि, खत्म हो जायेंगे ? जी नहीं । तब भी महायुद्ध नहीं, तो शीत-युद्ध होगा । लड़ते होंगे ग्रुप ! लड़ाई संस्थानों के बीच होगी । प्रदूषण विरोधी लड़ाई, अंतरिक्ष यात्रियों में लड़ाई ! काफी मसाला होगा । चिन्ता की कोई बात नहीं !

और रेलवे ? विदेशों में लोग अचरज करते होंगे कि 1988 में भी भारतीय रेल के पास 3000 स्टीम इंजन हैं । (अलबत्ता ये केवल एक प्रतिशत ट्रैफिक चलाते हैं) । भारत में ही नहीं, चीन और ब्राजील में भी ये मौजूद हैं । लेकिन इसमें कोई सन्देह नहीं कि सन् 2088 में विश्व भर में—भारत में भी—सिर्फ मैगलेव ट्रेनें (मैगनेटिव लेविटेशन ट्रेनें) होंगी । तब तक सुपर-कण्डक्टर आलू-प्याज की तरह मिल रहे होंगे ।

आज जहां करोड़ों रुपये से 10 कि. मी. की मैगलेव लाइन बनती है, वहां तब यह काम साधारण तार लगाने के बराबर आसान हो जायेगा। और क्या भयंकर रफ्तार !

हां, यह तो सभी मानेंगे कि तब तक मनुष्य चांद पर अपना दूसरा घर बना चुका होगा। हो सकता है—वहां बच्चे पैदा हों, वहीं बड़े हों, और वहीं अपना सारा जीवन बितायें। उन्हें सदा यह ही बताया जायेगा—'वह रही दूर 'धरती मां' जहां जनम लिया था।' इतना आगे नहीं भी बढ़ा जा सके तो कम-से-कम स्थायी कालोनियां तो वहां होंगी ही ! जी हां, एयर-इंडिया और इंडियन एयरलाइन्स के बीच, दिल्ली से 'लूनर दिल्ली' तक, रोजाना उड़ानों के लिए भी होड़ होगी ही !

एक बहुत ही क्रांतिकारी कदम चिकित्सा विज्ञान तब तक रख चुका होगा। उम्र बढ़ाने के वैक्सीन भी शायद तब तक बन चुके होंगे। यह कहने में कुछ घमंड सा झलकता है कि मानव मौत पर कब्जा पा चुका होगा, लेकिन इतना जरूर है कि वह काफी हद तक अपनी जिन्दगी पर नियंत्रण कर लेगा।

फिर आबादी का क्या होगा ? जरूर तब तक नये कानून बन चुके होंगे। एक परिवार में नवजात शिशु का आगमन सम्भव तभी हो सकेगा। जब एक सदस्य वालण्टरी रिटायरमेण्ट ले ले !

तो बेचारी महिलाओं की प्राकृतिक मातृत्व भावना कैसे पूरित होगी ? ऐसी कुछ विकट समस्याएं तो आयेंगी ही। कौन जाने तब तक गुड़ियों के रूप में कृत्रिम-बच्चे उपलब्ध होने लगें, जो तत्कालीन आवाजों, समय, मौसम के अनुसार रोयें गायें और खिलखिलायें। शायद समय के साथ-साथ बड़ी भी हों।

हां, मौसम सम्बन्धी भविष्यवाणी बहुत सही हो जायेगी। लेकिन सबसे बड़ी बात यह कि वर्षा पर नियंत्रण हो जायेगा। स्टार-वार की अवधारणा में लेजर का जिस तरह उपयोग किया जा रहा है, उससे साफ लगता है कि अगले सौ वर्षों तक शक्तिशाली लेजर द्वारा सागर से पानी को बदलों का रूप दिया जा सकेगा। और आवश्यकतानुसार बारिश भी करायी जा सकेगी !

जी हां, धरती तब बहुत बदल चुकी होगी। लोग बदल चुके होंगे। जीवन का उनका नजरिया बदल चुका होगा। लेकिन तब भी समाज का आधार परिवार ही रहेगा। इसलिए बदलाव उतना ही आयेगा जितना 1888 से 1988 में आया है—या 1788 से 1888 में, शायद, आया था !

विज्ञान तब भी अपने सभी लक्ष्य प्राप्त नहीं कर चुका होगा और न ही इंसान मशीन—माफ कीजिए—माईक्रो-पोटेटो-चिप बन चुका होगा।

होना अलग सी. एस. एम. आर. एस. का सी. डब्ल्यू. सी. से

विजय मोहन शर्मा

किस्सा बयान करने से पहले जरूरी है कि आप लोग लोगों को मेलकोटे साहब से मिला दिया जाय, और उससे भी पहले आपको सी. एस. एम. आर. एस. और सी. डब्ल्यू. सी. का मतलब बता दिया जाय। 'अण्डर साइण्ड' यानी मां बदौलत ने 20 अक्तूबर सन् 1961 में जब दिल्ली शहर में नौकरी शुरू की, तो पोस्टिंग हुई कंक्रीट बांध डिजाइन प्रभाग में। मेलकोटे साहब विभाग के प्रमुख थे। उन्होंने पहले दिन ही हम पर जो रौब मारा, वह एक लम्बे अरसे तक गालिब रहा।

उन दिनों हमारा दफ्तर बीकानेर हाउस में था और जगह की कमी के कारण हम एक और डिजाइन असिस्टेंट के साथ एक ही मेज पर काम करते थे। दफ्तर में काम कम होता था, गपशप व चायबाजी ज्यादा। पहले दिन की ही बात है। हमारे मित्र हमें अपने कॉलेज का एक किस्सा सुना रहे थे, कि कमरे का दरवाजा जोर से खुला और मेलकोटे साहब कमरे में घुसे। हमारा दोस्त एकदम से खामोश हो गया और नीचे रखी फाइल पर पेंसिल से मेलकोटे साहब का नक्शा बनाने लगा।

हमने मेलकोटे साहब को देखा। छोटा सा कद। पतला-दुबला शरीर। चमकती हुई आंखें। पेट का निचला हिस्सा काफी आगे को निकला हुआ—इतना कि बेढंगा लगे। लेकिन फुर्ती गजब की। मुंह में सिगरेट। कश खींचते खूब गहरा, और धुआं निकालते समय दोनों गाल फुला लेते। वह एक तूफान की तरह कमरे में आये और एक नजर में सबको तौला—यह भी कि उपस्थित लोगों में कितने नये हैं, और कितने पुराने। फिर कुछ ऊंची आवाज में कहना शुरू किया: "अरे भाई आप लोगों को स्ट्रेस कन्सनट्रेशन एराउण्ड गैलरीज के बाबत कुछ मालूम है?"

किसी साहब ने बड़ी दबी हुई आवाज में यू. एस. बी. आर. के एक टेक्निकल

मेमोरेण्डम का जिक्र किया। यू. एस. बी. आर. के तमाम प्रकाशन हमारे विभाग में बाइबिल की तरह समझे जाते थे और डिजाइन सम्बन्धी तमाम कार्यों में उन्हें प्रयोग किया जाता था। मेलकोटे साहब ने बड़ी हिकारत की नजर से उस ओर देखा और जो आंखों से अनकहा रह गया था, उसे मुख से प्रकट करते हुए बोले, 'ऊंह, सब बकवास है। वह मेमोरेण्डम तो मॉडल स्टडीज पर आधारित है जिसमें तमाम ऐसे एसम्पशन्स किये गए हैं जो डैम सिचुएशन के लिए वैलिड नहीं हैं। इसे तो मैथमेटिकल थ्योरी ऑफ इलास्टीसिटी के आधार पर हल करना चाहिए। आप लोगों ने मुश्किलिशविली की किताब देखी है क्या ? नहीं देखी न। अच्छा। सेविन की पुस्तक 'स्ट्रेस कन्शनट्रेशन एराउण्ड ओपनिंग्स' देखी है ? वह भी नहीं देखी ! मुश्किल यह है कि आप लोग नया कुछ करना या सोचना नहीं चाहते।" इसके बाद उन्होंने वहां खड़े-खड़े ही, हवा में उंगली से समीकरण लिखते हुए समस्या का समाधान बताते हुए पूरे एक घंटे का प्रवचन दे डाला।

इसके बाद समीकरणों के लिए कुछ आंकड़े मानकर उन्हें जबानी ही हल भी कर डाला और कुछ प्रकाश इस बात पर भी डाला कि इन नये तरीकों के प्रयोग से कितने इस्पात की बचत हो सकती है। मजेदार बात यह है कि यह सब काम उन्होंने खड़े-खडे ही किया और वह भी बिना कागज-पेंसिल के।

जाहिर है कि हम बहुत प्रभावित हुए। क्या याददाश्त है, क्या गणित पर अधिकार है। ऐसे महान पुरुष के सम्पर्क में आकर जीवन धन्य हो जायेगा। बाद में धीरे-धीरे मेलकोटे साहब के बारे में और बहुत सी बातों का पता चला—यह भी कि वह बहुत सारा नाटक, लोगों को सिर्फ प्रभावित करने के लिए करते हैं; खासतौर से जब उनके सुनने वालों में कोई नया मुल्ला भी हो। शुरू के दिनों की ही बात है। एक दिन उन्होंने हमें अपने कमरे में बुलाया। कुछ इधर-उधर की बातें करने के बाद अचानक बोले, "अच्छा आप सी एम. डी. डी के ए. डी. (सी. एण्ड सी.) से राना प्रताप सागर की ड्राइंगें लेकर एच. सी. डी. के. डी. डी. (पी) को दे आइए।" थोड़ी देर तक तो हम उनकी शक्ल ही देखते रहे और फिर मन ही मन उनके आदेश को दोहराते हुए अपने प्रभाग में वापस आ गए।

अपने दूसरे साथियों से पूछने पर पता चला कि सी. एम. डी. डी. के माने हुए कंक्रीट एण्ड मैसनरी डैम्स डिजाइन डायरेक्टरेट। ए. डी. (सी. एण्ड सी.) हुआ असिस्टैंट डायरेक्टर (चैकिंग एण्ड कोऑर्डिनेशन)। एच. सी. डी. के माने हुए हाइड्रो सिविल डिजाइन और डी. डी. (पी.) हुए डिप्टी डायरेक्टर (प्लानिंग)। आदेश का मतलब यह था कि राना प्रताप सागर बांध की कुछ ड्राइंगें जो बनने के बाद चेकिंग के लिए चेकिंग विभाग में गयी थीं, उन्हें सम्बन्धित असिस्टैंट डायरेक्टर महोदय से लेकर दूसरी डायरेक्टरेट, एच. सी. डी. के प्लानिंग के डिप्टी डायरेक्टर महोदय को दे आया जाये।

इस तरह के एब्रिवियेशन्स समझ में आते-आते ही आये। ऐसे ही सी. एस. एम. आर. एस. का मतलब हुआ सेन्ट्रल सॉयल एण्ड मैटीरियल्स रिसर्च स्टेशन और सी. डब्ल्यू. सी. का पूर्ण स्वरूप हुआ सेन्ट्रल वाटर कमीशन।

मेलकोटे साहब अगर पूरी बात ठीक से समझा देते, तो मेरे चेहरे पर परेशानी के जो भाव आये और उन्हें देखकर जो प्रसन्नता उन्हें हुई, वह न हो पाती। वह ऐसी बात कहने की कोशिश करते थे कि सुनने वाला दंग रह जाये। अभ्यास करते-करते वह इस क्रिया में इतने पारंगत हो गए थे कि चाहकर भी वह अपनी बात सीधे-सीधे नहीं कह पाते थे। अपने सर्विस काल में उन्होंने इस कारण बहुत दुख भी उठाया।

कुछ दिनों के लिए हमारा दफ्तर बीकानेर हाउस से उठकर प्रगति मैदान के रूसी मण्डप में चला गया था। यहां चूंकि लम्बी-लम्बी गलियों से दूर-दूर स्थित हॉल जुड़े हुए थे इसलिए मेलकोटे साहब अक्सर गलियारों में दौड़ लगाते हुए देखे जाते थे। कभी-कभी लोगों से टकरा भी जाते थे। उनके पास समय की हमेशा कमी रहती थी और वह सदा अस्त-व्यस्त दिखायी देते थे। समय बचाने के लिए फाइल लेकर बजाय चलने के, दौड़ते थे और बोलते भी जल्दी-जल्दी थे—कभी-कभी एक ही बात को दो-दो बार।

बैठते कम थे, खड़े अधिक रहते थे। लेकिन किसी ने कोई बात छेड़कर उन्हें ट्रैक से उतार दिया, तो उन्हें वापस आते-आते एक घंटा लग जाता था।

उनके काम करने का तरीका ऐसा था, जिसमें समय बहुत नष्ट होता था। आर्थराइटिस से पीड़ित होने के कारण उनकी उंगलियां टेढ़ी हो गयी थीं और वह बहुत धीरे-धीरे और टेढ़ा-मेढ़ा लिखते थे। बकौल मि. रेड्डी (हमारे दूसरे सहयोगी) के, उनकी राइटिंग से ऐसा लगता था जैसे उन्होंने वह अपनी टांग से लिखा हो। इसीलिए वह फाइलों पर कुछ लिखना पसन्द नहीं करते थे। इसे वह यों व्यक्त करते थे—"मैं तो ऐक्शन में विश्वास करता हूं। फाइलें देखना मेरा काम नहीं है।"

हम लोगों के लिए उनसे काम करवाने का तरीका यही था कि उनके कमरे में जाइए और जो बारात पहले से जमा हो उसमें शामिल हो जाइए। जो बातचीत चल रही हो उसमें भी शरीक हो जाइए। ऐसे में अधिकांश समय मेलकोटे साहब ही बोलते रहते थे—कभी अपने अमेरिका प्रवास के बारे में; कभी अपनी क्लास में उन्होंने कैसे चौके-छक्के मारे; कभी कैसे अन्तर्राष्ट्रीय ख्याति-प्राप्त प्रोफेसर ने उनकी पीठ ठोंकी, आदि आदि।

कुछ लोगों ने इस असलियत का पता चला लिया था कि इनके बी. एस-सी. में फेल हो जाने पर और कोई चारा न देखते हुए इनके चीफ इंजीनियर पिताजी ने इन्हें पढ़ाई के लिए अमेरिका भिजवा दिया था।

उनके सुनाए हुए किस्से आप कई-कई बार सुन चुके होंगे, फिर भी आपसे यह उम्मीद की जाती है कि आप उतनी ही हैरानी से और अचरज के भाव चेहरे पर लाकर बैठे रहेंगे, जैसा आप पहली बार सुनने पर करते।

अन्तत: जब आपकी बारी आ जाए तो आप मतलब की बात कर सकते हैं। इसके बाद अगर आपकी फाइल पर उनसे कुछ लिखवाना है तो स्वयं लिख दीजिए, दस्तखत उनसे करा लीजिए।

इस तरीके से काम करने में समय अधिक व्यय होता था और उत्पादन कम होता था। अक्सर उन्हें शाम को 4.30 के बाद (यानी छुट्टी के बाद) रुकने की जरूरत होती थी। दूसरे लोगों को छुट्टी के बाद रुकने में कष्ट होता था, खासतौर से अगर चार्टर्ड बस से वापस जाना हो तो। मेलकोटे साहब चाहते थे कि अगर वह रुके हुए हैं, तो बाकी सब लोगों को भी रुकना चाहिए।

वह दिन में चार घंटे का समय व्यर्थ करने के बाद शाम को दो घंटे देर तक दफ्तर में बैठते थे। और फिर, सारी दुनिया में इस बात का प्रचार करते थे : "जाने कैसे लोग हैं जिन्हें साढ़े चार बजे ही घर भागने की सूझती है। हम तो भई, अगर दो-तीन घंटे अतिरिक्त काम न कर ले, तो नींद नहीं आती।"

धीरे-धीरे लोगों को यह पता चल गया कि मेलकोटे साहब हर मंगलवार और शुक्रवार को दफ्तर के बाद शाम को ब्रिज खेलने जाते हैं, इसलिए उन दिनों वह किसी कीमत पर देर तक नहीं रुकना चाहते थे।

देर से लटके हुए केस या पेपर्स उनसे निकलवाने के लिए मंगल या शुक्र का दिन, और ठीक छुट्टी का समय, बहुत उपयुक्त था। उस समय वह तुरन्त डिस्पांजल के मूड में होते थे।

देर तक बैठकर काम करना और करवाना, साथ में सभी लोगों को रोके रखना, इस क्रिया की हद हुई उस दिन, जब मेलकोटे साहब ने सारे स्टाफ को रोककर और सारी रात जगाकर—व खुद जागकर—एक रिपोर्ट तैयार की। दिन भर दफ्तर में काम करने के बाद हम लोग घर आये, खाना खाकर तुरन्त वापस गये। सारी रात काम करके सवेरे 10 बजे छुट्टी मिली। यह अनुमान लगाना कठिन नहीं है कि इस तरह तैयार की गयी वह रिपोर्ट सिर्फ इस लायक थी कि उसे रद्दी की टोकरी में फेंक दिया जाय।

सारे स्टाफ के लाइब्रेरी कार्डस प्रयोग करके भी वह अपने मतलब की किताबें नहीं जुटा पाते थे। अक्सर दफ्तर में उबासी लेकर वह कहते, "रात मैं बहुत देर से सोया। एक गणित की किताब पढ़ता रहा, ऐसा उलझा कि होश ही नहीं रहा। सुबह के चार बजे जाकर किताब खत्म हुई।"

पहली बार उनकी कहानी सुनने वाला हैरत से उनकी ओर देखता, गोया गणित न हुई पैरी मैसन हो गयी। देखने वाले उन्हें दफ्तर में अक्सर जासूसी उपन्यास पढ़ते हुए देख लेते थे। लाइब्रेरी की नई-नई किताबों को उलट-पलटकर, कुछ सुर्खियां याद कर लेना और फिर जनता पर रौब जमाना, यह उनके कार्य-कलापों में से था।

मेलकोटे साहब स्कूटर पर दफ्तर आते थे। जैसे अव्यवस्थित वह स्वयं थे और उनका हर काम था, स्कूटर चलाना भी वैसा ही था। अक्सर ही वह एक्सीडेंट कर बैठते। एक खास बात यह थी कि उनका एक्सीडेंट हमेशा खड़ी या रुकी हुई चीजों से ही होता था—जैसे पेड़, बिजली का खंभा, इत्यादि। इसकी व्याख्या लोग इस तरह करते थे: "चलने वाली चीज तो इन्हें अपनी ओर आता देखकर हट जाती होगी, बेचारी बेजान चीज क्या करे!"

एक बार एक्सीडेंट के बाद मेलकोटे साहब अस्पताल ले जाये गये। चोट ज्यादा नहीं लगी थी, लेकिन तमाम शरीर पर खरोंच और छिलने की वजह से छोटे-छोटे जख्म थे। अस्पताल में उनकी तमाम चोटों पर पट्टियां, टेप के क्रॉस आदि, लगा दिये गये और छुट्टी कर दी गयी। और मेलकोटे साहब अस्पताल से सीधे राणा सांगा बने हुए, दफ्तर आये। तमाम लोगों ने उन्हें घेर लिया और पूछा—"क्या हुआ ? कैसे हुआ ?" मेलकोटे साहब हर पूछने वाले को पूरी कहानी पूरे विस्तार से सुनाते और यह कहने पर—"ऐसे में दफ्तर आने की क्या जरूरत थी," जवाब मिलता—"कुछ जरूरी पेपर्स डिस्पोज करने थे।" उन्हें लोगों की हमदर्दी भी चाहिए थी, साथ ही रौब जमाने का कतई ऐसा मौका वह नहीं छोड़ना चाहते थे, जिससे वह दिखा सकें कि वह कितने कर्तव्यनिष्ठ अफसर हैं और घायल होने पर भी दफ्तर नहीं छोड़ सकते।

मेलकोटे साहब अमेरिका के जिस विश्वविद्यालय में पढ़ाई कर रहे थे, उसमें मुख्य विषय के अलावा कुछ वैकल्पिक विषयों की पढ़ाई करने की सुविधा भी थी। उन्होंने अपने एम. एस. कोर्स के लिए इतने अधिक वैकल्पिक विषय ले लिये थे और उनमें उनका इतना अधिक समय चला जाता था कि पास होने के लाले पड़ गये। उसका एक लाभ यह हुआ कि उन्हें अनेक विषयों के पाठ्यक्रम और विषय-सूची आदि के बारे में पता चल गया जिसे वह समय-समय पर रौब मारने के लिए प्रयोग में ले आते थे।

जिस समय मेलकोटे साहब हारवर्ड यूनीवर्सिटी में पढ़ रहे थे, वह विश्व के प्रसिद्ध विश्वविद्यालयों में से एक थी। वहां मृदा-विज्ञान (Soil mechanics)

पढ़ाने वालों में कार्ल टरझागी भी थे जो इस विषय के पितामह माने जाते हैं। इसके अतिरिक्त वैस्टरगार्ड भी विभाग में थे, जिनकी बनायी बहुत-सी मुश्किल समीकरणों को लेकर सिविल इन्जीनियरिंग ऑफ वेव-मैकेनिक्स के छात्र उनके नाम को रोते हैं। इनके साथ पढ़ने वालों और टरझागी साहब के प्रिय छात्रों में कसेग्राण्ड भी थे, जो बाद में अपने मृदा-वर्गीकरण और पीजोमीटर (पानी का दवाब नापने वाले यंत्र) के लिए विश्वविख्यात हुए।

कार्ल टरझागी अपने भाषणों में इस बात पर जोर देते थे कि भू-गर्भीय निर्माण सामग्री चूंकि मनुष्य द्वारा स्वयं निर्मित नहीं है, इसलिए उसके गुणों-अवगुणों का सही अनुमान लगाना कठिन है। कंक्रीट और इस्पात इस मामले में सीधे-सादे हैं। नये भवन का निर्माण होने पर नींव पर जो दवाब पड़ेगा, उस समय मिट्टी की क्या प्रतिक्रिया करेगी, यह सही-सही बताना ईश्वर के वश में भी नहीं। दरअसल यह प्रतिक्रिया मिट्टी के अपने गुणों से ज्यादा उसके अपने पूर्वजों के इतिहास और संस्कारों पर निर्भर करेगी। यह बात बहुत कुछ आदमी के बारे में भी कही जा सकती है। दबाव पड़ने पर कुछ झुक जाते हैं, कुछ उछल पड़ते हैं और कुछ पर जैसे कोई असर ही नहीं होता। इसीलिए मिट्टी के इंजीनियरी गुणों के बारे में टरझागी हमेशा सतर्क रहने की शिक्षा देते थे। कोर्स पूरा हो जाने पर वह पूरी क्लास से एक सवाल यह पूछते थे कि सारे विषय में उन्होंने सबसे महत्वपूर्ण चीज क्या सिखायी। जो लड़का इस विज्ञान की संभावित अनियमितताओं की ओर इशारा करता था, उसके बारे में वह कहते थे कि उसका भविष्य उज्ज्वल है और वह आगे तरक्की करेगा। मेलकोटे साहब अक्सर उनकी क्लासों का, और कोर्स-वर्क खत्म होने पर पूछे जाने वाले सवाल का, जिक्र करते थे। साथ ही यह भी कि इसके उत्तर में दूसरों ने क्या कहा, फिर मैंने हाथ खड़ा किया तो मेरी बारी आयी और फिर मैंने यों कहा और यों और यों।

अपनी हांकने में उन्हें ऐसा सुख मिलता और वह इसमें इतने तन्मय हो जाते थे कि उन्हें दीन-दुनिया की खबर न रहती।

एक बार वह अपने एक सहयोगी को स्कूटर पर पीछे बैठाकर दफ्तर से घर ला रहे थे। रास्ते में चलते-चलते पैट्रौल खत्म हो जाने के कारण स्कूटर रुक गया। उन्होंने स्कूटर पर बैठे-बैठे ही रिजर्व बाल्ब खोला और किक लगाकर स्टार्ट किया।

इस बीच सहयोगी महोदय नीचे उतर आये थे। बात करते-करते मेलकोटे साहब ने स्कूटर चला दिया और तमाम रास्ते बातें करने के बाद जब घर पहुंचे तो देखा कि पीछे की सवारी नदारद है। हुआ यह कि बेचारे सहयोगी महोदय

बैठ भी न पाये थे कि स्कूटर चल दिया और मेलकोटे साहब उन्हें रास्ते भर अपनी कहानी सुनाते रहे थे : "फिर मैंने यों किया, और फिर मैंने ...।"

मेलकोटे साहब के पिताजी मैसूर प्रदेश के चीफ इंजीनियर रह चुके थे। रिटायर होते समय वह तुंगभद्रा परियोजना पर कार्यरत थे।

प्रदेश के चीफ इंजीनियरों की बादशाहत के सामने केन्द्रीय सरकार के चीफ इंजीनियर हालांकि 'पानी भरते' से लगते हैं, फिर भी मेलकोटे साहब की सबसे बड़ी हसरत थी कि काश वह भी सेवा-निवृत होने से पहले चीफ इंजीनियर हो जाते। अफसरों की सीनियोरिटी लिस्ट में उनका नाम काफी नीचे आता था और सामान्यतः उनका चीफ इंजीनियर बनना संभव न था। वह मात्र डायरेक्टर (एस. ई.) थे और चीफ बनने से पहले उन्हें डायरेक्टर—सिलेक्शन ग्रेड—भी होना चाहिए था।

यानी मेलकोटे साहब और चीफ इंजीनियरी में दो सीढ़ियों का फासला था।

इस मुश्किल को वह अच्छी तरह समझते थे और यह भी जानते थे कि उनकी हसरत पूरी होने का एक ही रास्ता है कि लाइन से हटकर सीधी उछाल लेकर 'चीफ इंजीनियर' हो जायें। इसके लिए उन्होंने इधर-उधर हाथ-पैर भी मारे। किन्तु कोई उम्मीद नजर न आती थी।

वह अक्सर 'सरकारी तौर-तरीकों' की आलोचना करते थे, जिसकी पृष्ठभूमि में यही भावना होती थी कि "ऐसी सरकार का, जो हमारे जैसे अक्लमन्द और सक्षम लोगों को उनका उचित स्थान नहीं दे सकती, भविष्य अवश्य अन्धकारमय है!"

संयोग। मेलकोटे साहब को एक दिन अन्धकार में प्रकाश की किरण दिखायी दे गयी। सी. डब्ल्यू. सी. के पास दो रिसर्च स्टेशन थे। एक सी. डब्ल्यू. पी. आर. एस., जो पूना में स्थित था, और दूसरा, हमारा जो दिल्ली में ही स्थित था। पूना वाला रिसर्च स्टेशन नदियों की प्रवाह सम्बन्धी समस्याओं का मॉडल बना कर अध्ययन करता था और दिल्ली वाला रिसर्च स्टेशन नींव और निर्माण सामग्री सम्बन्धी कार्य करता था। पूना वाले रिसर्च स्टेशन को कुछ समय पूर्व दिल्ली के सी. डब्ल्यू. सी. के मुख्य दफ्तर से अलग कर दिया गया था और इसे सीधे सिंचाई मंत्रालय से जोड़ दिया गया था। वहां के अफसरों की सीनियरटी भी अब कमीशन के अफसरों से अलग थी।

पूना वाले रिसर्च स्टेशन को सी. डब्ल्यू. सी. से अलग करने का एक कारण तो दिल्ली से पूना की दूरी था, दूसरे उनका कुछ काम—जो तटवर्तीय इलाकों, पोर्ट, हार्बर सम्बन्धी था—केन्द्रीय जल आयोग की परिधि के बाहर का था।

इस रिसर्च स्टेशन के डायरेक्टर महोदय बड़ी चलती रकम थे। वह अक्सर नयी-नयी योजनाएं बनाकर रिसर्च स्टेशन को ग्रांट दिलवाने और अपने विदेश भ्रमण की जोड़-तोड़ में लगे रहते थे।

सो, पूना रिसर्च स्टेशन के डायरेक्टर ने एक नयी योजना बनाकर मंत्रालय के सामने प्रस्ताव रखा कि एक उच्च स्तरीय कमेटी उनके रिसर्च स्टेशन के कार्य-कलापों की समीक्षा करे और इसे अधिक कारगर बनाने के बारे में सलाह दे। प्रस्ताव मंजूर हो गया और एक 'हाई-लेवल कमेटी' गठित हो गयी। इस कमेटी के अन्य सदस्यों में केन्द्रीय जल आयोग के भूतपूर्व अध्यक्ष, तत्कालीन सदस्य (डिजाइन व रिसर्च) मंत्रालय के वरिष्ठ अधिकारी और दूसरे रिसर्च स्टेशन के डायरेक्टर आदि थे।

उन दिनों केन्द्रीय जल आयोग के जो अध्यक्ष थे, उनसे मेलकोट साहब के सम्बन्ध अत्यन्त घनिष्ट थे। एक अफवाह यह भी थी कि इन सम्बन्धों को मधुर बनाने के लिए मेलकोटे साहब से अधिक उनकी धर्मपत्नी जिम्मेदार थीं। वह श्रीमती मेलकोटे को किसी रिश्ते से अपनी बहिन कहते थे और अक्सर 'बहिन जी' से मिलने उनके घर जाते रहते थे। जिन दिनों मेलकोटे साहब दौरे पर बाहर गये हुए होते, उन दिनों तो उनका आना-जाना और भी बढ़ जाता था।

बहरहाल, मेलकोटे साहब ने 'बहिन जी' के (अर्थात् अपनी धर्मपत्नी के) इन भाई साहब की मदद से उस उच्च स्तरीय कमेटी की अपने रिसर्च स्टेशन के कामकाज की समीक्षा करने और आगे दिशा निर्देश देने के लिए नियुक्त करवा लिया। अगर यह कमेटी अपनी सिफारिशों में यह कह दे कि रिसर्च स्टेशन को कमीशन से तुरन्त अलग किया जाए और इसके डायरेक्टर को चीफ इंजीनियर का दर्जा दिया जाये, तो मेलकोटे साहब रिटायर होने से पहले भी चीफ इंजीनियर बन सकते थे।...जी हां।

एक बार जब यह निश्चय हो गया कि हाई लेवल कमेटी, सी. एस. एम. आर. एस. के कामकाज को भी देखेगी, तो मेलकोटे साहब की नजर इसके होने वाले सदस्यों पर गयी। सरकार ने इस सम्बन्ध में, मोटे तौर पर सिर्फ इतना कहा था कि कमेटी के अध्यक्ष श्री अमुक जी होंगे, जो उन दिनों आइ. सी. ए. आर. के अध्यक्ष थे और बाकी सदस्यों का चुनाव उनकी सलाह से किया जायेगा। कमेटी में एक सदस्य ज. वि. म. और एक सी. डवल्यू. सी. से भी होना था। मेलकोटे साहब ने दौड़-भागकर लोगों से मिलना शुरू किया। अमुक जी को अपने ब्राह्मणत्व, अपनी पत्नी के संगीत-प्रेम, आदि की दुहाई दी और मंत्रालय तथा के. ज आ. से ऐसे लोगों की कमेटी में नियुक्ति करा ली, जिनसे उन्हें उम्मीद थी कि

वे मेलकोटे साहब के पक्ष में ही बोलेंगे । इसी प्रकार कमेटी के अन्य सदस्यों के चयन पर भी उनकी प्रभावशाली नजर बनी रही ।

मुझे यह बात बाद में पता चली कि मेलकोटे साहब कोई नया काम नहीं कर रहे थे। यह तो कामकाज का वही पुराना तरीका था । जो सरकार चाहती है, उसे बिना स्वयं घोषित किये हुए एक कमेटी या आयोग से कहलवा देती है। इस तरह सांप भी मर जाता है और लाठी तो सलामत रहती ही है। यहां फर्क इतना था कि मेलकोटे साहब सरकार की मर्जी के बिना यह काम करवा रहे थे।

अगले चरण में मेलकोटे साहब ने कमेटी के सदस्यों को अलग-अलग बुलाकर अपनी प्रयोगशाला दिखाना शुरू किया। ये लोग जब कभी दिल्ली में होते, तो उनकी सुविधानुसार गाड़ी भेजकर उन्हें दफ्तर बुलवा लिया जाता। पद और आचार का खयाल न करते हुए वह स्वयं उन्हें साथ लेकर सारी प्रयोगशाला दिखाते। प्रयोगशाला के उपकरणों से प्रभावित होने के साथ-साथ उन पर मेलकोटे साहब की लच्छेदार बातों का भी काफी असर पड़ता। अपने अमेरिका-प्रवास के किस्से से लेकर, सी. एस. एम. आर. एस. क्या कुछ कर सकता है, किन्तु सी. डबल्यू. सी. का बंधुआ रिसर्च स्टेशन होने के कारण कुछ कर नहीं पाता, आदि विषयों पर उनका लगातार प्रवचन चलता रहता। मेलकोटे साहब के पास, हमेशा की तरह, बोलने के लिए मसाला अधिक और समय कम होता था। प्रयोगशाला दिखाने के अतिरिक्त इन सदस्यों के दिल्ली प्रवास के दिनों में सदस्यों के निजी कामकाज, शॉपिंग, आदि का भी ध्यान रखा जाता।

हाई लेविल कमेटी की मीटिंगें कभी दिल्ली में होतीं और कभी महाराष्ट्र में। महाराष्ट्र के अनुसंधान स्टेशन के डायरेक्टर महोदय मेलकोटे साहब से कहीं अधिक चतुर और चलते पुर्जे थे। दिल्ली से दूर बसे होने के कारण, उन्हें अधिक स्वतंत्रता थी। उनके पास यू. एन. डी. पी. के अन्तर्गत मिली तकनीकी सहायता प्रोग्राम में कुछ इम्पोर्टेड गाड़ियां भी थीं, जिन्हें वे मेहमानों की सेवा में लगा देते थे। हाई लेविल कमेटी ने इन सेवाओं का उचित प्रत्युत्तर दिया। कमेटी की रिपोर्ट का मसौदा दोनों अनुसंधान स्टेशनों पर बनने लगा।

रिपोर्ट का मसौदा बनाने में मेलकोटे साहब ने अपनी तरफ से कलम तोड़ देने की कोशिश की। एक-एक अध्याय को कई-कई बार लिखा गया। शुरू में वह अध्याय दूसरे लोगों से लिखवाते थे, लेकिन अंततः उसे अपने आप डिक्टेट करते थे। एक बार इसी प्रक्रिया में वह सारी रात काम करते रहे थे, उनके साथ-साथ सारा स्टाफ भी—हालांकि इस तरह से किये गये काम की क्या क़ीमत थी, यह बताने की आवश्यकता नहीं !

मेलकोटे साहब को अब और अधिक दिवा-स्वप्न दिखायी देने लगे थे। वह अपने आपको चीफ इंजीनियर ही समझने लगे थे। हाई लेविल कमेटी को अपनी रिपोर्ट में नये पद, उनके चयन के लिए आवश्यक नियम आदि के बारे में भी लिखना था। मेलकोटे साहब इन दिवा-स्वप्नों में अपने चाहने वालों को ही चारों ओर देखते थे। जिसे वह जितना अधिक चाहते थे, उसे उतने ही ऊंचे पद पर देखते थे। पदोन्नति सम्बन्धी नियम बनाते समय उन्होंने इस बात का विशेष ध्यान रखा कि उनके अपने लोगों को तो फायदा हो; उनके दुश्मनों को नहीं।

लगभग दो साल को कशमकश के बाद हाई लेविल कमेटी ने 'अपनी' रिपोर्ट दे दी। यह रिपोर्ट सी. एस. एम. आर. एस. में ही टाइप हुई, साइक्लोस्टाइल हुई और एक वरिष्ठ अधिकारी को महाराष्ट्र व गुजरात भेजकर उस पर सदस्यों के दस्तखत कराये गये। इस बीच मेलकोटे साहब के सेवा निवृत्त होने का समय और अधिक पास आ गया था। उन्हें लगने लगा 'खाक हो जाएंगे हम तुझको खबर होने तक'! इसलिए एक सिफारिश यह भी हाई लेविल कमेटी ने की कि रिसर्च स्टेशन के निदेशक के पद को चीफ इंजीनियर के बराबर कर दिया जाये और यह भी कि नियमपूर्वक चयन होने तक मेलकोटे साहब को उस पद पर आसीन कर दिया जाये।

मेलकोटे साहब के दुर्भाग्य से, सरकार ने सिफारिशों को सीधे-सीधे न मानते हुए, उन्हें एक एम्पावर्ड कमेटी के सुपुर्द कर दिया। इस कमेटी का काम सिफारिशों को अमली जामा पहनाना था।

एक सवाल निदेशक महोदय के नये ग्रेड को लेकर भी था। सरकार के हिसाब से निदेशक के पद को धीरे-धीरे ऊपर उठाना चाहिए था; एकदम से, दो सीढ़ियां एक साथ चढ़ाना ठीक नहीं होगा। इसी विषय पर सलाह-मशविरे के लिए फाइल एक और आयोग को भेजी गयी थी। वहां सिंचाई विभाग के एक वरिष्ठ अधिकारी जो पहले उत्तर प्रदेश अनुसंधानशाला में स्वयं रह चुके थे। उनकी अपनी नजर इस नये निदेशक के पद पर थी। उन्होंने एक संदेशा भेजकर अनुसंधान स्टेशन से हमें और हमारे एक सहयोगी को अपने पास बुलवाया। उस दफ्तर में जहां पहले उन्हें हमारे जैसे लोगो से मिलने की कम ही फुर्सत होती थी, उन्होंने बड़ी गर्मजोशी के साथ हमारा स्वागत किया। बातचीत में उन्होंने सी. एस. एम. आर. एस. से अधिक अपने बारे में बताने पर ज्यादा जोर दिया। चाय के साथ नाश्ता भी आया।

कहना न होगा कि उन्होंने इस विषय में फाइल पर दो सलाहें दीं। पहली तो यह कि इस नये निदेशक का चयन एक उच्चायोग द्वारा किया जाये जिसमें बाहर के उम्मीदवार भी शामिल हों। दूसरी यह कि निदेशक का ग्रेड चीफ इंजीनियर लेवल-1 का ही होना चाहिए।

जहां कुछ लोग सी. एस. एम. आर. एस को अलग कराने का प्रयत्न कर रहे थे, वहां के. ज. आ. के अध्यक्ष महोदय अपनी बादशाहत कम होती देखकर अप्रसन्न थे। कई बार यह भी प्रयत्न किया गया कि हाई लेविल कमेटी की सिफारिश के विरुद्ध सी. एस. एम, आर. एस. को सी. डबल्यू. सी. के साथ ही रहने दिया जाये। किन्तु अब ऐसा करने के लिए हाई लेविल से एक और हाईयर लेविल कमेटी की आवश्यकता थी।

जब तक हाई लेविल कमेटी की सिफारिशों के बारे में कोई फैसला आये, मेलकोटे साहब सेवा-निवृत्त हो गये !

इस प्रकार वह चीफ इंजीनियर तो न बन सके, लेकिन सी. एस, एम. आर एस. को सी. डबल्यू. सी. से अलग कर गये।

जी हां, मैंने टॉक रिकार्ड करायी

विजय मोहन शर्मा

लगभग एक साल पुरानी बात है।

उस दिन मौसम खुशगवार था, गर्मियां शुरू हो चुकी थीं, लेकिन फिर भी हवा ठण्डी थी। दफ्तर में काम कम था, बॉस खुश था, कर्मचारी खुश थे—यानी ऊपर से नीचे तक समस्त वातावरण खुशीमय हो रहा था। रह-रहकर लगता कि कुछ भला-सा होने वाला है।

इतने में आकाशवाणी दिल्ली के दो अधिकारी—एक पुरुष और एक महिला—अपने टैप-रिकार्डर सहित हमारे दफ्तर में प्रकट हुए। उन्हें हमारे दफ्तर में किये जाने वाले कार्य के सम्बन्ध में कुछ जानकारी चाहिए थी। चूंकि यह जानकारी हिन्दी में ही होनी थी—और सरकारी कामकाज हिन्दी में करना लोग 'फैशनेबुल' नहीं समझते—इसलिए उन्हें, थ्रू-प्रॉपरचैनेल, हमारे पास पहुंचा दिया गया।

संयोग से उन्हीं दिनों हम 'भगीरथ' पत्रिका के लिए एक लेख लिख रहे थे, जिसका शीर्षक था: 'केन्द्रीय मृदा एवं सामग्री अनुसंधानशाला—राष्ट्र की सेवा में'। इसलिए हमारे कार्य से संबंधित अंग्रेजी के तमाम तकनीकी शब्दों में हिन्दी पर्याय हमारी जुबान पर थे। दफ्तर में क्या कुछ होता है, यह भी ज्ञात था।

हमने उन दोनों लोगों के सामने इतना अच्छा भाषण दिया कि वे एकदम 'फ्लैट' हो गये! पहली बार में ही हमारा बोला हुआ 'ओ. के.' हो गया और उन्होंने रिकॉर्ड कर लिया।

जाते समय वे कहने लगे: "आप तो बहुत अच्छी हिन्दी बोलते हैं और वह भी धारा-प्रवाह! आप हमारे स्टूडियो में आकर कोई वार्ता रिकार्ड करवाइये।" उन्हें यह जानकर बड़ा आश्चर्य हुआ कि हमारी प्रतिभा को अभी तक आकाशवाणी या दूरदर्शन ने नहीं पहचाना!

हमने मन से सोचा, अभी तो एक ही झलकी में यह हाल है। अगर इस 'बहुमुखी प्रतिभा' के दूसरे मुख देख लिये, तो क्या होगा! रेडियो पर तो ड्रामे भी चलते हैं। इस परिवार के दूसरे अधिक मंजे हुए कलाकारों के बारे में पता चल

गया, तो क्या होगा ! यहां तो पूरे 'सीरियल' का मसाला मौजूद है ! लेखक भी हैं, कलाकार भी हैं, और संगीतज्ञ भी !

बहरहाल, जाने से पहले वे बड़े ही श्रद्धापूर्वक अपने टेलीफोन नम्बर, आदि छोड़ गये।

संकोचवश, हमने 'अपनी तरफ से' उन लोगों से संपर्क करने की कोई कोशिश नहीं की। एक दिन अचानक आकाशवाणी दिल्ली से एक पत्र हमें प्राप्त हुआ जिसमें अनुरोध किया गया था कि हम उनके प्रोग्राम 'घर परिवार' के लिए 10 मिनट की एक वार्ता रिकॉर्ड करवा दें।

वार्ता का विषय था : ''क्यों करते हैं मिट्टी की जांच-परख''।

यह पत्र 28 अप्रैल को लिखा गया था—और हमें मिला पहली मई को ! 5 मई की सुबह 10 बजे रिकॉर्डिंग होनी थी, और 10 जून को 12-30 पर इसका प्रसारण होना था ! साथ में एक अनुबन्ध-पत्र भी था, जिस पर हस्ताक्षर करके वापस भेजना था। पत्र में यह भी लिखा था।

''हमारा विशेष निवेदन है कि आप कृपया इस शर्त का पालन करके हमारी सहायता करें कि प्रसारण के लिए जो तारीख नियत हो गया है उससे कम-से-कम दस दिन पहले वार्ता की पाण्डुलिपि केन्द्र निदेशक के पास पहुंच जाये। इस शर्त का पालन न होने पर केन्द्र के सामान्य कार्यक्रम में गंभीर अवरोध पैदा हो जाता है।''

हम सोचने लगे : हमारी रिकार्डिंग तो प्रसारण से एक महीना बारह दिन पहले हो जायेगी, फिर प्रसारण से दस दिन पहले पाण्डुलिपि पहुंचाने के क्या माने हैं ! शायद इनका अभिप्राय प्रसारण की जगह रिकार्डिंग से है। चूंकि सरकारी फार्मों में कभी-कभी लिखाई, छपाई, हिन्दी व अंग्रेजी दोनों भाषाओं में होती है, इस वाक्य को अंग्रेजी वाले भाग देखा है ! किन्तु वहां भी 'रिकार्डिंग' नहीं, 'ब्रॉड-कास्ट' ही था।

इस प्रकार, उनका अभिप्राय रिकार्डिंग से था तो वार्ता की पाण्डुलिपि केन्द्र निदेशक के पास 25 अप्रैल तक पहुंच जानी चाहिए थी। और ऐसा अनुरोध उनके 28 अप्रैल के लिखे पत्र द्वारा किया जा रहा था, जो हमें मिला था पहली मई को !

इस एक बात से ही हमें रेडियो-स्टेशन के मिजाज का अहसास हो जाना चाहिए था ! लेकिन हम तो पत्र पाकर रेडियो-स्टेशन और फिर दूरदर्शन के लिए 'सीरियल' बनाने का ख्वाब देख रहे थे ! ''आखिर किसी ने तो हमारी प्रतिभा को पहचाना !''

बहरहाल, वार्ता का विषय हमारे लिए थोड़ा नया था। मिट्टी कीजांच तो हम लोग करते हैं, लेकिन बांध या इमारत बनाने के लिए। और यहां आकाशवाणी

का अभिप्राय शायद खेतीबाड़ी के सन्दर्भ में था।

इसलिए हमने तुरन्त मसाला इकट्ठा करना शुरू कर दिया। आधी वार्ता तो हमने दफ्तर में ही लिख डाली। बाकी रात होते-होते खींच दी। अगले दो दिन की छुट्टियां थीं। इसलिए उसे एक-दो बार पढ़कर, काट-छांटकर, तराश भी लिया।

अगले दिन, उसे दफ्तर में टाइप करवाकर चार कापियां भी बनवा लीं। रिहर्सल करके देख लिया कि मसाला दस मिनट के लिए पर्याप्त था। बस, अब तो पांच तारीख का इन्तजार था।

पहली तारीख को दफ्तर से लौटते समय जो ओले पड़े और बारिश हुई, उसमें हम भी भीग गये। सोचा, अभी सिर तो मुंडाया नहीं, ओले पहले ही पड़ने लगे।

अगले दिन, सवेरे से गला खराब और भारी जुकाम। हमने तुरन्त उपचार के लिए एण्टी-बायटिक्स और विटामिन-सी का कोर्स शुरू कर दिया। हमें जुकाम जब तक नहीं होता तब तक नहीं होता : लेकिन जब होता है तो आसानी से पीछा नहीं छोड़ता। इस कम्बख्त जुकाम को भी अभी होना था! बहरहाल वार्ता की रिकार्डिंग तो करना ही था।

एक मन हुआ कि फोन करके आगे के लिए कोई तारीख न ले लें। लेकिन गले की सुधरती हालत देखकर विचार त्याग दिया।

चार तारीख की रात, अगली-पिछली रातों के मुकाबले, कुछ अधिक लम्बी रही। जैसे-तैसे सुबह हुई।

रेडियो-स्टेशन पर रिकार्डिंग के बारे में हमारे मन में जो नक्शा था, उसके अनुसार हमारे लिए 10 बजे स्टूडियो 'बुक्ड' था। हमने रिहर्सल हालांकि कर ली थी, फिर भी कुछ समय स्टूडियो की रिहर्सल के लिए चाहिए ही था। हिसाब लगाकर हम समय से कुछ पहले ही, यानी लगभग सवा नौ बजे, रेडियो-स्टेशन पहुंच गये।

रिसेप्शन से हमें पता चला कि उस समय तक विज्ञान कक्ष में कोई न आया था। उन्होंने सलाह दी कि आप चाहें तो इन्तजार कर लें, किन्तु 10 बजे से पहले किसी के आने की कोई संभावना नहीं है। हमने सोचा खाली कमरे में बैठकर इन्तजार करने से अच्छा है कि एक चक्कर पार्लियामेंट स्ट्रीट पर ही लगा लेते हैं। सो, कुछ समय बिताकर लगभग दस बजे हम फिर रेडियो-स्टेशन पहुंचे। सौभाग्य से उस समय तक सेक्शन-इन्चार्ज महोदया आ गयी थीं।

सारे सेक्शन में अब तक और कोई नहीं पहुंचा था। सेक्शन-इन्चार्ज ने हमें एक कुर्सी पर—जिसकी धूल अभी तक साफ नहीं हुई थी—बैठा दिया और थोड़ी देर में आने का वादा करके चली गयीं। अब उस कमरे में हम अकेले थे। और,

हमने वहां बैठे-बैठे कमरे की गन्दी दीवारों, छतों पर लगे मकड़ी के जालों, और टूटे-फूटे फर्नीचर का निरीक्षण करना शुरू कर दिया। लगभग पन्द्रह मिनट बाद एक-एक करके बाकी कर्मचारियों ने कमरे में आना शुरू किया। एक-दो ने हमसे पूछा—"किससे मिलना है?"

आधे घण्टे के बाद सेक्शन-इन्चार्ज पुनः प्रकट हुईं। हमें बेकार बैठाने के लिए माफी मांगी और एक महिला कर्मचारी की ड्यूटी लगाते हुए हमें सूचित किया कि हमारी वार्ता 'ग्रामीण महिलाओं' के प्रोग्राम के लिए है।

मैंने उन्हें बताया कि आपके पत्र के अनुसार तो यह वार्ता 'घर-परिवार' प्रोग्राम के लिए रिकार्ड होनी थी। उन्होंने कहा कि पत्र में प्रोग्राम का नाम गलती से 'घर-परिवार' लिख दिया गया था, वार्ता दरअसल 'ग्रामीण महिलाओं' वाले प्रोग्राम के लिए ही चाहिए थी। उन्होंने यह भी कहा : "इससे कोई फर्क नहीं नहीं पड़ता। आप अपनी स्क्रिप्ट में 'भाइयो' की जगह 'बहनो' और 'जानते हैं' की जगह 'जानती हैं' कर लें।"

हमने सोचा, ग्रामीण महिलाओं से बातचीत का स्तर, भाषा और विषय-वस्तु थोड़ी भिन्न होनी चाहिए थी! लेकिन, समय के अभाव में, वहां बैठे-बैठे ही, स्क्रिप्ट में आवश्यक सुधार कर लिया।

जिस महिला कर्मचारी की ड्यूटी हमारी रिकॉर्डिंग के लिए लगायी गयी थी। वह गर्भवती थी—और काफी उन्नत अवस्था में। उन्हें उठने-बैठने, हिलने-डुलने में काफी कष्ट होता था। रिकॉर्डिंग के लिए उन्होंने सही कैसेट ढूंढ़ना शुरू किया।

और, धीरे-धीरे आलमारी का तमाम सामान अन्दर से बाहर और फिर बाहर से अन्दर ..। मन्थर गति से की गयी इस प्रक्रिया में लगभग आधा घण्टा लग गया।

अन्ततः, हम लोग रिकार्डिंग रूम की ओर अग्रसर हुए।...वहां पहुंचकर देखा : सारे स्टूडियों भरे हुए थे।

कमरों के बाहर बैठने की कोई व्यवस्था न थी। स्टूडियो खाली होने के लिए अगर इन्तजार करना है, तो वहीं कॉरिडोर में घूमते रहिए। हमारी रिकार्डिंग के लिए जो महिला साथ आयी थी, वह हमें इन्तजार करने के लिए कहकर एक स्टूडियों में अपनी सहेली के पास जाकर बैठ गयी। (उन्हें खड़ा देखकर वैसे भी पैरों में दर्द होने लगता था)।

हम कॉरिडोर में इंतजार करते हुए इधर से उधर घूम ही रहे थे कि एक गंजे-सज्जन, कुर्ता-पाजामा पहने हुए, हाथों में तबला लिए, आये और स्टूडियों में झांक कर देखने के बाद इधर-उधर घूमने लगे। हमने उन्हें पास से देखा तो पहचान लिया। अरे, यह तो फय्याज खां थे! दिल्ली के मशहूर तबलची! हमने सोचा—

हम तो वार्ता रिकॉर्ड कराने आये हैं, इसलिए सिर्फ कागज ही हाथ में हैं; अगर तानपूरा या तबला लेकर कॉरिडोर में चक्कर लगाने पड़ते, तो सेहत बन जाती !

फय्याज खां की तरह ही एक और कलाकार सारंगी लेकर कॉरिडोर में घूमते नजर आये ।

लगभग पन्द्रह मिनट के इंतजार के बाद एक स्टूडियो खाली हुआ और हम तुरन्त उसमें घुस गये ।

रिकॉर्डिंग ओ. के. हो गयी । और हम लौटकर अपने घर को आये ।

जस्ते की प्राचीनतम खानें

विजय मोहन शर्मा

भारतवर्ष में बहुत पुराने समय से पीतल का प्रयोग होता रहा है। तक्षशिला के प्रसिद्ध व्यापार केन्द्र में पीतल विद्यमान होने के चिह्न पाये गये हैं। पीतल बनाने के लिए तांबे के साथ जस्ते को मिलाना पड़ता है। तक्षशिला के आसपास जस्ते का कोई स्रोत उपलब्ध नहीं है।

राजस्थान में उदयपुर के पास जावर और राजपुरा-दरीबा में जस्ते की बहुत पुरानी खानें पायी गयी हैं। इन पुरानी खानों के आसपास ही 'हिन्दुस्तान जिंक कम्पनी' ने अपनी नई खानें विकसित की हैं और उदयपुर तथा चित्तौड़गढ़ में जस्ता निकालने के लिए प्रदावण संयंत्र लगाये हैं।

तक्षशिला में पीतल बनाने के लिए उपयोग में आने वाला जस्ता संभवत: एक हज़ार किलोमीटर दूर जावर और दरीबा से ले जाया जाता रहा होगा। जावर की प्राचीन खानों में पाये गये लकड़ी के टुकड़ों की कार्बन-डेटिंग से पता चलता है कि ये खानें लगभग 2,500 वर्ष पुरानी हैं। इस प्रकार जावर-दरीबा स्थित खानें विश्व में जस्ते की सबसे पुरानी खानें हैं।

जस्ता आमतौर पर अन्य धातुओं, विशेषत: सीसा, तांबा, सोना और चांदी के साथ मिश्रित रूप में पाया जाता है। जस्ता जिस अयस्क (ore = कच्ची धातु) में मिलता है, वह अधिकतर जमीन के अन्दर ही पायी जाती है। इसलिए जस्ते की खानें जमीन के ऊपर होने के बजाय, जमीन के अन्दर होती हैं।

आमतौर पर जस्ता गंधक के साथ मिलकर बने हुए यौगिक जिंक सल्फाइड के रूप में पाया जाता है। इस जिंक सल्फाइड को गर्म करने पर, गंधक सल्फर-डाइआक्साइड नामक गैस बनकर उड़ जाता है और जस्ते का ऑक्साइड रह जाता है।

इस ऑक्साइड को कार्बन या कच्चा कोयला मिलाकर नियत तापक्रम पर गर्म करने से जस्ता अलग हो जाता है।

जावर-दरीबा में पुरानी खानों के अवशेषों को देखकर बहुत सारे प्रश्न मन में उठते हैं। ये खानें जमीन से लगभग 100 मीटर गहराई तक खोदी गयी हैं। खानों में नीचे जाने के लिए जो रास्ता बनाया गया है, उसका ढलान ऐसा रखा गया है जिस पर आदमी आसानी से ऊपर-नीचे आ-जा सके—संभवतः, सिर पर बोझा रखकर भी।

जमीन की सतह से नीचे जाते समय कहीं-न-कहीं खुदाई में पानी आ जाता होगा। ऐसी अवस्था में—बिजली और पम्प, आदि की आधुनिक सुविधाओं के अभाव में—पानी की निकासी का क्या प्रबन्ध करते होंगे? इतनी गहराई पर हवा के आने-जाने व रोशनी का क्या प्रबन्ध होता होगा? सुरंगों में रोशनी के लिए मशाल जलाने से धुआं उठता होगा जो प्रदूषण सम्बन्धी समस्याएं उत्पन्न करता होगा, इन समस्याओं से कैसे निबटते होंगे? बारूद और डेटोनेटर के अभाव में सुरंग की खुदाई कैसे करते होंगे?

इन खानों में चारों तरफ की चट्टानें डोलोमाइट जैसे कठोर पत्थर की हैं, जिनके बीच में जिंक सल्फाइड की 'ओर' है। जावर-दरीबा की खानों की खुदाई करने वालों ने 'ओर' तो निकाली है, लेकिन डोलोमाइट पत्थर अपनी जगह पर छोड़ दिया है! दूर से देखने पर इन पत्थरों में कोई विशेष अन्तर नहीं दिखायी पड़ता। जाहिर है, एक भूगर्भ वैज्ञानिक सलाहकार खुदाई करने वालों के साथ रहता होगा।

आधुनिक खदान में तो कम्प्यूटर-नियंत्रित लिफ्ट लगी होती है जो लोगों को ऊपर-नीचे लाती और ले जाती है। इसी लिफ्ट का एक हिस्सा अयस्क को भी ऊपर लाने के लिए काम में लाया जाता है। हवा के आवागमन के लिए बड़े-बड़े पंखे, पानी के लिए पम्प, रोशनी के लिए बिजली के मर्करी व सोडियम लैम्प और संचार व्यवस्था के लिए टेलीफोन लगे होते हैं। जमीन से 500 मीटर नीचे पता ही नहीं चलता कि आप खदान में घूम रहे हैं, या कनाट प्लेस की किसी एक गली में। लेकिन आज से 2,500 वर्ष पहले इन सब आवश्यकताओं की पूर्ति के लिए क्या व्यवस्था रही होगी, अनुमान लगाना कठिन है। अगर पुरानी खानों में से पानी निकालकर अन्दर के पूरे विस्तार के साथ नक्शे तैयार किये जायें, तो शायद इन सवालों पर कुछ रोशनी पड़े।

सुरंग खोदकर इसे टिकाये रखने का आधुनिकतम तरीका 'न्यू ऑस्ट्रियन टनलिंग मैथड' कहलाता है। इस तकनीक के अनुसार, खुदाई के कुछ समय बाद चट्टानों को इस तरह से Support (सपोर्ट) दिया जाता है कि आवश्यकता पड़ने पर यह सपोर्ट थोड़ा yield तो कर जाय, किन्तु चट्टानों पर अपना दबाव लगातार बनाये रखे। इसे तकनीकी भाषा में flexible spport system कहेंगे।

होता यह है कि खुदाई करने पर सुरंग की दीवारें भीतर की ओर आना

चाहती हैं। खुदाई करते ही यदि इस्पात के भारी गर्डरों से चट्टानों के भीतर आने को बिल्कुल रोक दिया जाय, तो इन गर्डरों पर बहुत भारी दबाव पड़ने लगता है और ये अक्सर टूट जाते हैं। इसके विपरीत, खुदाई करने के बाद यदि देर तक कोई सपोर्ट न लगाया जाय, तो चारों ओर की चटानें धीरे-धीरे भीतर को खिसकती रहती हैं और हद से ज्यादा ढीली होकर गिरने लगती हैं। इसीलिए आदर्श स्थिति में, खुदाई होते ही एकदम सपोर्ट नहीं लगाना चाहिए, लेकिन बहुत देर तक रुकना भी नहीं चाहिए। कितनी देर तक रुकना चाहिए यह उन चट्टनों की गुणवत्ता और उन पर चारों ओर से पड़ रहे दबाव पर निर्भर करता है। सपोर्ट ऐसा होना चाहिए जो थोड़ा नमनीय (flexible) हो और इसलिए थोड़ा (movement) तो होने दे, किन्तु चट्टानों पर लगातार अपना दबाव बनाये रखे।

जावर की पुरानी खानों में पाये जाने वाले लकड़ी सपोर्ट किनारों पर से नुकीले बना दिये गये हैं जो बिल्कुल वही काम करते होंगे जिसकी कि 'न्यू आस्ट्रियन टनलिंग मैथड' के फ्लेक्सिविल सपोर्ट सिस्टम से अपेक्षा की जाती है। दबाव बढ़ने पर लकड़ी की नोंक टूट जाती है और बाकी का सपोर्ट काम करता रहता है। जितना अधिक दबाब होता है, उतनी ही अधिक नोंक टूट जाती है।

लगता है, जावर के खनिकों (खदान खोदने वालों) ने—स्वभावतः अपने अनुभवों के आधार पर—वह तरीका अपनाया था जिसे हम आज-न्यू ऑस्ट्रियन टनलिंग मैथड' कहते हैं और जिसका श्रेय बीसवीं सदी के ऑस्ट्रियन इंजीनियर राबेविज को दिया जाता है।

ऐसा प्रतीत होता है कि सिन्धु नदी घाटी की सभ्यता के अवसान के साथ-साथ जस्ता निकालने का विज्ञान भी कुछ समय के लिए भारतवर्ष से लुप्त हो गया। किन्तु कहीं-न-कहीं और किसी-न-किसी रूप में यह विज्ञान जीवित रहा क्योंकि सोलहवीं और सत्रहवीं सदी में जावर और राजपुरा-दरीबा की खानों में जस्ता निकालने का खूब काम हुआ था। यहां से जस्ता निकालकर समस्त यूरोप को निर्यात किया जाता था। इस बारे में अभी हाल में की गयी खुदाई (excavations) से बहुत सारे तथ्यों का पता चला है।

सब मूल धातुओं में जस्ता उत्पादन की प्रक्रिया ही सबसे जटिल है। अधिकतर धातुएं साधारण भट्टियों में प्रदायित होकर, द्रव पदार्थ के रूप में, तलहटी में एकत्रित हो जाती हैं। परन्तु इन्हीं परिस्थितियों में जस्ता भाप बनकर उड़ जाता है। इसका कारण यह है कि जस्ते का मेल्टिंग प्वाइण्ट बहुत कम है (लगभग 100°c)।

स्पष्ट है कि जस्ते के प्रदावण के लिए एक भिन्न प्रकार की प्रक्रिया की आवश्यकता होती है, जिससे वाष्प को ठण्डा करके ठोस धातु में बदला जा सके।

इस प्रकार की एक प्रणाली 1738 में एक अंग्रेज विलियम चैम्पियन द्वारा पेटेण्ट करायी गयी थी। उसने एक ऐसी भट्टी डिजाइन की जिसमें बाहर की ओर एक संघनक नली लगी थी। इस नली से निकलने वाली जस्ते की भाप को पानी में ठण्डा करके जस्ता उपलब्ध किया जा सकता था। व्यावसायिक रूप से काम में लाने के लिए उसने इंगलैण्ड में ब्रिस्टल के पास एक संयंत्र लगाया जहां भस्मीकृत अयस्क को पिण्डनुमा पात्रों में भरकर उन्हें एक भट्टी में इस तरह व्यवस्थित कर दिया जाता था कि उनका ऊपरी सिरा नीचे की ओर मुड़कर एक शीतल प्रकोष्ठ में चला जाय जहां जस्ते की भाप को ठोस रूप में परिवर्तित कर पानी से भरे बर्तनों में एकत्रित किया जा सके।

चैम्पियन के इस संयंत्र में ऐसी 30 भट्टियां थीं तथा 1760 ई० तक उससे 200 टन प्रतिवर्ष की दर से जस्ते का उत्पादन किया गया।

चैम्पियन ने अपनी यह तकनीक अवश्य भारतवर्ष से ली होगी। यूरोप में उस समय तक अनेक वर्षों से डच कम्पनियों और ब्रिटिश इंडिया कम्पनी के जहाजों द्वारा जस्ता आयात किया जा रहा था।

अभी हाल में जावर की आधुनिक खानों में काम करने वाले धातु-विशेषज्ञों तथा खान अभियन्ताओं (माईनिंग इंजीनियरों) ने वहां आसपास की पुरानी खानों में टूटे-फूटे रिटोर्टों और जस्ता उत्पादन के अन्य मलबे के बड़े-बड़े ढेरों के विद्यमान होने की सूचना दी है। बड़ौदा विश्वविद्यालय, ब्रिटिश म्यूजियम और 'हिन्दुस्तान जिंक लिमिटेड' ने एक संयुक्त परियोजना के अन्तर्गत दिसम्बर 1983 में इन अवशेषों का वैज्ञानिक परीक्षण एवं विश्लेषण किया। उन्हें जमीन की खुदाई करने पर कई पूरी-की-पूरी भट्टियां अक्षण्ण प्राप्त हुईं जिनमें पूरी तरह चार्ज किये हुए रिटोर्ट अभी तक व्यवस्थित रूप से विद्यमान मिले।

इन धमन भट्टियों के विश्लेषण से उन्हें जस्ता उत्पादन प्रक्रिया की सम्पूर्ण जानकारी प्राप्त हुई जिसने यूरोप की 18वीं और 19वीं शताब्दियों की 'खोज' को कई शतक पीछे छोड़ दिया।

इन खुदाई करने वाले लोगों ने प्रबल उत्सुकता के साथ खुदाई शुरू की। उन्होंने धमन भट्टी के आसपास छोटे-से क्षेत्र की सफाई की, जहां से पहले भट्टी के किनारे और फिर रिटोर्ट के ऊपरी सिरे दिखायी देने लगे। जैसे-जैसे खुदाई होती गयी वैसे-वैसे पता चला कि सारी प्रक्रिया उनके अनुमानों से कहीं अधिक विकसित थी। इन लोगों ने एक कतार में सात पंक्तिबद्ध भट्टियों की खोज की और इनमें से चार की सफाई की जिनमें प्रत्येक में मूलरूपेण 36 रिटोर्ट थे। इस प्रकार 252 रिटोर्टों को एक साथ ही धमन भट्टी में आग लगायी जा सकती थी।

भट्टियों का यह संकलन रेडियो-कार्बन पद्धति से 16वीं शताब्दी का आंका गया है।

सैद्धान्तिक रूप से यह प्रक्रिया बिल्कुल सरल थी। जावर में पायी जानेवाली अयस्क स्फेलेराइट, जिंक सल्फाइड है। इसको ऑक्साइड में परिवर्तित करने के लिए खुली हवा में पकाया जाता था जिससे वह ऑक्साइड में परिवर्तित हो जाय—यह एक ऐसी प्रक्रिया थी जिसका यूरोप में 18वीं शताब्दी तक भी आविष्कार नहीं हुआ था। गलाई हुई अयस्क को कोयले और अन्य पदार्थों के साथ मिलाकर मिट्टी के एक खुले हुए रिटोर्ट में भर दिया जाता था। मध्यकालीन भारतीय रसायनशास्त्रियों ने इस प्रकार के कई ऐसे विजातीय पदार्थों का उल्लेख किया है, जिनका सत्यापन (verification) होना भी अब असम्भव है। इन कैटे-लिस्टों में नमक का नाम भी था, जिसकी उपस्थिति इस खुदाई करने वाले दल ने रिटोर्टों के परीक्षण के समय पायी।

मिट्टी के संघनक यथास्थान रखकर सीलबन्द रिटोर्टों को मिट्टी की छेद वाली प्लेट के ऊपर भट्टी में रखा जाता था जो इस प्रकार टिके रहते थे कि उनके ऊपरी सिरे उन बड़े छिद्रों में से होकर एक शीत कक्ष में झुके रहें जो मुख्य भट्टी के नीचे होता था।

रिटोर्टों के ऊपर और आसपास आग जलायी जाती थी और तापमान काफी ऊँचा रखा जाता था ताकि मिट्टी के रिटोर्टों को अधिक-से-अधिक गलाया जा सके। ब्रिटिश म्यूजियम के सूक्ष्म विद्युतमापक यन्त्रों की सहायता से प्रगलित रिटोर्टों के भीतरी पदार्थों के वैज्ञानिक परीक्षण से पता चला है कि यह तापमान 1100 c के लगभग था।

रिटोर्ट के अन्दर का जिंक ऑक्साइड जस्ते की भाप में परिवर्तित होकर स्वतः ही शीत कोष्ठ की ओर बढ़ता था, जहां पहुंचकर यह द्रव रूप में संचय पात्रों में एकत्रित हो जाता था।

रिटोर्ट और शीतलीकरण प्रक्रिया में उपर्युक्त तापमान कायम रखने के लिए बड़ी कुशलता की आवश्यकता होती थी। यदि ताप अधिक होता तो रिटोर्ट पिघल जाते और जस्ते के भाप बनकर उड़ जाने का डर रहता था। अधिक ठण्डा हो जाने के पर जस्ते के संधनक में ही जम जाने और उसके बन्द हो जाने की आशंका रहती थी।

वाष्पीकरण की स्थिति में भी कठोर नियंत्रण की आवश्यकता होती थी। और भाप अनुकूल ढंग से संघनक में नीचे की ओर नहीं जाती तो जस्ता ठोस धातु बनने के स्थान पर पुनः ऑक्सीडाइज हो जायगा। यह भी जरूरी था कि सभी 36 रिटोर्टों का हर एक भट्टी में पूरा-पूरा ध्यान रखा जाय।

तथाकथित औद्योगिक क्रान्ति के पहले की यह प्रक्रिया अपेक्षाकृत जटिल और सूक्ष्म है। निश्चित रूप से इसी ने चैम्पियन की प्रणाली और आजकल की उच्च तापीय वाष्पीकरण प्रक्रियाओं को जन्म दिया।

जस्ते की खानें और उनसे धातु निकालने की प्रक्रिया तो एक उदाहरण मात्र है। आवश्यकता इस बात की है कि समकालीन भारत में हुई अन्य विषयों में प्रगति को सही परिप्रेक्ष्य में समझा जाय और उसे आगे लाया जाय।

यात्रा वृत्तान्त

ट्रेक पर

तन्मय शर्मा

ट्रेक का प्रोग्राम अचानक ही बन गया।

उस हफ्ते 'स्पोर्ट्स मीट' की वजह से छुट्टी थी। जाने से एक दिन पहले हमने (हम लोग पांच थे) पैसे मिला कर कैमरे की एक रील खरीदी। कैमरा एक दोस्त से मांग लिया।

हमारी 'पलटन' में सब आठ-सवा-आठ बजे उठने वाले बहादुर हैं। इसलिए Early to Bed, Early to Rise Club' के मेम्बरों को ताकीद कर दी कि हमें पांच बजे उठा दें। उस club के मेम्बरों ने आकर पांच बजे हमें बिस्तरों से धक्का दे दिया।

छः बजने में पांच मिनट पर ट्रेन थी, जिससे हलद्वानी (22 किलोमीटर) जाने का कार्यक्रम था। स्टेशन होस्टल से 3 कि. मी. दूर है।

यह सारा रास्ता पैदल ही तय करना था क्योंकि साइकिलें ले जाते, तो उन्हें स्टेशन पर छोड़कर जाना पड़ता।

कमरों से निकलते-निकलते काफी देर हो गयी। खूब तेज चले। फिर भी, आखिरी 300-400 मीटर की दौड़ लगानी पड़ी।

जैसे-तैसे ट्रेन मिली। और, हम हलद्वानी पहुंचे।

वहां से बस पकड़कर No. 1 Checkpost तक गये। यहां से हमें नैनीताल का रास्ता पकड़ना था।

चलने से पहले यह शर्त लगायी गयी थी कि जो छात्र फोटो खींचते समय कैमरा हिला देगा, उसे बाकी लोगों को चाय और ब्रेड-पकौड़े खिलाने होंगे। इसलिए—और चूंकि फोटोग्राफर फोटो में नहीं आता—कोई फोटो खींचने को तैयार ही नहीं था!

बारी-बारी से छात्रों ने फोटो खींचे। Checkpost No 1 पहुंचकर हमने आगे बढ़ना शुरू किया। एक-डेढ़ किलोमीटर तक रास्ता मेन रोड से ही है, फिर चढ़ाई शुरू होती है।

हम लोग जब होस्टल से चले थे, तो काफी ठंड थी। मैंने एक मोटा (Double knit) स्वेटर और एक जैकेट पहन रखा था। लेकिन अब तो इतनी गर्मी हो गयी थी कि सिर्फ एक शर्ट पहनकर चलने में ही पसीने से तरबतर थे। साथ में बैग था ; स्वेटर और जैकेट उनका वजन बढ़ा रहे थे। उस बैग से चढ़ाई में खासी दिक्कत हो रही थी। रास्ता काफी खराब था। धूल और पत्थर बहुत थे।

रास्ते में कुछ महिलाएं मिलीं। उन्होंने पूछा : "नैनीताल जा रहे हो ?" हमारे यह बताने पर कि हम लोग पन्तनगर के हैं, उन्होंने पूछा : "बस से क्यों नहीं गये ?" हम पांचों हंस पड़े।

पहाड़ों पर एक पौधा होता है; जिसको छूने से हाथ में करंट-सा लगता है (शायद किसी रसायन के कारण) और काफी देर तक दर्द होता है। उसी प्रकार के एक पौधे पर मेरा हाथ पड़ गया।

किसी प्रकार हम ऊपर नैनीताल पहुंचे। और सबसे पहले सबने एक-एक लिमका पी !

इटारसी से भोपाल तक : रोड से

अनुपम शर्मा

इटारसी से भोपाल का सफर आपने ट्रेन से जरूर किया होगा। अभी तक याद करते होंगे वह मजेदार रास्ता। विन्ध्याचल के पहाड़ और सर्प की तरह लहरें लेती आगे बढ़ती, गाड़ी। सच, यदि आप यह सफर इंजन में बैठकर करें, तो कहने ही क्या ?

लेकिन, कभी यह सफर जरा रोड से भी करके देखिये !

इटारसी से मुझे सबेरे-सबेरे भोपाल जाना था। रात को पता चला कि जनरल मैनेजर साहब—जो कल तक इटारसी में थे—अपनी कार में जाने के बजाय ट्रेन से भोपाल चले गये हैं; कार पीछे छोड़ गये हैं और वह कल सबेरे भोपाल जायेगी।

बस, अपना प्रोग्राम रोड से ही भोपाल जाने का बन गया। सोचा, रोड से जाने में ट्रेन के झंझट से बचेंगे।

लेकिन, सबेरे सफर शुरू हुआ तो अपनी तो हाय-तौबा हो गयी। आ-हा-हा ! क्या रोड थी। होशंगाबाद तक की रोड 15 मीटर चौड़ी तो थी, लेकिन इतनी चौड़ी रोड में भी आप एक ऐसी कतार नहीं ढूंढ़ सकते थे जहां से 40 किलोमीटर फी घंटे की रफ्तार बना सकें। इधर धचके, उधर धचके, फिर छलांग। बस एक ही कन्सोलेशन था कि यह इस राज्य की 'हाई-वे' है ! कोई ऐरी-गैरी रोड नहीं !!

दो तो बीच में ऐसे गति अवरोधक मिले कि कार का हुड तक अपने सिर पर आ टकराया। ड्राइवर ने कहा : साहब, ये 'बम्प' बहुत खराब हैं।" मैंने कहा : "यार, इस रोड पर इन कम्बख्तों की जरूरत भी क्या है ? कौन से हम 150 किलोमीटर की रफ्तार पर चल रहे हैं !"

किसी तरह होशंगाबाद पहुंचे। जनरल मैनेजर साहब की नयी कार बेचारी ऐसे चल रही थी, जैसे कि 'डिकी' में ईंटें भरी हों।

होशंगाबाद के बाद पहाड़ शुरू हुए, रोड, जो अभी तक चौड़ी थी, अब एक पगडण्डी बन गयी।

खुदा-न-खास्ता यदि किसी ट्रक के पीछे आ गये, तो 'ओवरटेक' करना दूभर हो जाता। 30 कि. मीटर पर चलने का खौफ मानो कम था जो ट्रक के एक्जॉस्ट की भीनी-भीनी खुशबू भी मिल रही थी !

सोचा था—जब पहाड़ियां निकल जायेंगी, तो कार में एक झपकी ले लेंगे। यहां सुन्दर नींद के सपने तो दूर, लग रहा था कि रैंमसे ब्रदर्स की कोई खतरनाक भूतप्रेत की पिक्चर देख रहे हैं !

ड्राइवर की तो कुछ न पूछिए। बेचारा !...कब समझ में आया कि परम-पूज्य जनरल मैनेजर साहब रोड से आये तो, लेकिन लौटे ट्रेन से ही क्यों !

सबसे अधिक ताव तो तब आया, जब भोपाल पहुंचने पर ड्राइवर ने कहा : "साहब, रोड में बहुत ज्यादा पैच-वर्क था।" मैंने, कमर सहलाते हुए 'हां' तो कहा, लेकिन मन-ही-मन लॉरल हार्डी का एक किस्सा याद आया। एक बार लॉरल ने हार्डी से अपने लिए एक नया सूट खरीदने का अनुरोध किया। हार्डी ने कहा : "लेकिन स्टैन, इसमें तो अभी बस एक ही पैच है।" बेचारे लॉरल ने जवाब दिया : "औकी, यह पैच नहीं ! यही बस असली सूट का कपड़ा रह गया है। बाकी सब...।"

गीजगढ़ की अविस्मरणीय यात्रा

राम नरेश शर्मा

नॉर्थ राजस्थान फील्ड पार्टी के जियॉलौजिस्ट अजमेर से लेकर दिल्ली तक फैले थे। ये लोग यूरेनियम तथा बेरिल की खोज करते थे।

यूरेनियम की खोज में इलैक्ट्रोनिक इंसट्रूमेंट्स का प्रयोग होता था, और उनकी मेण्टिनेन्स् का काम हमारा था। जहां कहीं से भी गड़बड़ की खबर आती, वहां जाना पड़ता था।

उन दिनों हम लोगों का ऑफिस बी-मेयो कॉलेज, में था।

एक दिन ऑर्डर मिला : गीजगढ़ जाना है। पूछ-ताछ करने पर मालूम हुआ कि बांदीकुई स्टेशन से गीजगढ़ के लिए बस मिलेगी। उस जमाने में हमारा सामान होता था—एक कैम्प कॉट, टूल बैग, रेडियेशन मीटर, होल्डऑल, और एक हैंड बैग।

बांदीकुई स्टेशन पहुंचे। खाना खाया। वेस्टर्न रेलवे में वहां का खाना मशहूर था। खाने में पूड़ी देते थे।

बस पर बैठकर चुंगी तक पहुंचे ही थे कि गाड़ी रुकी। हमारा सामान कुछ अजीबोगरीब-सा था। सारा सामान खोलकर देखा गया। बाद में पता चला—ये लोग तलाशी ले रहे हैं कि कहीं हम दालदा तो नहीं ले जा रहे ! (उस समय राजस्थान में दालदा ले जाने की मनाही थी)। खैर।

शाम को गीजगढ़ पहुंचे। पोस्टऑफिस जाकर कैम्प का पता लगाया। सूरज छिपते ही श्री हरिश्चन्द्र जोशी जी के कैम्प पहुंचे। जो आवभगत हुई उससे सारी थकान उतर गयी।

रात को तम्बू के बाहर कैम्प-कॉट्स लगाकर हम लोग कोई एक बजे तक बातें करते रहे। जब मैंने कहा अब सोया जाये, तो जोशी जी ने कहा—'थोड़ी देर और।' मैंने पूछा : 'कब तक ?' बोले, 'जब तक वह चन्द्रमा उस पहाड़ी के पीछे न चला जाये।'

शायद वह कैम्प की मेरे लिए पहली रात थी—इसीलिए वह 'कोनीकल'

पहाड़ी, वह चन्द्रमा, आज भी मुझे 14 साल बाद वैसा का वैसा ही याद है। आश्चर्य यह कि वह हमारी पहली मुलाकात थी ; फिर भी इतनी बातें। कारण कैम्प का एकाकीपन का जीवन जिसने बसर किया है, वही जानता है। बात करने को तरस जाते हैं। फिर हम दोनों ही लखनऊ यूनिर्वासिटी के थे। जोशी हमसे दो साल सीनियर थे।

सबेरा हुआ। चाय-पानी-नाश्ते के बाद, फील्ड जाने का प्रोग्राम बना।

यह मेरा पहला फील्ड एक्सकर्शन था। सब पत्थर एक से लगते थे। जोशी जी हमें पत्थरों के बारे में बताते जाते थे और गाइगर काउण्टर से टेस्ट करते जाते थे। कैम्प आने पर, नहा-धो, खाना खाकर सो गये।

शाम को चाय के समय मैंने पूछा : "वह कौन-सा इन्ट्रूमेण्ट खराब है?" जवाब था : एक मुस्कान। मैंने पूछा : 'फिर भी?' कहने लगे : "अकेले बहुत बोर हो गये थे। सोचा अनन्तरामन को बुलाया जाये—आ गये तुम।"

दूसरे दिन चलने का प्रोग्राम बना। बस का समय वगैरा, सब पता लगाया गया। बस स्टैंड पहुंचे। पता लगा, बस तो एक घण्टे पहिले ही चली गयी।

लौट कर कैम्प आये। जोशी जी फिर मुस्करा रहे थे। हम बड़े परेशान। वह कहने लगे : "क्या जल्दी है! कल चले जाना!" हमने कहा : "हमें अभी एक और कैम्प जाना है।"

अब धीरे-धीरे समझ में आने लगा कि हमारी बस जानबूझकर छुड़वायी गई थी। हम कुछ ज्यादा उद्विग्न हो उठे थे। इस पर वह कहने लगे : "तो फिर, ऊंट से जाना पड़ेगा।" हमने कहा : "हम जायेंगे।"

दो ऊंट आये। एक पर सामान ; दूसरे पर हम। वहां से वह मेन रोड 20 मील पर थी, जहां से जयपुर के लिए बस मिल सकती थी। आगे-आगे ऊंट पर सामान। पीछे-पीछे हम—ऊंट पर! भरी दोपहरी। सर पर केवल हैट। ढच्चर-ढच्चर चले जा रहे हैं।

अंधेरा हो चला। ऊंट वाले ने रोड के किनारे हमें उतारा। पैसे लिए और वापस चल दिया। उस बियाबान जंगल में सड़क के किनारे फकत हम और हमारा सामान! पैरों में इतना दर्द कि खड़ा न हुआ जाय। जिन्दगी में पहली बार ऊंट पर बैठे थे। वह भी एक साथ 20 मील का सफर।

खैर, थोड़ी देर में बस की रोशनी दिखी। और बस रुकी भी! हम रात को करीब 10 बजे जयपुर पहुंचे।

गांव की यात्रा : मुंशी के साथ

सरला शर्मा

मुंशी हमारे देवर । हमारे ही क्यों ? औरों के भी, जिनके होना चाहिए उनके; और जिनके न होना चाहिए, उनके भी । यानी, उनका स्वभाव ऐसा है कि छोटे भी बराबरी का अनुभव करने लगते हैं । अगर कहीं जेठ और बहुओं की दूरी कम होती है, तो इन्हीं के सामने । यह स्वभाव उनका शुरू से ही है; अभी की कोई नई बात नहीं ।

हम जब इस घर में आये तो अन्य की अपेक्षा मुंशी ही दुःख-तकलीफ की बात अधिक सहानुभूतिपूर्वक सुनते । इनके अन्य गुण-दोष जो भी हों, यह उनका मुख्य गुण है । चि. मुकुल की भावी पत्नी अवश्य ही भाग्यशाली होंगी । (अब तो आ गयी हैं, अपनी प्रतिक्रिया लिखें ।—सं.) ।

सन् '46 की मई-जून का महीना रहा होगा । अम्मा ऊंचगांव में थीं । छोटे देवर अवस्थी भी उनके पास गये थे और हम लोग लखनऊ में थे । ऐसा प्रोग्राम बना कि क्यों न गर्मी की छुट्टियों में ऊंचगांव घूम आयें । ससुराल का गांव देखने की इच्छा बलवती हुई । हमारे साथ-साथ दूसरे जाने वाले हुए मुंशी व शिवप्रसाद (स्वर्गीय रामप्रसाद यादव के छोटे भाई) । तीन निकट महाविकट । चौथा सहयात्री किसे बनायें ? तीन ही चले । पैसे भी समझो जरूरत भर के ही थे और खजांची थे मुंशी ।

ऐसे में स्टेशन पर जब मांगने वाले आते तो मुंशी ने उदारतापूर्वक सभी को चवन्नी देना शुरू कर दिया जबकि चलन के हिसाब से एक पैसा या अधन्ना ही काफी था । दो-तीन बार मैंने देखा, किन्तु जब उनका हाथ रुकने को ही न आया, तो मैंने देवरजी से पैसे मांग लिये—कि भैया अभी तो इन्हीं पैसों में लौटना भी है ।

रेल से उतरकर बैलगाड़ी में बैठे जिसे अवस्थी साथ स्टेशन लाये थे, गांव तक जाने के लिए । सो बैलगाड़ी की सवारी और सब लोग चल दिये ।

थोड़ी दूर गये होंगे कि आसमान में पीली-सी धुंध छा गयी ! अंधेरा होने

लगा । हमने मुंशी से पूछा, ये आसमान में बदलाव कैसा है किन्तु वह स्पष्ट रूप से कुछ बता नहीं पाये । बातें हो रही थी कि अंधेरा और गहरा गया । जोर से धूल भरी आंधी ने सबको अपनी चपेट में ले लिया । रास्ता दिखाई देना बन्द हो गया, यहां तक कि सांस लो, तो नाक में धूल चली जाये । ऐसा लगे कि कहीं अन्धे न हो जायें । बैलों ने जुआ छोड़ दिया और उधर-उधर हो गये । कुछ न बना तो घुटनों में मुंह छिपाकर हम सोचने लगे कि किस कुसायत में इन लोगों के साथ चले थे जो ऐसी मुसीबत में फंस गये ; कब इससे निस्तार होगा ।

राम-राम करके थोड़ी देर में बौछारें आयीं । आंधी थमी, धूल-मिट्टी भी कम हुई और हम फिर दुनिया में वापिस लौटे । किसी प्रकार घर पहुंचे । अम्मा मिलीं, शर्बत-पानी हुआ । टोला-पड़ोस के मिलने वाले आने लगे ।

जो कोई बड़ा-बूढ़ा आता, मुंशी सभी के लपककर पैर छूते और इस आदर-उदारता में कोई त्रुटि न करते ।

अम्मा ने हमारे लिए दूध बंधवा दिया । ऐसा बढ़िया दूध कि ऊपर घी छहराये, वहीं रिश्ते की बुआ रहती थीं । उन्होंने एक दिन न्यौते में खाने पर बुलाया । कल्हारी घुइयां और जुंधरी की कचौड़ी बनायीं । वह स्वाद उनमें आया कि क्या कहें ! पड़ोसी पराग की बीवी हमारी सहेली बन गयी । दोपहर का समय उसी से बतियाते बीत जाता ।

इस प्रकार पन्द्रह दिन उस घर में खूब अच्छी तरह बिताये जो इन सब भाइयों का जन्मस्थान रहा । किन्तु उस आंधी की याद आज भी नहीं भूलती ।

एक अनोखा सफर

अन्जू शर्मा

बात उन दिनों की है, जब मैंने जमशेदपुर से दसवीं की परीक्षा पास कर चण्डीगढ़ के गवर्नमेंट कॉलेज फॉर गर्ल्स में 'आटर्स' के 'प्रेप कोर्स' में दाखिला लिया था। कोर्स शुरू होने के दो महीने के बाद ही कॉलेज में दशहरे की छुट्टियां हुईं। दूर आकर पहली बार घर वापस जाने की खुशी की कोई सीमा नहीं थी।

'काउण्ट-डाउन' शुरू हो चुका था। तैयारियां भी शुरू हो गयीं। जाने के कुछ दिन पहले हम सभी ने बाजार जाकर घर के लोगों के लिए छोटे-मोटे उपहार भी खरीद लिये।

जमशेदपुर जाने वाली हम कुल दस छात्रायें थीं। 'टाटा-अमृतसर एक्सप्रेस' से अम्बाला से टाटा का अपना रिजर्वेशन करवा लिया। चण्डीगढ़ से टाटा के लिए कोई सीधी गाड़ी न होने की वजह से अम्बाला तक बस से जाना पड़ता था।

सफर के निश्चित दिन हम लोग शाम को चण्डीगढ़ से चलकर अम्बाला पहुंचे। ट्रेन 12 बजे रात को आती थी। स्टेशन पर सामान रखा; पास के एक ढाबे में खाना खाया और रास्ते के लिए कुछ बंधवा लिया।

पर वापस स्टेशन पर पहुंचते ही गड़बड़ हो गयी। पता चला कि हमारी गाड़ी कैंसिल कर दी गयी है। अचानक ऐसा लगा मानो पैरों तले से धरती खिसक गयी हो। सूझ ही नहीं रहा था कि अब क्या करें। इतने दिनों का इन्तजार! इतनी तैयारी! कहीं जाना ही तो कैंसेल नहीं करना पड़ेगा?

डर भी लग रहा था। पहली बार हम सब यूं अकेले सफर कर रहे थे। साथ में कोई बड़ा-बूढ़ा भी नहीं था। हम को उसी वक्त निर्णय लेना था। सामने सिर्फ दो विकल्प थे—जायें, या न जायें।

वापस जाने को कोई तैयार नहीं था। एक आपातकालीन मीटिंग हुई। तय हुआ कि पीछे आ रही कालका मेल से जाने की कोशिश की जाय।

इतना तो स्पष्ट था ही कि एक साथ रहेंगे, तो कोई टिकट चेकर हमें बिना रिजर्वेशन अन्दर नहीं घुसने देगा!

सो, हम लोगों ने अपने को छोटे-छोटे ग्रुपों में बांट लिया और अलग-अलग डिब्बों में चढ़ने की योजना बनायी। डर और घबराहट के मारे हाथ-पैर कांप रहे

थे। पर, जब गाड़ी आयी, तो हिम्मत बटोरकर, अपने-अपने ठीक सामने के डिब्बे पर धावा बोल दिया। थोड़ी दिक्कत के बाद टी. टी. महाराज ने हमें दिल्ली तक डिब्बे में बैठने की इजाजत दे दी—उसकी ड्यूटी वहीं तक थी। हमें भी यह मंजूर था। उस समय तो बस किसी भी तरह आगे बढ़ने की बात थी।

गाड़ी खचाखच भरी थी। सीट मिलना तो दूर, खड़े होने तक के लिए एक इंच जगह नहीं थी। हार कर हमने ट्वायलेट के सामने डेरा डाला। इतना कम सामान लेकर सफर कर रहे थे कि रखकर बैठने को एक अटैची भी साथ नहीं थी। थोड़ी देर तो वहीं खड़े रहे! पर, सारी रात यूं खड़े रहना तो मुश्किल था। भी आ रही थी। क ीं से अखबार का इन्तजाम हुआ। उसे बिछाया और बैठे। कब आंख लगी, पता नहीं। पर एक-दूसरे के कन्धे पर सिर टिकाकर एक-एक झपकी ले ही ली।

सवेरा हुआ। दिल्ली आयी। सीटें खाली हुईं और हम उनकी ओर लपके।

पर, फिर भीड़ आयी और अपनी-अपनी सीटें लेने लगी। और, हमें फिर वहीं ट्वायलेट के पास—जाना पड़ा। सारे दिन, सारे रास्ते, यही सिलसिला जारी रहा। कोई स्टेशन आता, कुछ जगह बनती, हमारी आशा बढ़ती, पर फिर कोई न कोई रिजर्वेशन वाला खुशकिस्मत व्यक्ति आ जाता, और हम सब, 'वापस पवेलियन पर!' न खाने की चिन्ता थी, न पीने की; बर्थ की भी नहीं। बस, सिर्फ एक सीट की तमन्ना थी।

टी. टी. से बात भी की। पर वे सारे रिश्वतखोर निकले और हम सब गांधीवादी! आखिर दो-तीन मुसाफिरों ने हम पर तरस खाकर अपनी सीटों पर हमें थोड़ी जगह दी। बारी-बारी से हम लोगों ने फिर एक-एक झपकी ली।

अगली रात का भी जागरण ही था, क्योंकि हमारी पहली मंजिल—आसनसोल—रात के तीन बजे आने वाली थी। पर अपनी परम्परा के अनुसार, भारतीय रेल ने हमें आसनसोल सवेरे पांच बजे पहुंचाने की कृपा की।

घर ज्यों-ज्यों पास आ रहा था, हमारा उत्साह बढ़ रहा था—और हिम्मत भी। किस्मत ने भी साथ दिया। आसनसोल पर उतरते ही टाटा के लिए एक गाड़ी मिल गयी। इस गाड़ी में जगह ही जगह थी। हम सब फिर एक साथ हो गये। पुरानी परेशानियां दूर हुईं, तो पेट में चूहों ने ऊधम मचाना शुरू किया। फिर क्या था! हर स्टेशन पर कुछ न कुछ खाने को खरीदा।

रास्ते भर गाने गाये और खूब मस्ती की।

सबेरे ग्यारह बजे गाड़ी जब टाटा पहुंची, तो हमारी खुशी का ठिकाना नहीं था। अमृतसर एक्सप्रेस के कैंसेल हो जाने की खबर की वजह से घर पर किसी को मेरे पहुंचने की उम्मीद नहीं थी। लेकिन अब अचानक पहुंच कर सबको चौंका दिया। खुशी दुगनी हो गई। और, घर पहुंचते ही इस यादगार सफर की सारी थकान और परेशानियां एक पल में गायब हो गयीं।

मेरी लाखामण्डल यात्रा

कादम्बरी शर्मा

1

मेरा 'फील्ड वर्क' लाखामण्डल से शुरू हुआ।

पहली बार मैं वहां पर अक्तूबर 1978 में श्री कौशल जी (जो नेहरू युवक केन्द्र के 'कोआर्डिनेटर' हैं) व उनकी सोशल वर्क की टीम के साथ गई थी। इस टीम में आठ लड़कियां थीं व दस या अधिक लड़के। सभी सत्रह-अठारह से बीस-बाइस की उम्र के बीच के। ये लोग पिथौरागढ़, हिमाचल, जम्मू आदि इलाकों के रहने वाले थे। मुझे इस टीम को देखकर रूसी शिक्षाविद् मकारेंको की 'Road To Life की प्राय: याद आ जाती थी। इनको ट्रेनिंग देने में कौशल जी का हाथ है। उनसे बातचीत के दौरान मैंने इस पुस्तक का हवाला दिया व बाद में अपनी ओर से यह पुस्तक उन्हें भेंट भी की।

पहली बार की लाखामण्डल की चढ़ाई मैं कभी नहीं भूल सकती। मैं बुरी तरह हांफ रही थी। सांस धौंकनी की तरह चल रही थी। मुझे ऐसा लगता था कि मेरा कलेजा फट जायेगा। कौशल जी ने हिम्मत बंधाई। कहा—जव तुम तीन-चार बार ऊपर-नीचे आओ-जाओगी तो चढ़ाई में पक्की हो जाओगी। पर मुझे लगता था, अब कभी भी इधर न आ सकूंगी व ऊपर पहुंचकर कभी नीचे न जा सकूंगी। इन बीहड़ पहाड़ों पर इन्सान रहते हैं, वह कल्पना से परे जान पड़ता था। ऊपर एक गांव नजर आया। उसे देखकर लगा मानो इस इतिहास के किसी बहुत पुराने युग में पहुंच गये हों। पत्थरों का मन्दिर। अजीब-सी विशालकाय तुरही से स्वागत करते बाजगी। लकड़ी के दुमंजिले मकानों के झरोखों से झांकते बाबा यागा (रूसी परी कथाओं का एक डरावना पात्र) जैसे चेहरे, जिन पर हम लोगों के प्रति गहन सन्देह का भाव था।

छतों से लटके भुट्टे रात के समय मरे बकरों की टांगों जैसे नजर आ रहे थे।

2

अगले दिन लाखामण्डल के पास के हरिजन गांव धौरा में मेला था। 'मेला' शब्द से जुड़ी गहमागहमी—आदमियों व बैलूनों की भीड़—नदारद थी। यहां नृत्य देखे। पोशाकें व सुन्दरता देखकर मैं अभिभूत हो गयी।

पहले यहां देवी के सामने भैंसे की बलि चढ़ाई जाती थी। अब पिछले दो सालों से यह प्रथा समाप्त कर दी गई थी। हलुए का प्रसाद बांटा गया। भैंसे की बलि को प्रतीकात्मक रूप दे दिया गया है—एक नारियल को सिंदूर रंगी तलवार से काटकर।

लौटकर हम नोचे जमुना किनारे कैम्प में आते थे। कैम्प जीवन का भी पहली बार अनुभव मिला। लड़कियों व लड़कों की company अच्छी थी। यहां हमारा मुकाम सात दिन का था। कौशल जी ने शांतिप्रसाद तथा गांव के अन्य लोगों से मेरा परिचय कराया—यह यहां रिसर्च करने आयेगी।

अगली बार मैं मार्च 1976 में गई। श्री शांतिप्रसाद प्रौढ़ शिक्षा के किसी सेमिनार में भाग लेने देहरादून आये थे। मैं उन्हीं के साथ लाखामण्डल गई।

रास्ते में मैं बहुत डर रही थी। सुबह कुछ खाया नहीं था। रास्ते में भी कुछ नहीं खाया। कुआ गांव पहुंचते-पहुंचते हिम्मतपस्त हो गयी थी। सामान खच्चर द्वारा पहुंचाया गया। सांझ होते-होते हम ऊपर गांव पहुंचे। दो दिन तक ऐसा लगता रहा, मानो मैं किसी जेल में आ गयी थी। न तो कोई परिचित चेहरा, न परिचित वातावरण। चारों ओर के पेड़ जेल की दीवारों जैसे लगते थे। हवा में एक अजीब गंध आती थी, कोई भी आदमी विश्वसनीय नहीं लगता था।

दो दिन शांतिप्रसाद के यहां खाना खाया—जो खाया नहीं गया।

3

तीन चार दिन के बाद ही मैं इस माहौल के अनुकूल बन पायी। सुबह-सुबह आंख बच्चों के गीतों से खुलती थी। 'बिस्सू' शुरू होने वाला था न! 'बिस्सू' से पन्द्रह दिन पहले बच्चे जंगली फूलों से गोगा पूजने लगते हैं। गोगा क्या है? पूछने पर मालूम हुआ—गोगा एक पीर था। नीचे शिव मन्दिर के पास एक स्थान पर कुछ पत्थरों की छोटी-सी इमारत बना दी गई थी। बच्चे सुबह होते ही बांसोई, बुरांस अथवा चुन के फूल लेकर वहां पहुंच जाते। फूल रखकर वे गीत गाते :

गोगा री फूलां वाली पूजा लो।
चुनू रे फूलां वाली पूजा लो।।

वापस आकर अपनी फली या टहनी अपने माता-पिता के सिर पर या कानों में खोंस देते अथवा मकान की छत पर रख देते। यह सुबह का शुभारंभ होता।

बिस्सू से तीन दिन पहले सुबह चार बजे बच्चों द्वारा ढोल व नगाड़ों की आवाज के गोगा 'तोड़ा' जाता है--अर्थात उन पत्थरों को वहां से हटाकर कहीं छिपा दिया जाता है। इसका महत्व एक बूढ़े से पूछने पर ज्ञात हुआ—गोगा पूजा कातिक में लगती है। यह फूलों का मौसम होता है। धरती फूलों से भरी रहती है। अगला महीना फागुन होता है। अब फूल मिट्टी में मिल जाने चाहिए, तभी तो फल आयेंगे।

इसीलिए गोगा तोड़ दिया जाता है बिस्सू का त्योहार वहां सबसे बड़ा त्योहार है। घरों की सफाई, कमेडे व लाल मिट्टी द्वारा घरों को पोतना व सजाना शुरू हो गया। गेहूं की फसल खड़ी है। बिस्सू के बाद गेहूं काटा जाएगा।

बिस्सू से तीन दिन पहले संक्रान्ति होती है यानी महीने की शुरुआत। इस दिन चावल के पापड़ यानी सांकुड़ियां बनाई जाती हैं। फिर उलवा व असका, अगले दिन मीट या शिकार। तब ध्वाणियां भी आती हैं। लाखामण्डल गांव में आस-पास के गांव के सब लोग जमा होते हैं। शिव मन्दिर के सामने ढोल-नगाडों व तुरही की आवाज के साथ नृत्य व गीत होते हैं। प्रत्येक गांव के अपने खास नृत्य हैं। लखड़ी गांव की दो सुन्दर लड़कियों की बहुत चर्चा थी। उस गांव का नृत्य भी बहुत सुन्दर था। ग्राम सभा के प्रधान अतरसिंह हैं। लड़कियां थैलियों में या जेबों में चिवड़ा भरे होती हैं। लोग शराब पीकर मस्त होते हैं।

शाम तक लोग अपने-अपने गांव वापस चले जाते हैं। कुछ रिश्तेदारों के यहां टिक जाते हैं। रात को लाखामण्डल की लड़कियां नाचती हैं। किसी रोशनी की जरूरत नहीं होती। टार्च का प्रकाश फेंकना ठीक नहीं समझा जाता। बिस्सू के अगले दिन मैं लौट आई।

फिर छः दिन बाद पहुंची।

4

अब गेहूं की कटाई शुरू हो गई थी। लोग फिर से व्यस्त हो गए थे। अब तक मेरी भी गांव वालों के साथ जान-पहचान हो गई थी।

मैं भटार, मोठी, लावड़ी, कांडोई, गाता, गुठाइ इत्यादि गांवों में चढ़ी थी। चढ़ाई बहुत अधिक थी।

एक बार मैं लावड़ी गांव जा रही थी। मेरे साथ उसी गांव के एक सज्जन थे। मैं धीरे-धीरे व रुक-रुककर चल रही थी। वह बोले, "बछड़ा जब छोटा होता है तो खड़ा नहीं रह पाता, चलना शुरू करता है तो बार-बार गिर जाता है। लेकिन धीरे-धीरे अभ्यास के बाद वह डांडो (पहाड़ की ऊपर चोटी) पर भागता है। आप भी अभी अभ्यास न करने के कारण नहीं चल पाती हैं। बाद में आप भी भागने लगेंगी।"

एक दिन मैं धान कूटने में मदद कर रही थी। वहां के बाजगी ढोल बजाते आये व मेरे पास आकर खूब जोर से ढोल बजाने लगे। कुछ काम करने पर शांति प्रसाद की मां भी 'शाबास शाबास' कहकर उत्साह बढ़ाती थीं।

एक ब्राह्मण केदराम था, गुरुबक्श का मित्र। वह मुझे 'दादी' कहता था। 'दादी' वहां बड़ी बहन को कहते हैं। उसकी बड़ी बहन नारायणी बहुत सुन्दर थी। सामने कुआ गांव में रहती थी।

पोस्टमास्टर शाहजी टिहरी के थे। वह सुनार थे, अब ब्याह करके यहीं बस गये थे। उनको ज्ञान बहुत था। उनसे बातें करना बहुत अच्छा लगता था। लाखामण्डल जैनसार के अन्य गांवों से भिन्न था। लाखामण्डल के लोग गढ़वाल के सम्पर्क में आकर अधिक माडर्न हो चुके थे। वे हमारी भाषा समझते थे व हम यात्री शहरी या मैदानों के लोग उन्हें इतने अजनबी नजर नहीं आते थे। अन्य गांवों की बात भिन्न थी।

केदराम के साथ मैं बाद में ऊपर के अन्य गांवों में गई। मोठी गांव में वातावरण उत्साहवर्धक नहीं मिला। हमारे 'डैटाकलैक्शन' में भी उस गांव से लोगों ने कोई रुचि नहीं दिखाई।

लावड़ी गांव के प्रधान के पिता ने मुझे झाड़ा। वह कहते, "देवीजी, इस काम का क्या फैदा (फायदा) है। आप हमें समझाओ। आपको तो आगे नौकरी मिलेगी। अफसर बनोगे। किताबें लिखोगे। हमारा क्या फैदा होगा? यहां बड़े-बड़े लोग आते हैं। पूछताछ करके चले जाते हैं। पर हम तो वैसे ही वैसे हैं। इस प्रकार वह उकसाते। पर भीतर से स्वभाव के अच्छे थे। उनकी आवाज भालू जैसी थी। डील-डौल भी ऐसा ही था। वह अपने पोते-पोतियों से घिरे रहते थे।

5

यहां स्त्रियां अधिक चुस्त व फुर्तीली थीं। मैं जितना ही अन्दर के गांवों से गयी, मैंने लोगों को उतना ही अधिक आज की सभ्यता से अछूता पाया। वे बिल्कुल बाहर की बातों से कटे हुए, अपने में ही मस्त थे।

लावड़ी के प्रधान की लड़की चौदह साल की थी। पिछले साल उसकी शादी हो चुकी थी। उसकी ननद का पत्र आया था। उसने मुझसे पढ़वाया और कहा, "आप जवाब लिख दो।" मैंने पूछा—"क्या लिखूं?" बोली, "आप तो पढ़े-लिखे हो, जैसे चिट्ठी लिखते हैं, वैसे लिख दो। आप तो सब जानते हो।" मेरी समझ में न आया कि क्या लिखूं। बोली, "अच्छा मां से पूछकर आती हूं।" खिड़की से कूद कर बाहर गई। थोड़ी देर में उसकी तीन मांएं धड़धड़ातीं हुई अन्दर आईं। उन्होंने भी कहा, "बहन जी आप तो बहुत पढ़े-लिखे हो। हम तो अनपढ़ हैं। आप तो सब जानते हो। ठीक-ठीक चिट्ठी लिख दो।" यह 'पढ़े-लिखे' होना उस समय मुझे एक मुसीबत लग रहा था। मैंने जैसे-तैसे कुछ लिखा। अब लड़की का चाचा आया। कुर्सी पर टांगें रखकर उकड़ूं बैठ गया। बोला, "सुनाओ, क्या लिखा है।" मैंने सुनाया। वह उसे शुष्क-सा लगा। बोला, "ऐसे लिखो जी—मैं तो हमेशा आपके (ननद के) बारे में सोचती रहती हूं तथा ईश्वर से कहती हूं आप मेरी आंखों के सामने हमेशा रहें और जब भी मैं आपके बारे में सोचती हूं मेरे दिल में एक 'खुद' (याद-क.) सी उठकर रह जाती है।" वगैरा-वगैरा। खैर पत्र को इस प्रकार लिख दिया तथा उनके कहने से अन्त में यह शेर भी—

फूल खिले, गुलशन खिले
और खिले गुलदस्ते,
खत पाने वाले को
पहुंचे मेरी नमस्ते

उसकी ननद ने लिखा था—

'आम पके अमरूद पके
और पके···(आगे याद नहीं')

जब कभी लाखामण्डल में मैं पानी के 'कंटे' (घड़े) में लाती तो लोग बड़े गौर से देखते। अपनी भाषा में कतराती या कला की मां से पूछते, "किस गांव की ध्याणी (बेटी-स.) है ये।" वे कहतीं लाखामण्डल की हैं।

यह बात मैंने यहीं सीखी कि लोग आपको तभी अपनाते और आपसे तभी खुलते हैं जब आप उन्हीं में से एक बन जायें, उनकी संस्कृति को आत्मसात कर लें। और यह काम सचमुच कठिन होता है।

6

भटार के मंदिर में सिक्के जड़े थे बहुत पुराने। सिक्के काले पड़ गये थे।

लाखामण्डल तो एक ऐतिहासिक स्थल है। कुछ लोग कहते हैं—लाखामण्डल

नाम इसलिए पड़ा क्योंकि यहां लाक्षागृह था, जहां कौरवों-पांडवों के बीच जुआ खेला गया था। कुछ दूसरे कहते हैं कि यहां एक लाख मूर्तियां खुदाई से निकली हैं, इसलिए नाम लाखामण्डल है।

यहां पुरातत्व विभाग का एक संग्रहालय भी है जिसमें गुप्तकालीन मूर्तियां देखीं। इन पर बौद्ध धर्म की छाप है।

अहाते में भी पत्थर की दो मूर्तियां थीं। ये अन्दर से खोखली थीं और बजाने पर लोहे के बजने जैसी आवाज करती थीं।

लोग बताते थे कि सामने पहाड़ में एक बहुत गहरी सुरंग है। मैं उसे देखने नहीं जा सकी।

लाखामण्डल में चूल्हे खूब बड़े होते हैं। एक चूल्हे पर तीन डेगचियां रखी जा सकती हैं। इन्हें गोंत (गाय के मूत्र) से पोता जाता है, इसलिए ये काले होते हैं। स्त्रियां सिर धोने में भी गोंत को इस्तेमाल करती हैं।

टिमरू की ताजी टहनी या अखरोट की छाल दांत साफ करने के लिये प्रयोग में लायी जाती है।

स्त्रियां अधिकतर रात को पानी गरम करके नहाती हैं। कपड़े धोने के लिये राख से जौ या झंगोरे की भूसी व बकरे की टट्टी मिलाकर इस्तेमाल करती हैं। इन चीजों को पानी में उबालते हैं फिर किसी छेददार बर्तन में उंडेलकर पानी निथारती हैं। यह निथरा पानी कपड़े धोने के काम में लाती हैं। यह प्रथा बाद में जौनपुर में भी देखने को मिली।

यहां भांग भी होती है। अखरोट तथा चुलू भी खूब होते हैं। चूलू आंवले जैसा होता है। पकने पर पीला व मीठा हो जाता है। इसके अन्दर बादाम जैसा बीज होता है, जिसका तेल निकाला जाता है चुलू को सुखाकर अचार भी बनाया जाता है।

एक दूसरा उपयोगी पेड़ विमल का होता है। इसकी पत्तियां बकरियों को खिलाई जाती हैं। नदी किनारे जोहड़ बनाकर इसकी टहनियों को करीब एक महीने के लिए पानी में डाल दिया जाता है। मुलायम होने पर छाल उतारकर उसकी रस्सी बनाई जाती हैं। अन्दर की सफेद छड़ी बहुत अच्छी जलती है। कहीं-कहीं तो यह टिबरी का काम लेने तक को जलाई जाती है।

7

जौनसार व जौनपुर की स्त्रियों का पहनावा एक-सा है। कानों में स्त्रियां बड़े-बड़े गहने पहनती हैं जिन्हें 'लावी' या तंगल कहा जाता है। नाक में स्त्रियां 'फूली' पहनती हैं। पुरोला तथा गढ़वाल की स्त्रियां कानों में ढेर-से छोटे-छोटे कुंडल भी

पहनती हैं। गले में 'कंठीं' पहनी जाती है।

वहां बैठने के लिए बकरे की खाल का खलड़ा होता है। जैसे मृगछाला। खलड़ा के थैले भी बनाए जाते हैं जिनमें अनाज रखते हैं।

ओढ़ने के लिए भेड़ की ऊन की 'पंखी' इस्तेमाल की जाती है।

यह बहुत मुलायम व गर्म होती है। पूछने पर मालूम हुआ कि यह बिकती नहीं है।

बैठने के लिए ऊन की 'कोंठ' भी होती है।

जौनपुर में चाय का प्रयोग होना देखा नहीं था लेकिन जौनपुर में चाय पी जाती है। वहां मुर्गी पालन भी है, पर जौनसार में मुर्गियां पालते किसी को नहीं देखा। सिर्फ लाखामण्डल के म्यूजियम के चौकीदार सियाराम के पास दो मुर्गियां थीं।

जो गांव अधिक ऊंचाई पर हैं वहां ठंड बहुत होती है। वहां भेड़ें पाली जाती हैं। कम ऊंचाई के गांवों में बकरियां ही पाली जाती हैं। जैसे लाखामण्डल में बकरियां थीं पर मोठी इत्यादि में भेड़ें भी थीं।

गांव के आगे नीचे नदी या खड्ड (गड्ड) तक जाते हुए सीढ़ीनुमा खेत होते हैं। खेतों के पास एक छोटी झोंपड़ी होती है जिसे 'छाती' कहा जाता है। लोग फसल की कटाई इत्यादि के समय वहीं रुक जाते हैं।

प्रायः घर का एक भाई जो गाय-गोक संभालता है तथा छाती में रहता उसे 'छाती वाला बाप' या 'छाती वाला बाबा' कहते हैं।

पुरौला यात्रा

कादम्बरी शर्मा

पहली बार पुरोला में फील्ड वर्क के पहले क्रम के दौरान गयी थी। उस समय मैं लाखामंडल में थी। मेरे पास कुकरेती जी के दो पत्रों—एक उनियाल व एक जोशी के लिए—के अलावा पुरोला के विषय में कोई भी जानकारी नहीं थी। इसलिए मैंने निश्चय किया कि मैं लाखामंडल के शान्तिप्रसाद के साथ एक बार पुरोला जाकर देख आऊंगी। वहां अपने रहने इत्यादि की व्यवस्था करके आऊंगी, फिर दुबारा जाऊंगी।

मैंने शान्तिप्रसाद से कहा। संभवतः 11 मई थी। हम लाखामंडल से कुआ आए। वहां पर बस का इन्तजार था।

बस नहीं मिली : फिर हम एक ट्रक में बैठकर नौगांव तक आये। वहां पर करतारी ने बताया था कि उसकी मौसी रहती है। हम उसकी दूकान में गये। मैं नीचे गयी तो उन्होंने मुझे खाना खिलाया। मक्की की रोटियां तथा चने की दाल।

पुरोला के लिए बस आ गयी थी। उसमें बैठकर हम करीब तीन बजे पुरोला पहुंचे। बस जहां रुकी, वह एक छोटा सा बाजार था। यहां यह देखकर बहुत ढारस बंधा कि पहाड़ उतने ऊंचे व भयावह नहीं थे। पहाड़ों पर चीड़ के पेड़ थे। यह बात जौनसार से फर्क थी। मैंने मन ही मन अनुमान लगाया—यहां फील्ड वर्क करना आसान रहेगा। उतनी भयावह चढ़ाइयां नहीं चढ़नी पड़ेंगी।

एक बात और। जौनसार (लाखामंडल) के लोग कहते थे—पुरोला बहुत पिछड़ा इलाका है, लोग वहां गन्दे रहते हैं, वहां गन्दगी, बीमारियां तथा गरीबी अधिक है। पुरोला में रहने पर वहां के लोग कहते थे—पुरोला सबसे अच्छा इलाका है, यहां कहीं आओ-जाओ कोई डर नहीं है। जौनपुर के लोग कहते थे—बहनजी, लाखामंडल में तो लोग पीते बहुत हैं; जौनासार अच्छा है।

हम बस से उतरे। शान्तिप्रसाद अपने एक परिचित की दुकान में ले गये। उन्होंने कहा—हां, रहने को कमरा मिल जायेगा, आप चिन्ता न करें, खाना

होटल में खा लेना। तब मैंने उनियाल के बारे में पूछा। कुकरेतीजी ने बताया था कि उनियाल को हमने किताबों की एजेंसी दिलवायी थी, मालूम नहीं वे वहां हैं या नहीं।

किसी ने बताया, एक दुकान उनियाल की सब्जी की है। हमने कहा—चलो देख लेते हैं, वही उनियाल हैं या कोई और।

हम गये। पूछने पर मालूम हुआ वही उनियाल है। उनियाल को मैंने पत्र दिखा दिया। मैंने उनसे जोशी के बारे में भीं पूछा। वे वहां कचहरी में एडवोकेट हैं। शायद वहीं घूम रहे थे। उनियाल ने उन्हें बुलाया व परिचय दिया। सज्जन आदमी थे। बोले—मैं अपने घर में कमरा दिलवा दूंगा।

तब उनियाल ने कहा—मेरी यहां ताईजी हैं वे मिडवाइफ रह चुकी हैं। इसी साल रिटायर हुई हैं। वे व उनकी पुत्री रहते हैं। आप उनके साथ जाना। मुझे ठीक जान पड़ा। मैंने कहा—मैं करीब एक हफ्ते बाद सामान सहित आऊंगी।

फिर हम पुरोला से वापस नौगांव तक आये।

अब हमें नौगांव से लाखामंडल तक बस नहीं मिली। उस दिन कुछ चैंकिंग वगैरह हो रही थी। रात को मैं फिर करतारी की मौसी के यहां रुकी। शान्तिप्रसाद किसी ट्रक द्वारा वापस चले गये। सुबह नहाकर बस से मैं भी ग्यारह बजे तक लाखामंडल पहुंच गयी।

अगले दिन मुझे गाता व कांडोई गांवों में जाना था। जाना केदराम के साथ था। वह नहीं आया। दुकान में आता था तो बोलता नहीं था। करतारी व शान्ति की बहन साबी ने उससे कुछ कह दिया था। वह गुस्सा था। शायद उन्होंने केदराम से कहा था—जब तुझे बोलना नहीं आता, तो क्यों बोलता है। करतारी ने अपना किसी बात का गुस्सा उस पर उतारा था।

मैंने केदू (केदराम) को बुलाकर पूछा : "क्या बात है। अगर मैं बुरा मानूंगी तो क्या तुमसे खुद नहीं कह सकती। तुम दूसरों की कही बात क्यों मानते हो।" साबी को बुलाकर भी बात साफ कर दी। केदू की गलतफहमी दूर हो गयी।

अगले दिन हम गाता गांव गये। उस समय तक मैंने पीने-पिलाने के दृश्य अधिक नहीं देखे थे। मैं इस बात से घबराती थी।

केदराम गाता में एक बाजगी के घर बैठा था। उस बाजगी ने उसे शराब पिलायी। मैं डर गयी। मैंने सोचा अब कांडोई कैसे जा सकेंगे। गाता में खाना मैंने चुपचाप खाया।

खाने के बाद केदू से कहा—चलो लाखामंडल वापस चलते हैं। वह बोला—बात क्या हुई है? कांडोई नहीं जाना है? आप नाराज क्यों हैं?

मैं कुछ नहीं बोली। हम कांडोई गये। रास्ता बहुत चढ़ाई का था। एक पहाड़ पर तो कोई रास्ता भी नहीं था। मैं बड़ी मुश्किल से घास पकड़-पकड़कर चढ़ सकी।

नैनबाग और टटोर में

कादम्बरी शर्मा

पुरोला में अपना काम पूरा करने के बाद मुझे नैनबाग (टिहरी गढ़वाल) में काम करना था।

यहां पर काम करने का अनुभव कुछ भिन्न प्रकार का था। कारण यह कि इस इलाके के बारे में मेरी कोई जानकारी नहीं थी।

प्रोजेक्ट लेते समय डाम्टा नामक गांव चुना था जो मेरे उस समय के गाइड ने सुझाया था। उनका देहरादून से अब ट्रांसफर हो चुका था।

डाम्टा के बारे में मालूम हुआ कि यह गांव तो जिला उत्तरकाशी में आता है।

पुरोला में ही मैंने कुछ लोगों से पूछकर नैनबाग चुना, जो टिहरी व उत्तरकाशी की सीमा पर स्थित था।

यहां पर काम करने के लिए मेरे पास न तो किसी का परिचय पत्र था और न ही कोई अन्य जानकारी। नैनबाग के विषय में सिर्फ इतना याद था कि देहरादून से बड़कोट रूट पर एक जगह तख्ती पर मैंने नैनबाग लिखा देखा था।

मैं 7 नवम्बर की सुबह पुरोला से बस में चढ़ी। मेरा सामान उस बस में गजानन्द इन्जीनियर व प्रमिला ने लदवा दिया था।

नैनबाग में बस रुकी। मैंने बाल्टी उतार ली व खुद उतरी ही थी कि बस चल पड़ी।

मैं चिल्लाई : "रोको, रोको। ऊपर से सामान उतारना है।"

एक आदमी ऊपर चढ़ा और सामान ऊपर से नीचे लटकाया। कोई संभालने वाला था नहीं। दूसरा संदूक भारी था। मेरे हाथों से वह फिसला। तभी सड़क पर खड़े किसी लड़के ने पकड़वा दिया।

अब मैं सामान सहित सड़क के किनारे खड़ी थी।

सामने एक औरत दिखी। मैं उसके पास गयी। मैंने सुना था कि नैनबाग में एक चिकित्सालय है। मैंने पूछा : 'चिकित्सालय कहां है ?" वह औरत मुझे चिकित्सालय के दरवाजे पर छोड़ आयी। अन्दर एक कंपाउंडर व अन्य एक आदमी बैठा था। मैंने उन्हें अपने विषय में बताया और कहा कि रहने के लिए जगह चाहिए। वह बोला : "हमारे पास जगह तो बहुत कम है। आप यहां की नर्स या मिडवाइफ से मिल लें।"

पास ही वहां का मेहतर राजू खड़ा था। पता लगा कि मिडवाइफ शर्मा तो बाहर टूर पर गयी हैं। मैं व राजू नर्स से मिलने गये। मेरा सामान, जो सड़क पर था, उठाकर जरा किनारे एक पेड़ के नीचे रख दिया गया। पहले हम मिडवाइफ के घर गये। वहां दरवाजे पर ताला था दरवाजे पर चाक से कुछ उलटे-सीधे शब्द लिखे थे।

रूखा उत्तर

फिर हम नर्स के पास गये। वह एक मद्रासी लड़की थी। उसने बड़े ही रूखेपन से कहा : 'कहिए ?'

मैंने किसी तरह से बात शुरू की व बताया मैं किसलिए आयी हूं। यह भी कहा कि रुकने के लिए जगह चाहिए।

वह बोली : "मैं तो कल-परसों बाहर जा रही हूं, इसलिए मैं आपकी कोई मदद नहीं कर सकती।"

अब क्या करते। हम लौट कर फिर उसी पेड़ के नीचे आ गये!

मैंने अब मेहतर राजू से पूछा : "क्या यहां कोई रेस्ट हाउस हैं ?" राजू ने कहा : "सामने इस इलाके के प्रधान का भाई खड़ा है, उससे पूछते हैं।"

उससे पूछा।

उसने कहा : "एक कमरा है देख लो, हम खोल देंगे।"

वहां एक कमरा खाली था व एक में बीज-निगम का दफ्तर था। उसने कमरा दिखाया। खिड़कियां बड़ी-बड़ी थीं। पर शीशे टूटे थे। प्रधान के भाई ने कहा : "यहां खिड़कियों पर कागज चिपका लेना व खाना होटल से मंगाकर खा लेना। डर कोई नहीं है।" कमरा मुझे ठीक नहीं लगा।

लौटकर मैं फिर उसी पेड़ के नीचे आ गयी।

उस पेड़ के पास एक छोटा-सा दालान बना था, जहां एक बूढ़ी-सी औरत

गेहूं साफ कर रही थी। वह बातें करने लगी। मेरे लिए चारपाई बिछा दी; मैं उस पर बैठ गयी। उसने पूछा : "आप कहां से आयी हैं ? आपके साथ कोई असिस्टेन्ट नहीं है ?" फिर थोड़ी देर बाद बोली, "भूख लगी होगी। रोटी मंगवाऊं होटल से ?"

होटल सामने ही था।

मैंने कहा, "अभी भूख नहीं है।"

मैं परेशान थी। शान्तचित्त होकर सोच रही थी—क्या किया जाय।

शाम तक मैं उसी पेड़ के नीचे अपने सामान को साथ लिये बैठी रही। शाम को वह बूढ़ी औरत (स्वामिनी) बोली, "अन्दर आ जाओ। चाय पी लो।" उसने मुझे चाय पिलायी और कहा कि "किसी से मालूम हुआ है कि प्रधान आज मंसूरी में है। वह आज नहीं आयेगा। तुम आज यहीं रुको। कल जब इन्तजाम हो जाय तो चली जाना।"

स्वामिनी के अपने दो कमरे थे—बाहर छोटा-सा दालान, जिसके पेड़ तले मेरा सामान था। एक कमरे में, आगे की ओर, परचून की दुकान थी। पीछे—बोरों व कनस्तरों के पार्टिशन के पीछे—चारपाइयां पड़ी थीं। दूसरा कमरा भी बोरों व सामान से अटा था। इसी कमरे में एक ओर चूल्हा बना था तथा रसोई के बर्तन वगैरा जमीन पर पड़े थे।

सभी कुछ बड़ा बेतरतीब था। यहीं स्वामी जी व यह स्वामिनीजी रहते थे।

पास ही एक छोटा-सा साफ-सुथरा मन्दिर था। स्वामिनी का अधिकतर समय मन्दिर में बीतता था। यह मन्दिर भी इन्हीं का बनवाया हुआ था। मंसूरी या देहरादून जाकर ये लोग सामान खरीद लाते थे। गांव वालों को बेचकर जो आमदनी होती थी, उससे खर्च चलाते थे। इनके और कोई नहीं था।

दालान में बड़े-बडे, ड्रम पड़े थे, जिनमें गुड़ की राब भरी थी। स्वामी व स्वामिनी अधिक समय हुक्का गुड़गुड़ाते रहते थे।

स्वामिनी को मैंने अपनी परेशानी बतायी। उन्होंने कहा : "हम बद्रीनाथ जाने वाले हैं। आज या कल कभी भी जा सकते हैं। यदि तुम ऊपर प्रधान के पास रुको तो अच्छा रहेगा। गांव में रुकना बेहतर है।" स्वामिनी यह भी कहती थीं—"लोग तो तुम्हें देखकर दांतों तले ऊंगली दबाते होंगे कि कैसे तुम अकेली काम कर रही हो ?" मैं कहती—"हमारे दफ्तर के लोग यहीं पास ही जौनसार इत्यादि में काम कर रहे हैं और वे कभी भी जीप से आकर देख सकते हैं।"

रात तक स्वामी जी भी आ गये। मेरा सामान दुकान वाले कमरे में रख दिया गया। रात को स्वामिनी जब खाना बनाने लगीं, तो मैंने उनकी मदद की। उन्होंने आलू-गोभी की सब्जी बनायी थी जिसका स्वाद मुझे आज भी याद है।

स्वामिनी हड़बड़ाती रहती थी और उन्हें कभी कोई चीज नहीं मिलती थी, तो कभी कोई चीज। कभी वह माचिस ढूंढ़ने को कहती, तो कभी चिमटा। खाना खाकर बर्तन साफ करके उन्होंने अंगीठी पर राजमा चढ़ा दिया—अगले दिन के लिए।

मैं थक गयी थी। उसी रसोईघर वाले कमरे में मैं सो गयी।

अगली सुबह मैंने एक चिट्ठी दफ्तर के लिए लिखी—अपनी स्थिति बताते हुए एक चिट्ठी उस इलाके के B. D. O. को भी लिखी। मिडवाइफ—शर्मा—आज थत्यूण जा रही थी। मैंने उसे वहां देने के लिए B.D.O. वाली चिट्ठी दे दी।

आज मेरी मुलाकात बालवाड़ी स्कूल की टीचर जगदम्बा से हुई। मुझे वह लड़की अच्छी लगी। वह मेरे बारे में बहुत कुछ पूछती रही। तो भी, मदद का उसने कोई आश्वासन नहीं दिया। इशारे से उसने कुछ ऊंचाई पर स्थित अपना मकान दिखाया।

आज स्वामिनी मुझे एक राणा जी के पास भी ले गयीं। इनकी दर्जी की दुकान थी। दीवार पर बड़े-बड़े अक्षरों में 'मोटो' लगे थे, जैसे "शारीरिक शक्ति खत्म हो सकती है, मानसिक शक्ति नहीं।" इत्यादि। इनके भाई ठेकेदार थे। उनका एक कमरा देखने गये, लेकिन उसमें ताला लगा था। कमरा किसी क्रिश्चियन संस्था ने लिया हुआ था। बाद में जगदम्बा व राणा जी दोनों ही बड़े मददगार साबित हुए थे।

स्वामिनी की दालान में आज मैले-कुचैले कपड़े पहने एक आदमी बैठा था। उसने स्वामिनी से कुछ आटा लिया; वहीं दालान में ईटों का चूल्हा बनाकर अपने लिए टिक्कड़ सेके। पूछने पर मालूम हुआ कि वह देहरादून जाना चाहता है, लेकिन शायद किराया न था इसलिए वह नहीं जा सका था। मुझे उसकी स्थिति अपनी जैसी ही लगी।

इस प्रकार यह दूसरा दिन भी नैनबाग में बीत गया।

अगले दिन मैं सुमनक्यारी का पोस्ट आफिस देखने गयी। मेरे साथ एक छोटी लड़की थीं, जो स्वामिनों के यहां ही रहती थी। हम जब लौट रहे थे, तो मंसूरी जाने वाली बस में मैंने स्वामिनी को बैठे देखा। स्वामिनी ने हाथ हिलाया व चिल्लाकर कहा—"मैं मंसूरी जा रही हूं सामान लेने। कल आऊंगी।" वह लड़की भी उचककर बस में चढ़ गयी।

मैं घर आयी तो देखा स्वामी जी कढ़ी जैसी चीज बना रहे थे। मैंने कुछ रोटियां बना दीं। शाम को मैं फिर रेस्ट-हाउस वाला कमरा देखने गयी। यहां

वही आदमी, जो स्वामिनी की दालान में बैठा मिला था, मेरे पीछे-पीछे पानी की बाल्टी व झाड़ू लेकर आ गया।

वह मेरी मदद को बहुत ही उत्सुक था। लेकिन रेस्ट-हाउस में ताला बन्द था। हम लौट आये।

शाम को चाय बनायी। चाय पीकर मैं ऊपर जगदम्बा के यहां गयी। वह वहां थी नहीं। मैंने पास की क्रैफ्ट टीचर को बताया कि रात को मैं वहां रहने आ जाऊंगी।

नीचे लौट आकर मैंने शाम की रोटियां बनायीं।

रात हो गयी थी। वह दूसरा आदमी बाहर पड़ा था व उसने कुछ खाया न था।

स्वामी ने उसे दो रुपए दिए कि होटल से रोटी लेकर खा ले। उसे ओढ़ने को कम्बल भी दिया। रात हो जाने की वजह से मैं ऊपर नहीं गयी।

अगले दिन सुबह मैं पास के स्कूल में गयी। वहां के प्रिंसिपल को मैंने D.M. का पत्र दिखाया। उन्होंने मुझे स्कूल के बच्चों के सामने प्रार्थना सभा में इन्ट्रोड्यूस कर दिया। मैं लौट आयी और खून टेस्ट करने का सामान लेकर फिर स्कूल गई। वहां की प्रयोगशाला में मुझे बैठने के लिए जगह दे दी गई।

मैंने वहुत से बच्चों के खून के 'साम्पल' लिये। दोपहर एक बजे स्कूल से लौट कर आयी, तो देखा स्वामिनी आ गयी थीं। स्वामी जी ने कहा, 'दिन तो अब ढल चुका है। खाना अब शाम को ही बनाना।'' लिहाजा मैं फिर स्कूल लौट गयी। शाम पांच बजे तक, जो 'साम्पल' मैंने सुबह लिये थे, वे टेस्ट किये और रिपोर्ट बना ली।

दोपहर को मेरा सामान दालान में रख दिया गया था। मैंने निश्चय कर लिया कि मैं देहरादून वापस जाऊंगी और किसी को साथ लेकर आऊंगी। हां, वह आदमी आज देहरादून चला गया। सुबह वह 'नमस्ते' कहने आया था। रात को मेरा सामान फिर से अन्दर रख दिया गया।

अब चिन्ता थी कि सामान कहां छोड़कर देहरादून जाऊं।

सुबह पास के दुकानदार से पूछा। उसने कहा, "अपने भाई से पूछकर बताता हूं।" भाई ने कहा, "हमारे यहां तो जगह नहीं है।" एक आदमी ने अपना कमरा खोल दिया और सामान उठवा लिया, तभी किसी ने उससे न जाने क्या कहा कि वह बोला, "नहीं, उधर मत रखो।"

तब सामने के होटल वाले रावत ने कहा : "चलिए, इधर रख दीजिए।"

खैर, वहां सामान रखवाया। सामान की एक लिस्ट तैयार की। रावत के दस्तखत करवाये और आकर देहरादून की बस में बैठ गयी।

बस में सुमनक्यारी स्कूल की एक टीचर मिली। उससे एक दिन पहले ही मुलाकात हुई थी; वह भी देहरादून जा रही थी। रास्ते का समय अच्छा कट गया। मंसूरी में हम उतरे, तो पूरी तरह धूल से अटे थे। चाय पी। उस लड़की के पास जो बिस्कुट थे वे खाये। और, दोपहर 3-30 बजे देहरादून पहुंचे।

इस प्रकार, मैंने एक अनजान स्थान पर अनिश्चितता के वे चार दिन काटे।

नैनसाहब से लौटकर जब घर पहुंची तो क्या देखा? देखा कि यहां भी मेरा सामान आंगन में रखा था।

जी हां, हमारे मकान मालिक कोठियाल अंकल के बड़े लड़के अनिल भाई साहब की शादी होने वाली थी इसलिए घर में पुताई का काम चल रहा था। और अब मेरे कमरे व बरामदे इत्यादि की पुताई हो रही थी। मैंने अंकल को सारी बात बताई। उन्होंने कहा, "अनिल, इसका सामान बाहर चौराहे पर रख दो।" मैंने खाना दो दिन उन्हीं के घर खाया। अगले दिन दफ्तर गई। दफ्तर वालों को मेरा पत्र मिल चुका था। आवाज में मुझे instructions थे कि मैं दुबारा अपने पुराने फील्ड-स्थान, अर्थात् लाखामंडल या पुरोला, लौट जाऊं और बाकी का समय—अर्थात् डेढ़ महीना—वहीं पर बिताऊं।

मैं बहुत ही परेशान थी कि क्या करूं? ऐसे मौके पर कोठियाल अंकल ने न सिर्फ इस बात का आश्वासन दिया कि वह या तो खुद मुझे छोड़ आयेंगे या किसी को मेरे साथ भेजेंगे हालांकि वह बहुत ही व्यस्त थे। उन्होंने यह भी कहा कि मुझे अपना काम बीच में नहीं छोड़ना चाहिए।

कोठियाल अंकल के एक मित्र थे कुकरेती जी। वह मुझे नैनबाग पहुंचा आने के लिए राजी हो गये। इस बीच मैंने एक चक्कर दिल्ली का भी लगाया तथा घर में सब स्थिति बता दी।

कुकरेती जी के साथ फिर मैंने नैनबाग के लिए कूच किया। दोपहर को दो बजे नैनबाग पहुंचे। स्वामिनी से प्रधान का पता पूछा। प्रधानजी स्कूल में एक मीटिंग में बैठे थे। मैं उनसे मिली।

प्रधान, सरदारसिंह जी, एक दुबले-पतले सांवले से सज्जन थे। देखने में बहुत ही साधारण। उन्होंने बताया कि मेरे दो पत्र जो उनके पते पर पहुंचे थे—राणा जी की दुकान में हैं। दोनों पत्र थे।

प्रधान जी से बातचीत बहुत ही कम हुई। उन्होंने मुझसे यह जरूर कहा कि आज शाम को टटोर चलिए। इतना कहकर वह चले गये।

हम राणाजी की दुकान में गये। उन्होंने हमें चाय पिलाई। कुकरेती जी को राणा जी बहुत पसन्द आये।

इसी दुकान में हमारी मुलाकात पटवारी जी से हुई। यह मोटे व काले से सज्जन थे। मैंने उन्हें बताया कि मुझे यहां आसपास के गांवों में काम करना है। उन्होंने एक कागज पर टटोर के आसपास के गांवों के नाम व टटोर से उनकी दूरी लिख दी। साथ ही, अन्दाजे से प्रत्येक गांव के घरों की संख्या भी लिख दी। लिखाई अच्छी थी। यह कागज आगे मेरे काफी काम आया।

शाम साढ़े पांच बजे तक प्रधान का कोई पता न था। कुछ अंधेरा सा होने लगा था। सब सामान होटल में ही छोड़कर सिर्फ एक एयर-बैग लेकर हम टटोर के लिए चल पड़े। चढ़ते समय मुझे लगा कि कहीं यह दूसरा लाखामंडल तो नहीं। चढ़ाई कुछ ज्यादा थी, रास्ता भी कंकरीला था। काफी ऊंचाई पर पहुंचकर गांव के घर नजर आये।

गांव के घर दुमंजिले थे। बाहर से सीमेन्ट के; उन पर सफेद धारियों से सजावट। देखने में यह अच्छा गांव लगा। प्रधान के घर पहुंचकर नीचे बरामदे में बैठ गये।

पहाड़ के अन्य घरों की भांति यहां नीचे का हिस्सा 'ओबरा' कहलाता है, जिसमें कुठार होता है, अर्थात् वहां अनाज इत्यादि रखा जाता है। नीचे के तरफ ही कमरों में बकरियां और मेढ़े बंधे रहते हैं। मुर्गियों के दड़बे भी होते हैं।

अंधेरा होने लगा था। मेरे आस-पास कुछ बच्चे आकर खड़े हो गये थे और हमें देख रहे थे। स्त्रियां लहंगे, कुर्ती, ढांटू में सजी इधर-उधर आ-जा रही थीं। पीछे केले के पेड़ों का झुरमुट था।

आगे चौक में, लकड़ी की टिकटियों पर 'विमल' के पत्तों की टहनियां रस्सी से बांधकर लटका दी गयी थीं, जिन्हें बकरियां खा रही थीं। एक औरत जब इधर से गुजरी तो कुकरेती जी ने गढ़वाली में कहा : "भीतर कह दो मेहमान आये हैं।"

अब तक अंधेरा घिर आया था। एक स्त्री ने कहा—"ऊपर चलिए।"

हम लकड़ी की सीढ़ियों से ऊपर पहुंचे। सीढ़ियां ऊपर की मंजिल के फर्श में खुलती थीं। वहां एक बूढ़ा आदमी हुक्का पी रहा था। सामने लाल मिर्चों(साबुत) का ढेर लगा था। एक ढिबरी जल रही थी।

हम दरी पर बैठ गये। कुछ छोटे-छोटे बच्चे हमें टुकुर-टुकुर देख रहे थे।

वह बूढ़ा व कुछ स्त्रियां हंसिये से मिर्चों की डंडियां तोड़ रहे थे।

कुकरेतीजी ने एक बूढ़ी औरत से गढ़वाली में बात की और मुझे बताया कि वह प्रधान की मां है। थोड़ी देर बाद वह बूढ़ी स्त्री गिलास में चाय लाई। मुझे व कुकरेतीजी को दी। उसने दूसरे बूढ़े को एक पीतल के सकोरे में कुछ दिया। बोली, "आप ठंडी चाय लो।"

वह हंसकर बोले—"हां, मैं तो ठडी चाय पियूंगा।"

बुढ़िया ने कुकरेती जी से कहा—"आप भी ठंडी चाय लो।"

उन्होंने काफी 'नहीं-नहीं' की, लेकिन फिर थोड़ी ले ली।

बाद में मुझे पता लगा कि यह झंगोरे की सूर थी। दोनों बूढ़ी स्त्रियां भी अपने चषक लिए साथ दे रही थीं।

अब कुकरेतीजी व उस बूढ़े में बातचीत शुरू हो गयी। मालूम हुआ कि वह बूढ़ा मिस्त्री है। जौनसार का है और प्रधान ने उसे नल ठीक करने गांव में बुलाया है।

प्रधान की मां ने कहा—"सरदार सिंह (प्रधान) का पता नहीं, ऊपर (टटोर) आयेगा या नहीं। नीचे बिल्डिग बन रही है आज मीटिंग थी। मेहमान आये थे।" इस बीच दो-तीन और स्त्रियां सामने आकर बैठ गयीं।

दो तो बहुत सुन्दर थीं। हम ढिबरी की रोशनी में उन्हें देख रहे थे।

एक आगे बैठती। वह मिर्चें काटती व बातें सुनती। थोड़ी देर बाद वह उठ कर चली जाती, और पीछे वाली आगे आ जाती। इस प्रकार हम उसे ठीक से देख पाते। मुझे लगा कि वे मानो एक-एक करके अपने को आ रही हैं।

वहीं प्रधान की लड़की सुमित्रा भी बैठी थी। वह चौदह वर्ष की थी और आठवीं में पढ़ती थी।

थोड़ी ही देर बाद हमने खाना खाया। भूख तो बहुत जोर से लग रही थी क्योंकि हम सुबह सात बजे देहरादून से चले थे। और हमने कुछ खाया भी नहीं था।

खाने के बाद हम फिर बाहर आ गये। सुमित्रा मुझे अपने साथ अन्दर ले गयी। एक बड़ा कमरा पार करके हम एक छोटे कमरे में पहुंचे। पाठकों को यह बता देना उचित होगा कि यहां कमरे की दीवारें व फर्श सब लकड़ी का था, इसलिए मकान के अन्दर ठंड मालूम नहीं पड़ती थी। इस कमरे में एक बिस्तर था, एक टेबिल थी, रेडियो था। एक बिस्तर नीचे था। सुमित्रा वहां ढिबरी रखकर

किताबें निकालने लगी। वह बोली—"आप सो जाओ मैं तो अभी पढ़ूंगी।"

मैं चारपाई पर सो गयी और सुबह ही मेरी आंख खुली। इस प्रकार टटोर में पहला दिन बीता।

अगले दिन कुकरेती जी व मैं सामान को खच्चरों द्वारा ऊपर पहुंचाने में व्यस्त रहे। जब उन्हें यह संतोष हो गया कि मैं अब ठीक से रह लूंगी तब उन्होंने विदा ली।

टटोर में पहाड़ी दीवाली करीब ही थी। हमारे यहां की दीवाली से यह 15 दिन बाद मनायी जाती है। जौनपुर के इस इलाके में प्रायः हर घर में सूर चुआई जाती है; खासकर त्यौहार के दिनों में तो अवश्य ही। मुझे भी कुछ देखने का मौका मिला। सुमित्रा की मां भी सूर चुआने की तैयारी कर रही थी।

सूर यहां जड़ी-बूटियां व झगोरे (एक प्रकार का अनाज) से बनायी जाती है। जौ का आटा, महुआ, शीरा, पाड़ा, बांसोई, टिमरू तथा कुछ अन्य जड़ी-बूटियों को कूटकर बड़े-बड़े केक जैसे बनाए जाते हैं; गुड़ के बड़े ढेलों के आकार के। इन्हें धूप में सुखा लिया जाता है।

एक बड़े पतीले में पानी खूब खौलाकर उसमें इस 'केक' को तोड़कर डाल देते हैं। साथ ही झगोरे की मोटी-मोटी रोटियों के टुकड़े भी।

अब पतीले के ऊपर 'नाबा' लगाते हैं। यह लकड़ी का बना एक किस्म का Distillation plant होता है—एक खोखला बर्तन जिसमें नीचे एक छेद होता है।

पतीले की भाप छेद द्वारा खोखले में इकट्ठी हो जाती है और ठंडी होकर, एक नली द्वारा, पानी की बूंदों, यानी सूर की बूंदों के रूप में बाहर आती हैं। 'नाव' को पतीले के ऊपर कसकर चिपका दिया जाता है। किनारों से, भाप न निकले, इसलिए आटे का पेस्ट लगाकर एयर-टाइट कर देते हैं।

बूंदों को एक सुराही में इकट्ठा कर लेते हैं। प्रायः यह सुराही सूखी हुई लौकी के बाहरी खोल की, जिसे 'तूम्बी' कहते हैं, होती है।

सूर कैसी बनी है यह जांचने को प्रायः आग में छिड़ककर देखते हैं। एकदम से नीली लपट उठे तो माना जाता है कि सूर अच्छी व तेज है।

झंगोरे के अतिरिक्त शीरे व गुड़ की भी शराब बनायी जाती है। कोई मेहमान आने पर उसे देते हैं। खाना खाने से पहले भी पीते हैं।

सुमित्रा के अनुसार उसके घर में सिर्फ दोनों बूढ़ी स्त्रियां ही सूर पीती थीं। अधिक सूर बनाने का कारण यह था कि प्रधान के घर आसपास के पुरुष मेहमान बहुत आते थे। और, उन्हें तो offer करना आवश्यक था ही।

मेरी नेपाल यात्रा

कादम्बरी शर्मा

मालूम हुआ कि मुझे अपने कार्यालय के काम से नेपाल जाना है।

27 अक्तूबर '85 को सुबह 5 बजे हवाई अड्डे पर पहुंची। साढ़े छः बजे फ्लाइट थी। यह मेरी पहली हवाई यात्रा थी, इसलिए अधिक रोमांच था।

बिना किसी दुर्घटना के हवाई जहाज उड़ा और हमने दिल्ली को 'टा-टा...' किया।

मेरी सीट खिड़की के पास थी। जमीन और इमारत पीछे छूटने लगीं। खिलौने जैसे मकान बडे सुन्दर लग रहे थे। जल्दी ही सब कुछ बादलों के पीछे छिप गया। हमने नाश्ता किया। स्वादिष्ट और गर्म। साढ़े आठ बजे घोषणा सुनाई दी कि मौसम अनुकूल न होने की वजह से जहाज पटना ले जाया जा रहा है। साढ़े आठ से साढ़े नौ बजे तक पटना हवाई अड्डे पर जहाज रुका रहा। पटना से हमारी पहचान पिछले चुनाव के दिनों में हुई थी, इसलिए मन हुआ कि बाहर निकलकर अपने मित्रों से मिल आयें, गंगा के दर्शन कर लें और पटना की सोंधी महक को फिर से मन में बसा लें। लेकिन मन मारकर जहाज में ही बैठे रहे और वेस्टर्नाइज्ड इंडियन म्यूजिक सुनते रहे।

जहाज फिर उड़ा और कुछ ही देर बाद हिमालय की बर्फ ढंकी चोटियों के दर्शन हुए। बादलों के ऊपर निकली सफेद पर्वत-शृंखला वास्तव में अलौकिक थी और मैं उनमें एवरेस्ट पहचानने का प्रयत्न करने लगी। कुछ ही समय बाद घोषणा हुई कि हम काठमाण्डू पहुंचने वाले हैं।

भूरे रंग के पहाड़ों से घिरा एक घाटी में बसा काठमाण्डू पूरा ही जहाज से देखा। ऊंची-नीची सड़कें। शहर के चारों तरफ नदी बागमती का घेरा। और लो, हम पहुंच गये।

जहाज के एक यात्री से पूछा : "क्या आज इण्डियन एम्बैसी खुली होगी ?" उसने कहा : "हां।" तो यहां विचार किया कि पहले वहां जायेंगे।

छोटा-सा एयरपोर्ट। नेपाली कुलियों की भीड़। विदेशी यात्री। कस्टम पर

दो नेपाली महिलाएं। हमारे एक विदेशी यात्री अपाहिज थे। कन्धों पर हाथों की जगह दो छोटे-छोटे ठूंठ थे। नेपाली कस्टम-चेक वाली लड़की सहानुभूतिपूर्वक पूछ रही थी : "क्या जन्म से ही ऐसा है, या किसी दुर्घटना में ऐसा हुआ है?" हां, यह पूरब है। (किसी भी पश्चिमी देश में प्राय: किसी से कोई मतलब नहीं होता!) उसी महिला से मैंने पूछा : "क्या इण्डियन एम्बैसी खुली होगी?" उसने बताया : "नहीं।" तो पूछा, "यहां होटलों के बारे में कैसे मालूम करें?" उसने बताया : "बाहर निकलते ही टूरिस्ट और होटल डिपार्टमेन्ट है।"

खैर, किस तरह होटल पहुंचे, यह बताना बेकार होगा। होटल 'ब्ल्यू डायमंड' घाटी के बिलकुल केन्द्र में है। कमरे में सामान रखा और आराम किया। शाम को एम्बैसी व अन्य जगहों पर फोन मिलाया। अगले दिन एम्बैसी गयी, फिर नेपाल के सूचना विभाग, राष्ट्रीय समाचार समिति, इत्यादि।

काठमाण्डू की सड़कें देहरादून की तरह ही ऊंची-नीची हैं। जगह-जगह नेपाली भाषा में साइनबोर्ड लगे हैं जो कि देवनागरी लिपि में हैं। सड़कों पर टैक्सियां बहुतायत में हैं। कहीं-कहीं रिक्शे भी देखे जा सकते हैं। टैक्सी और कार में फर्क यह है कि टैक्सी की छत पर पीला पेंट रहता है। ज्यादातर टैक्सियां Imported कारों की हैं।

राजा का पैलेस भी, जो हमने बाहर से देखा, विशाल है। एक अन्य ख़ूबसूरत इमारत सिंहदत बार है। इसी इमारत में रेडियो नेपाल का दफ्तर भी है।

29 तारीख को मैं एम्बैसी गयी व वहां एक अधिकारी के साथ नेपाल के मुखपत्र 'राइजिंग नेपाली' और नेपाली में निकलने वाले गोरखा पत्र के सम्पादकों से मिली व बातचीत की। बाद में रेडियो नेपाल के दफ्तर गयी। वहां के चीफ इंजीनियर से मिली। बड़े ही साधारण व मिलनसार व्यक्ति थे—नेपाली जनजाति नेवारी के। उन्होंने मेरा परिचय रेडियो की हिन्दी उद्घोषिका श्रीमती ताम्रकार से कराया। बातचीत में काठमाण्डू देखने की बात हुई और श्रीमती ताम्रकार मुझे अगले दिन काठमाण्डू दिखाने को तैयार हो गयीं।

अगली सुबह 9 बजे रेडियो नेपाल की गाड़ी आ गयी। मैंने भी उनके आने के बाद होटल की पेमेंट कर दिये। check out कर दिया। सामान—एक-मात्र अटैची—वहां रहने दिया। और, काठमाण्डू भ्रमण के लिए निकल पड़े।

पहले हम पशुपतिनाथ के मन्दिर को देखने गये।

बागमती नदी के तट पर यह विशाल मन्दिर पगोडा शैली में बना है। विदेशी या अहिन्दू लोग इसे बाहर से ही देख सकते हैं। अन्दर विशालकाय नन्दी की सुनहरी मूर्ति है। काल भैरव की भी सुनहरी प्रतिमा है। पशुपतिनाथ, यानी शिबजी के दर्शन किये। लेकिन मुझे यह ध्यान ही नहीं आ रहा कि मूर्ति देखी या शिवलिंग। हां, अन्दर पूजा-अर्चना करने वाले पण्डित दक्षिण भारतीय थे।

एक बड़े खंभे पर राजा की सुनहरी प्रतिमा हाथ जोड़े है। एक अन्य जगह पुराने सभी राजाओं व रानियों की मूर्तियां हैं। आखिरी राजा महेन्द्र प्रताप चश्मा लगाये हैं। नये राजा बीरेन्द्र वीर विक्रम की मूर्ति अभी नहीं लगी है।

यहां से हम अन्य स्थान पाटन, यानी ललितपुर, रवाना हुए। यह स्थान, काठमाण्डू से करीब 5 किलोमीटर दूर है। रास्ते में ऐसा लगा, जैसे देहरादून से हरिद्वार का रास्ता हो—हरियाला व घुमावदार।

यहां भी पगोडा शैली के मन्दिर हैं। लकड़ी के खम्भों पर चीनी शैली की नक्काशी है। मन्दिर की छत पर छोटी-छोटी पटियां लगी हैं, जो हवा चलने पर बजने लगती हैं।

एक दूसरे स्थान पर पुराने मल्ल राजाओं का पूजा करने का स्थान था, जहां कुछ समय पहले तक बलि चढ़ायी जाती थी। एक बावड़ी बड़ी सुन्दर बनी थी। कहते हैं, यहां रानियां नहाती थीं। सभी जगहों पर विदेशी यात्रियों की भीड़ थी। फिर हम मंजुश्री देवी के दर्शन करने एक पहाड़ी की चोटी पर पहुंचे। यहां के मन्दिर पर बौद्ध व तिब्बत के—घूमने वाले—घंटे लगे हैं व भगवान बुद्ध की भी मूर्ति है।

कहते हैं कि पहाड़ियों से घिरा काठमाण्डू पहले झील था। देवी मंजुश्री ने इस स्थान पर पहाड़ को काटा था जिससे सारा पानी बाहर निकल गया और फिर काठमाण्डू शहर बसा।

वहां से हम हनुमान धोका नामक स्थान देखने आये। यहां भी बहुत से मंदिर हैं। कुछ मंदिर खास अवसरों पर ही खोले जाते हैं।

वह चबूतरा भी देखा, जहां वर्तमान राजा का राज्याभिषेक हुआ था।

नेपाल के इतिहास में कई तरह के राजा राज्य कर चुके हैं, जिनमें मल्ल वश, नेवार वंश तथा शाह वंश प्रमुख हैं। आजकल शाह वंश का राज है।

सब जगह घूमघाम कर हम 12 बजे तक होटल वापस आ गये। P. T. I. के Corespondent श्री जोशी ने बताया कि वापसी की उड़ान आज शाम को मिल सकती है—अगर मैं सीधी एयरपोर्ट पहुंचकर एयरपोर्ट मैनेजर से मिल लूं।

होटल में एक अन्य सज्जन—हमारे देवर के मित्र—आये। मैं दो दिन से इनके लिए फोन मिला रही थी और यह मिल नहीं रहे थे। उनके साथ मैं एयर-पोर्ट पहुंची। मैनेजर से मिली और बोर्डिंग टिकट लिया।

वापसी में फ्लाइट डेढ़ घंटा लेट थी। वहीं बैठे विदेशी यात्रियों की कारस्तानियां देखती रही। रात सवा नौ बजे जहाज उड़ा। रात में जहाज पर खाना अच्छा नहीं था। सूखी मूंगफलियां, एक स्वीट डिश व एक रोल।

रात साढ़े दस बजे दिल्ली पहुचे। उतरते समय शहर की बत्तियां बड़ी सुन्दर लग रही थीं—छोटी-छोटी चमकीली मालाओं जैसी। एयरपोर्ट से टैक्सी लेकर रात ग्यारह बजे पहुचकर लोगों को चकित किया।

यह थी मेरी नेपाल यात्रा—एकदम अकेले।

मेरी भुरकुण्डा यात्रा व निरालाजी से अंतिम भेंट

रामस्वरूप शर्मा

जीवन में ऐसे कम अवसर आये हैं जब किसी जटिल समस्या का हल तत्काल ढूंढ़ निकाला हो और उतनी ही फुर्ती से उस पर अमल भी शुरू कर दिया हो। अप्रैल 1957 में एक ऐसा ही अवसर आया था।

सहारनपुर की एक फैक्टरी में पोस्टिंग थी। दिन के समय ड्यूटी और सुबह-शाम फुर्सत-ही-फुर्सत। फिर फैक्टरियों में कोई विशेष काम भी नहीं रहता।

उस दिन रात्रि का भोजन कर चुकने के बाद इतमीनान से रेडियो पर ग्वालियर से प्रसारित तानसेन-जयन्ती का कार्यक्रम सुन रहे थे; समय रात्रि साढ़े ग्यारह-बारह के लगभग था। तभी किसी ने दरवाजे पर जोर से दस्तक दी। ऐसे समय में कौन हो सकता है? जिज्ञासा स्वाभाविक थी। बाहर जाकर देखा। तार लिये तारघर का मैसेंजर खड़ा था। अपने ही यहां का तार था। खोलकर देखा। सुदूर भुरकुण्डा से आया था। सौ. प्रेम की तबियत ज्यादा खराब होने का सन्देश था। मानसिक शान्ति काफूर हो गयी। उसका स्थान चिन्ता ने ले लिया।

भुरकुण्डा में हमारे साढ़ू श्री सुरेशजी इण्डो-असाई ग्लास वर्क्स में एक उच्च पद पर कार्यरत थे। प्रेम उनकी पत्नी हैं। भुरकुण्डा का नाम यों तो सुनते थे कि जिला हजारीबाग (बिहार) में एक स्थान है। खतो-किताबत भी होती थी। किन्तु वहां कैसे जाया जा सकता है, क्या रूट है, कितना समय लगेगा, आदि, बातों का कुछ भी ज्ञान न था।

दैवयोग से उस समय हमारी सासुजी भी हमारे साथ सहारनपुर में थीं। तार का मजमून सुनकर वह अत्यधिक व्यग्र हो उठीं। विचार-विमर्श के बाद यह फैसला हुआ कि सासुजी को लेकर हमें वहां जाना है; वह भी शीघ्रातिशीघ्र।

हमें मालूम था कि रात्रि में एक बजे फ्रण्टियर-मेल पूर्व की ओर जाता है। अतः उसी से जाना निश्चय किया। समय वैसे ही बहुत कम था। मुश्किल से एक घण्टा। स्टेशन भी दूर। वहां के लिए सवारी का भी इन्तजाम करना था।

फौरन ही पास के क्वार्टर से विभागीय सिपाही को बुलाया। छुट्टी का

प्रार्थना-पत्र लिखकर उसे आगे देने को कहा और रिक्शा बुलवाया। तानसेन-जयन्ती पर तो दरवाजे की दस्तक के साथ ही पटाक्षेप हो चुका था। इने-गिने दो-चार कपड़े, बेडिंग, अटैची में डाल स्टेशन चल दिये।

गाड़ी आने में अभी आधा घण्टा समय था। किन्तु जब टिकटघर की खिड़की पर भुरकुण्डा का टिकट मांगा तो बाबू ने पूछा : "वह कहां है ?" सब बातें विस्तार से बताने पर भी वह भुरकुण्डा के लिए टिकट बनाने को राजी न हुआ। उसका कहना था, "जितनी देर में आपका टिकट बनाऊँगा, उतनी देर इन तमाम सवारियों को खड़े रहना पड़ेगा और गाड़ी भी छूट जायगी।" कुछ हील-हुज्जत के बाद उसने लखनऊ तक का टिकट बनाया। कहा, "इसे ही सुबह आगे बढ़वा लीजियेगा।" हार कर वही लिया। मेल समय से आया। भीड़ तो वैसे भी मेल में अधिक रहती है किन्तु बैठने भर को जगह हमने बना ली। और, हमारी लम्बी यात्रा शुरू हो गयी।

ऊँघते-जागते सुबह लगभग आठ बजे हम लोग लखनऊ (चारबाग) स्टेशन पहुँचे। सामने ही एक्सटेंशन काउंटर था। किन्तु हतभाग्य ! फिर वही हीला-हवाला : "इसमें तो बड़ी देर लगेगी। सब देखना व हिसाब लगाना पड़ेगा। आप ऐसा करें कि इसे मुगलसराय में आगे के लिए करवा लें, वहाँ आपको गाड़ी भी बदलनी है और फिर आपको समय भी काफी मिलेगा क्योंकि कालका मेल, जिसमें आपको आगे जाना है, काफी देर बाद आता है।" हार कर उसकी भी बात माननी पड़ी। तसल्ली केवल यह थी कि मुगलसराय में इस सबके लिए काफी समय मिलेगा।

फिर गाड़ी में बैठे। एक के बाद एक स्टेशन आते रहे। नदी, तालाब, खेत, खलिहान, पुल, रेलवे क्रासिंग, सभी कुछ। अन्ततः शाम को मुगलसराय आ ही गया। उतरकर पहले चाय पी और फिर टिकट बढ़वाने गये।

इस बार पहले जैसी कोई बाधाएँ नहीं आयीं और भुरकुण्डा के लिए टिकट बढ़ा दिया गया। अब थोड़ी देर में मेल (कालका) सामने आने वाला था और फिर अन्दर घुसने और जगह निकालने की समस्या थी !

खैर, गाड़ी जब आयी तो इधर-उधर भागने के बजाय देखा सामने ही छोटा डिब्बा बिल्कुल खाली है। मेल और खाली डिब्बा ? आश्चर्य ! आइस वेण्डर, मेल या और किसी रेलवे कार्य के लिए सुरक्षित हो सकता है। होगा। जी कड़ा करके घुस गये। इन्तजार करते रहे कि कोई आये। पर कोई आया नहीं।

थोड़ी देर में गाड़ी ने सीटी दे दी। किसी अन्य सवारी के न चढ़ने से, उस पर हमारा एकछत्र राज्य था। दस-पन्द्रह मिनट बैठने के बाद लेट गये। अन्दर की एक बर्थ पर सासुजी और दरवाजे के पास की बर्थ पर हम। अन्दर से चटकनी लगा दी।

कल का रात भर का जागरण और आज दिन भर की यात्रा की थकान। शरीर चूर हो रहा था। लेटते ही नींद आ गयी। सोते रहे—घोड़े बेचकर ही नहीं, सब कुछ बेचकर!

मध्य रात्रि के लगभग अकस्मात् नींद खुल गयी। हड़बड़ाकर उठे। कहां चले जा रहे हैं? कौन-कौन से स्टेशन निकल गये? कौन-सा आने वाला है? कुछ पता नहीं था। और गाड़ी का क्या कहना! अपनी अविराम गति से भागी चली जा रही थी! काफी देर बैठे इन्तजार करते रहे कि कोई स्टेशन आए। पर गाड़ी कहां रुकने वाली!

अर्धरात्रि के पीले-से चांद की धुंधली चांदनी में भागी चली जा रही थी गाड़ी—अनेक वन, उपवन, नदी, नद, प्रान्तर पार करते हुए। खिड़की से बाहर देखने पर उजड़े-उजड़े मैदान और साथ-साथ चलने वाला पीला चन्द्रमा। लग रहा था कि पटना, बिहार, बर्धवान सभी पार कर अब आसाम में चले जा रहे हैं!

राम-राम कर गाड़ी की रफ्तार कम हुई और देखा कि स्टेशन आ गया। यह गोमोह था, जहां से भुरकुण्डा के लिए गाड़ी बदलनी थी। जाने वाली गाड़ी लगी हुई थी और लगभग खाली थी। टिकट पहले से ही था। ब्रह्ममुहूर्त में जाकर उसमें बैठ गये। गाड़ी चली और सुबह करीब नौ बजे हम लोग भुरकुण्डा पहुंच गये।

छोटा-सा स्टेशन। इनी-गिनी सवारियां! कोई कुली भी नहीं। बस्ती दूर। बिस्तरबन्द उठाकर ले जाना सम्भव न था। स्टेशन मास्टर से कहने पर उन्होंने एक लड़का साथ कर दिया।

इण्डो-असाई ग्लास फैक्टरी से कुछ दूर पर रिहायशी आबादी थी। बहुत से क्वार्टर। सुरेशजी के घर का पता लगते देर न लगी। दरवाजा खुला हुआ था। बेझिझक अन्दर चले गये।

पर आश्चर्य! वहां कोई न दिखाई पड़ा। घर बिलकुल सूना। तभी बाहर से दौड़ती प्रेम आयीं—"जीजा आ गये, जीजा आ गये।" कुछ माजरा समझ में न आया। बाद में मालूम हुआ कि सौ. प्रेम की तबीयत पहले ज्यादा खराब हो गयी थी, अब ठीक है। जानकर अकथ शान्ति मिली। सारी यात्रा का दुख-दर्द बिसर गया।

दो-चार दिन भुरकुण्डा रहकर और रांची आदि घूमने के बाद, एक शाम वहां से सहारनपुर के लिए वापस हो लिये। रास्ता जाना-पहचाना हो गया था। टिकट आदि का भी कोई झंझट सामने न था। सौ. प्रेम ने रास्ते के लिए पूड़ियां बना दी थीं। आराम से रेल में बैठकर जमीन व दूर पहाड़ियों की दृश्यावली निहारते हुए चले जा रहे थे।

गोधूलि बेला के बाद, रात्रि ने अपना चरण बढ़ाया। देखते क्या हैं कि अनेक

पहाड़ियों की चोटियों पर अचानक आग जल उठी है। सम्भवत: यह वन-विभाग के द्वारा योजना-युक्त तरीके से लगायी गयी थी। खैर, रात में गोमोह में गाड़ी बदली और सुबह इलाहाबाद पहुंच गये।

स्टेशन से सीधे अपने कार्यालय गये। अनेक मित्रों से मुलाकात हुई और अपराह्न में वहीं सामान छोड़, निरालाजी से मिलने दारागंज चल पड़े।

दारागंज पहुचने पर श्री कमलाशंकर सिंह का मकान, जहां निरालाजी रहते थे, ढूंढ़ने में कोई कठिनाई नहीं हुई। मुख्य सड़क से गली में घुसते ही दाहिनी ओर दरम्याने दर्जे का मकान था। बाहर बराण्डा। मकान में घुसते ही एक छोटा-सा कमरा। निरालाजी आधे लेटे हुए किसी ध्यान में मग्न थे। हमने चरण स्पर्श किया और चुपचाप खड़े हो गये।

उन्होंने गौर से एक क्षण देखा और फिर बोले। "अरे चौबे ! आओ, आओ ! कहां से आ रहे हो ?"...इतना कहकर वह उठ बैठे।

हम कुछ थोड़े से फल साथ में ले गये थे, एक ओर रख दिये।

निरालाजी ने पूछा : "क्या कर रहे हो ?" मैंने बताया कि सेण्ट्रल एक्साइज विभाग में हूं और आजकल सहारनपुर में पोस्टिंग है। एक्साइज का नाम सुनते ही बोले : "अरे एक्साइज में हो तो तुम्हें बोतल-ब़ोतल लानी चाहिए थी। यह फल-वल की क्या तुक ?" मैं क्या कहता। पहले दफे मेरे सामने उन्होंने इसका नाम लिया था। सुनते जरूर रहे किन्तु कभी उन्हें पीते देखा न था। इस ओर अपने आने का प्रयोजन बताया। उन्होंने लखनऊ के हाल-चाल और परिचितों के क्षेम-कुशल पूछे। इसके बाद उन्होंने तमाखू बनायी और साहित्य पर बातचीत शुरू कर दी थी। बातचीत न कहना चाहिए क्योंकि बात करने वाले वह स्वयं ही थे, हम तो श्रोता भर थे।

कहने लगे : "हमको जो काम करना था, कर लिया। अब नई पीढ़ी की बारी है और उन्हें कमर कसकर जुट जाना चाहिए। इसके लिए त्याग करना पड़ेगा और जो इसको ध्यान में रखेंगे उन्हीं से हम कुछ उम्मीद कर सकते हैं।"

यकायक उन्होंने एक सवाल दाग दिया, "ह्वाट इज योर वेट ?" मैं अचकचा गया। सोचा, साहित्य चर्चा में 'वेट' कहां से घुस आया ?

पहले कभी वेट लेते रहते थे, किन्तु अब तो याद भी न था। किंचित संयत होकर मैंने यों ही कहा—"बहत्तर के. जी.।" उन्होंने हुंकारी भरी।

"और डॉक्टर का ?"

अब देखिए, अपना तो याद रखें ही बड़े भाई का भी याद रखें ? एक क्षण कुछ सोचकर मैंने कहा—"अस्सी के. जी.।" बात फिट बैठ गयी। उन्हें तसल्ली हुई। उनके हिसाब से अधिक वजन, अर्थात् अधिक गरिमा।

इसके बाद फिर साहित्य सम्बन्धी बातें करने लगे। पराजित करने के लिए

उन पर कैसे-कैसे हिंस्र पशु छोड़े गये। मान-मर्दन के तरह-तरह के तरीके अपनाये गये। किन्तु वह अन्त तक लड़ते ही रहे। इस सन्दर्भ में गुरु रवीन्द्रनाथ टैगोर, कालिदास आदि, सभी आ गये। निरालाजी की बात यथार्थ से शुरू होकर कल्पना की ओर बढ़ती और जाने-अनजाने उन सब लोगों को, जिनका सन्दर्भ होता, मूर्त रूप में वह सामने देखने लगते। उनको सीधे ही सम्बोधित कर वह अपना आक्रोश प्रकट करते। नतीजा यह कि सन्दर्भ को न जानने वाला, कोई अर्थ न लगा पाने पर, उन्हें विक्षिप्त ठहरा देता। पर यह सही न था।

काफी देर बात हो चुकी थी। और, सामान भी हम दफ्तर में छोड़ आये थे। मैंने जाने की आज्ञा चाही। कहने लगे, "ऐसी क्या जल्दी है ?···आज रहो। कल इतमीनान से खाना-वाना खाकर जाना।" मैंने बताया कि किन हालात में मुझे एकदम बिना छुट्टी लिए सहारनपुर से चल देना पड़ा था और अब मेरा वहां पहुंच जाना आवश्यक था।

सुनकर वह बाहर आने के लिए उठ खड़े हुए। मैंने मना किया, किन्तु माने नहीं। कहने लगे, "चलो, कोल्ड ड्रिंक पी लो।" थोड़ी दूर आगे चलने पर एक पान व ठण्डे पेय की दूकान पड़ी। वहीं रुक गये। उससे एक बोतल खोलने के लिए कहा। स्वयं उन्होंने नहीं पी, पर हमें पिलाकर ही विदा किया।

भरे हृदय से चलना पड़ा। पुरानी अनेक स्मृतियां दिमाग में घूम गयीं। इस समय आनन्द और वियोग दोनों ही यहां थे।

किन्तु यह न मालूम था कि उनसे यह हमारी अन्तिम भेंट होगी।

एक मिनी यात्रा...

भगवानदीन शर्मा

यात्रा तो यात्रा ! चाहे वह स्कूल-कॉलेज-यूनीवर्सिटी की हो अथवा रेल की अथवा जीवन की। सब समान हैं।

मैं यहां एक रेल-यात्रा की बात करूंगा जो मुझे अपने छोटे साले श्री यदुनन्दन शर्मा के साथ उनकी लड़कियों की शादी के सम्बन्ध में करनी पड़ी। हम लोग 26-11-82 को सवेरे रवाना हुए तो पहला धक्का लखनऊ स्टेशन के बुकिंग-काउण्टर पर ही लगा।

यदु ने दो टिकटों के लिए एक नोट दिया, तो बुकिंग क्लर्क ने और पैसों के लिए हाथ बढ़ाया। यदु ने पूछा : "सौ से भी ज्यादा लगेंगे ?" क्लर्क ने 50 का नोट वापस करते हुए कहा : "50 रुपये ही तो हैं।" यदु ने वह नोट लेकर गौर से देखा और दूसरा सौ का नोट देखकर दिया और 30 रुपये तथा दो भोपाल के टिकट लिये। इस हेरा-फेरी ने मेरा भी ध्यान उस तरफ खींचा। उन्होंने बताया कि भिलाई में उन्होंने बैंक से डेढ़ हजार रुपये निकाले थे। "तो यह वही नोट हैं। क्लर्क ने सौ में से 50 का नोट रख दिया। मैं जल्दी में गिनकर ले आया।" हम गाड़ी पर बैठने चल दिये, परन्तु दोनों ही परेशान थे कि गड्डी में न जाने और कितने ऐसे पचास के नोट हों।

सीट पर बैठते ही यदु ने कहा : "सब नोट देख लें।" मैंने कहा : "जरूर।" देखा तो और सब नोट ठीक थे। जान में जान आयी। परन्तु रहस्य कुछ समझ में आया नहीं। इसके आगे बातचीत में एक पड़ोसी यात्री ने बताया कि उसने 36 रुपये में भोपाल तक का टिकट लिया है। यदुनन्दन ने जिद की : "मुझसे 35 रु. लिये हैं।" मैंने बताया, एक बार रिजर्वेशन में एक परिचित बाबू ने मुझे भी दो रुपये कम लौटाये थे।

ऐसे ही हम लोग दूसरे दिन जब सवेरे इन्दौर पहुंचे तो स्टेशन पर उतरते ही यह सोचा गया कि कल के लिए इन्दौर-बिलासपुर एक्सप्रेस में रिजर्वेशन कराते चलें तो ठीक रहेगा। खिड़की तो खुली थी, पर वहां कोई था नहीं। मालूम हुआ

9 बजे काम शुरू होता है। तारीख 28 को हरा लेबिल लटक रहा था। तसल्ली हो गयी। 15-20 मिनट की देर थी, सो हम लोग चाय पीने चले गये। लौटे तो एक नक्शेबाज बाबू के दर्शन हुए। रिजर्वेशन के लिए कहा तो रजिस्टर का एक भरा पन्ना दिखाकर बोले : "कल तो सब फुल है।" मैंने हरे लेबिल की बात कही, तो उत्तर मिला : "वह तो ऐसे ही लटका रह गया।"

तब तक यदु ने कहा : "जरा कोशिश कीजिए। आप हमको एडजस्ट कीजिए हम आपको एडजस्ट करेंगे।" मैं आश्चर्यचकित। मेरे लिए यह भाषा नितान्त नयी थी। पूछने पर मालूम हुआ, किराया 110 रु. है। यदु ने एक सौ का और एक बीस का नोट देते हुए कहा : "यह किराया और दस आपके।" बाबू ने रुपये रख लिये और कहा कि कल सबेरे टिकट ले लीजिएगा। यदु चल दिये। मुझे लगा कि ऐसा चालू आदमी कल एक दिन की छुट्टी लेकर आसानी से 120 रु. हजम कर सकता है। मैंने यह बात यदु से कही, तो वह बोले : "ऐसा नहीं करेगा। देखा जाएगा।" खैर। दिन भर तो हम अपने आवश्यक कार्य में लगे रहे, परन्तु शाम को स्टेशन की तरफ जाना हुआ तो यदु रिजर्वेशन काउंटर पर भी चले गये और टिकट मांगा। बाबू ने टिकट तो बना दिया था और दे भी दिया, परन्तु वह मात्र 105 रुपये का था। मुझे लगा कि बाबू ने एडजस्टमेण्ट सहित 110 रु. बनाये परन्तु यदु ने उदारतावश उसे 10 रुपये और दे दिये—तो उसने भी अपनी उदारतावश 15 रुपये रख लिये। हम लोगों की आंखें तो तब खुलीं, जब दूसरे दिन हमने थ्री-टियर में देखा कि वहां आधी सीटें खाली पड़ी हैं !

यह बाबू जाति ! इसकी क्या तारीफ की जाय और फिर व्यापारी का तो कहना ही क्या !

मेरी आदत है, कहीं जाता हूं तो यादगार के लिए वहां से पेन, बनियान जैसी छोटी-मोटी चीज खरीद लाता हूं। इस बार इन्दौर में भी एक बनियान देखी। दाम ? 5 रुपये। मैंने कहा : "ज्यादा हैं।" "आप क्या देंगे ?" पेश्तर इसके कि मैं कुछ कहूं, स्थानीय साथी ने कहा : "मैं अपने मित्र से सस्ते में दिला दूंगा।" हम लोग चलने को हुए, तो दुकनदार ने कहा : "4॥ रु., 3॥ रुपये।" मैंने सोचा, यादगार तो है ही, बनियान ले ली।

तो भैया, यह है रेल-यात्रा—अथवा जीवन या दुनिया यात्रा—जहां 'यात्रा करना आना' जरूरी है।

समय की बात। इमरजेन्सी काल में अपाहिज, आराम-पसन्द, भारत घबड़ा गया था; पर काम सब समय पर होने लगा था। गाड़ियां समय पर चलने लगी थीं।

समय बदला और अब शायद ही कोई गाड़ी समय पर चलती हो। उस

दिन भी गाड़ी में बैठे-बैठे लगा कि अब तो झांसी में जनता एक्सप्रेस नहीं पकड़ सकेंगे।

झांसी आया तो किसी ने आवाज मारी : "जल्दी करो, पंजाब मेल तैयार खड़ा है।" यात्री सामान उठाकर भागे। गाड़ी दूसरे प्लेटफार्म पर थी। पुल पर होकर जाने में बड़ा समय लगता था, सो लोगों ने, प्लेटफार्म से कूद, सीधी लाइनें फांद, दूसरे प्लेटफार्म पर चढ़ना शुरू किया।

इस दुनिया की दौड़ में कौन पीछे रहना चाहता है ? मजबूरी की बात दूसरी है। हम लोग भी भागे। झट से प्लेटफार्म से कूद लाइनें पार कीं। तब तक इंजन ने सीटी दे दी। मैंने सोचा, यह राष्ट्रमण्डलीय खेलों का तरनताल तो है नहीं कि इंजन जम्प लेगा। मैंने उसे नजदीक से ही पार किया और तब तक यदु ने ऊपर चढ़ मुझे ऊपर खींच लिया। और हम पीछे को भागे—बगल में इंजन-ड्राइवर हरी झण्डी उठाये हुए था। मैंने उसे हाथ से इशारा करते हुए कहा : "जरा एक मिनट तो रुक जाओ।" जल्दी के मारे सभी लोग इंजन से लगे डब्बे में घुस रहे थे।

मैं भी पीछे लग गया। परन्तु समय-बद्धता का अवतार (!) वह ड्राइवर क्यों रुकने लगा ! गाड़ी चल दी। परन्तु उसी समय एक हाथ में अटैची लटकाये मैंने दूसरे हाथ से हैण्डल पकड़ फुटबोर्ड पर पैर रख दिया। मैंने कई बार देखा है, ये लोग ऐसे मौकों पर बड़ी समय-बद्धता दिखाते हैं। लगता है, इनको जनता को परेशान करने में रस मिलता है।

मनुष्य भावनाओं के साम्राज्य में जीवन पार करता है। रात को नींद खुली तो देखा स्टेशन बहुत जगमगा रहा है। मालूम हुआ उज्जैन है।

उतर पड़ा। इधर-उधर देखा। लगा, अरे उज्जैन के ये ठाठ ! पास ही चाय का ठेला खड़ा था। सोचा उज्जैन में प्रथम बार चाय पी थी, अब एक बार फिर पी ली जाय। गाड़ी खड़े हुए देर हो गयी थी। वैसे भी रात थी। ठेले के पास एक सज्जन चाय पी रहे थे। चाय पीते-पीते भावनाओं ने जोर मारा तो मैंने उनसे कहा : "आज मैं 70 बरस बाद इस स्टेशन पर हूं। सन् 1912 में जब मैं छोटा था, तो मेरे पिताजी मुझे कभी-कभी इंजन दिखाने लाया करते थे।" वह महाशय मेरी बातों से इतने भावुक हुए कि मुझे चाय के पैसे भी नहीं देने दिये, स्वयं ही दिये। (मालूम हुआ कि वह सेना में लेफ्टीनेण्ट हैं और मेरठ के रहने वाले गौड़ हैं। उनके पिता सतना में डी. एस. पी. हैं। वह महू जा रहे थे)।

भावनायें ! मैं न जाने क्यों विदिशा में अपना पहला स्कूल देखने को व्यग्र हूं।

शिवपुरी में, कुछ वर्षों पहले की बात है, मैंने रामविलास को अपना स्कूल,

दर्जा व सीट दिखलायी, जहां मैं दर्जे में सर्वश्रेष्ठ तथा अति निकृष्ट विद्यार्थी, दोनों, रह चुका था।

उस कम्बख्त बंगाली मुकर्जी की झिड़की आज भी याद है। उसने यह न सोचा कि इतना अच्छा लड़का इतना खराब कैसे हो गया। वास्तविकता यह थी कि साइंस की बुनियादी बातें मैं समझ तो सब लेता था, पर बता न पाता था। इसी से मुझे बच्चों से हमदर्दी पैदा हुई।

लगता है, 'मालवा' शब्द का कुछ 'मालटाल' से सम्बन्ध है ! तभी तो उज्जैन-इन्दौर स्टेशनों पर जैसी अच्छी चाय मिली, वैसी यात्रा में फिर कहीं नहीं मिली। आश्चर्य हुआ जब यदुनन्दन ने बताया कि मालवा से भिलाई वगैरा को दूध सप्लाई होता है।

मुझे सुन्दर बैलों और घोड़ों से विशेष प्रेम है ! देखे भी बहुत हैं। और, अनेकों याद भी हैं। अभी उस दिन एशियाड का यह गोल्ड मेडल जीतने वाली नादिया का घोड़ा क्या कभी भूलेगा ? तो इन्दौर के बाजार में गाड़ी में जुते वे दो स्वस्थ बैल ! मालवा की मालदार भूमि के प्रतीक ! क्या कभी भुलाये जा सकेंगे वे ?

और इसी के साथ न भूलने वाला एक और दृश्य। गाड़ी पर चल रहे थे। शाम हो गयी थी। स्टेशन आया और चाय की तलाश की। तभी पास बैठे लोगों ने कहा : "अगले स्टेशन पर चाय पीजियेगा। वहां के तिकोने भी मशहूर हैं।"

"चाय के साथ तिकोना !" एक नहीं, दो स्टेशन इन्तजार करेंगे !

खैर, स्टेशन आया। पर सारा प्लेटफार्म निकल आया। न कहीं चाय और न कहीं तिकोना।

जब गाड़ी रुकी तो संयोग से हमारे सामने ही एक ठेले पर चाय और तिकोने दिखे। यदुनन्दन ने तुरन्त ही एक-एक चाय और तिकोना मांग लिया। ठेले वाले का लड़का फौरन दोनों चीजें देकर दो रुपये ले गया : तिकोने की साइज देखकर मैंने कहा 50 पैसे में बुरा नहीं है।" और खाया तो साइज से भी अधिक सन्तोष मिला। चाय पीने के बाद सोचा, एक-एक तिकोना और खाया जाय। पर अब तो वहां न तिकोने थे और न चाय। देखते-देखते ठेला यात्रियों से घिर गया था और कुछ ही क्षणों में डलिया भर तिकोने और एक बड़ी भारी केतली चाय समाप्त हो गयी थी। यात्री निराश लौट रहे थे। शायद इसीलिए वह प्लेटफार्म के सिरे पर ठेला लगाता है कि बीच में दोनों तरफ के रश को कैसे संभालेगा। यह है अच्छे व्यापार का परिणाम। भारतीय इससे क्यों नहीं शिक्षा ग्रहण करते ?

मेरी अच्छे व्यापार की अब भी तमन्ना है। झांसी छोड़कर लखनऊ आने में यह भी एक विचार था। परन्तु सोचने और करने में बड़ा अन्तर होता है !

पिताजी से कटनी मुड़वारा का नाम तो बचपन से ही सुन रखा था। उन्होंने वहां के जंगलों की अपनी आत्मकथा में भी चर्चा की है। परन्तु इस मार्ग से यात्रा करने का मेरा यह पहला मौका था। ऊंची-नीची जमीन। घनघोर जंगल। छोटे-छोटे स्टेशन। यहां की विशेषता यही है।

भेड़ा घाट, मार्वल रौक्स, अमरकंटक तो मार्ग से कुछ हटकर है। गाड़ी भी माशा अल्लाह ढचरा। और वैसी ही उसकी रफ्तार।

डब्बे की दोनों लैट्रीनों में बत्ती नदारद। यदुनन्दन माचिस लाये तो, परन्तु रात को पेशाब लगने पर मैं माचिस जलाने का इन्तजार नहीं कर सकता। सो, रात को डरते-डरते दरवाजे के पास खड़े होकर पेशाब करता रहा।

तभी एक बार नींद खुली तो देखा गाड़ी खड़ी है। सोचा, नीचे उतरकर इत्मीनान से पेशाब कर लिया जाय। गाड़ी खड़ी। सन्नाटा। मैं उतरकर दो डिब्बों के बीच पेशाब करने लगा। तभी गाड़ी धीरे से सरकने लगी। इस अवस्था में हर काम के साथ पेशाब भी धीरे-धीरे उतरता है। मैं 4-5 कदम तो पेशाब करते-करते सरका, परन्तु डर लगा कि गाड़ी तेज न हो जाय इसलिए गेट की तरफ लपका और डब्बे में आ गया। गनीमत हुई कि इस ध्यान बंटने से पेशाब रुक गया, जो मैंने डब्बे में आकर पूरा किया। अब इसे लड़कपन कहा जाय या बुढ़पन।

बहुत दिन हुए, मैंने एक अपने ही नामराशी की मास्को से ब्लादीवोस्तक तक की, शायद एक महीने की, रेल-यात्रा पढ़ी थी। तो मुझे इस यात्रा में वही याद आने लगी। दोपहर लौट चुकी थी। गाड़ी जंगल में एक बहुत ही छोटे स्टेशन पर बड़ी देर से रुकी थी। यदुनन्दन ने उतरकर पता लगाया तो मालूम हुआ आगे माल-गाड़ी का डिरेलमेण्ट हो गया है।

वैसे, इधर डबल-लाइन है। फिर भी जाने क्यों गाड़ी को दूसरी लाइन से पास नहीं किया गया।

मैं भी थककर स्टेशन पर उतरकर टहलने लगा। और टहलता हुआ जब सिरे पर पहुंचा तो बोर्ड पर देखा : "घुनघुटी।" अरे बाप रे। मेरा तो दिमाग ही उड़ने लगा 'घनचुटी !!' जहां पिताजी एक दिन उतरे थे। यहां रहे थे। यहां काम किया था। फिर तो मैंने वहां के कण-कण को, एक-एक पेड़-पत्ते को, निहारना शुरू कर दिया। टहलना भूल गया। और वह सब—उस समय की पिताजी की वेश-भूषा, उनका वह जंगल का वर्णन, उनके खान-पान की, रहन-सहन की कठिनाई दिमाग में चक्कर लगाने लगी। मैं खड़ा हो गया और मंत्रमुग्ध उस तीर्थ के दर्शन करने लगा।

उस रात धनपुरी में अपना काम समाप्त कर, दूसरे दिन दोपहर को हम लोग यदुनन्दन के घर भिलाई पहुंचे। यहां भिलाई वाले अधिकतर बिना प्लेटफार्म के पावर-स्टेशन पर ही उतरते-चढ़ते हैं। समतल भूमि। पर, चौड़ी। साफ-सुथरी।

भीड़ रहित सड़कों वाला भिलाई नगर अपने ढंग का निराला है। साफ हवा-पानी सड़कों के दोनों तरफ पर्याप्त स्थान घेरे हुए क्वार्टर। उनमें क्यारियों की हरियाली मन को मोहती है।

यहां का विस्तृत अस्पताल और उसका इलाज भी प्रसिद्ध है। यहां की गोल मार्केट और विवाह-मण्डप भी न भूलने वाले हैं।

और कभी न भूलने वाला है यहां का 'ज़ू'—चिड़ियाघर—विशेषकर मेरे लिए। मैंने यहां पशु, पक्षी, सभी बहुत स्वस्थ पाये। यहां मैंने देखा, खाना बहुत अधिक मात्रा में मिलता है। जानवर खाना देखकर व्यग्रता नहीं प्रदर्शित करते :

उस गोल चित्ती वाले वाघ (leoparn) का स्वास्थ्य और उसका पारिवारिक जीवन तो अविस्मरणीय रहेगा। और साथ ही वे दो-तीन भेड़िये क्या कभी भुलाये जा सकेंगे? जब हम वहां देख रहे थे, तभी जानवरों को खाना दिया जा रहा था।

मैंने देखा, मांस के साथ उसने दो-तीन बकरी के बहुत छोटे बच्चे भी भेड़िये के लिए कटहरे में फेंके। मेरे मुंह से अनायास निकला : "इतने छोटे बच्चे?" तो यदुनन्दन ने बताया कि यह गाभिन बकरी जो मारी गयी है उसके पेट से निकले बच्चे हैं। यह दृश्य कुछ दयनीय था। परन्तु उन भेड़ियों की छीना-झपटी के तमाशे में यह भूल गया।

मांस अन्दर फेंका जा रहा था, तभी एक शहजोर भेड़िये ने उन टुकड़ों को मुंह में भरना शुरू कर दिया। इतने में दूसरे को आकर भी वह क्रिया करने लगे। तो यह भेड़िया अपने मुंह का खाद्य छोड़ उन पर टूट पड़ा और उनको भगा आया और लौटकर फिर मुंह में भरने लगा। परन्तु वह दूसरे फिर आ गये। यह छीना-झपटी दो-तीन बार हुई, तो वह बड़ा भेड़िया अकेला रह गया और सारा बचा मांस मुंह में भरने लगा। पर मांस इतना अधिक था कि सारा का सारा मुंह में नहीं आ रहा था। वह मुंह खोलकर एक टुकड़ा जमीन से मुंह में भरता, तो दूसरा मुंह से गिर पड़ता। कुछ देर प्रयत्न करने पर वह हताश मुंह में मांस दाबे चुप खड़ा हो गया। उसे सूझ नहीं रहा था कि सारे मांस को वह अपने अड्डे पर कैसे ले जाय। उसे डर था कि वह हटा नहीं कि दूसरे उठा ले जायेंगे।

इस संसार की गति ऐसी ही है। आवश्यकता भर मिल जाने पर उसकी तृप्ति नहीं होती; साथ ही दूसरे का भाग भी हड़पना चाहता है। जियो और जीने दो की भावना रखना सरल नहीं है। परन्तु किसी प्रकार जीते सभी हैं।

इसी 'ज़ू' से लगा हुआ एक उद्यान भी है, जो टाटानगर के पार्क से रोशनी

वगैरा के लिहाज से उतना सुन्दर नहीं है, परन्तु पिकनिक, बच्चों के खेलकूद आदि की दृष्टि से, अति उत्तम है।

मेरी इस यात्रा का अन्त अच्छा नहीं रहा ! सम्पूर्ण यात्रा सुख-सुविधापूर्ण रही, परन्तु लौटते समय अकेले रह गये। हमारी गाड़ी इलाहाबाद बहुत देर से पहुंची। जिस गाड़ी से कनेक्शन मिलना था, वह कभी की जा चुकी थी। रिजर्वेशन भी बन्द हो चुका था लिहाजा टिकट लेकर गाड़ी का इन्तजार करने लगे।

दशहरा वगैरा की छुट्टियां खत्म हो रही थीं, इसलिए काफी भीड़ थी। लोग सुविधा के लिए पीछे को ही सरकते जा रहे थे। यह गाड़ी भी लेट थी।

हम भी पीछे को तीन बार सरके। जब गाड़ी आयी तो वह हम लोगों से बहुत आगे आकर खड़ी हुई। सम्भवत: पीछे सरकने वाले सभी यात्री आगे को भागे, तो पिछले डब्बों में वह भीड़ कि क्या कहा जाय ! हमें लगा कि इस गाड़ी में क्या हम चढ़ भी पायेंगे ? मैंने गुंजाइश न देख, दो डब्बों के चार दरवाजे छोड़े, परन्तु जब पांचवें में भी वही हाल देखा तो सोचा आगे भागना बेकार है। ऐसी ठेलमठेल में कौन घसने देगा। तो उसी दरवाजे के सामने उन देहातियों के बीच हम भी अड़ गये और रेले में ऊपर चले गए।

लोग धीरे-धीरे सरक रहे थे। मौका पाकर हमने लोगों के बीच खिड़की के पास एक खड़े बोरे पर कमर टेक दी। लोग आते रहे और इधर-उधर जगह बनाते रहे। गाड़ी चली और सारी रात ऐसे ही कटी।

सबेरे करीब 8 बजे लखनऊ पहुंचे तब जान में जान आयी। इतना ही नहीं ! इस यात्रा में एक बार डब्बा हिलने से सिर में चोट लगी। एक बार लैट्रीन के दरवाजे में हाथ का अंगूठा दबा लिया। और जिन्दगी में पहली बार पुल पर गिर कर पैण्ट फाड़ लिया, तथा घुटना फोड़ लिया। अन्तिम प्रसाद रूप एक महीने सर्दी, खांसी, बुखार भुगत लिया !

यह है मेरा बुढ़ापा और भारतीय रेल यात्रा ! जै हिन्द !!

हमसफर

स्वाति शर्मा

पिछले दिनों जब मैं बच्चों के साथ, बड़ौदा से भरतपुर तक आयी, तो मुझे भी यात्रा पर लिखने का मसाला मिल गया।

हुआ यह कि मेरे सामने की बर्थ पर रेलवे के एक रिटायर्ड अफसर (उम्र 70 वर्ष) बैठे थे। तभी एक धोती-कुर्ताधारी लालाजी उसी बर्थ पर बैठते हुए बोले : "अजी उठो साब, जे सीट तो हमाई है।" लालाजी भी करीब 75 के होंगे और नींद से भरे लग रहे थे। अब जो दोनों का वार्तालाप हुआ, पढ़िये।

रेलवे वाले बोले, "अजी लालाजी, बैठो। ऐसी क्या बात है नाराजगी की? हमारी बर्थ भी आपके ऊपर वाली है। जरा बैठो। कां से आये हो, कां तलक जाना है?"

लालाजी कुछ नरम पड़े : "अजी साब बम्बई से आ रिया हूं। चंदौसी जाना है। मथरा उतरूंगा।"

सज्जन की आंखों में चमक आयी : "अरे वाह् वाह लाला जी, एक ही जगह के निकल आये। मैं भी चंदौसी का हूं।"

लाला जी शुरू हो गये अपने एक मात्र दो दांत चमकाते हुए और सटकर बैठ गये : "अजी साब क्या जमाने देखे चंदौसी के भी! चौन्नी में तांगे में दूर तलक घूम आवै थे। औ साब तांगे क्या थे! जब चलते तो झनझनाते चलते। और साब आपने कल्लू की जलेबी खाई हौंगी। अरे साब इकन्नी में दौना भर देवे था।" सज्जन की मुंडी स्वीकार की मुद्रा में बराबर हिलती जा रही थी। लालाजी फिर चालू हुए : "तौ साब कल्लू ने अपनी छोरी के ब्या में एक लाख लगा दिया था, पर लड़का पढ़ा-लिखा चावै था। पर आप देखौ साब, कोई सादी को राजी नई। क्यों?—कि अजी साब लोग पूछेंगे 'छोरे का कां पै ब्या किया?' के साब कल्लू हलवाई के!' लोग हंसेंगे। सो साब आखिर एक बनिया केई छोरी देनी पड़ी।"

अब लालाजी को उबासियां आती जा रही थीं। सो वे सज्जन बोले, "अब तौ लाला जी आप हमारेई देश के हो, सो ध्यान रखना पड़ेगा। आप आराम करिये, हम ऊपर लेटते हैं। जरा बर्थ खोलने के लिए आपको कष्ट जरूर देंगे।"

"अजी साब कैसी बात करौ हो! मैं खुलवाऊं।"

खैर साहब, लाला जी भोजन करके लेट गये। अब सारे डिब्बे के लोग लग-

भग सो रहे थे, लालाजी कोई स्टेशन आये लपककर उठ बैठें और बाहर तक झांक कर उदास लौट आयें। जब रात के बारह बजे तक यही क्रम जारी रहा तो ऊपर वाले सज्जन ने टोक दिया :

"अरे लालाजी कैसे नींद नई आ रई ? कोई कष्ट हो तो कौ आप !"

"अजी साब क्या बताऊं ! मुझे रात को खाने के बाद कुछ मीठा खाने की आदत है, या दूध होवै तो नींद आवै साली, नई तो फड़फड़ाऊं। जे भी कोई देस है साब ? कोई मिठाई वालाई नई हैगा।" 'अजी लाला जी', सज्जन निराशा से बोले, "अब तो लगै है, मन मार के सोनाई पड़ैगा।"

पर लालाजी की आंखों में नींद कहां ? रात के ढाई बजे कोटा स्टेशन पर गाड़ी रुकी। लालाजी को शायद तभी झपकी लगी होगी। बाहर से आवाज आई : "दौध ! गरम दौध !"

लालाजी इस अवसर को खोना नहीं चाहते थे : "अरे दूध वाले ! जल्दी दे, यार।" और, उन्होंने खिड़की खोल दी। सौभाग्य से दूध वाला सामने ही खड़ा था। पर हाय! लालाजी का दुर्भाग्य ! खिड़की में लोहे की छड़ें। क्या करें बेचारे ? आखिर इधर-उधर देख लालाजी ने कहा : "बिदर से पकड़ियो यार, ऐसे ही पी लूंगो !" और लालाजी सलाखों में मुंह लगाये, बिना किसी विलम्ब के, दूध पी गये। फिर पैसे देकर इधर-उधर देखा। बाकी लोग तो सो रहे थे, मुझे जागता देखकर लाला जी कुछ शरमा गये। बोले : "क्या बताऊं लल्ली। बिना मीठे के नींद नई आवै।"

खैर, इसके बाद लालाजी सुबह छः बजे ही अंगड़ाई लेकर उठे। सबसे पहला कमेंट ऊपर से आया : "क्यों साब लाला जी ! दूध असर कर गया ?"

"आप भी जग रये थे, साब ?'—लालाजी कुछ झेंपकर बोले।

"मैंने सोचा ऐसी शुभ घड़ी में लालाजी को टोकना ठीक नई, सो लेटाई रहा!"

अब लालाजी ने तेजी से चहलकदमी करनी शुरू की। सज्जन ने फिर टोका : "लालाजी अब क्या नाश्ते में नमकीन चाइये ?"

लालाजी स्पष्टतः गुस्से में थे। बोले : "अजी साब जाने कैसा देस है ; साले एक बेर घुस जायें तो निकलैंगेइ नई ! देखिये साब कैसी लम्बी लैन लगी हैगी।" सज्जन ने अपने पुत्र को, जो लाइन से आगे था, आवाज दी—"अरे भई अपनी जगह लालाजी को हो आने दे, बेटा !" लालाजी लगभग दौड़ते हुए आगे पहुंचे।

और, आधे घण्टे बाद ही प्रसन्नचित्त बाहर निकले ! लौटकर अपनी सीट पर बैठते हुए बोले : "अजी साब ये तो आपकी संतान थी जो मान गयो, वर्ना मेरे छोरे...अजी साब कै देते—'बाबू जी, भार चले जाओ !"

बातचीत करते भरतपुर आ गया था। मैंने दोनों से आज्ञा ली। लाला जी बोले : "वैसे तो साब मेरा लड़का रैवे है भत्तपुर में, पर अजी कौन जावै ! साला सोचैगा—आफत आ गयी !...अच्छा लल्ली ! कभी मथरा अइयो।"

हमारी बद्रीनाथ और केदारनाथ यात्रा

रक्षा शर्मा

जब भी मैं बद्रीनाथ और केदारनाथ जाने की इच्छा को किसी के सामने व्यक्त करती, तो यही सुनने को मिलता कि बद्रीनाथ तक तो आप जा सकती हैं, क्योंकि मन्दिर के सामने तक गाड़ी जाती है, पर केदारनाथ की यात्रा बड़ी कठिन है। चौदह किलोमीटर की चढ़ाई है। वह भी ऐसी चढ़ाई कि जरा-सी गड़बड़ में आदमी भगवान के दर्शन के बजाय, मृत्यु के दर्शन करने लगता है।

जैसे-जैसे लोग डराते, वैसे-वैसे जिज्ञासा बढ़ती जाती। यह तो सच था कि चौदह किलोमीटर की चढ़ाई इस भारी शरीर को लेकर बड़ी कठिन थी, पर मुझे लगता कि घोड़े या दांडी से तो चढ़ा ही जा सकता है !

नौकरी के जमाने में जब इनसे (पतिदेव से—सं.) कहते थे, तब कभी 'वार्षिक रिपोर्ट' या कोई अन्य ऑफिस की समस्या आड़े आ जाती थी। यह हमेशा कहते : "अरे कुछ ही दिन की तो बात है, जरा रिटायर हो जाने दो। फिर खूब घूमेंगे !" जब रिटायर होकर भी डेढ़ साल हो गये, तब हमने फिर से जोर लगाया। जून में अम्मा (लेखिका की माता जी—सं.) को भी नया घर दिखाने के लिए (लखनऊ—सं.) ले आये थे। उन्हें भी तीर्थ-यात्रा करने की इच्छा थी; पर वह कभी किसी से कहती नहीं थीं।

किसी प्रकार वह मुहूर्त्त भी आया जिसमें हमको यात्रा करनी थी। दस सितम्बर को जाना निश्चित हुआ। इसी बीच पू. भैया (डॉक्टर रामविलास शर्मा) को 'भारत-भारती' पुरस्कार घोषित हुआ और पता लगा कि शायद तेरह तारीख को उन्हें लखनऊ में ही सम्मान मिलेगा। यह सुनकर तो बस सब 'तीर्थ स्थान' व 'दर्शन' भूल गये। पूज्य भैया यहां आयेंगे, तो सारे तीर्थ-स्थान यहां आ जायेंगे, देव-दर्शन भी हो जायेंगे !

पर हमने दिल्ली फोन किया तो पता चला कि भैया नहीं आयेंगे और पुरस्कार राशि भी नहीं लेंगे। अब तो उनके प्रति श्रद्धा और बढ़ गयी।

सो अब, दस सितम्बर को हम तीन अदद—यानी मैं, अम्मा व यह—देहरादून एक्सप्रेस से हरिद्वार की ओर चल दिये। सबेरे हरिद्वार उतरकर ऋषिकेश जाने को तैयार हुए, तो पता चला कि ऋषिकेश में आरक्षण-विरोधी हंगामा चल रहा है; बसें बन्द हैं।

एक रिक्शे वाले की कृपा से हम लोग एक टैम्पो में बैठे। टैम्पो वाले ने ऋषिकेश तक तो पहुंचा दिया, पर आगे रास्ते की गड़बड़ ने उसे भी विवश कर दिया! उसने कहा : 'आप लोग चाहें तो पैदल जा सकते हैं।' हम लोगों ने उससे कहा कि तुम हम लोगों को किसी हॉटल में पहुंचा दो। उसने हमको 'अशोक होटल' में पहुंचा दिया।

उस दिन हमने होटल में रुकना ही उचित समझा। होटल वालों ने ही हम लोगों के लिए टैक्सी का प्रबन्ध कर दिया। तय हुआ कि हम लोग अगले दिन सबेरे चार बजे वहां से प्रस्थान करेंगे।

बारह सितम्बर को हम लोग सबेरे चार बजे एक मारुति टैक्सी से रवाना हुए। सबेरे की शीतल वायु और घाटियों का प्राकृतिक सौन्दर्य देखते हुए हमारी टैक्सी भाग रही थी।

रास्ते में उगते हुए सूर्य के दर्शन हुए।

कितने ही तीर्थ स्थल, जैसे देव प्रयाग, कीर्ति नगर, श्रीनगर, रुद्र प्रयाग, गोचर, कर्ण प्रयाग, नन्द प्रयाग, चमोली, पीपल कोटी, आदि, रास्ते में पड़ते थे।

देव प्रयाग में भगीरथी व अलकनन्दा का संगम, रुद्र प्रयाग में अलकनन्दा व मन्दाकिनी का संगम, कर्ण प्रयाग में अलकनन्दा व पिंढर का संगम। ये दर्शनीय स्थल हैं। नदियों की कलकल ध्वनि और थोड़ी-थोड़ी दूर पर झरझर झरते झरने बड़े मनोरम लगते हैं।

अन्त में हम लोग जोशीमठ पहुंचे। लेकिन ठहरने की ठीक व्यवस्था न होने के कारण, हम लोगों ने बद्रीनाथ ही पहुंचने का निश्चय किया।

जोशीमठ में कुछ मन्दिरों के दर्शन किये और गेट खुलने पर बद्रीनाथ के लिए प्रस्थान कर दिया।

पांडुकेश्वर पर बसों व कारों की भीड़ थी। यहां से हेमकुंड जाने का रास्ता है। हेमकुंड में सिखों का गुरुद्वारा है। सरदारों की बसें व गाड़ियां खड़ी थीं।

शाम होते-होते, ड्राइवर ने बद्रीनाथ मन्दिर के पास गाड़ी ले जाकर खड़ी कर दी।

पहुंचते ही पण्डों ने घेर लिया : 'कहां से आये हैं?' किसी पण्डे ने हमें सीधे पल्ले में देखकर गुजराती समझा, तो किसी ने मोटा देखकर मारवाड़ी समझा। प्रश्नों की झड़ी लग गयी।

हमने कहा : "हम लखनऊ से आये हैं और यहां जो लखनऊ के पण्डा हैं,

हमको उनसे मिलना है।'

तुरन्त ही हमारे सामने श्री जे. पी. भट्ट आये। उन्होंने बताया कि वह लखनऊ में नाकाहिंडोला के रहने वाले हैं। मेरे पतिदेव उनसे मिलकर बहुत प्रसन्न हुए और काफी देर तक उनसे बातें करते रहे।

भट्ट जी ने जल्दी ही 'मोदी गेस्ट-हाउस' में हमारे रहने की व्यवस्था कर दी। साठ रुपये रोज का कमरा, तीन रजाइयां और पलंग आदि। हम लोगों ने तय किया कि भोजन के लिए कहीं बाहर न जाकर जो कुछ साथ रखा हुआ है उसे ही खा लिया जाय। लिहाजा, कुछ खाने के बाद सो गये।

थोड़ी देर बाद ही सिर भारी। मतली-सी आने लगी। घबराहट भी हो रही थी। शायद ऑक्सीजन की कमी से ऐसा हो रहा था, वैसे तो हम तीनों ही की तबियत ढीली थी, पर मेरी कुछ ज्यादा ही खराब लग रही थी। लगता था, सबेरे दर्शन भी कर पायेंगे या नहीं! दवा का बक्स साथ में था। दवा खायी। नीबू-पानी पिया। सबेरे होते-होते तबियत कुछ ठीक लगी।

कुण्ड का गरम पानी पांच रुपये फी टिन के हिसाब से मिलता है। उसी को मंगवाकर स्नान किया और ताजे होकर दर्शनार्थ मन्दिर की ओर चले।

मन्दिर में भीड़ के कारण दर्शन करना बड़ा कठिन था, बिशेष रूप से अम्मा के लिए। पता चला एक-सौ-एक रुपये का टिकिट खरीद लेने पर, मन्दिर के लोग आगे बैठाकर दर्शन करवा देते हैं।

हमने उस समय टिकट खरीद लेना ही उचित समझा और आगे बैठकर अच्छी तरह दर्शन किये।

लोगों की आलोचना भी सुनने को मिली—"भगवान भी लक्ष्मी वालों के हैं!"

अम्मा बहुत खुश थीं। सामने से ही विष्णु-लक्ष्मी के दर्शन हो रहे थे। साथ में कुबेर भी थे।

दर्शनों के बाद कुछ नाश्ता हुआ, फोटोग्राफी हुई। रिमझिम-रिमझिम वर्षा हो रही थी। छोटे-छोटे पहाड़ी बच्चे पैसे मांग रहे थे।

थोड़ी देर में धूप निकली तो पत्थरों पर कपड़े सुखाये।

केदारनाथ से आये हुए यात्री डरा रहे थे कि लैंडस्लाइड के कारण वहां जाना बड़ा कठिन है। पहले तय किया कि नहीं जायेंगे। पर मन में एक चाह तो थी ही। कुछ लोगों ने कहा: "जाइए। वहां तो ऐसा ही रहता है। कभी रास्ता खुलता है, कभी बन्द होता है।"

जाने की इच्छा मन में बहुत थी। इस इच्छा को दबा नहीं पा रहे थे। सुन

रखा था—"केदारनाथ का ज्योतिर्लिग शिवलिंगों में सर्वोपरि है।"

आखिर चौदह तारीख को हम लोगों ने गौरीकुण्ड के लिए प्रस्थान कर दिया।

आगे बढ़े तो फाटा व गुप्तकाशी के बीच लैंडस्लाइड के कारण आगे जाना बन्द ! दोनों ओर बसें, टैक्सियां व गाड़ियां खड़ी हुईं ! किन्तु थोड़ी देर खड़े रहने के बाद, धीरे-धीरे गाड़ियां सरकना शुरू हुईं।

रवाना होते ही मूसलधार वर्षा। सामने कुछ दिखायी नहीं पड़ रहा था। पर ड्राइवर होशियार था और उसे सड़क का पूरा ज्ञान था। शाम होते-होते उसने गौरीकुण्ड पहुंचा दिया।

ड्राइवर ने इन्हें साथ ले जाकर 'सुनील-लॉज' में एक कमरा बुक करवा दिया। वहां तक पहुंचते-पहुंचते हम लोग पूरे भीग गये थे। सो, कमरे में जाकर, कपड़े बदलकर, गरम-गरम चाय पी, तब जाकर चैन पड़ी।

रात में ही वहां घोड़े वालों व दांड़ी वालों ने घेर लिया। इन्होंने होटल वाले से कहा : "तुम हम लोगों को केदारनाथ यात्रा के लिए सवारी तय करवा दो।"

यह घोड़े पर जाना चाहते थे। पर इनकी कमर में दर्द के कारण हमने आग्रह किया कि यह भी दांडी पर ही चलें।

दांडी की शक्ल बिल्कुल बैलगाड़ी की भांति थी। बैलगाड़ी बड़ी होती है, दांडी छोटी। आगे से अगर उसमें छोटे-छोटे बछड़ों को जोड़ दिया जाय, तो वह छोटी-सी बैलगाड़ी ही लगेगी। बिना पहियों की गाड़ी चार लोग लेकर चलते हैं।

दांडी वाले वजन के हिसाब से किराया तय करते हैं। सबसे कम अम्मा, उसके बाद पतिदेव और सबसे ज्यादा हमारे वजन के मुताबिक पैसे तय हुए।

मजे की बात यह कि हर दांडी वाला हमको ले जाने को तैयार—यह कहते हुए कि : "देखिये माता जी; हम कितने हट्टे-कट्टे हैं ! हम ही आपको ले चलेंगे !" 'माता जी' (यानी हम) बड़े प्रसन्न कि इनको कितनी श्रद्धा है, कितना प्रेम है और मालूम हो गया है कि हमको भगवान के दर्शनों की कितनी इच्छा है, इसी से हम को ले जाने को तैयार हैं।

बाद में हमारी समझ में आया कि हमसे इन लोगों को ज्यादा पैसे मिलने वाले थे, इसी से ये लोग हमको ले जाने को तैयार थे !

गौरीकुण्ड से केदारनाथ चौदह किलोमीटर है। रात भर के विश्राम के बाद गौरीकुण्ड के गरम पानी से स्नान किया। तब प्रस्थान किया।

रास्ते में कुछ लोग घोड़ों पर, कुछ पैदल और कुछ दांडियों में चल रहे थे। घुमावदार रास्ते। चढ़ाई। एक ओर मन्दाकिनी की कलकल ध्वनि, दूसरी ओर पत्थर की चट्टानें। कहीं चौड़ा रास्ता, कहीं एकदम संकरा। दृश्य बड़ा मनोरम था। रास्ते भर यात्री 'जय केदार' बोलते जा रहे थे।

जैसे-जैसे चढ़ाई चढ़ रहे थे, खाई की ओर देखने में विचित्र-सी अनुभूति हो रही थी। घोड़े पर जाने वाले यात्रियों के, विशेष रूप से स्त्रियों के, मुंह देखने लायक थे, जैसे कह रहे हों : 'रास्ता कैसे कटेगा !'

इन रास्तों पर कई चट्टियां बनी हुई हैं। जगह-जगह लिखा हुआ है : 'खाली पेट यात्रा न करें।' जिस तरफ पहाड़ था, उस ओर गुफा में कहीं-कहीं साधुओं ने अपने बैठने का व पूजा करने का स्थान बना रखा था।

कुछ साधु भगवान के चित्र, माला और कमण्डल रखे हुए भजन गा रहे थे। जिन यात्रियों की इच्छा होती वे उनके सामने कुछ डालते जा रहे थे।

रास्ते भर चाय-नाश्ते का प्रबन्ध है। दांडी वालों ने व हम लोगों ने एक जगह चाय पी। एक दूसरी जगह, दांडी वालों ने खाना खाया। उनके लिए तो जैसे पहाड़ पर चढ़ना मामूली बात थी। हम लोगों को उन पर बड़ी दया आ रही थी। जंगल चट्टी, राम बाड़ा, गरुड़ चट्टी पार करने पर केदारनाथ का मन्दिर दिखायी देने लगा। मन्दिर के पास जाकर तीनों दांडियां उतारी गयीं लगभग ग्यारह बजे —पांच घण्टों में—हम लोग वहां पहुंच गये थे। वहां पर भी एक 'सज्जन' पण्डा मिल गये, जो हमको अम्मा सहित मन्दिर में ले गये।

वहां रोशनी केवल दीपक की ही थी, क्योंकि बरसात के कारण बिजली के तार, आदि, टूट गये थे।

केदारनाथ की मूर्ति शिवलिंग न होकर पत्थर की एक विशाल प्रतिमा-सी है, जो सबेरे के समय श्रृंगारहीन होती है। शाम को श्रृंगार होता है। दीपक की रोशनी में ही लोग दर्शन, पूजा और अभिषेक कर रहे थे।

पण्डा ने मेरे व अम्मा के हाथ से भी पूजा व अभिषेक करवाया।

यह तो भीड़ के कारण बाहर आ गये थे। हम लोग पूजा से निकलकर बाहर आये। और तब, बाहर आकर, भरपेट भोजन किया।

लगभग एक बजे दोपहर में वहां से चल दिये। उतरने में ज्यादा झटके लग रहे थे। कभी हल्की-हल्की धूप, कभी रिमझिम वर्षा।

हम लोगों ने ओढ़ने के लिए प्लास्टिक खरीदे। जब पानी गिरता, तो हम लोग उसे ओढ़ लेते थे।

धूप में बर्फ से ढंकी हिमालय की चोटियां बहुत सुन्दर लग रही थीं। लौटने में समय कम लगा और हम लोग बारी-बारी से गौरीकुण्ड पहुंच गये।

केदारनाथ की यात्रा से मन को बड़ा सन्तोष मिला। लोगों का कहना था : "आपको रात में रुकना चाहिए था। रात में तो बढ़िया श्रृंगार होता है।" पर हमारा दृष्टिकोण दूसरा था। हमें दर्शन करने थे। श्रृंगार तो तस्वीरों में भी देख लेते हैं। फिर, वहां ऑक्सीजन की कमी के कारण रात में रहना मेरे और अम्मा दोनों के ही लिए ठीक नहीं था।

हम लोगों ने एक रात गौरीकुण्ड में बितायी। सबेरे तप्तकुण्ड में स्नान किये। और, सबेरे ही वहां से गंगोत्री के लिए रवाना हो गये।

गंगोत्री के रास्ते में, बीच में, हमें उत्तरकाशी में रुकना था। दिन भर की यात्रा के बाद हम लोग सूर्यास्त के पहले ही उत्तरकाशी पहुंच गये। वहां होटल में हमको अच्छा कमरा मिल गया। सारे कपड़े धोकर बराण्डे में सुखाये।

हम लोग होटल में खाना खाकर आये। अम्मा का खाना साथ ले आये।

दूसरे दिन हम लोग गंगोत्री के लिए रवाना हो गये। एक दिन पहले वहां राष्ट्रपति (सपत्नीक) आये थे, इसलिए सरकारी गाड़ियों की लाइनें लगी थीं। कितनी ही अम्बेसडर कारें व कितनी ही जीपें उधर से आ रही थीं। राष्ट्रपतिजी के बहाने वहां सैकड़ों लोगों ने गंगोत्री के दर्शन किये होंगे !

मनेरी से आगे गंगनानी में हम लोगों ने तप्त-कुण्ड में स्नान किया।

हम लोग दोपहर बारह बजे से पहले ही गंगोत्री पहुंच गये।

गंगोत्री का जल बिल्कुल बरफ जैसा था। हमने अम्मा से कहा : 'यहां पानी छिड़क लेते हैं।' पर अम्मा का कहना था कि इतनी दूर आकर स्नान न करना क्या उचित है ? जब अम्मा ने स्नान किया, तो मुझे भी हिम्मत करनी पड़ी। ऐसा लग रहा था कि अम्मा पर कोई प्रभाव ही नहीं पड़ रहा है। हमारे तो हाथ-पैर गले जा रहे थे। इन्होंने एक बोतल में पानी भरने के लिए गंगाजी में हाथ डाले तो बोले : "बाप रे...! तुम लोगों ने कैसे नहाया होगा ?" नहाकर हम लोगों ने गंगा जी के दर्शन किये। प्रसाद लिया। सीढ़ियां चढ़कर कुछ छोटी-मोटी पूजा की सामग्री खरीदी।

अम्मा हमारे पतिदेव को खूब आशीर्वाद देती हुई चल रही थीं क्योंकि यह अम्मा को जगह-जगह हाथ पकड़ कर चढ़ा रहे थे। चाय आदि पीकर हम लोगों ने गाड़ी में बैठकर फिर उत्तरकाशी की ओर प्रस्थान किया।

रास्ते में कुछ फोटोग्राफी हुई। शाम को पहुंचते-पहुंचते, ड्राइवर ने उत्तर-काशी के मन्दिरों के भी दर्शन करवा दिये।

होटल के कमरे के सामने एक मन्दिर था। वहां भी खूब भजन हो रहे थे। अम्मा बराण्डे में कुर्सी डाल कर भजनों का आनन्द लेती रहीं।

अठारह सितम्बर को हम लोग ऋषिकेश के लिए चल दिये। ऋषिकेश में हम लोग सोच रहे थे—टैक्सी-मालिक को टैक्सी सौंपने से पहले, कुछ मन्दिर व आश्रम देख लेंगे। पर ऋषिकेश पहुंचते-पहुंचते इतने जोर की वर्षा हुई कि हम लोग सीधे पुराने होटल में जा पहुंचे।

वहां पहुंचकर टैक्सी-मालिक को टैक्सी हवाले की ड्राइवर का पता लिखा।

उस दिन पितृमोक्ष अमावस्या थी। दौआ का दिन था। हमने उस ड्राइवर से कहा : "आज तुम हमारी तरफ से अपना मनपसन्द भोजन करो।"

ऋषिकेश में हमने होटल वाले से कहा कि वह हमें कोई पेपर मंगवा दे। उसने पेपर लाकर दिया। पेपर खोलते ही उसमें भैया (डॉक्टर साहब) का फोटो देखा जिसमें शिक्षामन्त्री द्वारा भैया को सम्मान दिया जा रहा था। हम लोगों की खुशी का पारावार नहीं था। हम दोनों की ही आंखों में आंसू आ गये—यह सोचकर कि आज बड़े भैया (स्व. भगवान दीन शर्मा) होते तो कितने खुश होते!

डॉक्टर साहब को कोई सम्मान या पुरस्कार मिलता था, तो बड़े भैया बहुत खुश होकर सबको पत्र लिखते थे!

ऋषिकेश में हम सब आश्रम, लक्ष्मण-झूला, आदि, देखकर कार्यक्रम के हिसाब से एक दिन पहले ही हरिद्वार को चल दिये।

हरिद्वार में पहुंचकर हर की पैढ़ी के सामने ही होटल का कमरा लिया। ऋषिकेश से हरिद्वार आते हुए कई मन्दिर देखे थे। इनमें भारत माता का मन्दिर सबसे अच्छा लगा। वहां लिफ्ट थी, जिसका टिकट लगता था। लिफ्ट सबसे ऊपर पहुंचा देती थी, फिर नीचे उतरते हुए एक-एक मंजिल पर देखते हुए नीचे आना होता था। सबसे ऊपर कैलाश पर्वत बना हुआ था; वहां पर शिव-पार्वती विराजमान थे। एक मंजिल पर सारे देवी-देवता थे। एक मंजिल पर सीता, सावित्री, लक्ष्मी, दुर्गा आदि। एक मंजिल पर महात्मा लोग थे। एक मंजिल पर शहीद और देशभक्त। यह सब इतना सुन्दर और व्यवस्थित है कि देखकर मन खुश हो गया।

हरिद्वार में हर की पैढ़ी पर स्नान किया। रात में गंगाजी की आरती देखी। और एक दिन पहले ही लखनऊ आ गये।

हरिद्वार ऋषिकेश से लेकर बद्रीनाथ तक काली कमली वालों का बड़ा नाम देखा। उनकी धर्मशालाए जगह-जगह देखने को मिलीं। लक्ष्मण-झूला से राम-झूला तक, दोनों ओर; पत्थर की बेंचें डाली गयी हैं जिन पर लोगों के नाम लिखे हुए हैं। किसी ने अपनी पत्नी की याद में वे बेंचें बनवायी हैं, तो किसी ने अपने माता-पिता या पति की याद में। कितने ही वर्ष पुरानी हैं ये बेंचें। पैदल चलते-चलते यात्री जब थक जाते हैं, तो इन बेंचों पर विश्राम करते हैं।

इस यात्रा का एक सबसे अच्छा परिणाम जो निकला वह यह है कि पण्डों आदि के प्रति हमारा जो डर था, वह नहीं रहा। बद्रीनाथ में श्री जे. पी. भट्ट ने हमारी सारी व्यवस्था की, पर हमसे कुछ नहीं मांगा। हमने उनसे कहा: "आप लोगों के प्रति हमारी जो भावना थी, वह निर्मूल निकली। लोग पण्डों से डरते हैं, इसका क्या रहस्य है?"

उन्होंने बताया: "सचमुच ही, पहले पण्डे लोग जजमानों को बहुत लूटते थे, जब वे यह देखते थे कि ये लोग पैसे वाले हैं, तो धोखा देकर उनका वध तक कर देते थे। इसका कारण शिक्षा की कमी थी। शिक्षा के प्रसार के कारण अब उतनी

अराजकता नहीं रही अब समय के साथ ये लोग भी बदल रहे हैं।"

श्री जे. पी. भट्ट का जन्म-स्थान देवप्रयाग है। उनकी भाषा मलयालम है। उन्होंने प्रयाग विश्वविद्यालय से संस्कृत में एम. ए. किया है। उनके पिताजी बद्रीनाथ में पण्डा थे। उनके स्वर्गवास के बाद भट्टजी ने यह कार्यभार अपने ऊपर ले लिया। पर अपने बच्चों से से वह यह काम नहीं करवाना चाहते। उनका कहना है : "हम छः महीने ही जजमानों के द्वारा कमाई करते हैं। हम उनसे कुछ मांगते नहीं हैं। अपनी श्रद्धानुसार जो कुछ हमें दे देते हैं, हम ले लेते हैं। हमारे पास जजमानों के पूर्वजों के खाते होते हैं जिनमें उनके पते लिखे होते हैं। उनकी संतानें जब आती हैं, तो खाता देखते ही पता चल जाता है।" श्री भट्टजी हमें काफी अच्छे लगे। उनमें जरा भी लालच नहीं था। उन्होंने हमारी सहायता की, ठहरने की व्यवस्था की, लखनऊ का पता पूछा।

वह लखनऊ में हमारे घर पर भी आये।

पूरब से पश्चिम

जितेन्द्र

1

सोमवार 24 मार्च 1958। आगरा में मेरा बल्काबस्ती वाला मकान। शिवजी का शुभ दिन और शिशु अनिल 13 महीने का हो गया था। लेकिन आज शाम को मुझे राजामण्डी रेलवे स्टेशन से मद्रास के लिए प्रस्थान करना था। मद्रास से कोचीन—जहां से 'रोमा' जलयान द्वारा पश्चिम के लिए प्रस्थान करना था। मेरा, कुसुम का, मेरी मां और पिता, सबका, मन बहुत भारी था। लेकिन संकल्प दृढ़ था ! आशाएं बहुत थीं, लेकिन भविष्य अनिश्चित।

दोपहर को मैं, कुसुम और शिशु अनिल रिक्शे द्वारा मनकामेश्वर महादेव के मन्दिर गये। शाम आठ बजे सबने राजामण्डी स्टेशन के लिए प्रस्थान किया। वहां माता-पिता, कुछ मित्र, मेरे तीन भाई, दो भाभियां, भांजी कमलेश, भतीजे-भतीजियां, कुसुम के सब भाई-भाभियां—खासी भीड़ थी।

लेकिन मेरा मन बिलकुल उचाट था। यात्रा मुझे अकेले ही करनी थी।

माता-पिता का प्रेम बहुत था लेकिन उनकी उम्मीदों तथा कुसुम और अनिल के भविष्य का पूरा दायित्व मेरे ऊपर था। अगर मैं अफसल रहा तो ?

लेकिन अब लौटने का द्वार बन्द हो चुका था। कर मिट, या मर मिट।

सबसे यथा उचित विदाई ली। कुसुम से विदा लेना मेरे लिए बहुत कठिन था, लेकिन वह बहुत ही समझदार थी। अनिल को गले लगाया। ट्रेन स्टेशन पर थी। अपनी रिजर्व सीट पर बैठ गया। ट्रेन ने प्रस्थान कर दिया।

मैं फिर सोचने लगा कि राजकुमार सिद्धार्थ ने भी तो इसी प्रकार स्वयं घर, पत्नी यशोधरा और पुत्र राहुल को छोड़ा होगा। उनका संकल्प दृढ़ था।

लेकिन परिणाम क्या हुआ—वह अत्यन्त सफल हुए; गौतम बुद्ध बने लेकिन उन्होंने पत्नी यशोधरा और पुत्र राहुल को गंवा दिया। यह भविष्य मुझे अमान्य था।

तीसरे दिन दोपहर तीन बजे मद्रास स्टेशन पर कुसुम की मित्र श्रीमती गीता सुन्दराजन और उनके पति ने मेरा स्वागत किया। अगले दिन संध्या को कोचीन

एक्सप्रेस द्वारा ऐर्नाकुलम (केरल) के लिए प्रस्थान कर दिया।

ट्रेन में बहुत भीड़ थी। बहुत से यात्री 'रोमा' के लिए ही जा रहे थे। अगले दिन (शनिवार) प्रायः 3 बजे दोपहर एर्नाकुलम पहुंचा। एक होटल में ठहरने का प्रबन्ध किया।

केरल उत्तरी भारत से इतना भिन्न था कि यह विश्वास करना कठिन था कि मैं ही हूं। भिन्न, लेकिन सुन्दर भी। मैंने माता-पिता और कुसुम को पत्र भेजे और इन्कम-टैक्स दफ्तर से सर्टीफिकेट लिया। कम से कम सरकारी दफ्तर भारतीय थे।

एक मन्दिर में 'शान्ता देवी' के दर्शन किये। संध्या को भोजन पश्चात अकेलापन महसूस होने लगा।

अकस्मात नीचे से शुद्ध ब्रजभाषा में गाली के शब्द सुनाई दिये। ब्रजभाषा पारंगत महानुभाव ऊपर आये, तब भी किसी मलयाली को ब्रजभाषा में गालियां देते जा रहे थे। शान्त होने पर परिचय मिला; Anti-malaria campaign में DDT spray करते थे। शिकोहाबाद से इस 'नर्क' में भेज दिये गये थे।

अगले दिन दोपहर को एक निकटवर्ती होटल में "रोमा" के सब यात्रियों को निमन्त्रित किया गया था। प्रायः 400 भारतीय यात्री भारत से पश्चिम के लिए प्रयाण कर रहे थे। उस भीड़भाड़ में सहयात्रियों से जान-पहचान करना असम्भव था। मुझमें धीरे-धीरे यह भावना जाग रही थी कि मेरे भारतवर्ष में ये अन्तिम कुछ घण्टे थे। ऐसा सोचते ही मैं कांप उठा...।

रात्रि बारह बजे एक कोच द्वारा कोचीन के लिए प्रस्थान किया। एक पुल पार करने पर इटालियन जलपोत "रोमा" के दर्शन हुए। चांदनी रात में श्वेत वर्ण 'रोमा' बहुत बड़ा और सुन्दर लगा।

लेकिन पहले customs से गुजरना था। customs officer एक महिला थी। मैं दो सोने की अंगूठियां पहने था। उन श्रीमती ने एक फॉर्म भरवाया और 'भारत से सोने का निर्यात उचित नहीं', इत्यादि पर एक भाषण देकर मेरी छुट्टी की। मेरा मन खट्टा हो गया।

अब 1 अप्रैल की सुबह के 2 बज रहे थे। मैंने 'रोमा' पर सीढ़ियों द्वारा प्रवेश किया। और यहीं अगले 14-15 दिन तक मेरा निवास था। आइए, 'रोमा' का परिचय दे दूं।

रोमा इटालियन भाषा में Rome को कहते हैं। उत्तर-पश्चिमी इटली में Genoa बन्दरगाह है, जहां प्रसिद्ध नाविक क्रिस्टोफर कोलम्बस का जन्म हुआ था। इसी जेनोआ की एक नाविक कम्पनी Flotta Lauro (या लौरो लाइन्स)

जेनोआ (इटली) और सिडनी (आस्ट्रेलिया) के बीच दो जहाज चलाती थी जो क्रमशः 'रोमा' और 'सिडनी' नाम के थे। जब एक जहाज पूरब को चलता था, तब दूसरा पश्चिम की ओर। दोनों में 1500 यात्रियों के लिए स्थान था। सारे कर्मचारी इटालियन थे। 'रोमा' सिडनी (आस्ट्रेलिया), ब्रिस्बेन (आस्ट्रेलिया), सिंगापुर, कोलम्बो, कोचीन, सुएज (ईजिप्ट), पोर्ट साइद (ईजिप्ट), वैलैटा (माल्टा), मैसीनो (इटली), नेपल्स (इटली), जेनोआ (इटली), बन्दरगाहों में जाता था। रोमा का पूरा नाम था Flotta Lauro T. N. Roma Genoa। अब आप नाम का अर्थ समझ गये होंगे। T. N. का अर्थ था Turbo Naevo अर्थात् उसके एंजिन टर्बाइन के थे।

जेनोआ के बाद मेरी यात्रा का प्रबन्ध इंगलैण्ड की टौमस कुक कम्पनी के जिम्मे था। जेनोआ से पैरिस होते हुए कैले (फ्रान्स), डोबर (इंगलैण्ड) लन्दन—यही था निर्धारित मार्ग। साधारणतः मैं 15 अप्रैल तक लन्दन पहुंच जाता। लेकिन उसमें कुछ बाधाएं थीं। जहाज आस्ट्रेलिया से सिंगापुर की यात्रा पर था, तभी उसे आदेश मिला कि उसे इण्डोनेशिया की राजधानी जकार्ता जाना होगा जहां से 400 मुसाफिरों को लेकर उन्हें यूरोप पहुंचाना है। ये मुसाफिर अर्ध-डच अर्ध-इण्डोनेशियन थे जिनकी सम्पत्ति नवस्वाधीनता प्राप्त प्रेसीडेण्ट सुकार्णों की सरकार ने जब्त करके उन्हें देशनिकाला दे दिया था। ये पुरुष-स्त्री, बालक-बालिकाएं बिना धन व कपड़ों के रिफ्यूजी थे। इसलिए जहाज एक दिन देरी से कोचीन आया था।

'रोमा' की सीढ़ियां चढ़कर उसके रिसेप्शंस हॉल में पहुंचा। रात के ढाई बज रहे थे। मैं सोच रहा था कि 400 यात्रियों का प्रबन्ध करते-करते तो सुबह हो जायगी। पर वैसा कुछ नहीं हुआ। रिसेप्शन हॉल में बर्सर (Bursar) को पासपोर्ट दिया, उसने एक Steward के हाथ मुझे सौंप दिया। उसने ठंडे संतरे का रस, चाय और बिस्कुट एक मेज पर लगा दिये। नाश्ते के बाद वह मुझे अपने साथ नीचे D फर्श के केबिन नं० 32 में ले गया। इस केबिन में 4 दो मंजिला bunk beds थे—यानी 8 यात्रियों का प्रबन्ध मेरा बिस्तर ऊपर और खिड़की (port hole) के निकट था। केबिन में मेरे अलावा दो और यात्री थे। सब कुछ बीस मिनट में हो गया। और, बहुत थका होने के कारण मैं तुरन्त गहरी नींद में सो गया।

सुबह 7 बजे नींद खुली। जोर की भूख लगी थी। मैं आश्चर्यचकित रह गया—ऐसा पहले कभी नहीं हुआ। चाय-बिस्कुट का प्रबन्ध केबिन में ही था, लेकिन भूख का नहीं।

पहले मैंने शौच-घर की 'यात्रा' की। शौचालय और स्नानागार निकट ही थे। डाइनिंग हॉल 8 बजे खुलता था, इसलिए चाय पीकर डैक पर आया और रेलिंग पकड़कर दृश्य देखने लगा।

सहसा पीछे से कन्धे पर जोर की थपकी लगी। मैंने घूमकर देखा। दो हम-उम्र भारतीय नौजवान। उन्होंने अपना परिचय दिया। एक आगरे के ही निवासी डा. अमरचन्द गौड़ थे, Botany में Ph. D.; लखनऊ की Central Drug Research Institute में साइंटिस्ट। वह दयालबाग के रहने वाले थे और बेतकल्लुफ थे।

दूसरे नारायण प्रसाद केजरीवाल, नागपुर के रहने वाले थे। यह मारवाड़ी वैश्य थे और कलकत्ता यूनीवर्सिटी से टैक्सटाइल्स में B. Sc. tech. पास की थी। डॉ. गौड़ शिकागो (अमेरिका) के निकट एवंस्टन की नॉर्थवैस्टर्न यूनिवर्सिटी के सिविल इंजीनियरिंग विभाग में उनके निमन्त्रण पर उच्च अध्ययन के लिए जा रहे थे। इस वक्त Botany, लखनऊ की ड्रग रिसर्च इंस्टीट्यूट और सिविल इंजीनियरिंग का सम्बन्ध जोड़ने का समय नहीं था। केजरीवाल उत्तरी आयरलैण्ड की राजधानी बेल्फास्ट (Belfast) की यूनिवर्सिटी में Ph. D. के लिए जा रहे थे। हम तीनों में तुरन्त दोस्ती हो गयी। सबको भूख लगी थी जिसका कारण थी हिन्द महासागर की खुली, ताजा और नमकीन हवा जो पत्थर को भी हजम कर सकती थी। डाइनिंग हॉल सुन्दर था। हम तीनों एक ही टेबिल पर बैठे। हर टेबिल पर 4 यात्री बैठ सकते थे। निकट की टेबिल पर प्राय: 25-26 साल की एक पंजाबी महिला थी। उन्होंने अपना परिचय दिया—लखनऊ निवासी डॉ. स्वदेश सिक्का। इंगलैण्ड में मैनचेस्टर अपने पति के पास जा रही थीं। वह भी मित्र बन गयीं।

नाश्ते के बाद हम सब ऊपर डैक पर गये। धूप छिटकी थी, लेकिन ताजी हवा के कारण गर्मी अधिक नहीं थी। सामने ही तैरने के तीन तालाब थे। मुझे तैरना नहीं आता था, इसलिए गौड़ और केजरीवाल को तालाबों के निकट छोड़कर मैं डैक की रेलिंग की ओर बढ़ा। वहां बहुत-सी कुर्सियां (Deck chairs) और मेजें पड़ी थीं। यूरोपियन स्त्री-पुरुष धूप का आनन्द ले रहे थे। मैं यूरोपियनों से मिलने का आदी नहीं था। इसलिए जब एक सज्जन ने मुझे बुलाया तो मैं कुछ अचंभित रह गया : वह इटालियन थे औरं और ड्राफ्ट-बोर्ड खेलने के लिए Partner ढूंढ़ रहे थे। उनके साथ ड्राफ्ट खूब जमी। वहीं एक फ्रेंच महिला से भी परिचय हुआ। उनके दो बच्चे थे। अधिकतर यूरोपियन आस्ट्रेलिया से यूरोप जा रहे थे।

एक यूगोस्लाव महिला से भी परिचय हुआ। प्राय: 30 वर्षीया। नाम : मैलीना। उनके साथ दो पुत्र थे, जो भारतीय लग रहे थे। मैलीना अब शुद्ध हिंदी बोलने लगी। पुत्रों के नाम थे—अजय और कमल। वह हिन्दू थीं। उनके पति

और वह स्वयं दिल्ली यूनिवर्सिटी में शिक्षक थे। उन्होंने बताया कि उनका विवाह लन्दन में हुआ था और वहीं उन्होंने हिन्दू-धर्म अपनाया था। भारत में 6 साल रहने के बाद वह अपने माता-पिता से मिलने यूगोस्लाविया जा रही थीं। उनके पुत्रों का जन्म दिल्ली में हुआ था, लेकिन भारतीय पासपोर्ट विभाग ने 8 महीने तक उनकी जिन्दगी हराम कर दी। तब एक दिन बहुत चिढ़कर और अपने उसूलों के खिलाफ, यूगोस्लावियन दूतावास गयीं जहां तीनों का पासपोर्ट 5 मिनट में बन गया। इसलिए अब वह और बच्चे, भारतीय होते हुए भी, यूगोस्लावियन थे। मैं उनसे क्या कहता ! मेरा अनुभव तो और भी कटु था !!

डिनर पर और लोगों से भी मुलाकात हुई। फिर वापस डैक पर, जहां इस बार टेबिल टेनिस पर हाथ आजमाया। 4 बजे मैं और मेरे दो मित्र केबिन में चाय-कॉफी पीने आये। टैनोय (लाउडस्पीकर) पर विभिन्न भाषाओं में सूचना दी जा रही थी कि 'रोमा' की एक Mayday संवाद मिला है और 'रोमा' एक नौर्वेजियन जहाज 'स्काउब्रायन' (Skaubryan) की सहायता के लिए जा रहा है—'रोमा' पर यात्रियों में जो डॉक्टर, डेण्टिस्ट, और नर्स हों वे तुरन्त बर्सर के दफ्तर में अपना नाम लिखवायें क्योंकि 'स्काऊब्रायन' के बहुत से यात्री घायल हुए हैं। यह समाचार समझ में नहीं आ रहा था। बाद में धीरे-धीरे और भी समाचार मिले।

2

सारांश यह कि नौर्वे का एक पैसेंजर लाइनर। इस पर 1300 यात्री यूरोप के विभिन्न देशों से ऑस्ट्रेलिया दस पौण्ड टिकट पर जा रहे थे। यहां समझना पड़ेगा कि ऑस्ट्रेलिया की आबादी कम है, और उसके विकास के लिए हर प्रकार के डॉक्टर, शिक्षक, नर्स, इंजीनियर इत्यादि की आवश्यकता रहती है।

इधर यूरोप के लोग, जो ऑस्ट्रेलिया में बसना चाहें और एक नवीन जीवन आरम्भ करना चाहें, उन्हें ऑस्ट्रेलियन दूतावास इंटरव्यू के बाद स्वीकार कर लेता है। ये लोग अपना कारोबार, घर, सामान इत्यादि बेचकर अधिक-से-अधिक नकद लेकर ऑस्ट्रेलिया के लिए सपरिवार यात्रा करते हैं। उनके टिकट का भाड़ा—यात्री परिवार के हर सदस्य का—10 पौण्ड होता है; शेष ऑस्ट्रेलिया की सरकार देती है। यानी ये लोग ऑस्ट्रेलियन सरकार के आदेश पर एक ऐसे किस्म के रिफ्यूजी होते हैं जिनके पास अपना ही धन होता है जिससे अपना नया मकान

और रोजगार वे आस्ट्रेलिया में शुरू कर सकते हैं। Skaubryan पर ऐसे ही यात्री थे। और 31 मार्च—1 अप्रैल की रात को उस जहाज में आग लग गयी थी।

वे 1300 यात्री पहले जहाज की Life Boats में बैठाये गये। बाद में Mayday का सिगनल पाकर एक भारतीय कार्गो (सामान ढोने वाला) जहाज 'City of Sydney' वहां पहुंचा और अब वे यात्री भारतीय जहाज पर थे।

'रोमा' ने 'सिटी ऑफ सिडनी' को सूचना भेज दी कि 'रोमा' उन यात्रियों को लेने पूरी रफ्तार से बढ़ रहा है। 'सिटी ऑफ सिडनी' ने बहुत बहादुरी से मुसाफिरों को अपनाया था ; लेकिन उस पर यात्रियों के लिए न तो स्थान था और न ही भोजन। उन यात्रियों का सामान और धन सब 'स्काउब्रायन' के अग्निकांड को समर्पित हो गया था।

'रोमा' पर 1500 यात्री पहले ही से थे (400 इंडोनेशियन रिफ्यूजियों को मत भूलिए)। अब नये 1300 यात्रियों के लिए स्थान निकालना आसान नहीं था। टेबिल टेनिस ही नहीं, सब खेल बन्द कर दिये गये। तैरने के तीनों तालाब खाली करके सुखा दिये गये। जहां भी बिस्तर लगाये जा सकते थे, उनका प्रबन्ध हो रहा था। मेरे अपने केबिन में 4 और यात्रियों का प्रबन्ध किया गया।

डॉ० सिक्का ने बर्सर के दफ्तर में सूचित किया कि वह डाक्टर थीं और 'स्काउब्रायन' के घायलों का इलाज कर सकती थीं। अपना नाम डॉक्टरों की सूची में दर्ज कराने के बाद सिक्का जी के पैर जमीन पर नहीं पड़ रहे थे; वह अपने को बहुत महत्वपूर्ण समझ रही थीं। लेकिन सन्ध्या समय डाइनिंग हॉल में एक घटना घटी, जिससे वह आसमान से पुनः जमीन पर उतर आयीं।

मेरी और उनकी टेबिल के पीछे, उनके समीप ही, एक टेबिल पर मि. नॉर्मन क्लार्क बैठते थे। वह प्रायः 50 वर्ष की उम्र के छरहरे बदन के, हल्की मूंछों, लम्बे कद वाले अंग्रेज थे जो टाटा की एक कम्पनी में बंगलौर में चीफ इंजीनियर थे और छुट्टी पर इंगलैण्ड जा रहे थे। उनसे मैं मिल चुका था और उनकी मजाक-पसन्द प्रकृति से परिचित था।

सिक्का जी को बढ़-चढ़कर बातें करते देखकर नॉर्मन (मि. क्लार्क) ने ताना मारा कि सब डाक्टर—विशेष कर महिला डाक्टरनियां—कसाई होते हैं। उनमें दया-ममता नहीं होती। हृदय के स्थान पर पत्थर की शिला होती है। अगर चाकू से काम चल जाये, तो दवा देने की आवश्यकता नहीं समझते।

सिक्का जी तिलमिला उठीं। अपने पेशे की महत्ता बड़े ऊँचे स्वर में सुनाने लगीं। नॉर्मन शान्त और मृदु स्वर में बोले : "मुझे नहीं मालूम था कि डाइनिंग हॉल में कोई डाक्टरनी भी मौजूद हैं!" अब तो सिक्का जी वास्तव में आपे से बाहर हो गयीं। नॉर्मन का स्वर जितना ही नम्र था, सिक्का जी का उतना ही तेज। हम सब इसे अच्छा मजाक समझकर मुस्कुरा रहे थे।

प्राय: 5 मिनट बाद सिक्का जी की समझ में आया कि यह सब मजाक था और उन्होंने स्वयं अपने आपको उल्लू बना लिया था। अब नार्मन ने सिक्का से हाथ मिलाकर दोस्ती कर ली।

अगले दिन सुबह मेरी आंख 6 बजे खुल गयी। शौच इत्यादि से निबटने और चाय पीने के पश्चात मैं डेक पर पहुंचा और उगते सूर्य का दृश्य देखने लगा।

चारों ओर हिन्द महासागर का गहरा नीला पानी जिसकी नीलिमा स्थान-स्थान पर श्वेत लहरों से टूट रही थी। इससे सागर की शोभा और भी बढ़ गयी थी। क्षितिज बिल्कुल गोल वृत्त था जहां आकाश का हल्का नीला वर्ण सागर के गहरे नीले वर्ण से मिलता-सा था। पूर्व में उषा की लाली थी। बड़ी प्यारी हवा बह रही थी। जिसमें गजब की ताजगी थी और था हल्का नमकीन स्वाद। मेरा मन सम्मोहित हो उठा। रेलिंग पकड़कर मैंने जहाज के अगले छोर की ओर देखा। पानी के कटने से फेन उठ रहा था। उस पर उगते सूर्य की किरणें। फेन में मैंने जितने रंग देखे उनकी कल्पना तक नहीं कर सकता था। बस एकटक देखता ही रहा। धीरे-धीरे सूर्य उठा और वे रंग विलीन हो गये। अब फेन सिर्फ श्वेत था। प्रकृति किसी भी चित्रकार से कई गुना सुन्दर चित्र बना सकती है।

यह हवा क्षुधा को बहुत तेज कर देती है।

डाइनिंग हॉल में नॉर्मन क्लार्क और डॉ. स्वदेश सिक्का बहुत घुलमिल कर बातें कर रहे थे। मेरा चित्त प्रसन्न हो गया। लेकिन मेरे मित्र केजरीवाल, जिनका केबिन जहाज के पिछले सिरे पर था, अप्रसन्न थे क्योंकि उनका केबिन बहुत गर्म था और वह पूरी रात सो नहीं सके थे। मेरा केबिन जहाज के मध्य में था और मैं दोनों पोर्टहोल खोलकर सोता था। डॉ. गौड़ और मैं एक केबिन में थे। गौड़ को भी रात में नींद नहीं आयी थी।

नाश्ते के बाद हम तीनों ने जहाज का 'सर्वे' करके यह निश्चय किया कि जहाज की सबसे ऊँची डेक पर एक जो बहुत बड़ा लकड़ी का Box था, अगली रात से उस पर सोयेंगे।

डांस हॉल, म्यूजिक हॉल, स्विमिंग पूल, गेम्स—सब बन्द थे। हमने अपने प्रतिनिधि (Laurolines के भारतीय प्रतिनिधि) मि. दत्त से कहा कि हम लोग अपना भारतीय संगीत चाहते हैं। उन्होंने बंगाली संगीत के 2 रिकार्ड लाउड-स्पीकर पर लगा दिये। किसी को सन्तोष नहीं हुआ। आखिर जिन्दा गानों की फरमाइश हुई। कई भारतीय यात्रियों ने गाने सुनाये।

मैंने और डॉ. सिक्का ने क्रमश: हेमन्त कुमार व लता का पार्ट लेकर 'जाल' का 'ये रात ये चांदनी फिर कहां' गाना सुनाया।

एक और भारतीय सज्जन से परिचय हुआ। नाम था मि. अरोड़ा। यह किसी जगह अपने फेल्ट हैट और कन्धे पर लटकते कैमरे के बिना नहीं जाते थे। उम्र

प्राय: 50 वर्ष। अपने आपको बम्बई की 'Illustratcd Weekly of India' का रिपोर्टर और फोटोग्राफर बताते थे। 'स्काउब्रायन' के यात्रियों के समाचार 'अपने पत्र' को भेजने को बहुत उत्साहित थे और सबको बता रहे थे कि उनके समाचार और फोटोग्राफ संसार के सब मुख्य पत्रों में छपेंगे और वह मालामाल हो जायेंगे।

अगर मि. अरोड़ा में लगन और योग्यता होती, तो यह असम्भव भी नहीं था !

प्राय: 11.30 बजे 'सिटी ऑफ सिडनी' जहाज के दर्शन हुए। दोनों जहाजों ने भोंपू बजाकर एक-दूसरे को सलामी दी। Cargo जहाज होने के कारण उसकी पेंटिंग स्याह थी और अपने 'रोमा' से वह कुछ छोटा था। 'रोमा' बहुत धीमी रफ्तार से 'सिटी' की ओर बढ़ रहा था। प्राय: 100 गज की दूरी पर वह रुक गया। अब दोनों जहाज एक-दूसरे की बगल में एक-दूसरे के समानान्तर थे।

यह जानने की उत्सुकता में कि अब आगे क्या होता है, डेक से हटने का मन नहीं कर रहा था। लेकिन 12.30 बजे डाइनिंग हॉल जाना ही था। लौटने पर देखा कि मजबूत रस्सों की दो लाइनें दोनों जहाजों के बीच बांध दी गयी थीं। इन लाइनों के ऊपर थी घिर्री और उससे लटकती हुई एक कुर्सी, जिसे एक रस्सी द्वारा 'सिटी ऑफ सिडनी' की ओर से 'रोमा' द्वारा खींचा जा रहा था। दूसरी लाइन पर यही कुर्सी 'सिटी ऑफ सिडनी' को वापिस की जा सकती थी—शायद इस बार 'सिटी ऑफ सिडनी' की ओर खींचना होता था।

यात्री कुर्सी पर सीट-बेल्ट और कमर-बेल्ट पहनता था। अत्यंत सुरक्षित रहता था। शीघ्र ही पहला यात्री 'रोमा' की डेक पर आ गया। अब तक दूसरी लाइन भी तैयार हो गयी थी। एक घण्टे के अन्दर चार लाइनें चालू हो गयीं। कुर्सी पर बैठने वाले सब यात्री Life Jacket पहने थे। पहले स्त्रियों और बच्चों का नम्बर था ; बाद में पुरुषों का।

मैंने डेक की रेलिंग से नीचे समुद्र की ओर देखा। रोंगटे खड़े हो गये। मैंने भीमकाय आकार की 9 मछलियां देखीं जो ललचाई निगाहों से ऊपर देख रही थीं। एक ऑस्ट्रेलियन यात्री ने बतलाया कि ये शार्क (Shark) मछलियां थीं और ये उतनी ही खतरनाक होती हैं जितना कि जंगल का बाघ।

मैंने और भी मछलियां देखीं जो वर्गाकार थीं, एक कोने पर मुंह, दूसरे पर दुम। कुछ हरे और कुछ गुलाबी रंग की थीं। बहुत सुन्दर थीं लेकिन शार्क जैसी ही आदमखोर।

मैंने मि. अरोड़ा की खोज की। मेरे मतानुसार कोई भी फोटोग्राफर फिल्म की कई रीलें यहां समाप्त कर सकता था। यात्रियों से इन्टरव्यू का भी यही मौका था। लेकिन मि. अरोड़ा वहां नहीं थे।

ढूंढ़ते-ढूंढ़ते मैंने डाइनिंग हॉल, डांस हॉल, रिसेप्शन हॉल, सब देख डाले। मि. अरोड़ा मिले कहां ? 'बार' में। वहां वह एक सोफे पर औंधे पड़े थे (मय अपने फेल्ट हैट और कैमरे के)। हाथ में आधा भरा बियर का ग्लास। निकट ही बियर की बोतल। मैंने उन्हें बाहर का दृश्य समझाया। उन्होंने एक दूसरी भरी हुई बियर की बोतल मेरी ओर बढ़ा दी। मैंने इन्कार किया। वह बोले : "यार, सोने दो। शाम को बताना क्या देखा।"

मैं उन्हें वहीं छोड़कर बाहर आ गया।

अन्त में घायलों का नम्बर आया। 3 घायल ऐसे थे जिनके कन्धों, गरदन और बांहों पर पट्टियां बंधी थीं। कुर्सी पर एक-एक नर्स उनके साथ थी। सबसे आखीर में एक काले प्लास्टिक के बड़े थैले में एक मृत शरीर भेजा गया।

सायं 6 बजे तक सब आने वाले 'रोमा' पर आ चुके थे।

आने वाले यात्रियों से जो समाचार मिले, उनका सार यह था : 'स्काउब्रायन' जो कि एक तेज चालित पोत था, के इंजन-रूम के निकट तेल का एक बड़ा पाइप था; रात्रि में प्रायः 11 बजे उससे गरम तेल बूंद-बूंद कर टपकने लगा। (आपको मैंने 'सचेतक' के एक अंक में 'टपके' का प्रताप समझाया था—याद पड़ा ?); वहां के कार्यकर्त्ताओं ने उसे रोकने का यत्न किया ; तेल गर्म था इसलिए मरम्मत मुश्किल और खतरनाक थी ; अब तक 'टपका' कई धारों में बदल गया था। कप्तान को खबर दी गयी ; हर तरह का उपाय किया गया, पर सब प्रयत्न निष्फल रहे; प्रायः दो बजे रात्रि को फर्श पर फैले तेल ने आग पकड़ ली जो तुरन्त काबू के बाहर हो गयी।

इसके बाद की कथा संक्षिप्त थी। Mayday के सिग्नल रेडियो पर भेजे गये और यात्रियों को सोते से उठाया गया। इंजन रूम के तीन कर्मचारी गरम तेल और अग्नि से घायल हो गये। मुसाफिरों में एक वृद्ध सज्जन को दिल का दौरा पड़ता था ; हार्ट फेल होने से उनकी मृत्यु हो गयी।

गर्म जलवायु होने के कारण पुरुष और बालक केवल Shorts पहनकर सोये थे; स्त्रियां और बालिकायें हल्की Night Dress। किसी को भी शेष कपड़े, सामान नकद (Cash) लेने या जूते पहनने तक का समय या अनुमति नहीं मिली। हर जगह अग्नि-देव का कब्जा था। यात्री शान्त थे। पहले स्त्रियां और बालक, फिर पुरुष Life Boats में बैठाकर समुद्र में उतार दिये गये। और 'Skaubryan' की अग्नि से दूर ले जाये गये। 'सिटी' के दर्शन दोपहर 12 बजे हुए। उसे 'स्काउब्रायन' का Mayday का संवाद मिल गया था।

3

लाइफ बोट्स से सब मुसाफिर 'सिटी ऑफ सिडनी' पर उठा लिये गये। सब यात्री 'सिटी ऑफ सिडनी' के नाविकों के त्याग और आतिथ्य की भूरि-भूरि प्रशंसा कर रहे थे।

ये नाविक भारतीय थे। अपनी रसोई उन्होंने 'स्काउब्रायन' के रसोइयों को सौंप दी और बिस्तर यात्रियों को।

लेकिन Cargo जहाज होने के कारण उसमें 1300 यात्रियों की देखरेख की क्षमता नहीं थी। इसलिए उसने फिर एक Mayday संवाद रेडियो पर प्रसारित किया, जिसका उत्तर 'रोमा' ने दिया था।

संध्या समय प्रायः 7 बजे अपने केबिन में आये 4 नये मेहमानों से परिचय हुआ। ये जर्मन नौजवान थे। आयु प्रायः 28-30 वर्ष। उनमें से केवल एक अंग्रेजी समझ और बोल सकता था। उसका नाम था लियो (Leo)। चारों बहुत सज्जन लगे, लेकिन विपदा-ग्रस्त होने के कारण रंजीदा थे। वैसे ऊपर से जी-जान से प्रसन्न दीखने का प्रयत्न कर रहे थे! मेरे और डॉ. गौड़ के कहने पर उन्होंने अपनी-अपनी पत्नियां भी वहीं बुलवा लीं।

हम लोगों ने चाय बनाई और मैंने बिस्कुटों के साथ-साथ आगरे की दालमोठ भी उन्हें खाने को दी। दालमोठ में मिर्च थी। लेकिन कुछ तो भूख के कारण और कुछ लिहाज के कारण उन्होंने सब खा डाली। कड़वाहट संतरे के रस से दूर की।

लियो और उसकी पत्नी ने अपनी और अपने मित्रों की ओर से बहुत धन्यवाद दिया। लियो की पत्नी का नाम हेल्गा (Helga) था। उसका बिस्तर डांस हॉल के फर्श पर था।

प्रायः साढ़े सात बजे 'सिटी ऑफ सिडनी' और 'रोमा' ने अपने-अपने भोंपू बजाये और क्रमशः पूर्व और पश्चिम की राह ली। साढ़े नौ बजे 'स्काउब्रायन' के दर्शन हुए।

संसार में अगर कहीं नरक हो सकता था, तो यहीं था। वह एक अन्त से दूसरे अन्त तक निस्सहाय जल रहा था। लपटें 100 फुट से ऊंची उठ रही थीं। इतना ही नहीं। लपटों के बीच विस्फोट के साथ हर ओर उल्काएं छूट रही थीं। लपटें लाल, पीली और श्वेत थीं, अर्थात् बहुत तापमान लिये हुए। हम लोग प्रायः एक मील दूर थे, फिर भी भय लग रहा था। बच्चे भी वास्तव में डर गये थे।

लियो और हेल्गा, पश्चिमी जर्मनी में म्यूनिख के रहने वाले थे जहां लियो का बढ़ईगीरी का कारोबार था। महत्वाकांक्षी होने के कारण, दोनों ने अपना सुंदर

मकान—जिसमें सामने और पीछे बगीचे भी थे—बेच दिया था। रेफ्रिजरेटर, वाशिंग-मशीन, कुकर व सब फर्नीचर भी बेच दिया था। अब सब मिलाकर प्राय: 25000 पाउण्ड साथ में लेकर ऑस्ट्रेलिया जा रहे थे। उनके पैर नंगे थे और जो कपड़े शरीर पर थे, उनके सिवा कुछ भी नहीं बचा। मैंने, केजरीवाल ने और डॉ. गौड़ ने उन्हें ढाढस बंधाया।

जीवन में पहली बार मुझे अनुभव हुआ कि विपदा काले-गोरे का भेद नहीं करती। दु:ख भी काले-गोरे को समान ही होता है। और, सांत्वना की आवश्यकता सभी को होती है ! लियो, हेल्गा और उसके मित्र हम लोगों से बहुत जल्दी घुल-मिल गये। अगली सुबह हेल्गा हमारे जागने से पहले ही आयी और चाय बनाकर मुझे उठाया। मुझे यह प्रतीत हुआ जैसे मैं फिर अपने ही घर (बल्काबस्ती, आगरा) में था।

दिन भर मैं, डॉ. केजरीवाल, लियो, हेल्गा और उनके मित्रों से गपशप करते रहे। वे जर्मनी के बारे में और हम भारत तथा भविष्य के अपने 'स्वप्नों' के बारे में बात कर रहे थे। अब हेल्गा उतनी रंजीदा नहीं थीं।

ऐर्नाकुलम में भोजन के साथ वहां लोग एक गिलास में लाल रंग का पानी परोसते हैं। वह क्या था, किसलिए होता था, मुझे अभी भी नहीं मालूम। मैं उसे बिना छुये ही छोड़ दिया करता था। 'रोमा' की डाइनिंग टेबिल पर भी ऐसा ही एक लाख द्रव वेटर एक फ्लास्क में रख जाया करता था। आज शाम मैंने एक गिलास भर उसे पी लिया। स्वाद भी बुरा नहीं था। भोजन समाप्त करते-करते मैंने 3 गिलास और समाप्त कर दिये।

लेकिन कुर्सी छोड़कर खड़े होते समय मुझे लगा जैसे मेज और डाइनिंग हॉल सब घूम रहे हों; यहां तक कि कभी पूरा हिन्द महासागर मेरी ओर आता तो फिर कभी दूर चला जाता लगता। मैंने केजरीवाल से कहा : "आज समुद्र में अजीब उथल-पुथल है। समुद्र जहाज को घुमा रहा है !" केजरीवाल कुछ नहीं समझे। तभी नौर्मन क्लार्क ने पास आकर समझाया कि उस फ्लास्क में लाल शराब थी। मुझे बहुत शर्मिन्दगी आयी। वह बोले : "इसमें शरम की कोई बात नहीं। मेरे पास कुछ गोलियां हैं जो खाकर सो जाने से सब असर दूर हो जायेगा।"

मैंने यही किया। सुबह सोकर उठने पर शरीर हल्का और मन प्रसन्न था। हेल्गा की बनायी चाय पीने के बाद उसे और लियो को मैंने जब अपना पिछली रात का अनुभव सुनाया, तो दोनों को बहुत हंसी आयी। कहना नहीं होगा, मैंने फिर उस फ्लास्क को हाथ नहीं लगाया।

हां, एक बात और। मैं, केजरीवाल और डॉ. गौड़ रात 11 बजे ऊपरी डेक के बक्से पर सोने चले जाते थे और सुबह करीब पांच बजे केबिन में वापिस आ जाते थे।

जहाज अदन की ओर बढ़ रहा था। उस समय अदन ब्रिटिश साम्राज्य का एक भाग था। मुझे ऐसा आभास है कि 1947 तक भारत के बम्बई प्रेसीडेन्सी के गवर्नर अदन के भी गवर्नर होते थे, इस कारण भारत और अदन में बहुत सम्बन्ध था। मुझे यह देखने की इच्छा थी कि भारत से सम्बन्ध छूटने के 11 वर्ष बाद अदन अब कैसा है?

'स्काउब्रायन' के यात्रियों को आये तीन दिन हो चुके थे। रात्रि के प्रायः 3 बजे थे। मेरी आंख खुली। मुझे ऐसा लगा जैसे उत्तर दिशा की ओर दीवाली का समारोह हो रहा हो! दीवाली का अपना स्वप्न जारी रखने के लिए मैंने फिर झपकी ले ली। लेकिन जल्दी ही आंखें फिर खुल गयीं। यह स्वप्न नहीं था।

दूर के अंधेरे में दीपकों की एक लड़ी के ऊपर दूसरी लड़ी। ये लड़ियां जमीन से प्रायः आसमान तक जा रही थीं, जैसे किसी विशालकाय बहुमंजिला हवेली की गोखों पर दीपमालिकायें जगमगा रही हों। दृश्य सुन्दर था। पर तभी नींद फिर आ गयी।

सुबह साढ़े पांच बजे नींद खुली। अब कुछ-कुछ साफ दीखने लगा था। सामने एक पहाड़ी थी जिस पर सड़कें थीं और स्ट्रीट लैम्प्स दीवाली का दृश्य उपस्थित कर रहे थे! यही अदन था।

'स्काउब्रायन' के यात्रियों को अदन में ही उतरना था। स्टीवर्ड ने दोनों पोर्ट-होलो को कसकर बन्द कर दिया जिससे केबिन गर्म होने लगा। स्टीवर्ड ने समझाया : "अदन के मल्लाह चोर होते हैं और पोर्ट-होल से रस्सी और हुक फेंक-कर बाहर से ही यात्रियों का सामान चुरा लेते हैं।"

लियो और हेल्गा को बर्सर के दफ्तर में बुलाया गया था, इसलिए चाय के बाद वे दोनों जल्दी ही चले गये।

पिछली रात मैंने दो लम्बे पत्र लिखे थे : एक माता-पिता को; दूसरा कुसुम को। हेल्गा ने वायदा किया कि वह उन्हें अदन में पोस्ट कर देगी।

प्रायः साढ़े नौ बजे लियो और हेल्गा से फिर मुलाकात हुई! दोनों खुश लग रहे थे। उन्होंने जो बतलाया उसका सार यह है :

'स्काउब्रायन' की दुर्घटना का विस्तृत वर्णन संयुक्त राष्ट्र संघ (United Nations) को मिल गया था। वहां कुछ निर्णय हुए। (1) 'स्काउब्रायन' के हर यात्री—स्त्री, पुरुष, बालक, बालिका—को दस पौण्ड नकद और पहने के कपड़े, जूते इत्यादि अदन में दिये जायें; (2) उनके ठहरने, खाने-पीने का प्रबन्ध अदन के अच्छे होटलों में निःशुल्क किया जाय (व्यय संयुक्त राष्ट्र के फण्ड से); (3) सब यात्री ऑस्ट्रेलिया तक की शेष यात्रा हवाई जहाज से निःशुल्क करें; सब यात्रियों का एयर-लिफ्ट तीन दिन में पूरा हो जाना चाहिए—यानी किसी भी यात्री को अदन में दो दिन से अधिक नहीं रहना होगा; (4) ऑस्ट्रेलिया में हर यात्री को

नकद और सामान का हरजाना उसी प्रकार मिलेगा, मानो उनका बीमा किया गया हो ; यह रकम 'स्काउब्रायन' के बीमे से आयेगी ; (5) 'सिटी ऑफ सिडनी' और 'रोमा' को पूरा व्यय दिया जायगा और विशेष सम्मान के पदक भी।

प्रायः 10 बजे अदन बन्दरगाह पर जहाज रुका। साधारण यात्रा में 'रोमा' का अदन में रुकने का प्रोग्राम नहीं होता था, इसलिए उतरने वाले सारे यात्री 'स्काउब्रायन' के ही थे।

लियो, हेल्गा और उनके साथियों ने विदा ली। हेल्गा के अश्रु दिखावटी नहीं थे।

अब हम लोगों ने अदन बन्दरगाह की ओर ध्यान दिया। बड़ा ही अद्भुत दृश्य था। 'रोमा की सीढ़ी के तुरन्त बाद, बड़ी-बड़ी नावों की कतारें लगी थीं, मानो वाराणसी का गंगा पर माघ मेला हो।

आप एक नाव से दूसरी नाव पर जा सकते थे। हर नाव तरह-तरह के साजो सामान से लदी थी। आप कैमरा, रेडियो, टेपरेकॉर्डर, टेलीविजन, घड़ियां, सूट, कमीजें, स्कर्ट, ब्लाउज, शृंगार के प्रसाधन, टूथपेस्ट, ब्रश—अर्थात् कुछ भी खरीद सकते थे। ब्रिटिश, जर्मन, फ्रेंच, अमेरिकन, जापानी—हर प्रसिद्ध ट्रेडमार्क का सामान मौजूद था। मूल्य निश्चित नहीं था। हर सामान का मूल्य विक्रेता और खरीददार के बीच जो तय हो जाये वही होगा। आमतौर पर सामान सस्ते मूल्य पर था—यदि आपको सब्र हो और आप विक्रेता के वाक्जाल में न आयें।

अब विक्रेताओं का वर्णन भी सुन लीजिए। वे अरब थे। गरदन से एड़ी तक एक ही कुर्ता पहने, सिर पर पगड़ी। कुर्ते में मालूम नहीं कितनी जेबें होंगी। मूल्य आप किसी भी देश की करेंसी में चुका सकते थे। बैंक-चेक अमान्य थे। केवल नकद सौदा ! ये लोग हर करेंसी के एक्सचेंज-रेट जानते थे। एक जेब में भारतीय रुपयों के नोट, दूसरी में पाउंड, तीसरी में इटालियन लीरा, चौथी में जर्मन मार्क, पांचवीं में स्विस मार्क, फिर फ्रेंच फ्रांक, इत्यादि-इत्यादि। मैंने केवल कुछ रूमाल और मैक्लीन्स टूथपेस्ट खरीदे। टूथपेस्ट की कीमत उसने दस रुपये बतायी। मैंने एक रुपया दिखाया। बिना ज्यादा बहस किये उसने डेढ़ रुपया ले लिया। भारत में उसका मूल्य 2 रुपये था। लेकिन यहां का यह टुथपेस्थ बम्बई में नहीं, इंग्लैण्ड में बना था।

ये विक्रेता बहुत-सी भाषायें (लेकिन केवल काम-चलाऊ) बोल और समझ सकते थे। एक अरब एक सरदार जी पर चिल्ला रहा था : "साले क्या हम चोर हैं ?" ये लोग हमेशा चिल्लाकर ही बोलते थे।

सामने से दो नावें और गुजरीं, जिन पर प्रायः 40-50 अरब स्त्रियां नाचती हुई दिखाई दीं। उनका संगीत समझ में नहीं आया ! नॉर्मन क्लार्क ने समझाया कि ये वेश्याएं थीं और ग्राहकों को आमन्त्रित कर रही थीं।

दोपहर तीन बजे 'रोमा' के सब यात्रियों को अदन के एस्प्लानेड पर निमन्त्रित किया गया। 'स्काउब्रायन' के यात्री भी निमन्त्रित थे। उत्सव में ब्रिटिश नेवी-बैण्ड ने बहुत ही सुन्दर परेड और संगीत का प्रोग्राम दिया। 'रोमा' का अपना भी इटालियन बैण्ड था। उसने भी योग दिया।

रात्रि के आठ बजे जहाज ने अदन छोड़ा और बाब-अल-मन्द जलडमरूमध्य होकर लाल सागर में प्रवेश किया। पूर्व में एशिया (यमन), पश्चिम में अफ्रीका (सुमालिया और ईथियोपिया) थे। हिन्द महासागर पीछे छूट गया था। 'रोमा' उत्तर की ओर बढ़ रहा था।

4

अब सागर, हिन्द महासागर जैसा शान्त नहीं था, बल्कि उसका वक्ष प्रायः 10 फुट ऊपर और 10 फुट नीचे उठ-बैठ रहा था। मेरा केबिन तो जहाज के मध्य में था, इसलिए असुविधा नहीं थी। लेकिन केजरीवाल जहाज के पिछले भाग (AFT) में रहते थे। उनका bunk bed किसी चरख की भांति लहरों के साथ उठ-बैठ रहा था। बिस्तर में सोना तो दूर, बैठना भी असम्भव लग रहा था। मैंने स्वयं उनकी हालत देखी और उन्हें अपने केबिन में बुला लिया। तब से हम तीनों (मैं, केजरीवाल और गौड़) एक ही केबिन में रहने लगे।

उत्तर की ओर यात्रा करने के कारण, और दोनों किनारों पर रेगिस्तान होने के कारण भी रात में सर्दी हो जाती थी। इसलिए डेक पर सोना बन्द करना पड़ा था।

आपको शायद याद होगा कि हम लोगों के साथ 400 रिफ्यूजी थे, जो जकार्ता (इण्डोनेशिया) से हॉलैण्ड जा रहे थे। ये लोग डच और इण्डोनेशिया (मिश्रित) माता-पिता की सन्तान थे। मेरा केबिन नं० 32 था। मेरे बगल के केबिन में एक ऐसा ही परिवार था।

रात को मेरी आंख लगी ही थी कि बिस्तर के पीछे की लकड़ी की दीवार पर दस्तक हुई। मैं जाग गया। लेकिन दस्तक को महज संयोग समझ, अनसुना कर दिया।

दस्तक फिर हुई। फिर, कुछ मिनट बाद ठीक दरवाजे दर दस्तक हुई जिससे गौड़ और केजरीवाल भी जाग गये। रात्रि के 12 बजे थे।

दरवाजा खोलने पर सामने एक सुन्दर 24-25 वर्षीया अर्ध-यूरोपियन महिला खड़ी थी। मैं किंकर्त्तव्य-विमूढ़। कुछ क्षणों बाद वह बोली : "Please come with me, we need help" । मैं उसके साथ बगल वाले केबिन में गया। रोशनी कुछ कम थी। क्योंकि वहां एक वृद्ध महिला की आंखें रोशनी से दुखती थीं। केबिन के सब बिस्तरों पर कोई न कोई लेटा था।

उस परिवार में एक वृद्ध महिला, 2 युवतियां (दूसरी प्राय: 20 वर्षीय) और प्राय: 4 बालक-बालिकाएं थे। साथ आयी युवती ने अपना परिचय यह कहकर दिया कि वह हेलेना स्टाल थी।

वह अविवाहिता थी। दूसरी युवती उसकी अविवाहिता बहिन थी। वृद्धा उनकी मां मिसेज स्टाल थीं और बच्चे हेलेना के बड़े भाई की संतान थे।

मां बीमार थी। आंखें सूजी थीं। शायद बुखार भी था। लेकिन उन्हें विशेष परेशानी पेट दर्द की थी। मैंने सुझाव दिया कि तुरन्त स्टीवर्ड द्वारा डॉक्टर को बुलाया जाय। हेलेना ने इन्कार कर दिया और कुछ कठोर होकर बोली : "हम लोग किसी से भिक्षा या रिआयत नहीं मांगते।" मैंने समझाया कि डॉक्टरी सेवा तो हर यात्री का हक है। पर वे लोग नहीं माने। हेलेना ने कहा कि उसकी मां को भोजन में तेज मसालों की आदत है, यहां भोजन वैसा नहीं मिलता, इसलिए उन्हें constipation और बुखार हैं। मेरे पास नींबू, आम और मिर्च का अचार था। हेलेना ने नीबू का अचार स्वीकार कर लिया।

अगली सुबह वह धन्यवाद देने आयी और बतलाया कि उस 'भारतीय दवा' से मां को बहुत लाभ हुआ है। मैंने कुछ और अचार दे दिया।

दूसरी रात 9 बजे फिर उसी प्रकार दस्तक हुई और हेलेना फिर मुझे अपने केबिन में ले गयी।

केबिन में मातम-सा छाया हुआ था। उसकी मां और बहन सिसकियां भर कर मन्द स्वर में रो रही थीं। केवल हेलेना शान्त थी। उससे कहा कि वह मुझ से बात करना चाहती है। हम दोनों ऊपर डेक पर चले गये। धीरे-धीरे हेलेना ने अपनी कहानी सुनायी जो इस प्रकार थी।

उसकी आयु 25 वर्ष थी। पिता, मि. स्टाल, डच थे। (डच भाषा में स्टाल का अर्थ है : स्टील यानी फौलाद)। मां जावा की रहने वाली थी और नाम था 'कोरी' इसलिए हेलेना का पूरा नाम था : Helena Corri Staal। उसने बटाविया (जकार्ता) और हालैण्ड में शिक्षा पायी थी और पूरा परिवार रोमन कैथोलिक था।

अब मैंने उसके चेहरे पर पूरा ध्यान दिया। वह वास्तव में पूर्व और पश्चिम के मिश्रित सौंदर्य के कारण बहुत रूपवती थी। लेकिन चेहरे पर एक अजीब कठोरता और उदासी थी। भाषा अंग्रेजी और कुछ डच मिश्रित थी, इसीलिए कभी-कभी मेरी समझ में नहीं आ रही थी। बीच-बीच से वह उर्दू के शब्दों (जैसे 'नसीब') का प्रयोग करती थी।

उसके बड़े भाई डीटर (Dieter Staal) ने हॉलैण्ड की पुलिस ऐकेडेमी में शिक्षा पायी थी और बटाविया (जकार्ता) में पुलिस कमाण्डर था। स्वयं हेलेना इण्डोनेशियन एयरफोर्स में सिगनेलर थी। पिता की मृत्यु हो चुकी थी। दोनों भाई-बहनों ने स्वतंत्र इण्डोनेशिया की सेवा करने की कसम ली थी और उस कसम को जी-जान से निबाहने का व्रत लिया था। छोटी बहन भी जकार्ता विश्वविद्यालय में भौतिकशास्त्र का अध्ययन कर रही थी।

इन दिनों इण्डोनेशिया स्वतन्त्र था; हॉलैण्ड का दोस्ताना प्रभाव अभी भी काफी था। जकार्ता के निकटवर्ती ग्रामीण इलाकों में इण्डोनेशियन गुरिल्ला (छापामार—सं.) स्वयंसेवक सक्रिय थे। एक दिन प्रेसीडेंट सुकार्नो स्वयं डीटर-स्टाल के दफ्तर में गये। उन्होंने डीटर स्टाल को आवेश दिया कि चूंकि ये गुरिल्ला इण्डोनेशिया के दुश्मन थे, अत: उन्हें गिरफ्तार दिया जाये।

कमाण्डर डीटर स्टाल ने इस आज्ञा का पालन करके कई गुरिल्ला स्वयंसेवकों और उनके नेताओं को गिरफ्तार किया।

एक रात प्राय: 8 बजे, नकाबपोश गुरिल्लाओं ने एयरफोर्स के दफ्तर पर छापा मारा। स्वयंसेवक मशीनगनों से लैस थे। उन्होंने हेलेना को गिरफ्तार करके आंखों पर पट्टी बांध दी, उसके हाथ और पैर भी जकड़ दिये और एक मोटरगाड़ी में उसे ले गये। ये लोग टेलीफोन के तार पहले ही काट दिया करते थे। जगह-जगह घुमाने के बाद रात्रि 11 बजे जब उन्होंने हेलेना की आंखों की पट्टी खोली तो उसने अपने आपको अपने भाई कमाण्डर स्टाल के दफ्तर में पाया। हेलेना के मुंह मे रूमाल ठुंसा होने के कारण वह बोल नहीं सकती थी। उसने भाई को बेहोश पाया, शायद गुरिल्लाओं ने पीछे से उसके सिर पर चोट की थी। भाई को धीरे-धीरे होश आ रहा था। तभी गुरिल्लाओं ने मशीनगन से भाई पर गोलियों की बौछार की और दोनों भाई-बहनों को वहीं छोड़ मोटर पर चल दिये। वहां से वे उनके घर गये और डीटर की पत्नी की भी हत्या कर दी।

इस घटना के बाद से गुरिल्लाओं का पलड़ा भारी हो गया।

प्रेसिडेण्ट सुकार्नो ने समझदार राजनीतिज्ञों के समान कार्य किया, यानी सब गुरिल्लाओं को रिहा कर दिया। और जकार्ता के मिश्रित खून वाले नागरिकों को देशद्रोही धोषित करके उनकी सम्पत्ति, जायदाद और धन जब्त कर लिया। इतना ही नहीं। इन सबको पुलिस और फौज की सहायता से जकार्ता के बन्दरगाह में कैंद करके देश-निकाला दे दिया। शेष आपको मालूम ही है।

अब मुझे हेलेला की आंखों में उदासी और चेहरे पर कठोरता का रहस्य मालूम हो गया था। मैंने, जहां तक बन पड़ा, सहानुभूति प्रकट की। हेलेना ने बताया कि पोर्ट सईद पर डच सहायता आ जाएगी, यानी गरम कपड़े और आर्थिक सहायता। मैंने समझाया कि जहाज पर उपलब्ध अस्पताली और डॉक्टरी सहायता

पर उन लोगों का हक था और उन्हें उसका उपयोग करना चाहिए। हेलेना ने पुनः वह सहायता लेने से इन्कार कर दिया।

पोर्ट सईद पर डच अधिकारियों ने उन यात्रियों को हर प्रकार की सहायता दी। 'रोमा' को उनका भाड़ा चुका दिया और यह वायदा किया कि हॉलैण्ड में उनका विशेष स्वागत होगा और शिक्षा, कारोबार व नौकरी आदि का यथाविधि बन्दोबस्त किया जायेगा।

बाद में, लन्दन और सण्डरलैण्ड में अगले ढाई वर्षों तक मुझे हेलेना के पत्र मिलते रहे। फिर पत्रों का आना बन्द हो गया। 1987 में क्रीट में हम लोगों की मुलाकात एक डच सैलानी से हुई। बातचीत के दौरान हेलेना का जिक्र आ गया। उन सज्जन ने हॉलैण्ड लौटकर हेलेना की खोज करके मुझे उसका समाचार देने का वायदा किया। उन्होंने वायदा पूरा भी किया। पिछले 32 साल से (1958 से ही) हेलेना एक मानसिक रोग चिकित्सालय में मरीज की हैसियत से रह रही थी और उसमें ठीक होने के कोई लक्षण नहीं थे।

जहाज अब सुएज की खाड़ी में था और पश्चिमी किनारा बहुत स्पष्ट दीख रहा था।

यह ईजिप्ट था। अरब किसान अपने खेतों को हल द्वारा जोत रहे थे। हल भारतीय हलों जैसे ही थे, बैलों द्वारा खींचे जाने वाले। किसान पगड़ी बांधे थे और गर्दन से एड़ी तक लम्बा कुर्ता पहने थे। कुर्ते या तो श्वेत थे या धारीदार। यही दृश्य बारम्बार दीख रहा था इसलिए ऊब होने लगी।

आइए यहां आपको ईजिप्ट की उस समय की राजनीतिक परिस्थिति का परिचय दे दूं। 2 वर्ष पूर्व 1956 में, प्रेसीडेण्ड नासिर ने सुएज नहर का राष्ट्रीयकरण कर दिया था जिससे इंग्लैण्ड और फ्रांस की सरकारों ने असन्तुष्ट होकर ईजिप्ट के कई इलाकों पर हवाई जहाज से बमबारी की थी। सुएज नहर के प्रवेश पर सुएज शहर था और अन्त पर पोर्ट सईद। इन दोनों शहरों और बन्दरगाहों को विशेष क्षति पहुंची थी।

बमबारी करने के कारण सारा विश्व अंग्रेज व फ्रांसीसी सरकारों के खिलाफ हो गया था। प्रेसीडेंट नासिर की लोकप्रियता बढ़ गयी थी। नासिर और भारतीय प्रधानमन्त्री पण्डित नेहरू में विशेष मैत्री थी।

'रोमा' अब तक सुएज की खाड़ी पार करके, सुएज नहर के प्रवेश द्वार तक पहुंच चुका था। यहां जहाजों का 'क्यू' लगा था। हर जहाज को उसके भार और मुसाफिरों की संख्या के अनुसार, नहर से गुजरने का भाड़ा देना होता था।

दोपहर बाद प्रायः 4 बजे थे। जहाज पर ईजिप्ट सरकार के कई अधिकारी आये। उनमें कुछ भाड़ा वसूल करने वाले थे, कुछ टूरिस्ट विभाग के कर्मचारी थे। इजिप्ट सरकार—इंग्लैण्ड और फ्रांस को छोड़कर—हर विदेशी नागरिक को

इंग्लैण्ड और फ्रांस के 'काले कारनामे' दिखाने को उत्सुक थी। यात्रियों के बिना मांगे ही, टूरिस्ट विभाग के कर्मचारी यात्रियों को आमंत्रित करके उनके पासपोर्ट पर निःशुल्क बीसा का ठप्पा लगाने लगे। यह सुविधा इंग्लैण्ड और फ्रांस के नागरिकों को प्राप्त नहीं थी।

इतना ही नहीं। वे लोग भारतीय नागरिकों को, प्रत्येक रुपये पर ईजिप्ट की 8 'प्यास्ता' दे रहे थे और निःशुल्क विशेष वातानुकूलित बस-कोचों द्वारा सुएज शहर की सैर करने का निमंत्रण दे रहे थे।

शहर बमबारी के कारण सचमुच क्षतिग्रस्त हुआ था। साधारणतया सुएज और नगरों जैसा ही लगा। लेकिन गरीबी के कोई चिह्न नहीं थे। कई सुन्दर हवेलियां और बहुमंजिला बिल्डिगें खण्डहर बन गयी थीं। बच्चों के स्कूल भी बमबारी से नहीं बचे थे। लेकिन सुएज निवासियों की दिनचर्या में कोई अन्तर नहीं आया था। वहां की साधारण बसें दिल्ली की बसों से अधिक सुन्दर थीं और उनमें भीड़ नहीं थी। बसों की खिड़कियां धूप से बचाव के लिए, नीले या स्याह रंग की थीं। पुरुष या तो लम्बे कुर्ते या पश्चिमी सूट पहने थे। अधिकतर महिलाएं पश्चिमी लिबास में थीं बुर्कों का प्रचार नहीं था। भाषा या तो अरबी या फ्रेंच थी; अंग्रेजी बोलने वाले कम थे। कई दुकानें सिन्धी भारतीयों की थीं। कुछ दुकानें आगरा या दिल्ली जैसी थीं—ग्राहक सड़क पर और दूकानदार एक पटरी पर, गद्दी पर बैठा हुआ। शहर स्वच्छ था।

अब हम लोग पैदल चल रहे थे। एक दुकान पर मैंने 2 प्यास्ता में जूते के फीते खरीदे। मेरे फीते चूंकि सिल्क के थे इसलिए गांठें बार-बार खुल जाती थीं। मैंने वे सड़क पर फेंक दिये और सूत के नये फीते बांध लिये।

दुकानदार मेरे सामने ही गद्दी से कूदकर सड़क पर आया; उन फीतों को उठाकर उसने अपने 'स्टॉक' में रख लिया। मुझे आश्चर्य और घृणा हुई।

एक और दुकान भारतीय थी; मनचन्दा की। वहां मैंने खाने की तम्बाकू खरीदी। दुकानदार ने पूरा एक पत्ता दे दिया। तम्बाकू बहुत अच्छी थी और भारत के मुकाबले सस्ती थी। 'मनचन्दा' से ईजिप्ट के रहने वाले भारतीयों के बारे में पूछा।

मनचन्दा प्रायः 25 वर्षों से सुएज में रह रहे थे। उनकी पत्नी भी भारतीय थीं पर विवाह सुएज में ही हुआ था। उनके तीन बच्चों से भी मिला। वे केवल अरबी या फ्रेंच ही बोल सकते थे, जबकि श्रीमती मनचन्दा सिन्धी, हिन्दी, अंग्रेजी और फ्रेंच बोल लेती थीं।

5

अब सन्ध्या के 7 बज चुके थे। मैं, केजरीवाल और गौड़ एक रेस्तरां में गये। मेन्यू (Meun) पर कीमतें 'प्यास्ता' और 'अंग्रेजी पाउण्ड' में दी हुई थी। हम तीनों ने चाय और ऑमलेट का ऑर्डर दिया। दुकान मालिक गोरे रंग और घुंघराले बालों वाला सूटधारी एक अरब था। उम्र प्रायः 27-28 वर्ष। यानी हमारी अपनी उम्र का। वेट्रेसें पश्चिमी लिवास में थीं।

दुकान का मालिक बहुत प्रेम से भारत के बारे में बात कर रहा था। पण्डित नेहरू की नीतियों का समर्थन कर रहा था।

भोजन का बिल डेढ़ पाउण्ड बना। केजरीवाज ने 5 पाउण्ड का नोट दिया। मुस्कुराते हुए उस मालिक ने वह नोट अपने बक्से में रख लिया और हम सबसे 'गुड नाइड' कह दिया। हम लोगों ने साढ़े तीन पाउण्ड वापिस करने की याद दिलायी। उसने तेबर बदलकर टेलीफोन उठाया और पुलिस बुलाने की धमकी दी। हमें बरबस रेस्तोरां छोड़ना पड़ा। इन छोटी बेईमानियों से इन अरबों की तरफ से मन खट्टा हो गया।

स्थान-स्थान पर लम्बे कुर्ते पहने अरब, ठेलों पर नान बेच रहे थे; यह प्रायः दस इंच व्यास की, एक इंच मोटी, गोल खमीर की रोटी थी।

हम लोग जहाज पर साढ़े आठ बजे वापिस आ गये। वहां सुना कि अगली सुबह 'रोमा' के वे यात्री जिनके पास 'बीसा' है, वातानुकूलित टैक्सियों द्वारा ईजिप्ट के संसार प्रसिद्ध पिरामिड देखने जा सकते हैं, वे ही टैक्सियां पिरामिड और कैरो (ईजिप्ट की राजधानी) घुमाकर हमें सन्ध्या को पोर्ट सईद पहुंचा देंगी। बहुत कम भाड़ा था।

सुबह प्रायः 8 बजे हम लोग टैक्सियों द्वारा पिरामिडों की ओर बढ़े। टैक्सियां वातानुकूलित और आरामदेह थीं। सड़क भी अच्छीं थी। हम लोग सीधे पश्चिम की ओर बढ़ रहे थे। प्रायः 11 बजे कैरो पहुंचे। वहां चाय-पानी करके निकट ही गीजा या खूफू के पिरामिड पहुंचे।

गीजा का पिरामिड कई पिरामिडों में से एक है और सबसे बड़ा व प्रसिद्ध है। यह 2600 या 2800 वर्ष ईसा पूर्व में बनाया गया था, यानी यह प्रायः 5000 वर्ष पुराना है। इसमें ईजिप्ट के 'चौथे राजवंश' के राजा-रानी दफन हैं। यह पिरामिड बिस्कुटी या बादामी रंग के पत्थरों को ईंटोंनुमा काटकर और चूने से जोड़कर बनाया गया है। जमीन पर यह 755 फीट लम्बाई और उतनी ही चौड़ाई का वर्गाकार है और 481 फीट ऊंचा।

आश्चर्य हुआ कि ये भारी पत्थर इतनी ऊंचाई तक कैसे ले जाये गये होंगे।

निकट ही स्फिंक्स की मूर्ति है। यह पिरामिड से भी 200-300 वर्ष पुरानी

है। यह मूर्ति 189 फीट लम्बी है, जिसका शरीर सिंह का है परन्तु सिर एक मानव स्त्री का।

यहां अरब लोग सैलानियों को ऊंट की सवारी कराने के लिए पीछे पड़ जाते हैं। वे बहुत दाम मांग रहे थे। फिर मैंने भारत के ऊंटों की सवारी कई बार की थी, इसलिए इन्कार कर दिया। केजरीवाल को अब इन लोगों के ऊपर से विश्वास हट गया था, अर्थात् हम तीनों ने इस सुविधा का लाभ उठाने का अवसर खो दिया

कैरो सुन्दर था, जैसे भारत का कोई सुन्दर शहर। बम्बई जैसा। पश्चिम और पूर्व का मिश्रण। स्थान-स्थान पर राष्ट्रपति नासिर के चित्र या पोस्टर। कुछ चित्रों में नासिर के साथ पण्डित नेहरू भी।

कैरो में चमड़े का काम बहुत सुन्दर होता है।

लौटते समय टैक्सियां नील नदी के किनारे वाली सड़क पर दौड़ रही थीं।

नील नदी सुन्दर है और गंगा की याद दिलाती है। स्थान-स्थान पर कुछ प्राचीन इमारतें भी हैं। खजूर के पेड़ नील नदी की सुन्दरता को बढ़ा रहे थे। नदी पर घरनुमा नाव और बजरे चल रहे थे।

सायं 9 बजे पोर्ट सईट पहुंच गये। 'रोमा' अब तक यहीं आ पहुंचा था। पोर्ट-सईट सुएज नहर के दूसरे छोर पर है और वहां से भूमध्य सागर आरम्भ होता है। अब हवा में सर्दी थी। पोर्ट सईद में भी बमबारी के कारण इमारतों के खण्डहर देखे।

सुबह सोकर उठने पर अपने आपको भूमध्य सागर के वक्षस्थल पर पाया। समुद्र हिन्द महासागर जैसा शान्त नहीं था, लेकिन सुहावना था। हम उत्तर की ओर बढ़ रहे थे।

दूसरे दिन। प्राय: 11 बजे माल्टा की राजधानी वैलेटा (Valleta) में प्रवेश किया। उन दिनों माल्टा ब्रिटिश साम्राज्य का एक अंग था। सामने एक पहाड़ी पर एक दुर्ग था, जिस पर ब्रिटेन का यूनियन जैक फहरा रहा था। हम लोग उतरकर वैलेटा की गलियों में घूमने लगे।

दुर्ग का दृश्य बहुत सुन्दर था। प्रायः 1 या 2 वर्ष पहले यहां एक प्रसिद्ध फिल्म Boy on a dolphin की शूटिंग हुई थी।

शहर बहुत साफ-सुथरा और सुन्दर था। यहां के निवासी रोमन कैथोलिक थे। इसलिए बहुत से छोटे-बड़े चर्च स्थान-स्थान पर थे। इसी प्रकार पादरी और nuns दृष्टिगोचर हो रहे थे।

यहां बहुत-सी गुफायें थीं, जिनके अन्दर दीवारों और छतों पर अत्यन्त

प्राचीन धार्मिक चित्र पेण्ट किये हुए थे। उन्हें देखने का अवसर नहीं मिला।

मैं और मि. नॉर्मन क्लार्क (अंग्रेज मित्र) एक रेस्तोरां में पहुंचे और उन्होंने अपने और मेरे लिए चाय ऑर्डर कर दी। वह बातें करने के मूड में थे।

नॉर्मन क्लार्क बंगलौर में टाटा की एक बड़ी कम्पनी में चीफ इंजीनियर थे। उनके एक बड़े भाई मिस्टर एलन क्लार्क बम्बई में मुख्य कस्टम ऑफिसर थे। भारत सरकार उनका बहुत सम्मान करती थी। इसके दो कारण थे। प्रथम, उनकी ईमानदारी, अर्थात् वह रिश्वत कभी भी नहीं लेते थे। दूसरा, उनका अनुभव और उनकी तेज निगाहें।

यात्रियों की कतार की ओर देखकर वह प्राय: उन्हीं यात्रियों का सामान खुलवाते थे जो गैर-कानूनी सामान आयात कर रहे हों। उनका स्वर मृदु था। यात्रियों को परेशानी नहीं होती थी। उनके द्वारा भारत सरकार को एक करोड़ रुपये से ऊपर का नफा हुआ था। आवश्यकता पड़ने पर वह कठोर हो जाते थे, लेकिन स्वर हमेशा नम्र रहता था।

नॉर्नल क्लार्क वाली फैक्टरी में एक मेहतर लिफ्ट ऊपर-नीचे चलाता था। उसकी बारह वर्षीय पुत्री सख्त बीमार थी। इलाज से लाभ नहीं हुआ, मृत्यु निश्चित लगी। नॉर्मन ने उसका वर्णन लन्दन के बच्चों के एक प्रसिद्ध अस्पताल को लिख भेजा। वहां से उत्तर आया कि वहां बालिका का ऑपरेशन करके उसका इलाज हो सकता है।

अब नॉर्मन ने उसके लिए चन्दा किया। टाटा ने भी सहायता की। फल-स्वरूप बालिका और उसके माता-पिता लन्दन गये। दो महीने बाद बालिका बिल्कुल स्वस्थ होकर माता-पिता सहित लौट आई। बंगलौर और बम्बई के डॉक्टर और सर्जन उस ऑपरेशन के लाभ की प्रशंसा करने लगे। बालिका की पीठ पर—कधों से नितम्ब तक—दो चीरे लगाये गये थे। पूरी पीठ खोलनी पड़ी थी। लेकिन अब घावों के निशन भी लुप्तप्राय हो गये। यह ऑपरेशन उस समय केवल लन्दन में ही हो सकता था।

नॉर्मन ने मुझसे पूछा कि लन्दन पहुंचकर मेरा क्या करने का प्लान था। मैंने उसे बतलया। उसने कई सुझाव दिये और कहा कि वह अपने कुछ और सुझाव एक कागज पर लिखकर मुझे देगा; आवश्यकता होने पर मैं उनको पढ़ लूं। बाद में उसी रात उसने मुझे एक लिफाफा दिया।

रेस्तोरां से निकल दोनों माल्टा की बीथियों में घूमने लगे। माल्टा को सेण्ट जार्ज का द्वीप भी कहते हैं। वहां स्त्रियां और nuns बहुत सुन्दर क्रोशिया की बुनाई का काम करती हैं। और माल्टा इसके लिए संसार प्रसिद्ध है। एक दुकान पर नॉर्मन को एक बड़ा मेजपोज पसन्द आया। यह एक बड़ी डाइनिंग टेबिल के उपयुक्त था, साथ में 8 सर्वियट (Servittes) भी थीं। सारा काम क्रोशिया का

था। उसका मूल्य 20 पाउण्ड था। उस समय की देर से यह 267 रुपये बनता था। नॉर्मन ने फुसफुसा कर कहा कि इंग्लैंड में उसका मूल्य 50 पाउण्ड होगा। वह उसे खरीदने को तैयार हो गया।

दुकान मालिक से नॉर्मन बोला, "यदि सम्भव हो तो मैं भारतीय रुपयों में मूल्य चुका दूं।" दुकानदार राजी हो गया और हिसाब लगाने लगा। नॉर्मन मुझसे हिन्दी में बोला कि वह 350 रुपये तक खर्च करने को तैयार है। दुकानदार ने हिसाब लगाकर कहा कि भारतीय करेंसी में मूल्य दस रुपये होगा। हम दोनों स्तंभित गये। नॉर्मन ने कहा कि यह ठीक हिसाब नहीं है; फिर हिसाब लगाओ। दुकानदार कुछ रुष्ट होकर बोला कि कीमत दस रुपये से हरगिज कम नहीं होगी। नॉर्मन ने तुरन्त दस रुपये का नोट देकर मेजपोश और सरवियट अपने हाथ में किये। अब उसे उनकी पैकिंग का भी सब्र नहीं था। हम दोनों तुरन्त दुकान के बाहर आकर दूसरी गली में मुड़ गये।

नॉर्मन तेज चल रहा था। हांफता हुआ बोला कि उसने दुकान मालिक को चेतावनी देकर अपना कर्तव्य पूरा कर लिया था। जो भी हो, ऐसा सौदा करने का मौका उसे जीवन में दूसरी बार शायद ही मिले।

वैलेटा से 'रोमा' ने उत्तर का मार्ग पकड़ा। अगने दिन संध्या तक मैसीना (इटालियन भाषा में 'मेसीनो') पहुंच गये। इटली के दक्षिण में एक द्वीप है: सिसली। इटली और सिसली के बीच जलडमरूमध्य पर सिसली के उत्तर में मैसीना है। जलडमरूमध्य के पूर्व में इटली, पश्चिम में सिसली है।

मैसीना कुछ नीरस और वीरान-सा लगा। केवल उन मुहल्लों में कुछ रोशनी और रौनक थी जहां वेश्याएं रहती थीं। हम दोनों उधर नहीं गये और जहाज पर वापिस आ गये।

अगले दिन सुबह जहाज नेपिल्स (इटालियन भाषा में (Napoli) पहुंचने वाला था। डॉ. गौड़ परेशान लगे। उनकी यात्रा 'रोमा' में यहां तक ही थी।

नेपिल्स पहुंचकर उन्हें अमेरिकन दूतावास को खबर करके नेपिल्स से न्यूयॉर्क एक दूसरे जहाज 'Christoforo Columbo' में यात्रा करनी थी। (प्रसिद्ध इतालवी नाविक कोलम्बस का इतालवी भाषा में नाम Christoforo Columbo ही था)।

6

डॉ० गौड ने इलाहाबाद से बॉटनी में पी-एच. डी. किया था। उन्होंने एक Algae या Fungus पर अनुसंधान किया था जिसका प्रभाव इमारतों और पुलों पर होता है—अर्थात् उसके द्वारा उनकी दृढ़ता में कमजोरी या शक्ति मापी जा सकती थी।

भारत में इसका मूल्यांकन नहीं किया गया था और पिछले दो वर्ष से वह लखनऊ के सेण्ट्रल ड्रग रिसर्च इन्स्टीच्यूट में चाय बनाकर और ताश खेलकर नष्ट कर चुके थे। कुछ अमेरिकन वैज्ञानिकों ने—जो भारत यात्रा कर रहे थे और डॉ. गौड़ से अकस्मात् ही मिले थे—उन्हें शिकागो के निकट ऐवंस्टन में आमंत्रित किया था।

डॉ० गौड़ परेशान थे कि क्रिस्टोफोरो कोलम्बो, के चलने तक नेपिल्स में कहां रहेंगे। गौड़ की प्रार्थना और जिद थी कि मैं नेपिल्स में उन्हीं के साथ तब तक रहूं जब तक 'रोमा' नेपिल्स में ठहरे। मैं तैयार हो गया।

माल्टा से चलने के बाद से ही जहाज के बाहर-भीतर हर जगह सफाई, पॉलिश, पेण्टिग का दौरदौरा था। कारण कि अब यात्रा का अन्त जेनोआ (Genoa) में होने वाला था जहां 'रोमा' के मालिक उसका निरीक्षण करेंगे। अतः सब काम ठीक रहना चाहिए था।

सुबह सोकर उठते ही बहुत सर्दी महसूस हुई। केबिन छोड़कर डेक पर आया। आंखों पर विश्वास नहीं हुआ। बर्फीला अन्धड़ चल रहा था। मैं तुरन्त केबिन में आया। अन्धड़ जल्दी ही समाप्त हो गया—लेकिन सबको चेतावनी दे गया कि यूरोप की जलवायु भारत से भिन्न है। नाश्ते पर सब यही चर्चा कर रहे थे। मेरे पास ओवरकोट नहीं था। डॉ० सिक्का जी बिना ओवरकोट और दस्ताने के चिन्तित। दस्ताने मेरे पास भी नहीं थे।

दस बजे नेपिल्स पहुंचे। नेपिल्स अपनी सुन्दरता के लिए संसार में प्रसिद्ध है। एक कहावत है See Naples and die, अर्थात् मृत्यु से पहले नेपिल्स अवश्य देख लीजिए। यहां मोटरकार, कपड़े और कागज बनाने के कारखाने हैं।

आगे आप जो वर्णन पढ़ेंगे वह 1958 का है जो आज के नेपिल्स से भिन्न है।

बन्दरगाह से बाहर निकलते ही एक टीले के दर्शन हुए जिसे एक पार्क के रूप में बदल दिये जाने के कारण वह बहुत सुन्दर लगा। उस पर एक दुर्ग था। सामने बहुत-से बिसाती किस्म के आदमी कपड़े की चादरों पर विभिन्न सामान बेच रहे थे। अदन की याद हो आयी। लेकिन यहां बहुत सस्ते किस्म का सामान बिक रहा था।

एक बिसाती मेरे पीछे पड़ गया। उससे पीछा छुड़ाने के लिए मैंने 10

शिलिंग का एक पार्कर पेन खरीद लिया जो इंलैंड में 5 पाउण्ड का मिलता था। यह सम्भव है कि वहां किसी प्रकार से चोरी किया हुआ सामान बिकता हो। लेकिन सामान असली था, नकली नहीं।

यहां से मेरे मित्र केजरीवाल और अन्य यात्री, टैक्सियों या बस-कोचों द्वारा पॉम्पे चले गये। इसका वर्णन बाद में पढ़िए।

मैं और गौड़ होटल की तलाश में निकले। नेपिल्स वैसे तो बहुत सुन्दर था, लेकिन पुराना शहर होने के कारण वहां बहुत-सी गलियां थीं। बेशक ये गलियां, आगरा या दिल्ली या वाराणसी की गलियों से चौड़ी थीं, जिनमें एक मोटरकार जा सकती थी—केवल एक ओर से।

होटल प्रायः ऐसे ही थे जैसे कलकत्ता में धर्मशालाएं। बाहर से ये होटल वैसे तो सुन्दर लगते थे, लेकिन उनमें मकड़ी के जालों और गन्दगी का अन्त ही नहीं था। तीन-चार होटल देखे। होटलों में प्रवेश करते ही सीलन और सड़ान की बदबू से उबकाई आने लगती थी। उस समय इटली में एक रुपये में 90 इटालियन लीरा प्राप्य थे; और एक पाउण्ड में प्रायः 1,700 या 1,800 लीरे। इस हिसाब से उन होटलों की कीमतें पहुंच के बाहर मालूम हुईं। अब क्या किया जाय ? हम दोनों ही परेशान थे।

उस बदबू भरे माहौल में सोचने की शक्ति भी लुप्त हो गयी थी। मैंने सलाह दी कि पहले यहां से बाहर निकला जाय तब सोचेंगे। फिर प्रायः आधा मील चलकर उस दुर्ग के सामने मैदान पर आ गये। मैंने सलाह दी कि डॉ० गौड़ अमेरिकन दूतावास को टेलीफोन करके उन्हें पूरी स्थिति बतला दें। गौड़ राजी हो गये।

सामने ही पब्लिक टेलीफोन का कियोस्क था। जल्दी ही नम्बर मिल गया। प्रायः 10 मिनट तक गौड़ फोन पर बातचीत करने के बाद दौड़ते हुए मेरे पास आये और जोर से आलिंगन ही नहीं किया, मुझे उठाकर नाचने भी लगे। मैं आश्चर्यचकित।

उन्होंने जो बतलाया उसका सारांश यह था कि अब वह दूतावास के अतिथि थे और दूतालय के लोग डॉ० गौड़ का समाचार जानने के इच्छुक थे। उन्होंने नेपिल्स के सर्वश्रेष्ठ होटल में डॉ० गौड के 3 दिन बाद ठहरने का प्रबन्ध करके होटल को पूरा किराया दे दिया था।'' तीन दिन बाद डॉ० गौड़ हवाई जहाज द्वारा न्यूयॉर्क होते हुए शिकागो यात्रा करेंगे।

एक शोफर द्वारा चालित कार डॉ० गौड़ को तब तक प्राप्य थी जब तक वह इटली में थे। डॉ० गौड़ ने मेरा भी जिक्र किया था और अमेरिकन दूतालय ने एक दिन के लिए मुझे भी अतिथि बना लिया था। कार 15 मिनट में आने वाली थी।

डॉ० गौड़ को उस होटल वाले पर बहुत क्रोध आ रहा था जो अपने गंदे होटल की सबसे ऊंची कीमत मांग रहा था। हम दोनों ने जब उससे कहा था कि हमें 1 घंटा सोचने का समय दो, तो वह बोला था कि सब एशियाई (काले आदमी) सस्ते होटल चाहते हैं; उसका होटल एक श्रेष्ठ होटल है। मेरे मना करने पर भी डॉ० गौड़ पास स्थित उस होटल में जा पहुंचे और उस आदमी से बोले कि उन्होंने (सर्वोच्च होटल का नाम बतलाकर) उस होटल में स्थान पा लिया है और होटल की शोफर-चालित कार भी उन्हें लेने आने वाली है; उसके घटिया होटल के लिए यही उचित है कि उसे विध्वंस कर दिया जाए। एशियाई लोग तो उस (सर्वोच्च) होटल में ठहरते हैं !

होटलवाले को डॉ० गौड़ की बात पर यकीन नहीं आया। खैर, मैं डॉ० गौड़ को वहीं छोड़कर बाहर आ गया। तब तक होटल की कार आ चुकी थी। मैंने शोफर को इशारा किया। वह उस गन्दे होटल के द्वार पर पहुंचा और और डॉ० गौड़ का सामान कार के बूट में रखने लगा। बेशक, अब उस होटल मालिक को भी यकीन आया और वह क्षमा मांगने लगा।

नया होटल वास्तव में बहुत सुन्दर था। बाहर सब संगमरमर। अन्दर की शानशौकत बहुत उच्च स्तर की। हम दोनों को भूख लगी थी। दोनों ने शाकाहारी रूसी (Russian) सलाद का ऑर्डर दिया। पहले हम लोगों ने यह कभी नहीं खाया था। देखने में सुन्दर; लेकिन हम लोगों को स्वाद अच्छा न लगा। उसे वापस करके सूप और ऑमलेट खाये।

भोजन कर चुकने के बाद शोफर से हम लोगों ने पूछा कि क्या वह हम दोनों को 'पॉम्पे' की यात्रा करा कर 'रोमा' जहाज के छूटने के पहले मुझे वापिस ला सकता है? वह तुरन्त राजी हो गया।

नेपिलस से 13 मील दूर विसूवियस ज्वालामुखी पर्वत की तलहटी में बसा 'पॉम्पे' ईसा के 63 वर्ष पश्चात् तक एक समृद्ध नगर और बन्दरगाह था। हर रोज की तरह लोग अपनी दिनचर्या में व्यस्त थे—अर्थात्, गृहिणियां घरेलू कामों और भोजन पकाने में व्यस्त, मातायें बच्चों को स्तनपान कराने में व्यस्त, पुरुष और नौकर-चाकर घर के बाहर या बाजार में अपना-अपना कार्य करने में व्यस्त। अचानक विसूवियस ज्वालामुखी ने गरम-गरम राख उगलनी आरम्भ कर दी थी। जो जहां जिस स्थिति में था, उस राख में दफन हो गया। 18 वर्ष बाद एक-दूसरे विस्फोट से बहते लावा की नदी ने उनकी कब्र स्थायी कर दी ! 17 सदियों बाद 'पॉम्पे' की खुदाई होने पर उस दुर्घटना का पता चला था।

पुरातत्त्व विभाग की ओर से खुदाई और अन्वेषण अभी जारी है।

'पॉम्पे' एक अद्भुत म्यूजियम है जहां स्त्री, पुरुष, बालक, बालिकायें, मातायें और शिशु, वृद्ध और युवा सब जो कुछ भी उस समय कर रहे थे उसी प्राकृतिक

स्थिति में कोयलावत हो गये, और उस 'अतीत' को 'वर्तमान' किये हुए हैं। प्रकृति और मानव का अनोखा द्वंद्व यहां 'पॉम्पे' में देखा जा सकता है।

वहां से लौटकर प्रायः साढ़े 4 बजे मैंने डॉ० गौड़ से विदाई ली और अपने जहाज 'रोमा' पर आ गया।

डॉ० गौड़ के पत्र मेरे पास इंग्लैण्ड में प्रायः दो साल तक आते रहे, पहले एवंस्टन (अमेरिका) से फिर पैरिस (फ्रांस) से।

सायं प्रायः 8 बजे नेपिल्स से जहाज रवाना हुआ। सफाई, पेंटिंग, पॉलिशिंग इत्यादि अब चरम सीमा पर पहुंच चुके थे। सब कर्मचारी, यूनीफार्म के अलावा अपने सिविलिन सूटों, कमीजों, इत्यादि की सफाई और उन पर इस्तरी इत्यादि करने में व्यस्त थे क्योंकि 'रोमा' के ये कर्मचारी प्रायः ढाई महीने ड्यूटी पर रहने के बाद अपने घरों को लौट रहे थे। सभी अपनी-अपनी पत्नियों व बाल-बच्चों या माता-पिताओं से मिलने को इच्छुक थे।

7

इन लोगों की कार्य-तत्परता, मेहनत और यात्रियों को प्रसन्न तथा संतुष्ट रखने की क्षमता काबिले तारीफ थी। एक उदाहरण देखिए।

हम लोगों के जहाज पर आते ही बर्सर ने फॉर्मों पर यात्रियों से यह पूछ कर नोट कर लिया कि कौन योरपियन भोजन चाहता है और कौन भारतीय, कौन शाकाहारी है और कौन मांसाहारी।

400 भारतीय यात्री थे। लेकिन फार्मों पर भरी यह तालिका बेकार साबित हुई जब पहले ही भोजन के समय बवंडर उठ खड़ा हुआ। कारण, शाकाहारी बंगाली यात्री मछली की मांग कर रहे थे क्योंकि वह 'शाक' थी। एक मांसाहारी सिख ने प्लेट पर 'बीफ' देखते ही प्लेट फर्श पर फेंक दी और कृपाण निकाल कर बेचारे वेटर को गालियां देने लगे। अर्थात् 400 यात्री और 400 भिन्न मत। इटालियन शेफ ने किसी प्रकार सबको संतुष्ट कर नई तालिका बना ली। कुछ भारतीय यात्री फिर भी असतुष्ट रहे और जहाज के कप्तान से शिकायत की। शीघ्र ही सब कुछ ठीक हो गया।

मेरे विचार से दोष काफी हद तक भारतीय यात्रियों का ही था जो कम्प्रोमाइज करने में अपनी हीनता समझते थे। कुछ यात्री स्वार्थी थे, और केवल अपनी ही पसंद देखते थे।

दोपहर साढ़े चार बजे जेनोआ पहुंचे। यह रोमा पर हमारी यात्रा का अंत था।

जहाज के रुकते ही इंग्लैण्ड की प्रसिद्ध टॉमस कुक कं० (Thomas Cook & Co. Ltd.) के दो कर्मचारी जहाज पर आये, और इंग्लैण्ड जानेवाले यात्रियों को जेनोआ से लंदन तक की यात्रा के बारे में सलाह देने लगे। अपना बड़ा लोहे का ट्रंक मैंने उनके सुपुर्द कर दिया जिसे थोड़े ही शुल्क में उन्होंने 24 घण्टे में लंदन पहुंचाने का जिम्मा ले लिया।

इंग्लैण्ड और फ्रांस को जाने वाले यात्रियों—जिनकी संख्या प्राय: 1000 थी—को नि:शुल्क मोटर ट्रॉलियों (रबर के पहियों वाली ट्राम गाड़ियो) द्वारा जेनोआ रेलवे स्टेशन ले जाया गया, जहां उन्हें एक विशेष ट्रेन में बैठाया गया जो जेनोआ से सीधे पेरिस होती हुई कैले (Calais) तक जा रही थी।

कैले से एक Ferry (जहाज) से डोवर (Dover) (इंग्लैण्ड), वहां से ट्रेन द्वारा लंदन ! जेनोआ से लंदन—प्राय: 900 मील—चौबीस घण्टों में ! इसमें पेरिस में चार घण्टे भी शामिल थे।

मेरे कोचीन से लंदन तक के टिकट में इन सबका शुल्क शामिल था। टॉमस कुक कं० ने कूपनों की एक पुस्तिका दे दी जिससे मैं हर service का शुल्क एक कूपन द्वारा चुकता कर दूं।

जेनोआ नेपिल्स से छोटा लेकिन स्वच्छ और सुंदर लगा। मोटर ट्रॉलियां भी साफ, सुन्दर, और चलने में खामोश और तेज थीं।

ट्रेन में हर यात्री के लिए एक बर्थ बैठने के लिए थी और उसके ऊपर का स्थान सामान रखने के लिए था। सोने के लिए शयन-कक्ष साथ की ही एक Carriage में था। रेस्तोरां-कार में नाश्ता, सुबह-शाम का भोजन और दोपहर की चाय 'नि:शुल्क' थे (यानी कि उनका मूल्य एक-एक कूपन मात्र)। यहां धक्का-मुक्की की कोई आवश्यकता नहीं थी क्योंकि गाड़ी अपनी ही थी, समय भी अपना ही था।

लेकिन फिर भी विपत्ति आयी। एक बंगाली विद्यार्थी—चक्रवर्ती मोशाय—बैठने की तीन बर्थों पर कब्जा करके लेट गये। अब मेरे और केजरीवाल के लिए बैठने को स्थान नहीं था। गार्ड से मदद मांगी। उसने मोशाय जी से उठने की प्रार्थना की। वह आंखें बन्द कर सोने का बहाना करने लगे। अब एक ही रास्ता बाकी था···

मैंने और केजरीवाल ने सलाह की ! मैंने मोशाय के सिर और कन्धे उठाये, केजरीवाल ने पैर ! इस प्रकार उठाकर उनके शरीर को नीचे फर्श पर रख कर हम दोनों उन तीन बर्थों पर बैठ गये। मोशाय बड़बड़ाने लगे। लेकिन एक घण्टे खड़े-खड़े यात्रा करने के बाद; उन्होंने हम दोनों से क्षमा मांगी और चुपचाप बैठ गये।

उन्होंने फिर परेशान नहीं किया।

ट्रेन ने इटली से सीधे फ्रांस में प्रवेश किया। सरहद पर फ्रेंच पासपोर्ट जांच करने वालों ने ट्रेन के अन्दर ही पासपोर्ट और ट्रांजिस-विसा चेक कर लिये। यह काम दस मिनट में पूरा हो गया। और, ट्रेन फिर 200 किलोमीटर प्रति घण्टा की रफ्तार से पेरिस की ओर दौड़ने लगी।

रात को अच्छी नींद आयी। ट्रेन आरामदेह थी।

सुबह साढ़े दस बजे पेरिस पहुचे। पूरी ट्रेन खाली हो गयी। जो यात्री फ्रांस जा रहे थे, सामान सहित उतर गये। शेष बसों व कोचों द्वारा पेरिस घूमने चल दिये। प्रायः 1 बजे कुछ यात्री एक भारतीय रेस्तोरां में और शेष अंग्रेजी रेस्तोरां में पहुंचा दिये गये। वहां से सवा 2 बजे ट्रेन पर आ गये और प्रायः सवा 4 बजे कैले पहुंचे।

यहां हर फेरी जहाज तैयार था। प्रायः 5 बजे इंगलिश चैनल पर से डोवर की संसार प्रसिद्ध सफेद पहाड़ियों (White cliffs of Dover) के दर्शन हुए।

मेरे मित्र नॉर्मन क्लार्क ने मुझसे और केजरीवाल से कहा कि संसार में कोई भी ऐसा अंग्रेज नहीं होगा जो कुछ समय विदेश में बिता कर इंग्लैंड लौट रहा हो और इन चट्टानों को देखकर उसकी आंखों में आंसू न आ जायें ! नॉर्मन की आंखें भी गीली थीं। आवाज भर्रा रही थी।

डोवर से लन्दन के विक्टोरिया स्टेशन तक ट्रेन से प्रायः एक घण्टा लगा। कस्टम्स की जांच डोवर में ही हो गयी थी। कस्टम्स वालों ने हाथ के इशारे से हम दोनों को बिना बाधा आगे बढ़ने को कह दिया था।

विक्टोरिया जैसा बड़ा स्टेशन मैंने कभी पहले नहीं देखा था। वहां मैंने केजरीवाल, नॉर्मन, डॉक्टर सिक्का इत्यादि, से विदा ली और एक टैक्सी द्वारा 85 वेस्ट क्रॉमवेल रोड का रास्ता पकड़ा।

यह बुधवार 16 अप्रैल 1958 की सुहावनी संध्या थी।

मेरी बिहार यात्रा

कादम्बरी शर्मा

सन् 1980 में मैं 'इन्स्टीच्यूट ऑफ मास कम्यूनिकेशन्स' की ओर से बिहार गयी थी। ये लोक सभा चुनावों के दिन थे।

बिहार एक पिछड़ा हुआ इलाका है—यह तो सुना था। वहां आये दिन होने वाले झगड़ों व दंगों के बारे में भी अखबारों में पढ़ती रहती थी।

जमींदारी प्रथा, ब्राह्मणों एवं हरिजनों के बीच जातिगत दंगे—इनसे सम्बन्धित कुछ डैटा एकत्रित किया था। इसी सिलसिले में मुझे बिहार के कुछ जिलों में जाना पड़ा। जिन इलाकों में मैं गयी, वे थे बोधगया, मुजफ्फरपुर तथा पटना।

पटना में मैं सुप्रसिद्ध 'ए. एन. सिन्हा इन्स्टीच्यूट ऑफ सोशल स्टडीज' में रुकी थी। वहां की लाइब्रेरी भी काफी अच्छी थी। शाम को पास के एक होटल में खाना खाने जाती थी (कभी-कभी वहां से खाना ले भी आती थी)।

हमारे इन्स्टीच्यूट के सामने ही बड़ा गांधी मैदान था जहां चुनाव पेटियां एकत्र रहती थीं व जीपें खड़ी रहती थीं। इसी मैदान से बिहार के सब जिलों के लिए चुनाव पेटियां भेजी जाती थीं।

पटना के पुराने सांसद एक कम्युनिस्ट थे। चुनाव प्रचार में जिन तीन उम्मीदवारों का जोर था—वे थे एक कांग्रेसी, एक कम्युनिस्ट व एक स्वतन्त्र उम्मीदवार।

सड़कों पर लाउडस्पीकरों का शोर व झंडियां। रात को नुक्कड़ मीटिंगें। इनका जायजा मैंने दूर से ही लिया।

हमारी प्रश्नावली में साधारण जनता से भी चुनाव सम्बन्धी जानकारी के बारे में कुछ प्रश्न थे। इनके सिलसिले में हम पटना के पास के दो गांवों में भी गये। ये गांव सड़क से जुड़े थे। इनमें अनुसूचित जाति व पिछड़ी जाति के लोग अधिक थे। पिछड़ी जाति में अहीर, यादव, कुर्मी इत्यादि आते हैं।

अंग्रेजों से पहले बिहार में जो जमींदारी प्रथा थी, उसके कारण समस्त भूमि का कब्जा ब्राह्मणों या भूमिहारों के पास था। जिस तरह 'जमींदारी उन्मूलन' किया गया, उसके चलते ऐसे किसान जो ब्राह्मणों की जमीन जोतते थे, वे भी उस भूमि में कुछ हिस्से के मालिक बन गये। ये किसान अधिकतर पिछड़ी जातियों के—जैसे कुर्मी, यादव, कोरी इत्यादि—थे। जमीन होने पर ये भी जमींदार बन गये।

लेकिन हरिजन, जो पहले भी बंधुआ मजदूर थे, अब भी बंधुआ मजदूर ही रहे। इस तरह, वे बड़े किसानों द्वारा, जैसे ब्राह्मणों व भूमिहारों द्वारा व यादवों, कोरियों, कुर्मियों द्वारा—दोनों ही द्वारा—शोषण के शिकार बनाये गये। ये ही हरिजन बंधुआ मजदूर अब संगठित होकर संघर्ष करते हैं।

दूसरी ओर, यादव, कुर्मी इत्यादि छोटी जमीनों के मालिक एक ओर तो आपस में संगठित होकर इनका दमन करते हैं; दूसरी ओर, अपने लिए सरकार से पिछड़ी जाति के होने के नाम पर अलग 'कोटा' व अन्य अधिकार मांगते हैं—जैसे नौकरी में रिजर्वेशन व अन्य सुविधाएं।

इस तरह, संघर्ष कहीं ऊंची जाति व हरिजनों के बीच है, तो कहीं पिछड़ी जाति व हरिजनों के बीच, और कहीं ऊंची जाति और पिछड़ी जाति के बीच।

इन्हीं संघर्षों की कहानी निहित है पिपरिया हत्याकांड में, बेलछी हत्याकांड या पुनपुन हत्याकांड में—जहां हरिजनों की पूरी-की-पूरी बस्तियां जला दी गयी थीं।

बोधगया के जिस गांव में हम गये, वह 1978 की आग में झुलस चुका था और अब ठंडा था।

उधर, मुजफ्फरपुर के जिस गांव में हमें जाना पड़ा वह नक्सलपंथियों की गतिविधियों का केन्द्र रहा था। बाद में जयप्रकाश नारायण ने अपना 'संदेश' फैलाने के लिए इसी को केन्द्र बनाया था। वह वहां स्थिति शांत करने पहुंचे थे।

जातिगत समन्वय और भूमिदान के कुछ कार्यक्रम लागू करके उन्होंने नक्सल-पंथियों को कुछ हद तक दबा दिया।

पूर्वी व उत्तर बिहार का भूमि Distribution दक्षिण व पश्चिम बिहार से भिन्न है, इसलिए दक्षिण व पश्चिम बिहार अपेक्षाकृत शांत इलाके हैं। भोजपुर, गया, मुजफ्फरपुर, सहरसा, रोहताश व मुंगेर जिले अधिक प्रभावित जिले हैं।

संघर्षों के कारण, बिहार का हरिजन अब जागरूक है: वह अपने अधिकारों को जानता है।

जातिगत संघर्षों का उपयोग वे राजनीतिक पार्टियां अक्सर ही अपने हितों के लिए करती रही हैं, जो अपनी राजनीति को जातिगत विभाजन पर आधारित करती हैं।

ए. एन. सिन्हा इन्स्टीच्यूट में ही एक 'हरिजन सेल' था। इस सेल का सदस्य बिहार के हरिजनों की समस्याओं पर काम करते थे। वहां के रिसर्च ऑफिसर, श्री अनिरुद्ध गांधीवादी थे।

उन्होंने हमें बोधगया व मुजफ्फरपुर की कुछ जगहों का पता बताया, जहां हम रुक सकते थे।

बोधगया, गया के निकट ही है। हम 25 दिसम्बर 84 को बोधगया पहुंचे और वहां के समन्वय आश्रम में रुके। इस आश्रम के संचालक एक पंजाबी स्वामी जी थे, जो काफी समय पहले यहां विनोबा-भक्त के रूप में आये थे और भूदान में मिली जमीन पर उन्होंने यह आश्रम बनाया था। आश्रम विदेशी संस्थाओं की मदद से चलाया जाता था। इस आश्रम की गतिविधियों के बारे में बाद में फिर कभी लिखूंगी।

सन् 1975 में बोधगया में यहां के हरिजनों और महन्त के बीच झगड़ा हुआ था। दरअसल, हरिजन महन्त के लिए जमीन तो जोतते थे, लेकिन उन्हें अलग से पगार कुछ नहीं मिलती थी। युवा संघर्षवाहिनी के कुछ लोगों ने उन्हें संगठित किया। और, हरिजनों ने पगार बढ़ाने के लिए संघर्ष किया। तब महन्त के लोगों ने गोली चलायी और कुछ लोग मारे गये। हरिजनों ने जमीन जोतने से इन्कार कर दिया। अब वह जमीन बंजर पड़ी थी। वास्तव में यह कोई गांव नहीं है। शहर से ही लगा हुआ स्थान है।

बहुत से हरिजन अब शहर में रिक्शा चलाने का या मजदूरी का काम करने लगे थे। हमने जब इस गांव का सर्वेक्षण किया, तो पाया कि बहुत से हरिजन पास ही बनने वाले पगोड़ा-शैली के बौद्ध मन्दिर में मजदूरी का काम कर रहे हैं। यह बौद्धविहार जापान की मदद से बनाया जा रहा था।

हम एक दूसरे गांव भी गये। इस गांव में हरिजन अधिक नहीं थे। यहां पर लोग खेती करते थे। पढ़े-लिखे लोगों की संख्या भी अधिक थी। यह गांव साफ-सुथरा था।

गलियां हालांकि कच्ची थीं, लेकिन जमीन के नीचे पाइप लगे थे और खुली नालियां नहीं थीं।

पास ही एक नदी बहती है। कहते हैं, बुद्ध इस नदी को पार कर यहां आये थे।

बिहार में एक और जाति के बारे में जानने को मिला, जिसे 'मुसहर' कहते हैं।

मुसहर बिहार की सबसे निम्न जाति है—यहां तक कि अन्य हरिजन, जैसे चमार, लोहार आदि भी इनके साथ खाना नहीं खाते। मुसहर प्रायः भूमिहीन होते हैं और हर तरह का काम करके अपना पेट पालते हैं। अकाल पड़ने पर ये

लोग प्रायः चूहों के बिलों तक को खोद डालते हैं और चूहे जो अनाज छिपाकर रखते हैं, वह तो ले ही लेते हैं, साथ ही चूहों को भी पकड़कर खा जाते हैं। कहते हैं, इसी कारण इनका नाम 'मुसहर' पड़ा।

कुछ दिनों पहले दूरदर्शन पर एक फिल्म दिखायी गयी थी, जिसका नाम था 'पार'। 'पार' में जिन लोगों के कठिन जीवन की कहानी थी, वे मुसहर जाति के लोग हैं। जिन्होंने यह फिल्म देखी होगी, उन्हें मुसहरों की कठिन जिन्दगी की एक झलक मिल जायेगी। आपको 'पार' का वह 'सीन' याद हो जब शबाना आजमी और नसीरुद्दीन शाह पानी में से सुअरों को खदेड़कर लाते हैं।

हम बोधगया मन्दिर भी देखने गये।

यहां पर बुद्ध की बहुत बड़ी मूर्ति है और बौद्ध भिक्षु इसके आगे मोमबत्तियां जलाते हैं। आसपास, प्रांगण में, बहुत से विदेशी भिक्षु तरह-तरह की योग-मुद्राओं में लेटे हुए दिखायी दिये। कुछ प्राणायाम कर रहे थे।

बोधगया में दो-तीन मन्दिर विदेशियों द्वारा भी बनाये गये हैं। हमने कम्बोडिया और जापान द्वारा बनवाये मन्दिर भी देखे। इन मन्दिरों पर उक्त देशों के स्थापत्य की छाप है।

जापानी मन्दिर में बुद्ध की मूर्ति के सामने बहुत से जापानी लेटे हुए थे। सभी एक ही मुद्रा में लेटे थे। एक विदेशी दो-तीन मिनट बाद कुछ कहता, और तब सभी मुद्रा बदल लेते। कुछ लड़कियां भी थीं।

कुछ हिन्दुस्तानी दर्शक हंस रहे थे। वैसे, बोधगया में विदेशियों की भरमार है।

मन्दिर देखने के बाद, हम समीप के एक ढाबे में चाय पीने गये। चाय वाला हमें 'टूरिस्ट' समझ रहा था। वह पूछने लगा : "क्या आप कार खरीदेंगी।" फिर वह अपने बेटे के बारे में बताने लगा। उसका बेटा किसी जापानी स्त्री के साथ जापान में ही बस गया था। कार उसके बेटे ने ही भेजी थी, लेकिन ड्यूटी देकर बाप कार छुड़ा नहीं सकता था।

इसी दूकान में हमने टमाटर के पकौड़े खाये।

बोधगया से लौटकर एक दिन आराम किया। फिर, अगले दिन मुजफ्फरपुर पहुंचे।

मुजफ्फरपुर में हमें खादी ग्रामोद्योग आश्रम का पता दिया गया था। हम जिस समय पहुंचे, उस समय संस्थापक महोदय वहां नहीं थे। इतवार का दिन था। तो भी, अन्य लोगों ने हमारे रहने का इन्तजाम करा दिया।

मुजफ्फरपुर में काम तो हमारा अधिक नहीं हो सका, लेकिन एक बात जो मुझे बहुत याद है, वह है—आश्रम का खाना।

रात को एक बड़े थाल में 6-7 बड़ी-बड़ी रोटियां, ढेर-सी सब्जी और दही

आया। मुझे भूख तो खूब लग रही थी, पर उतना ढेर सारा खाना देखकर भूख गायब हो गयी। आधी रोटियां और आधी सब्जी मैंने वापिस कर दी। फिर भी बाकी खाना खत्म करना बड़ा मुश्किल लगा। जो महाराज खाना लाया था, वह बार-बार यही कह रहा था : "आश्रम का खाना तो सात्विक होता है, फीका होता है ! आपको पसन्द नहीं आयेगा !"

अगले दिन सुबह पता लगा, आश्रम में 9 बजे तक खाना हो जाता है। घंटी बजी। इस समय चावल की बहुतायत थी। जितना चावल हमारे बिहारी असिस्टेंट ने खाया, मैं उसके आधे से भी आधा हो खा सकी। ··

'1 जनवरी 1985 को हम मुजफ्फरपुर से वापस पटना आये। रास्ते में हमने नदी तट पर बहुत से लोगों को पिकनिक मनाते पाया। मौसम धुंधभरा और ठंडा था। मैं चार बजे पटना पहुंची।

लौटते समय देखा कि जिस होटल से मैं खाना लाती थी, वह बाहर तक भरा है। मैंने होस्टल पहुंचकर सामान रखा। फिर उसी रिक्शे से होटल गयी और अपना खाना पैक कराकर लायी। दो-तीन दिन मैं कहीं नहीं गयी और पांच तारीख को चलकर 6 जनवरी 85 को दिल्ली आ पहुंची।

बिहार की जलवायु अच्छी थी। सभी जगह खूब हरे-भरे खेत देखे। लोगों का व्यवहार भी अच्छा था। हां, आरम्भ में लोग हमसे कुछ सशंकित जरूर लगते थे।

गया की यात्रा की भीड़ भरी बस की याद भी आती है, जिसकी छत पर धोतीधारी चढ़े हुए थे और दूध की टंकियां चढ़ायी व उतारी जा रही थीं !

परदेस में......

विजय मोहन शर्मा

तो सुनिये ! लंदन में हमारी ट्रेनिंग लगभग समाप्त हो चली थी। स्वदेश लौटने से पहले, हमने अपनी मेजबान ब्रिटिश काउन्सिल से, योरूप के तीन विशिष्ट संस्थानों को देखने की उत्कट इच्छा व्यक्त की। अपने ट्रेनिंग गाइड से भी प्रोग्राम मनवाने के लिए जोर दिलवाया और यह भी कहलवाया कि बिना इन जगहों को देखे, ट्रेनिंग अधूरी रह जायेगी। खर्चे का सवाल उठने पर हमने कहा कि ब्रिटिश सरकार जो कुछ भी दे सकती है, दे दे, बाकी का खर्च हम अपने आप उठा लेंगे। बड़ी हील-हुज्जत के बाद, इस शर्त के साथ कि कम-से-कम समय और खर्च में कार्य सम्पन्न करके हम लोग वापस आ जायेंगे, अनुमति मिल गई।

हमारे साथ हमारे साथी थे मिस्टर मैथ्यू। पुराने (पारसी ?) ड्रामों में हीरो के साथ एक विदूषक हुआ करता था, बस उन्हें वहीं समझ लीजिये। इस विदेशी ट्रेनिंग पर भारत से ही वे हमारे साथ थे। उन्हें बहुत शौक था विदेश देखने का, किन्तु सेहत से बेहद कमजोर होने के कारण उन्हें कदम-कदम पर परेशानी उठानी पड़ रही थी। तन से अधिक उनका मन कमजोर था, इसलिए शारीरिक कष्ट न होने पर भी वे दिमागी तौर से बहुत परेशान रहते थे। जब इस प्रोग्राम के सम्बन्ध में बातचीत चल रही थी तो वे रोज मनाते थे कि हे ईश्वर! किसी तरह यह प्रोग्राम फिस-फिस हो जाये तो अच्छा। दरअसल, उन्हें यह सब काम बड़ा 'रिस्की' और झंझटिया लगता था। वे तो बस यह चाहते थे कि किसी तरह सही-सलामत वापस स्वदेश पहुंच जायें और वहां पहुंच कर 'विदेश-पलट' कहलायें। फिर इंग्लैंड तक तो गनीमत थी, इसके बाहर तो विदेशी भाषा, विदेशी लोग, नागवार मौसम, कैसे पार लगेगा। यह भी मानने को तैयार न थे कि वे स्वयं लन्दन में रह जायें और हम अकेले चले जायें। हिन्दुस्तान में हेटी हो जायेगी। उनकी अनेक परेशानियों में से एक यह थी कि वे बस में सफर नहीं कर सकते थे। उन्हें लगता था कि बस में बैठते ही दीर्घ-शंका यानी नं० दो की हाज़त हो आयेगी। ट्रेन में तो निपटने का

समुचित प्रबन्ध रहता है, बस में क्या करेंगे। बहरहाल, हम दोनों लोगों का साथ-साथ जाने का प्रोग्राम बन गया।

इन तीनों स्थानों में से पहला था आर्लबर्ग (आस्ट्रिया) की सुरंग ! इस सुरग में खुदाई करने के बाद चारों ओर से जमीन अन्दर को Squeese करती थी। यह कसाव इतने जोर का होता था कि भारी से भारी इस्पात के गर्डर भी माचिस की तीलियों की तरह टेढ़े-मेढ़े होकर बिखर जाते थे। हिमालय पर्वत क्षेत्र में बन रही अनेक बहुमुखी नदी घाटी योजनाओं में भी इसी प्रकार की प्रक्रिया देखी गई है। अपने यहां इस समस्या के समाधान स्वरूप जितने भी प्रयोग किये गये हैं, सभी असफल रहे हैं। नये आस्ट्रिआई तरीके में सुरंग को धीरे-धीरे सुनियंत्रित तरीके से Squeese करने देते हैं। नाप-जोख द्वारा rate of squeesing पर कड़ी नजर रखी जाती है और rack botts तथा shotereting द्वारा एक flexible support system की संरचना की जाती है। यह तकनीक NATM (New Austiian Tunnelling Mcthod) के नाम से जानी जाती है और आजकल इसकी बड़ी चर्चा है।

योरप में हमारा दूसरा गंतव्य स्थान था कार्लस्रु यूनिवर्सिटी कार्लस्रु पश्चिमी जर्मनी का एक छोटा सा नगर है, जिसे कार्ल मार्क्स के जन्मस्थान के अलावा डॉ. म्युलर और उनके Rock Mechaniee Deptt. के कारण जाना जाता है। डॉ. म्युलर को आधुनिक Rock Mechanics का पितामह कहा जाता है।

हमारा तीसरा पड़ाव लिस्बन में LNEC (Laboratorio Nacional Engenharia de Civil) पर होना था। इस संस्थान ने भी Rock mechanics Tcsting के क्षेत्र में बड़ा सराहनीय कार्य किया है। यहीं International Society of Rock Mechanics का मुख्यालय भी है। डॉ. रोशा सेशीफम और अलडोरेडो जैसी मशहूर हस्तियां इसी संस्थान से सम्बद्ध रही हैं।

ब्रिटेन से निकलते ही भाषा की समस्या पैदा होगी। साथ में मि. मैथ्यू जो तमाशा न कर बैठें सो थोड़ा ब्रिटिश काउंसिल की सलाह थी कि हम लोग ट्रिप कैंसिल कर दें, वरना वे जिम्मेदार न होंगे। हमने सोचा, फिर ऐसा मौका हाथ लगे, न लगे इसलिए भरपूर कोशिश कर लेनी चाहिए।

प्रोग्राम के अनुसार हम चार लोगों—डॉ. वार्ड, सुरंग-विज्ञान के अंतर्राष्ट्रीय ख्याति प्राप्त सुप्रसिद्ध इंजीनियर, मि. पार्क, सुरंग बनाने के काम के ठेकेदार मि. मैथ्यू और हम—को लन्दन से ज्यूरिख वायुयान द्वारा जाना था। ज्यूरिख में एक रात रुककर अगले दिन सवेरे रेल से सैन्ट एन्टन (आस्ट्रिया)। चारों ओर बर्फीली पहाड़ियों से घिरा हुआ यह नगर स्कीइंग के लिए योरुप भर में मशहूर है। सेन्ट एन्टन में ही रुककर आर्लवर्ग सुरंग तक जीप द्वारा आना-जाना था। सुरंग देखने के बाद मि. पार्क को वापस इंग्लैंड चले जाना था, डॉ. वार्ड (उम्र पैंसठ साल) का

प्रोग्राम पहाड़ों पर ऊपर जाकर स्कीइंग करने का था। वहां से आगे हम और मैथ्यू को अपने भरोसे रखा था और पहले कार्लस् और फिर वहां से लिस्बन जाना था। ब्रिटिश काउन्सिल ने अपने दूतावास की मदद से लिस्बन में हम लोगों के ठहरने का इंतजाम करवा दिया था। कार्लस् में ठहरने और यूनिवर्सिटी देखने का इंतजाम हम लोगों ने अपने आप किया था। संयोग से हमें लंदन में एक ऐसी पुस्तक उपलब्ध हो गई थी, जिसमें जर्मनी के तमाम होटलों, ढाबों और धर्मशालाओं (!) आदि के बारे में विस्तार से जानकारी दी हुई थी। क्या सुविधाएं किस कीमत पर उपलब्ध हैं तथा उनके पूरे पते उसमें दिये हुए थे। हमने एक छोटा-सा होटल ढूंढ़ कर अपनी booking के लिए लिख दिया था। इसी प्रकार यूनिवर्सिटी में अपने एक मित्र द्वारा उसके मित्र को पत्र लिखवा दिया था।

लन्दन से हम चारों लोग निश्चित प्रोग्राम के अनुसार Swiss air द्वारा ज्यूरिख के लिए रवाना हुए। हवा से इंगलिश चैनल और फिर बर्फ से ढंकी आलप्स की पहाड़ियों का नजारा देखते ही बनता था। हमने अपने कैमरे की आधी रंगीन रील हवाई फोटुएं खींचने में बर्बाद कर दी। इन फोटुओं के साधारण कैमरे से न खींच पाने का कारण, बाद में aerial photography और remote sensing का course करते समय समझ में आया। ज्यूरिख पर उतरते ही पहली समस्या सामने आई। मि. मैथ्यू और हमने और जगहों के वीसा तो ले लिए थे लेकिन स्विट्जरलैंड का नहीं लिया था। सोचा यह था कि स्विटजरलैंड में रुकना तो है नहीं, सिर्फ वहां होकर गुजरना है और उसके लिए वीसा की आवश्यकता नहीं होती होगी। हवाई अड्डे पर संतरी ने हम लोगों को रोक लिया। थोड़ी बहस के बाद, कुछ हमारे सफेद रंग वाले ऑफीशियल पासपोर्ट का रौब खाकर और कुछ डॉ. वार्ड के जर्मन भाषा में वार्तालाप के असर से उसने ट्रांजिट वीसा बना दिया।

हवाई अड्डे से टैक्सी द्वारा हम लोग होटल के लिए जैसे रवाना हुए, लगा कि कहीं कुछ गलत-सा है। थोड़ी देर में ही पता चल गया कि वहां ट्रैफिक बायीं ओर न चलकर दायीं ओर चलता था।

दाईं ओर के ट्रैफिक के लिए अभ्यस्त होने में थोड़ा समय लगा। यह भी पता चला कि इंग्लैंड और भारतीय महाद्वीप को छोड़ कर विश्व में सभी जगह ट्रैफिक अब दाहिनी ओर ही चलता है। योरुप की टैक्सियों में एक और खास इंतजाम होता है। हर टैक्सी ड्राइवर के पास एक माइक्रोफोन और एक रेडियो रिसीवर रहता है। वह जब तब अपने कंट्रोल रूम से सम्पर्क बनाये रहता है। इस प्रकार कंट्रोल रूम को तमाम टैक्सियों के आवागमन के बारे में जानकारी रहती है। जब कहीं से टैक्सी के लिए बुलावा आता है, वह निकटतम उपलब्ध टैक्सी को रेडियो द्वारा संकेत भेजकर ठीक जगह पर भेज देता है। इस प्रकार पेट्रोल की भी बचत होती है और समय की भी।

ज्यूरिख में एक रात बिताकर अगले दिन सवेरे हम लोग सैन्ट एन्टन के लिए ट्रेन द्वारा रवाना होने के लिए स्टेशन गये। स्टेशन पर कोई बैरिकेड गेट कीपर या टिकट कलैक्टर नहीं दिखाई दिया। दरअसल स्टेशन की कोई अलग से बिल्डिंग भी नहीं थी। ट्रेन की पटरियां शहर के अन्दर बाजार तक आई हुई थीं। वहीं पर एक छोटे से कमरे की खिड़की से टिकट मिलता था। ट्रेन बेस्टिबुल टाइप की थी, यानी इसके एक डिब्बे से दूसरे में जाया जा सकता था। सीटों पर गद्दे थे। लगभग हर चार सीटों के पास एक दरवाजा था। सारे दरवाजे ट्रेन चलने से पहले बन्द कर लिए जाते थे। ट्रेन को अन्दर से गर्म करने का इन्तजाम था। एक डिब्बा डाइनिंग कार के लिए था। इसके अलावा एक buffet car से लोग खाने-पीने की चीजें खरीद कर अपनी सीट पर ले जाकर भी खा सकते थे।

ट्रेन चलने पर एक कंडक्टर इधर-उधर मुआयना करता हुआ घूमता है। उसका उद्देश्य टिकट चैक करना नहीं होता, वरन् यात्रियों की मदद करना होता है। अगर कोई यात्री जल्दबाजी में टिकट नहीं ले पाया हो तो वह कंडक्टर से टिकट बनवा सकता है। टिकट लेना यात्री की अपनी जिम्मेदारी होती है और उसकी चैकिंग के लिए कोई व्यवस्था नहीं होती। यहां तक कि आप चाहें तो यात्रा समाप्त करके भी टिकट ले सकते हैं। इस प्रकार की पद्धति यह मानकर चलती है कि अधिकांश यात्री ईमानदार हैं और अपने टिकट कायदे से लेते हैं। बचपन से जो शिक्षा मिलती है उसकी वजह से उन्हें इस तरह का काम हेय लगता है। कुछ प्रतिशत लोग वहां भी ऐसे हैं जो इसका फायदा उठाकर टिकट नहीं खरीदते। रेल विभाग इन लोगों को पकड़ने के लिए अतिरिक्त खर्चा करके नाकेबंदी, चैंकिंग स्टाफ आदि के झंझट में नहीं पड़ना चाहता।

तो साहब! हम लोग (डॉ. वार्ड, मि. पार्कर, मि. मैथ्यू और हम) ट्रेन द्वारा ज्यूरिख से सैन्ट ऐन्टन के लिए रवाना हो गये। रास्ते में बारिश होने लगी थी, थोड़ी देर में बर्फ भी पड़ने लगी। तब तक हम अपना कैमरा खरीद चुके थे। एक स्टेशन पर जब गाड़ी रुकी, हमने खिड़की से ही, गिरती बर्फ का एक 'शॉट' मार दिया। यह प्रिंट बनाने वाली रंगीन फिल्म थी। बाद में देखा, फोटो अच्छा आया था। इस समय यह हमारे एलबम की शोभा बढ़ा रहा है।

'हीटिंग का इंतजाम होने की वजह से, ट्रेन में अंदर ठंड नहीं थी। थोड़ी देर में एक बैरा कोल्ड ड्रिंक्स बेचता हुआ निकला। डॉ. वार्ड ने उसे रोक कर अपने लिए एक ड्रिंक ले लिया। सिर्फ अपने लिए। मि. पार्कर ने भी अपने लिए एक ड्रिंक ले लिया। इन लोगों ने स्विस करेंसी देकर हिसाब-किताब चुकता कर दिया। मैथ्यू और हम एक-दूसरे की शकल देख रहे थे। एक तो हम लोग डॉ. वार्ड के मेहमान थे, जिसके नाते उन्हें हम लोगों के लिए ड्रिंक खरीदना चाहिए था। कम से कम पूछना तो चाहिए था ही!

दूसरे मि. पार्कर जो एक ठेकेदार थे, हिन्दुस्तान में काम मिलने की संभावना पर हम लोगों को टटोल रहे थे इस नाते उन्हें भी मेहमानदारी बर्तनी चाहिए थी। इसके अलावा ठेठ ! अनाड़ियों की तरह हम लोगों के पास स्विस करेंसी नहीं थी। जो भी पैसे साथ थे वे सारे के सारे पाउण्ड्स में थे। लंदन में रहते-रहते हम तो इन लोगों के अकेले-अकेले खाने लगने के अभ्यस्त हो गये थे, लेकिन मैथ्यू साहब को यह बड़ा नागवार गुजरा। उन्होंने बड़ा रौब से बैरे को बुलाया, दो बड़ी वाली कोकाकोला की बोतलें लीं और पांच पाउंड का नोट उसे दिखाया। उस गरीब ने जब अपनी असमर्थता दिखाई तो मैथ्यू ने डॉ. वार्ड से कहा कि वह पांच पाउंड के बदले स्विसफ्रैंक दे दें। डॉ. वार्ड ने भारी दिल से अपनी जेबें टटोलीं और बैरे को पैसे दिये।

पश्चिमी सभ्यता की एक खासियत यह भी है। वहां लोग अपने को ही देखते हैं। मेरा प्रोग्राम, मेरा पैसा, मेरा समय और मेरी मर्जी। जिसे हम अपने हिसाब से असभ्यता कहेंगे, उसे यह बुरा नहीं समझते।

लंदन के जिस ऑफिस में हम काम करते थे, वहां एक टी क्लब था। दिन में दो बार वहां चाय पीने के लिए लोग जमा होते थे। अपने-अपने मग, अपनी-अपनी चाय, अपनी चाकलेट यदि आप खाना चाहें तो। इस क्लब का खर्चा चन्दे से चलता था। अगर आपका कोई मेहमान आ जाये तो उसका खर्चा आप अलग से देंगे। शुरू में सब लोगों के सामने कोई आदमी अपने लिए जेब से चॉकलेट निकाल कर खाने लगे तो बड़ा अजीब-सा लगता था।

कहते हैं, बात से बात निकलती है। जब अंग्रेजों के भरी महफिल में अकेले चॉकलेट खाने या चाय पीने का जिक्र किया ही है तो लगे हाथ उनकी एक आध और सिफत की चर्चा भी हो जाये। मान लीजिये कि आप लंदन में हैं (खुश तो हैं न !) आपके दफ्तर में आपकी ही बगल की सीट पर बैठकर काम करने वाला आपका एक अंग्रेज दोस्त है जो रोज आपसे बड़े प्रेम से मिलता है। आप लोग सवेरे-शाम साथ-साथ चाय पीते हैं, दफ्तर संबंधी समस्याओं पर घंटों बहस करते हैं, बॉस को गालियां देते हैं और बढ़ती महंगाई व सरकार की अकर्मण्यता को लेकर मजाक करते हैं। अगर वही दोस्त अचानक आपको शाम के समय बाजार में, किसी और के साथ दिख जाये (खुदा खैर करे अगर वह कोई और उसकी गर्ल-फ्रेन्ड हो) तो वह आपको पहचानेगा नहीं। पहचानेगा तो बोलेगा नहीं। बोलेगा तो हंसेगा नहीं। आप सोचेंगे कि अचानक इसे क्या हो गया, आज सवेरे तक तो भला-चंगा था। इसी तरह किसी कार्यवश आपको उसके घर की तरफ जाना पड़ा। आपने सोचा, चलो इससे भी मिलते चलें। संभावना इसी बात की है कि आपका प्यारा जिगरी दोस्त जिसके ऊपर आपके तमाम अहसानात हैं, किसी और काम में व्यस्त होगा और आपको घर के अन्दर नहीं घुसने देगा और बाहर ही बाहर

डिस्पोस ऑफ कर देगा। अब मान लीजिये कि उसी दोस्त ने आपको अपने घर बुलाया है। आप देखेंगे कि श्रीमान आपके स्वागत के लिए आंखें बिछाये बैठे हैं। सत्कार की पूरी व्यवस्था वे कर चुके हैं। यदि खाने पर बुलाया गया है तो इस पूरा खाना लगभग तैयार है। मेजबान सजे-संवरे आपके इंतजार में बैठे हैं। कुछ और भी मित्र व पड़ोसी उपस्थित हैं जिनसे आप मिलना चाहते होंगे या वे जो आपसे मिलना चाहते होंगे। गृहिणी किचन में घुसी न रहकर बातचीत करने के लिए ड्राइंगरूम में आ बैठी है। इसी बीच उनका और कोई मित्र या पड़ोसी आ टपका तो उसे भी बाहर ही बाहर टरका दिया जायेगा ताकि जो प्रोग्राम पहले से बनाया गया है उसके रंग में भंग न हो। यह पहले से प्रोग्राम बनाकर कार्य करना और किसी के पास मिलने जाने से पूर्व यथासंभव उसे आगाह कर देना या उसकी सुख-सुविधा का ख्याल कर लेना उनकी आदत (सभ्यता !) में शुमार हो गया है। यहां तक कि आप दफ्तर में भी किसी के पास काम से जायेंगे तो फोन द्वारा उसे सूचित कर देंगे। इसके दो फायदे हैं। एक तो वह भला आदमी अपनी सीट पर उपस्थित मिलेगा, दूसरे अगर आपने अपने आने का प्रयोजन उसे बता दिया है तो आपकी आवश्यकता पूर्ति हेतु कुछ सामग्री भी वह दे सकेगा और आपका काम शीघ्रतर हो जायेगा।

अपने वतन की देसी (अ) व्यवस्था में पले, बढ़े हम लोगों को यह तौर-तरीका कुछ 'औपचारिक' सा लगता है। हिन्दुस्तानी अंदाज में दोस्त तो दोस्त ही है। फिर रिश्तेदार हो (वह भी दबने वाला) तो कहना ही क्या ! हम जब चाहें उसके घर जाकर उसे अनुग्रहीत कर सकते हैं। घर जायेंगे तो खाना तो खिलायेगा ही, हमारे बिस्तरों का भी इंतजाम करेगा। यह बात अलग है कि जब हम लोगों ने बिन बुलाये, बिन बताये उसके घर धावा बोला तो वह बेचारा अपने पूर्व-निश्चित प्रोग्राम के अनुसार कोई फिल्म देखने जा रहा था या कहीं और दावत पर। अब सिवाय अपना प्रोग्राम छोड़कर आपके और हमारे सत्कार की व्यवस्था में लग जाने के उसके पास कोई चारा नहीं है। जी हां, हम उसके दोस्त, रिश्तेदार, शुभचिन्तक जो ठहरे !!

लंदन से सेन्ट ऐन्टन (आस्ट्रिया) तक तो हमारे साथ डॉ. वार्ड और मिस्टर पार्कर भी थे और डॉ. वार्ड को अच्छी जर्मन आती थी, इसलिए हम लोगों को भाषा संबंधी कोई कठिनाई नहीं हुई। आर्लबर्ग सुरंग देखने के बाद साठ वर्षीय डा. वार्ड तो स्कीइंग करने के लिए वहीं रुक गये। यह जगह स्कीइंग के लिए आस-पास में मशहूर थी। एक रोप-वे में बैठकर लोग पहाड़ के ऊपर तक जाते थे और वहां से फिसलते हुए नीचे आते थे। छोटे-छोटे बच्चों से लेकर महिलाओं और वृद्ध जनों को रंग-बिरंगे लिबासों में फिसलते हुए देखा जा सकता था। मि. पार्कर इंग्लैंड में ठेकेदारी करते थे, सो वे भी अपने धंधे की तलाश में वहीं अटक गये।

रह गये हम और मि. मैथ्यू अकेले ! प्रोग्राम के अनुसार हम लोगों की रेल से कार्नं, सू (जर्मनी) जाना था।

इस जर्मन भाषाई प्रदेश में डा. वार्ड की मदद से हम लोग यात्रा संबंधी इतनी जानकारी जुटा लेना चाहते थे कि फिर किसी से कुछ पूछने की जरूरत न रहे। लेकिन इस खोजबीन में डॉ. वार्ड और होटल के मैनेजर—जिसे अंग्रेजी भी आती थी—ने हमारी कोई मदद नहीं की।

हमने सोचा सेल्फ हेल्प ही वेस्ट हेल्प है और सीधे स्टेशन गये। स्टेशन हमारे होटल से अधिक दूर नहीं था। स्टेशन पर जो पूछताछ और बुकिंग क्लर्क थे उन्हें अंग्रेजी बिल्कुल नहीं आती थी। हम लोग यह जानता चाहते थे कि पूरी ट्रेन बासेल जाती है या कुछ डिब्बे बीच में कट जाते हैं। अगर डिब्बे कटते हैं तो कौन से ? हम लोग आगे बैठें या पीछे। बासेल से ट्रेन किस प्लेटफार्म से मिलेंगी। इत्यादि सेन्ट ऐन्टन से ट्रेन सीधी कार्लसू न जाती थी और बीच में बासेल पर बदलनी होती थी, यह जानकारी हम लंदन से ही लेकर चले थे। उन गरीबों (बुकिंग क्लर्क) ने अपनी तरफ से पूरी कोशिश की, कि उनकी बात हमारी समझ में आ जाये, पर योरुप के रेल-सिस्टम से अनभिज्ञ हम लोगों के चेहरे पर रोशनी नहीं आती थी, सो नहीं आई। ये भी लगा कि कैसे पढ़े-लिखे आदमो हैं, जिन्हें अंग्रेजी नहीं आती !! जो वार्तालाप हुआ (या हो नहीं पाया) उसमें इशारे ज्यादा थे, शब्द कम। पहली बार इस बात का अहसास हुआ कि हम लोग कैसी मुसीबत में फंस सकते हैं। अच्छा-भला पढ़ा-लिखा आदमी गूंगे-बहरे समान हैं। स्टेशन पर आये अन्य मुसाफिरों को टटोला, कि कोई ऐसा 'बन्दा' मिल जाये जो जर्मन के साथ-साथ अंग्रेजी भी जानता हो, तो उससे ही दुभाषिये का काम ले लिया जाये। लेकिन यह जगह इतनी छोटी थी कि वहां आस्ट्रिया, जर्मनी और स्विटजरलैंड के बाहर से लोग कम ही आते थे। बात जब किसी तरह नहीं बन सकी तो हम लोगों ने सोचा क्यों न शहर चलकर किसी ट्रैवल एजेन्ट की मदद ली जाये, उन्हें तो निश्चित रूप से अंग्रेजी आती होती। शहर में एक भली-सी ट्रैवल ऐजेन्सी ढूंढ़कर हम लोग अंदर घुसे। एक स्मार्ट महिला डैस्क के उस पार से दूसरे लोगों से बात करने में व्यस्त थी। निहायत शराफत से हम लोगों ने अपनी बारी का इंतजार किया। शराफत पर जोर यों भी दिया था कि इसके अलावा हमारे पास उन्हें देने के लिए और कुछ था भी नहीं। बिजनेस के नाम पर रेल का टिकट भी हम लोग खरीद चुके थे। अपनी बारी आने पर उन्होंने सारी समस्या पूछी। हमने कहा कि हम लोगों को कार्लसू जाना है, यहां के रेल सिस्टम की हमें कोई जानकारी नहीं है, आप बताइये क्या करें। उसने रेलों का टाइम टेबुल सामने कर दिया। इसे हम पहले ही देख चुके थे, बहरहाल एक बार फिर ट्रेन का टाइम देख लिया। अब आगे के सवाल पूछने शुरू किये। इस बीच और पूछ-ताछ करने वालों की समस्या

बढ़ती जा रही थी। उसने बड़े परिष्कृत तरीके से समझा दिया कि आप लोग अब और अधिक समय नष्ट न करें तो कृपा होगी।

तब तक हमारी ट्रेन का टाइम हो चला था। स्टेशन आकर खड़े हो गये। ट्रेन जब आई तो उसके हर डिब्बे पर अलग-अलग जगहों के नाम लिखे थे। जो सामने डिब्बा आया, उसमें हम दोनों चढ़ गये। मन में शंका थी कि पता नहीं सही डिब्बे में चढ़े या गलत में, जो अगले स्टेशन पर एक नीली वर्दीधारी रेलवे मैन से पूछा। उसने जो बताया उससे लगा कि बासेल का डिब्बा दूसरा है, यह तो कटेगा। जल्दी-जल्दी हम लोग अपना सामान उतारकर भागते, तौड़ते, हांफते, दूसरे डिब्बे में चढ़े। डिब्बे में बैठने के बाद एक बार फिर यात्रियों से पूछा, कुछ ऐसे अन्दाज में, चौं, बाबू जी, या डिब्बौ बासेल सेहर कूं जांगो के नई।" उनके उत्तर से लगा कि जायेगा।

कार्लसू में अपना काम समाप्त करके, हम लोगों को वापस ज्यूरिख आना था. लिस्बन जाने के लिए। हमारी बुकिंग स्विस एयर द्वारा ओ. के. थी। ट्रेन के लेट होने की संभावना को ध्यान में रखते हुए हम लोगों ने अपना प्रोग्राम सुबह तड़के तीन बजे जाने का बनाया था। सोचा यह था कि अब लिस्वन पहुंचकर ही सोयेंगे। ट्रेन स्टेशन से तीन बजे निकलती थी, दो बजे होटल से चलना होगा। सामान बांधते-बांधते 12 तो बज ही जायेंगे। थोड़ी-सी देर के लिए क्या सोना। यह भी डर कि सो गये तो गये। कार्लसू में हमारे मित्र ब्रिजेन्द्र शर्मा को जब यह पता चला कि हम लोग रतजगा करने वाले हैं तो उन्होंने जोर देकर हमारा प्रोगाम बदलवा दिया। बोले, पांच बजे वाली गाड़ी से जाइये। साढ़े सात बजे तक ज्यूरिख पहुंच जायेंगे। फ्लाइट में दो घंटे का समय फिर भी रहेगा। हमने शंका व्यक्त की, कि भाईजान अगर ट्रेन लेट हो गई तो बस कहीं के न रहेंगे। वे बोले, ये जर्मनी है जनाब, कोई हिन्दुस्तान नहीं जो गाड़ियां वक्त पर न चलें। गाड़ियों के चलने का वक्त इतना सही होता है कि आप अपनी घड़ी मिला लें। लंदन में रहकर हमारा अनुभव भी कुछ ऐसा ही था। गाड़ियों के नाम तक समय से जुड़े हुए थे, जैसे 9.02, 9.33 आदि न चाहते हुए भी हम उनके आग्रह को न टाल सके। उन्होंने होटल वाले से कहकर हमारे समय से जगाये जाने का इंतजाम करवा दिया। टैक्सी स्टैंड पर फोन कर दिया कि सवेरे टैक्सी होटल पर आ जाये।

इस सब इंतजाम के बावजूद अपनी देसी बैकग्राउंड और ट्रेनिंग कहां जाती। हम लोग अपने आप ही तीन बजे उठ बैठे। होटल वाला जब हमें जगाने आया तो हम सामान बांधकर जाने के लिए तैयार बैठे थे। फोन करवा के टैक्सी बुलवा ली। स्टेशन पहुंचकर टिकट कटाया और प्लेटफार्म पर खड़े होकर ट्रेन का इंतजार

करने लगे। जब ट्रेन आने में केवल पांच मिनट रह गये तो एक एनाउंसमेंट हुआ। हमने सोचा ट्रेन आने की सूचना दे रहा है। कितना अच्छा देश है। कैसा अनुशासन है। इसीलिए तो इतनी तरक्की कर रहा है। लेकिन यह क्या ! एनाउंसमेंट के बाद ही लोग इधर-उधर बिखरने लगे। हमें लगा कि कुछ गड़बड़ है। एक नीली वर्दी-धारी से पूछा कि क्या बात है ? मुस्कराते हुए हमारे अंग्रेजी सवाल का जर्मन जवाब दिया। वह हमारी बात तो समझ रहा था, हम उसकी नहीं। काश, हम भी मुस्कराने की अवस्था में होते। यहां ट्रेन न मिलने पर क्या होगा, यह सोच-कर होश फाख्ता हो रहे थे। मैथ्यू साहब को उसकी मुस्कराहट खल गई। विशुद्ध पंजाबी में उन्होने उसे एक भारी सी गाली टिकाई और हम लोग आगे बढ़े किसी ऐसे भले आदमी की तलाश में, जिसे अंग्रेजी आती हो। चार-छः को स्क्रीन करने के बाद एक 'पढ़ा-लिखा' आदमी मिला। उसने बताया कि यह ट्रेन दो घंटे लेट है। वही हुआ, जिसका डर था। उससे फिर पूछा कि भाई साहब, हमें तो ज्यूरिख से फ्लाइट पकड़नी है, कोई और कनेक्शन मिल सकता है क्या ? उसने बताया कि थोड़ी देर में एक ट्रेन आने वाली है, जो ज्यूरिख जायेगी। लेकिन वह एक प्राइवेट चार्टर्ड ट्रेन है, जिसमें आम सवारियों के लिए जगह नहीं होती। अगर ट्रेन का मालिक अनुमति दे, तो आप जा सकते हैं। उसने यह भी कहा कि आपके समय से ज्यूरिख पहुंचने की यही एकमात्र संभावना है। हम लोगों ने सोचा कि जो भी हो, गाड़ी में चढ़ जायेंगे।

थोड़ी देर में गाड़ी आ गई। बड़े-बड़े झंडों में एक कम्पनी का नाम लिखकर बाहर लटकाया गया था। इस कम्पनी के कर्मचारी पिकनिक पर स्विटजरलैंड जा रहे थे। इन्हीं लोगों ने सारी ट्रेन बुक करवा रखी थी। जो डिब्बा हमारे सामने आकर रुका, दरवाजा खोलकर हम लोग उसी में चढ़ गये। सामान एक कोने में रखकर निहायत सभ्यतापूर्वक हम लोग एक कोने में खड़े हो गये। थोड़ी देर में कम्पनी का केयर टेकर कॉरीडोर में घूमता हुआ आया और अत्यन्त अशिष्टता-पूर्वक भारत सरकार के दो वरिष्ठ अधिकारियों को तनिक भी घास न डालते हुए, रूखे अंदाज में हम लोगों से अंग्रेजी में बोला, यह ट्रेन पब्लिक के लिए नहीं है। हमने सोचा, यह तो हमें भी मालूम है। उतरने को न कहे, तब तक सब ठीक है। थोड़ी देर तक वह हमारी शक्ल देखता रहा और यह अंदाज लगाता रहा कि उसको बात का हम पर क्या असर हुआ। फिर थोड़ी ऊंची आवाज करके उसने कहा कि आप नीचे उतरेंगे या नहीं। साथ ही वह जर्मन भाषा में कुछ बुदबुदाया। उसने क्या कहा होगा, यह तो आप स्वयं अंदाज लगा लीजिये। बहरहाल, हम लोग बिना कोई विरोध किये, चुपचाप नीचे उतर आये। थोड़ी देर में गाड़ी ने चलने के लिए सीटी दी। हम लोगों ने सोचा कि गाड़ी गई तो सारा प्रोग्राम चौपट हो जायेगा, मुसीबत में पड़ेंगे सो अलग। हमने मैथ्यू की तरफ देखा मैथ्यू ने हमारी तरफ। एक झटके से हम लोगों ने सामान फिर से गाड़ी में रखा और चढ़ गये। गाड़ी चल दी।

टोकियो से...

आशिष शर्मा

हम लोग बैंकौक होते हुए 2 तारीख की शाम को सकुशल टोकियो पहुंच गये।

हमारी यात्रा अब तक बहुत रोचक रही है। कलकत्ता से बैंकौक और फिर वहां से टोकियो तक की उड़ानें बहुत आराम से पूरी हुईं। दोनों उड़ानें हमने एक्जीक्यूटिव क्लास में कीं। यहां हमारा सत्कार भी अच्छा हुआ। संगीत सुनने के लिए एक एयरफोन मिला, साथ ही हर वक्त कुछ-न-कुछ खाने-पीने को भी मिलता रहा।

बैंकौक में बारिश ने हमारा स्वागत किया। यहां कुछ औपचारिकताओं के बाद हमें एयरपोर्ट के एक होटल में ले जाया गया। यह फाइव-स्टार होटल का मेरा पहला अनुभव था। आप ही सोचें कि मुझे कितना आश्चर्य हुआ होगा जब मैंने चाभी की जंजीर वाले स्लैब को क्लॉट में डाला तो मेरे कमरे की सारी बत्तियां एक साथ जल उठीं। मेरे कमरे में रंगीन टी० वी० था। उससे लगा एक और छोटा कमरा था। दस इंच मोटे कुशन वाला एक डबल-बेड था।

रात का खाना हमें जल्दी ही दे दिया गया। फिर हम होटल की एक गाड़ी में बैंकौक नगर का एक चक्कर लगाने गये। रात के करीब ग्यारह बजे लौट कर मैंने टी० वी० पर एक फिल्म देखी। रात को मैं ठीक से सो नहीं पाया। कारण यह कि गद्दे का फोम बहुत मोटा था। और जरूरत से ज्यादा गुलगुला। बहरहाल, हमें सुबह आठ बजकर चालीस मिनट पर टोकियो के लिए जहाज पकड़ना था और हमने साढ़े छः बजे होटल से चल देने का फैसला किया था। अतः मैं बहुत जल्दी उठ गया और टब में एक घंटे तक शाही स्नान किया। नाश्ता करने के बाद हम एयरपोर्ट के लिए रवाना हो गये।

यह दूसरी उड़ान और भी आरामदेह रही। यहां यान पर दो घंटे की फिल्म 'जग्सौ' दिखायी गयी। यह उड़ान लगभग छः घंटे की थी। नारिटा, टोकियो से महिने एयरपोर्ट लियोसन (बस) TCAT (टोकियो सिटी एयर टर्मिनल) के लिए

पकड़ी। यह यात्रा एक घंटे की थी। हम शाम को करीब साढ़े छ: बजे TACT पहुंच गये। एसोसिएशन ऑफ ओवरसीज टेक्नीकल स्कॉलरशिप (AOTS) के एक नुमाइन्दे ने हमारा स्वागत किया जो हमें होस्टिल एशिया बंका काइकान (ABK) ले गया। यही पता इस पत्र के ऊपर भी दिया गया है।

यहां हमें 13 जुलाई तक रुकना है। (AOTS) ने 13 जुलाई तक हमें जापानी भाषा सिखाने की कक्षाएं आयोजित की हैं। इसोज़ू में (ISUZU) में हमारा प्रशिक्षण 15 जुलाई से शुरू होगा। इस प्रकार 13 जुलाई को हम योकोहान केन्सियान केन्द्र (YKC) में जायेंगे। आज प्रात: हम एक स्वागत समारोह में शामिल हुए थे। हम अपने ट्रेवेलर्स चेक भुनाने के लिए ISUZU के एक आदमी के साथ फ्यूजी बैंक गये क्योंकि हमें ISUZU को अपने खर्चे का हिसाब चुकाना था।

हमारा एक एप्टीच्यूड टेस्ट हुआ तथा तत्काल ही हमारी कक्षाएं चालू हो गयीं। यह कार्यक्रम सुबह नौ बजे से शाम को छ: बजे तक चलता है। इसमें दोपहर को बारह बजे से डेढ़ बजे तक खाना खाने की छुट्टी रहती है। (यह करीब 13 तारीख तक तो चलेगा ही)। आज कक्षाओं के बाद हम समीप के बाजार में भी गये। रात के भोजन के बाद हम थोड़ा टेबिल-टेनिस भी खेले।

बैंकौक नगर को देखने का हमें ज्यादा समय नहीं मिल पाया था। लेकिन यह भी किसी दूसरे बड़े नगर की तरह ही है। हां, इसकी सड़कें जापानी वाहनों से भरी रहती हैं, क्योंकि ज्यादातर जापानी कम्पनियों के असेम्बली प्लांट थाइलैण्ड में हैं।

टोकियो। टोकियो ने बहुत प्रभावित किया। सबसे ज्यादा ध्यान टोकियो आकर्षित करता है। यहां के लोगों का अनुशासन। पार-पथ से सड़क पार करने वाले पैदल यात्री न भी हों, तो भी वाहन, बड़ी कर्तव्य-निष्ठा के साथ, सिगनल होने का इन्तजार करते हैं। यहां प्रदूषण के प्रति बड़ी सजगता बरती जाती है—फिर मामला चाहे धुएं का हो, चाहे शोर-गुल का। नगर नया पुता और पूर्णत: स्वच्छ लगता है। ये बातें मैंने दो दिनों में ही नोट की हैं और मुझे विश्वास है कि यहां और भी रोचक बातें देखने को मिलेंगी।

अब कुछ खाने की चर्चा हो जाय। मैं चाची (अपनी मां) को विश्वास दिलाता हूं कि मुझे यहां किसी तरह की कोई दिक्कत नहीं है। यहां ए० बी० के० में—जहां हम अपना खाना खाते हैं—अच्छा निरामिष भोजन मिलता है। नाश्ते में डबल रोटी, मक्खन, दूध व पनीर होता है। ब्रेड बढ़िया किस्म की, बहुत मुलायम, किंग साइज की रहती है। ऑटोमैटिक टोस्टर में ब्रेड तीन मिनट में ही सिककर

ऊपर आ जाती है। दूध भी बढ़िया होता है। दोपहर के भोजन में चावल और एक रसेदार सब्जी रहती है, मसाले हल्के होते हैं तथा मेरी रुचि के अनुकूल हैं। दही खूब गाढ़ा होता है जो मैं रोज ही लेता हूं। हर खाने के साथ ताजा सलाद—बन्द गोभी के पत्ते, टमाटर आदि—दिये जाते हैं। इन सबके अलावा फलों के रस, केक, फल (सेब, अनन्नास) आदि भी मिलते हैं। यहां सेल्फ-सर्विस का तरीका चलता है। (जैसा कि मैं पहले भी बता चुका हूं) खाने के कमरे में भी टी० वी० है। सभी खाना रेफ्रिजिरेटरों में या ओवन में रखा रहता है—या फिर फ्रिजर-वेटिवों द्वारा सुरक्षित होता है। ए० बी० के० का वातावरण बड़ा ही 'कौसमोपोलिटन' है। मुझे ऐसा लगता ही नहीं कि मैं आप सबसे उतनी दूर बैठा हूं।

हमें एक महीने तक जापानी भाषा में प्रवीणता प्राप्त करनी थी। हमारे होस्टल एशिया बुन्का कैंकन में ज्यादातर अन्य एशियाई देशों के—मुख्यतः थाईलैण्ड, चीन और कोरिया के—ऐसे छात्र रहते थे, जो टोकियो के विभिन्न कॉलेजों में अण्डर-ग्रेजुएट स्टडीज के लिए जापान आते हैं।

यहां मैं यह बताना चाहूंगा कि जापानी भाषा को लिखने की तीन लिपियां होती हैं—कांजी, हीरागाना और काताकाना। हीरागाना और काताकाना काफी आसान हैं। इनमें 44 वर्णाक्षर हाते हैं, जिनके द्वारा आप लिख सकते हैं। पर काजी सीखना काफी मुश्किल है।

चीनी भाषा में करीब 50,000 characters होते हैं, जिनमें से 5,000 को जापनी में सम्मिलित किया गया है। और, यह मानी हुई बात है कि बहुत-से बुद्धिजीवी लोग तक 3,500 characters से ज्यादा नहीं याद रख पाते।

आधुनिक जापानी भाषा हीरागाना और कांजी को मिलाकर लिखी जाती है। जापान में शिक्षा का माध्यम चूंकि जापानी भाषा है, इसलिए विदेश से आये छात्रों को कम-से-कम हीरागाना और 1,000 कांजी वर्णाक्षर मालूम होना आवश्यक है।

और एशिया बुन्का कैंकन में सारे छात्र एक साल इन कांजियों को सीखते हैं, फिर कहीं इनको टोकियो के कॉलेजों में दाखिला मिलता है।

इन्हीं छात्रों में से, एक मलेशिया से आये लड़के से मेरी दोस्ती हो गयी। उसी ने मुझे चाप्सस्टिक्स (जापानी में ohashi) से खाना खाना सिखाया।

पहले तो ये स्टिक्स पकड़ने ही में नहीं आती थीं और इतनी देर लगती थी कि धैर्य छूट जाता था। पर चार-पांच दिनों में जब कुछ अभ्यास हो गया, तो खाने में बड़ा आनन्द आने लगा—यहां तक कि चावल के एक दाने को भी मैं इनसे उठा

लेता था।

मैं यह सोचता था कि दोनों हाथों में एक-एक स्टिक को पकड़ा जाता है; पर वास्तव में एक ही हाथ में दोनों स्टिक्स को पकड़ा जाता है। और, जापानी खाने की विशेषता यह है कि वह छोटे-छोटे गोलों या टुकड़ों के रूप में परोसा जाता है, जिससे कि उन्हें इन चापस्टिक्स से उठाया जा सके। वहां बाजार में जो टिफिन बिकते हैं, उनके ऊपर खास जगह बनी होती है जहां इन स्टिक्स को रखा जा सकता है।

एशिया बुन्का कैंकन में एक साहब मिले। पूना के किसी कॉलेज में पढ़ाते हैं और उन्हें जापान की एक कम्पनी ने शोध करने के लिए आमंत्रित किया था। अंग्रेजी के अलावा इन्हें सिर्फ मराठी आती थी। मजेदार बात यह हुई कि हमारे ग्रुप में तीन महाराष्ट्रियन थे। और, इत्तफाक से इन साहब की मुलाकात पहले एक-एक करके इन तीनों से हुई।

तो मुझसे जब इनका परिचय कराया गया, तो समझे कि हो न हो मैं भी महाराष्ट्र से हूं...और जो इनका भाषण मराठी में चालू हुआ, तो रुका नहीं। दो-एक बार मैंने उनको बताना चाहा कि साहब मुझे मराठी नहीं आती, पर अगर एक दिन समझ जाते—तो दूसरे दिन फिर भूल जाते। मुझे पकड़ कर अपने शोध कार्य के बारे में जो अपनी 'मराठी' में शुरू होते, तो मेरे सारे मित्रों का हंसते-हंसते बुरा हाल हो जाता।

यह बेचारे अकेले थे और आये भी ये एक साल के लिए। जेब खर्च का पैसा इनको बहुत मिलता था। फलस्वरूप इनसे कोई एक बार यह कह दे, "जनाब, यह चीज हिन्दुस्तान में नहीं मिलेगी।" वह फटाक से उसे खरीद लेते। अपने आपको पूना यूनिवर्सिटी का 'टेबिल टेनिस ब्लयू' मानते थे। एक-एक करके हम सब उन्हें हरा देते थे। अन्त में, तरस खाकर हम लोग जानबूझ कर उनसे एक-दो गेम हार जाते, तो वह बहुत सन्तुष्ट होते थे। अभी हमारे बाद जो हमारे कुछ मित्र जापान गये थे, उनकी भी तस्वीरों में यह हाजिर हैं।

जब तक एशिया बुन्का कैंकन में रहे, दिन भर जापानी पढ़ते और शाम को विण्डो शॉपिंग करने निकल जाते। हम लोग निकलते तो साथ थे, पर इधर-उधर देखते हुए हमेशा बिछुड़ जाते। फिर रात को नौ बजे हमारा एक चाय सेशन होता! मैस से अपने फ्लास्क में गरम पानी भरना होता था। चीनी, दूध और चाय तो पैकटों में लाकर हम लोग पहले से ही कमरे में रखते थे। और फिर, सेशन में विण्डो शॉपिंग पर चर्चा होती कि आज क्या खरीदा या क्या देखा।

मैं ग्रुप का खजाञ्ची भी था। और, सप्ताहांत में कहां-कहां घूमने चला जाये, यह तय करना भी मेरा काम था। इन चाय सेशनों में, इन विषयों पर भी बहस होती थी।

एशिया बुन्का कैंकन में कई एशियाई देशों के लोगों से मिलने का मौका

मिला। प्राय: सब लोग अंग्रेजी बोल लेते थे—खास कर मलेशिया से आये लोग। पर जो लोग अंग्रेजी नहीं बोल पाते थे, उनके साथ जापनी चलती थी। वे भी सीख रहे थे, हम भी !

शुरू-शुरू में जापानी में बोलते-बोलते हम लोग अटक जाते। कभी-कभी कोई शब्द याद नहीं आता। पर धीरे-धीरे आदत पड़ गयी और फिर तो मजा आने लगा। पता नहीं, दोबारा कब इस भाषा को बोलने का मौका मिले जिसे तीन महीनों से सीख रहे हैं। यह सोच कर यथाप्रयास हमेशा जापानी में बोलने की कोशिश की। बहुत मजा आता था। इस काम में T. V. ने बहुत मदद की, खास तौर से उच्चारण पिक-अप करने में। कांजियों की वजह से जापानी अखबार पढ़ पाना तो मुश्किल था, पर इसकी सारी कसर जापानी बोल कर पूरी कर रहे थे।

जापानी की कक्षायें पूरा कर लेने पर हम लोगों का होस्टल बदल गया। अब हम लोग याकोहामा पहुंचे। एशिया बुन्का कैंकन में रहते हुए लगभग सारा टोकियो घूम लिया था। बहुत ही सुन्दर शहर है; और कहते हैं कि दुनिया का सब से कीमती भी। पर बहुत आनन्द आया।

याकोहामा टोकियो की तुलना में छोटा और पहाड़ी शहर है। जापान का सबसे प्रमुख किला भी यहीं है।

यहां पर हमें A. O. T. S के kenshu centre. यानी trainee hostel में ठहराया गया। यहां पर एशिया बुन्का कैंकन के मुकाबले रहने वाले छात्र नहीं थे, पर नौकरी करते हुए विभिन्न देशों से हमारी तरह जापानी कम्पनियों में ट्रेनिंग लेने आये हुए लोग थे।

यहां पर एशिया के अलावा अफ्रीका और दक्षिण अमरीका (खास तौर पर ब्राजील) के कई देशवासियों से मिलने का मौका मिला। उन सबों के यहां के रीति-रिवाज पता चले। अक्सर कल्चरल प्रोग्राम आयोजित किये जाते थे और सब लोग अपने-अपने देश के विशेष पहनावों में कोई-न-कोई आइटम पेश करते थे।

मजा यह कि पाकिस्तान और भारत दोनों से दो दल सुजूकी मोटर कम्पनी में ट्रेनिंग लेने आये थे। अपने मारुति उद्योग से आये एक सज्जन ने बिलकुल मुसलमानों जैसी दाढ़ी बढ़ा रखी थी और लगभग एक महीने तक मैं उन्हें पाकिस्तानी समझता रहा। भ्रम उस दिन टूटा जब मैंने बातों में उनसे पूछा, "आपकी फैक्टरी पाकिस्तान में किस जगह है ?" वह एकदम से चौंके और नाराज होते हुए बोले : "पाकितान ?...भैया, अपनी फैक्टरी तो गुड़गांवे में है !"

इसूजू में काम करते समय हमारे एक गुरुजी ने हमें अपने यहां खाना खाने के लिए बुलाया। इस बहाने एक जापनी परिवार के रहन-सहन के तौर-तरीके देखने का भी अवसर मिला।

जापान में एक रिवाज है कि जब भी आप किसी के यहां मिलने जायें, आप कुछ उपहार लेकर जरूर जायें। कैसा भी हो, छोटा-सा, पर उपहार देना अनिवार्य है—और मिलते ही सबसे पहले उपहारों का आदान-प्रदान होता है।

जापानियों को भारतीय चाय का बहुत शौक है, इसलिए उपहार के रूप में चाय के डब्बे—या चूंकि वहां हाथी बहुत ही कम पाये जाते हैं, इसलिए साधारण लकड़ी या चन्दन की लकड़ी के बने छोटे-छोटे हाथी अवश्य ले जाते थे। इन्हें पाकर वे बड़े खुश होते थे। भारतीय चाय तो वे लोग संभाल कर रखते हैं और विशेष अवसरों पर ही निकालते हैं।

उनके यहां की चाय को वे 'ओच्या' कहते हैं और वह हरे रंग की होती है। उसे सादे उबले पानी में डालकर बड़े चाव से पीते हैं।

हमारे गुरुजी साकामोती साहब हमें ऑफिस से अपनी कार में बैठाकर अपने घर ले गये। उनके परिवार से परिचय हुआ। घर देखा। पूरा लकड़ी का बना हुआ। और, विख्यात लकड़ी के स्लाईडिंग डोर्स, जिन पर सुन्दर कलाकृतियां बनाकर सजाते हैं, देखे।

जमीन पर चटाई। एक थोड़ी-सी ऊंची तखतनुमा टेबिल के पास हम बैठे। मेरे हाथ में दो चापस्टिक्स दी गयीं और एक सोयाबीन सॉस की छोटी तश्तरी। टेबिल पर तरह-तरह के व्यंजन उनकी पत्नी ला-लाकर रख रही थीं। खाने की क्रिया थी—ओहाशी से कोई चीज उठाओ, सॉस में डुबोओ और खा लो। साकामोतो साहब हर व्यंजन से परिचय कराते हुए मुझे खाने को कहते रहे और नये-नये व्यंजन बनकर आते रहे। आश्चर्य की बात तो यह है कि ये लोग शाकाहारी खाना कम खाते हैं, पर फिर भी श्रीमती साकामोतो ने केवल मेरे लिए ही कम-से-कम 35 व्यंजन बना डाले थे। हमारे यहां भोज में भी ज्यादा से ज्यादा 5 या 6 चीजें बनायी जाती हैं, हालांकि उनकी मात्रा ज्यादा होती है। पर यहां मात्रा कम, पर बहुत सारी चीजें बनायी जायेंगी। सी-फुड के अलावा, भी अपने यहां जैसी सब्जियों से खाना बनाते हैं। पर बनाने का तरीका बिलकुल इनके यहां अलग होता है।

भारत लौटते समय हम लोग हांगकांग होते हुए आये। अब तक हम लोग काफी तेजी से जापानी बोलने लगे थे। और, हमने तो इसूजू में अपना अन्तिम सेमिनार जापानी में ही दिया था। सोचा, हांगकांग की फ्लाइट में हवाई जहाज में बैठे हुए

तस्वीर खिचवायी जाये।

एअर होस्टेस को बुलाया और जापानी में फर्राटे से पूछा : "क्या आप हमारी तस्वीर खींच देंगी ?,' पर आश्चर्य ! उसकी समझ में ही नहीं आया। हम लोगों ने सोचा JAL की फ्लाइट में एअर होस्टेस हमारी जापानी नहीं समझ पायी। इतनी खराब या गलत जापानी तो हम लोग नहीं बोलते ! अपने वाक्य को व्याकरण चेक करके हमने फिर उसे बुलाया और वाक्य धीरे-धीरे बोला। अब उसकी समझ में आया।

उसने बताया कि वह दरअसल चीन देश की रहने वाली है और यह फ्लाइट चूंकि हांगकांग जा रही है, इसलिए चीनी भाषा में उद्घोषणा करने के लिए मुख्यत: वह इस फ्लाइट पर है।

हांगकांग में एक भिखारी देखा। उसके पास हारमोनियम के बजाय casio degital synthesizer casiotone था और उसको रखने के लिए एक छोटा-सा फोल्डिंग स्टैण्ड और स्टैण्ड पर एक माइक भी। अजीब-सा दृश्य था।

छोटा-सा लड़का। पर बड़े विश्वास से बहुत अच्छा बजा रहा था। सिर्फ उसके गन्दे कपड़े, फटे जूते और बिखरे बालों से पता चलता था कि वह भीख मांगने के उद्देश्य से यह काम कर रहा है।

पर इतने सबके बाद यह जानकर अफसोस हुआ कि भारत के विषय में आम जापानी को सिर्फ यह पता है कि भारत में बौद्ध धर्म प्रचलित हुआ है और भारत पिछड़े देशों में से एक है। थोड़ा-बहुत इंदिरा गांधी के नाम से अवगत हैं।

पर उन्हें यह स्पष्ट रूप से समझाना पड़ता था कि राजीव गांधी और महात्मा गांधी दो भिन्न-भिन्न पुरुष हैं।

इस दिशा में हमारी सरकार को एक Festeval of India जापान में जरूर आयोजित करना चाहिए। उन्हें पता चलेगा कि भारत में बौद्ध धर्म, चाय और हाथी दांत के अलावा भी बहुत कुछ है, जिसका मूल्य उनकी आधुनिक कारों और Electronics के उपकरणों से कहीं अधिक है !

एक अजनबी चेहरा

भारती

जर्मनी का वह एयरपोर्ट ।

छोटे-से चेक-इन काउण्टर के आगे लाइन लगाये खड़े वे लोग । एक यादगार बनकर रह गया है जर्मनी से भारत का वह अजीब सफर । उन्हीं लम्बी लाइनों में कहीं मैं और मेरी मां भी अपना हैन्ड-बैगेज लिये परेशान से खड़े थे ।

भीड़ की वजह यह थी कि कुछ भारतीय, जो इंग्लैंड से चले थे, जर्मनी से हमारी एयर-फ्रांस की फ्लाइट से ही आ रहे थे ।

उस इन्तजार से परेशान होकर मैं लाइन से जैसे ही हटकर खड़ी हुई कि मेरा ध्यान आगे कमरे में बैठी एक वृद्ध पंजाबी महिला पर गया । वह अकेली गुमसुम और परेशान-सी एक व्हील-चेयर में बैठी थी । उसको देखते ही मुझे लगा जैसे वह किसी असमंजस में पड़ी है । थोड़ी देर में देखा कि दो एयर-होस्टेस उसके पास गयीं और कुछ बात करने लगीं । जिस दूरी पर मैं खड़ी थी वहां से कुछ सुनायी देना तो नामुमकिन था, लेकिन मुझे यह समझते देर न लगी कि वृद्ध महिला किसी परेशानी में थी ।

सहसा मुझे लगा कि मैं उसके पास जाकर उसकी कुछ मदद करूं । लेकिन यह विचार मन में आकर ही रुक गया । कहीं मैं गलत न समझी हूं । मैं फिर जाकर मम्मी के पास लाइन में लग गयी ।

पर न जाने क्यों थोड़ी देर को भी अपना ध्यान मैं उस महिला पर से नहीं हटा पा रही थी । कौतूहलवश मैं फिर आगे गयी और खड़ी होकर उसे देखने लगी ।

अब तो एक कैप्टेन और तीन एयर-होस्टेस से घिरी उस महिला का हाल बुरा था । न जाने किस उम्मीद से उसने मेरी ओर देखकर हाथ हिलाया । मैं उसकी तरफ चल दी । कमरे के दरवाजे पर रिसेप्शनिस्ट ने रोका भी । पर मैंने चलते-चलते उसे जवाब दे दिया कि उस वृद्ध महिला को मेरी जरूरत है ।

मेरे पहुंचते ही उसने मेरे दोनों हाथ अपने हाथ में थाम लिये और कहा : "बेटी इन लोगों को समझा कि मुझे हिन्दुस्तान जाना है । चार घंटे से यहां बैठी

हूं। मेरा बेटा भी पता नहीं मुझे छोड़कर कहां चला गया।" तब मुझे पता चला कि उसको कितनी घुटन महसूस हो रही थी उस विदेशी माहौल में। मैंने एयर-होस्टेस को जब बताया कि वह महिला भारत जाने के लिए बेचैन है, तो पता चला कि उसका बेटा उसको और उसके सामान को एयर-होस्टेस के हवाले करके चला गया था। भाषाएं भिन्न होने के कारण दोनों महिलाएं एक-दूसरे को समझा नहीं पा रही थीं।

वह महिला मुझे नहीं बुलाती तो उसे पता ही न चलता कि उसका बेटा, बिना उसे बताये, उसे एयर-होस्टेस के हवाले करके चला गया है और कह गया है कि उसको उस दूसरे बेटे के सुपुर्द कर दिया जाय जो उसे भारत में लेने आयेगा।

कुछ ही देर बाद एयर-होस्टेस उस महिला को हमारी ही फ्लाइट में ले आयी और हम फिर साथ हो गये। रास्ते भर बार-बार वह मुझसे पूछती रही : "बेटी, कितनी देर और है अपने वतन पहुंचने में?"

भारत पहुंच कर जहाज से उतरने से पहले मैंने जब उस वृद्ध महिला से विदा ली, तो वह रोनी लगी। कहा : "बेटी, तू न होती तो मैं तो आज मर ही जाती। मेरे अपने बेटों ने जिन्दगी में मेरी जितनी सेवा नहीं की, उससे ज्यादा तूने इन आठ घंटों में की है। मैं तुझे हमेशा याद रखूंगी।"

मेरा और मम्मी का दिल भर आया। पता नहीं उस वृद्धा का दूसरा बेटा हवाई अड्डे पर उसे लेने आया था कि नहीं। लेकिन उन चन्द घंटों में शायद वह हमारे इतना करीब आ गयी थी कि मैं आज तक भी उसे नहीं भूल पायी हूं।

नॉर्वे से इंग्लैण्ड तक : पानी के जहाज से

सन्तोष शर्मा

जहाज द्वारा यात्रा करने की इच्छा बचपन से थी।

हवाई जहाज द्वारा पहली यात्रा 1978 में बम्बई से पूना तक की थी। बहुत ही रोमांचक रही थी वह छोटी-सी यात्रा। उसके बाद तो हवाई जहाज से यात्रा करने के कई अवसर मिले—दिल्ली से कनाडा और अमेरिका तक की लम्बी यात्राएं। किन्तु वह पहली यात्रा वाला रोमांच और आनन्द नहीं आया।

इस बार जब हम लोगों (विजय और सन्तोष—सं.) ने योरप की यात्रा की, तो मौका निकालकर बर्गेन (नॉर्वे) से न्यूकासल (इंग्लैंड) तक की यात्रा पानी के जहाज द्वारा करने का कार्यक्रम बना डाला।

पानी का जहाज बर्गेन से चलता था और हम लोग ओसलो में थे। इसलिए, पहले ओसलो से बर्गेन हवाई जहाज द्वारा आना पड़ा।

बर्गेन नॉर्वे का दूसरा बड़ा शहर है! अत्यन्त सुन्दर जैसे प्रकृति की गोद में बसा हुआ। एक ओर समुद्र है, दूसरी ओर हरियाली से ढके पहाड़ जिनकी हिमाच्छादित चोटियां ऐसी लगती थीं मानो सफेद टोपियां पहन रखी हों।

ओसलो में हम लोग 'एस ए एस इण्टरनेशनल होटल' में ठहरे थे जो 'एस ए एस एयरलाइंस' का ही होटल है। इसमें 'एस ए एस एयरलाइंस' से यात्रा करने वाले यात्रियों के लिए कुछ अतिरिक्त सुविधाए भी उपलब्ध थीं। यहां एयरलाइन्स का टिकट खरीदा जा सकता था, यात्रा के लिए सामान रखा जा सकता था और कम भाड़े की बस में बैठकर हवाई अड्डे तक जाया जा सकता था। हम लोगों ने इन सुविधाओं का लाभ उठाया और सुबह की एक फ्लाइट पकड़ कर बर्गेन पहुंच गये।

यह सितम्बर महीने की 27 तारीख थी और दिन के 11-30 बजे थे। हमारा पानी का जहाज दिन के दो बजे रवाना होना था।

प्रोग्राम की तारीख कुछ इस तरह से तय की गयी थी कि न्यूकासल और सण्डरलैंड उसी दिन पहुंचा जाय जिस दिन मौसाजी ('सचेतक' के पाठक जिन्हें

जितेन्द्र जी के नाम से जानते हैं) की 62वीं वर्षगांठ थी।

सी-पोर्ट पर हम लोगों ने जहाज का इन्तजार करते समय नाश्ता कर लिया और आने वाली सवारियों के बारे में अटकलें लगाते रहे। ज्यादातर सवारियां जवान लड़के-लड़कियों, छोटे परिवारों, या बुजुर्गों की थीं। पानी के जहाज का किराया कुछ कम होता है और समय अधिक लगता है, इसलिए मारामारी में फंसे लोगों को नहीं भाता।

लगभग 12-30 बजे जहाज किनारे आकर लग गया।

यह कोरोलीन कम्पनी का 'वीनस' नामक जहाज था। लम्बाई-चौड़ाई में बहुत बड़ा—जहां हम लोग बैठे थे, वहां से इसका सिर्फ एक हिस्सा दिखायी देता था।

एक बजे से सवारियों के टिकट, पासपोर्ट आदि, चेक होने शुरू हो गये। ठीक दो बजे जहाज ने सी-पोर्ट छोड़ दिया।

बड़ा कौतूहल था, थोड़ी चिन्ता भी, कि पता नहीं यह यात्रा कैसी होगी क्योंकि 'सी-सिकनेस' के बारे में काफी कुछ सुन रखा था।

अन्दर से जहाज बहुत सुन्दर था। सब जगह कालीन बिछे हुए। दीवारों पर सुन्दर चित्र, पुराने नक्शे आदि, टंगे हुए। जहाज का crew यात्रियों की अगवानी कर रहा था तथा उन्हें उनके केबिन तक जाने में मदद कर रहा था।

यह जहाज आठ-मंजिला था। हर मंजिल पर अलग-अलग तरह की केबिन थीं : एक सितारे से लेकर पांच सितारे तक। एक मंजिल पर सिर्फ रेस्तोरां, बार और ड्यूटी-फ्री दूकानें इत्यादि, थीं।

हमारी केबिन नीचे से दूसरे नम्बर की मंजिल पर थी। यह मंजिल पानी की सतह के नीचे थी। हमारी केबिन में दो बिस्तर एक के ऊपर एक (दो-टीयर) लगे थे। एक वाश-बेसिन, दो गिलास, दो साबुन व दो तौलिये भी थे। स्त्री-पुरुषों के लिए वाश-रूम या टायलेट अलग थे। हमारे केबिन में ऊपर के बिस्तर पर एक छोटी सीढ़ी द्वारा जाना होता था। प्रत्येक बिस्तर पर स्टेरिलाइज किया हुआ तकिये का खोल, चादर तथा हलका कम्बल एक पौलीथीन पैकेट में सील किये हुए थे। बाथ-रूम और टायलेट एकदम साफ थे।

ऊपर के केबिन थोड़े बड़े थे। इनमें बिस्तर के अलावा एक-एक सोफासेट भी था और बाथरूम साथ लगा हुआ था।

अपना सामान केबिन में रखकर हम लोग जहाज में कहां पर क्या हो रहा है, देखने के लिए चल दिये।

एक मंजिल पर यात्रियों की कारें भी 'सफर' कर रही थीं। जहाज से उतर कर आप अपनी कार में बैठ कर शहर घूम सकते थे और फिर जहाज पर लौट आ सकते थे।

एक मंजिल पर लगभग 6 फुट ऊंची व 3 फुट चौड़ी एक बड़ी मशीन लगी हुई थी—कोका कोला प्राप्त करने के लिए। मशीन में सिक्का डालिए; कोका कोला आपकी सेवा में हाजिर।

रेस्तोरां वाली मंजिल पर एक तरफ विशाल बालकनी बनायी गयी थी, जिसके एक तरफ कांच लगे थे। यहां पर अनेक सुन्दर टेबिलें व कुशनदार घूमने वाली कुर्सियां पड़ी थीं। यहां बैठकर यात्री चाय की चुस्कियां लेते हुए समुद्र का नजारा देख सकते थे।

'बार' के साथ एक एन्क्लोजर था जिसमें लोग नाच सकते थे। पश्चिमी धुन बजाने के लिए बैंड था! गोलाकार डान्स-फ्लोर की छत पर छोटे-छोटे बल्ब लगे थे जो जलते-बुझते रहते थे और बहुत सुन्दर प्रभाव पैदा करते थे।

एक कैफेटेरिया में सेल्फ-सर्विस थी और दूसरे में ऑर्डर देने वाली सर्विस।

हम लोग सेल्फ-सर्विस वाले रेस्तोरां में गये। एक तरफ धुली हुई प्लेटें, चम्मच, फॉर्क, चाकू, पेपर नैपकिन आदि रखे थे। प्लेट और ट्रे उठाइये और अपनी मनपसन्द चीजें, जो कांच की आलमारियों में सजी थीं, लेते जाइए और आगे सरकते जाइए। एक काउंटर पर से गर्म व्यंजन—जैसे, उबली हुई सब्जियां, तले हुए आलू, तली हुई मछलियां और अन्य मांसाहारी व्यंजन—प्राप्त किये जा सकते थे। यहां पर सर्विस के लिए एक आदमी खड़ा हुआ था, जो चीजों को माइक्रोवेव ओवेन में गर्म करके दे रहा था। नमक, काली मिर्च, टोमैटो सौस, आदि छोटे-छोटे सील किये हुए पैकेटों में रखे थे। दूध, कॉफी, चाय, फलों के जूस, आदि के लिए भी एक काउंटर था। अन्ततः एक काउंटर कैशियर का था, जो सारी चीजों का दाम लगा कर पैसे वसूल करता था।

सारी व्यवस्था ऐसी है कि बहुत जल्दी बहुत सारे लोग खाना खा सकते थे और कोई मारामारी व धक्का-मुक्की नहीं होती थी। खाना लेकर लोग टेबिलों पर आ बैठते थे, जहां से समुद्र का नजारा दिखाई देता था।

रेस्तोरां के पास ही एक छोटा कमरा बच्चों के ऊधमकूद मचाने के लिए बना था। इसमें बहुत सारे गुब्बारे फर्श पर बिखरे पड़े थे जो बच्चों के रौंदने से भी न फूटते थे। इसमें सिर्फ पांच वर्ष की आयु तक के बच्चों को ही अन्दर जाने की इजाजत थी, वरना...।

खाना खाने के बाद समुद्र का नजारा देखने के लिए हम लोग बालकनी में आ गये। अधिकांश महिलाएं स्वेटर बुन रही थीं। सभी लोग अपने पारिवारिक-जनों या दोस्तों के साथ गपशप कर रहे थे। कुछ अपनी पुस्तकों में डूबे थे। सारा

वातावरण बड़ा सुखद था।

बालकनी में दिन में धूप आती है, जो अब तेजी से सिमटती जा रही थी।

हम लोग घूमने वाली कुर्सियों पर बैठकर समुद्र में हिलोरें लेते पानी, ऊपर-नीचे उठती-गिरती लहरों और आसपास की आबादी व हरियाली का आनन्द लेते रहे।

थोड़ी देर बाद सारे जहाज का चक्कर लगाया। ऐसा लगा जैसे किसी बड़े पांच-सितारा होटल में घूम रहे हों।

बर्गेन से चलकर शाम को आठ बजे हमारा जहाज स्तावैन्गेर पहुंचा। यहां तक का रास्ता पत्थरों, चट्टानों के बीच खाड़ियों में होकर था। आगे का रास्ता खुले समुद्र में से होकर था। अंधेरा हो चुका था। स्तावैन्गेर नगर रोशनी में जगमगा रहा था।

मन ने कहा, खुले समुद्र में जहाज शायद थोड़ी रफ्तार बढ़ायेगा, हालांकि तूफान आने व जहाज के डगमगाने की सम्भावना भी थी...।

रात होते ही संगीत का कार्यक्रम शुरू हो गया। सारे वातावरण में उमंग व चहल-पहल थी। एक ओर गायकों की टोली गा-बजा रही थी, दूसरी ओर उसकी धुन पर लोग नाच रहे थे।

हमारे साथ ऐसे बच्चों की एक टोली भी चल रही थी, जो मानसिक रूप से विक्षिप्त थे। इनके साथ एक भारतीय महिला भी थी। जैसे ही संगीत बजना शुरू हुआ, इन बच्चों ने फ्लोर पर जाकर नाचना शुरू कर दिया। उनके इधर-उधर हाथ फेंककर नाचने को देखकर सभी लोगों ने तालियां बजायीं।

इसके बाद 'बेस्ट डान्सर' की प्रतियोगिता शुरू हुई। यह कार्यक्रम देर तक चलता रहा।

थक जाने पर हम लोग अपनी केबिन में आकर सो गये।

सवेरे नहा-धोकर हम लोग बालकनी में आ गये। यह 28 सितम्बर का भोर था, यानी आज ही मौसाजी का जन्म-दिन था।

इन्होंने (विजय ने—सं.) व्यस्त होने के बावजूद 'सचेतक' पढ़ तो लिया था, लेकिन उसे घोटने व चाटने का समय इन्हें नहीं मिल पाया था। अब बालकनी में बैठकर इन्होंने 'सचेतक' को घोटा और मैंने डायरी लिखी।

सामने विशाल समुद्र दिख रहा था। पक्षी पानी में डुबकी लगा रहे थे। मछली पकड़ कर फिर जहाज पर आ बैठते थे। याद आया :

मेरो मन अनत कहां सुख पावै,

जैसे उड़ि जहाज को पंछी, फिर जहाज पर आवै।

जहाज के चलने से पानी में सफेद झाग बन रहे थे। समुद्र में उठने वाली लहरें बहुत मनोहारी लग रही थीं। यहां समुद्र अपेक्षाकृत शान्त था।

दोपहर दो बजे के करीब लोग अपना सामान केबिनों से लाने लगे : चार बजे जहाज को न्यूकासल (इंग्लैण्ड) पहुंचाना था। जहाज के डेक पर आने का दरवाजा अधिकतर बन्द ही रहता था। कुछ हिम्मत वाले लोग उसे खोल कर जहाज के चारों ओर डेक पर आ गये। उनकी देखा-देखी हम लोग भी आ गये।

यहां खूब तेज हवा चल रही थी। सूरज चमक रहा था ! किनारा दिखने लगा था। लोग तस्वीरें खींच रहे थे।

आधा घण्टा खुली हवा का आनन्द लेकर हम लोग अन्दर आ गये और जहाज के न्यूकासल पहुंचने की प्रतीक्षा करने लगे।

शाम चार बजे जहाज न्यूकासल पहुंच गया। बन्दरगाह पर कुसुम मौसी और मौसाजी, दोनों, हमारा इन्तजार कर रहे थे। जहाज एक घण्टा लेट था, अतः दोनों को एक घण्टा हमारा इन्तजार करना पड़ा था।

मौसी जी हम लोगों से गले लिपट कर मिलीं। बहुत अच्छा लगा। आसपास के योरपियन इस दृश्य का आनन्द लेते रहे।

मौसी जी की कार से (जिसे मौसा जी चला रहे थे) हम लोग पहुंचे। मौसी जी ने बहुत सारी खाने की चीजें बना रखी थीं। मौसा जी के जन्म-दिवस के उपलक्ष में खूब बड़ा केक बना था। मौसा जी को उनके समधी ने जन्म-दिन की बधाई कार्ड द्वारा भेजी थी। (24 तारीख, सितम्बर माह में ही, उनके समधी जी का भी जन्म-दिन पड़ता है। फोन द्वारा उन्हें बधाई दी जा चुकी थी)। मौसी जी के एक पड़ोसी (योरपियन) अपने परिवार सहित बधाई देने आये थे।

सब लोगों ने केक खाया, देसी बेसन की बर्फी खायी और नमकीन खाया।

पानी के जहाज से अपनी यह पहली यात्रा मुझे बहुत ही आरामदयादक लगी। इसका एक कारण यह भी है कि रोजमर्रा की जिन्दगी में जैसी भागमभाग लगी रहती है, वैसी पानी के जहाज में यात्रा करते समय सम्भव नहीं। आप जहाज से बाहर कहीं जा नहीं सकते, आप चाहें या न चाहें, आपको विश्राम करना ही पड़ेगा।

इसलिए, उन लोगों को, जो अपने काम से अलग नहीं हो पाते या जिन्हें उनका काम नहीं छोड़ता, पानी के जहाज से यात्रा अवश्य करनी चाहिए।

चिट्ठी-पत्री

मिसेज प्रैट और सचेतक

8.10.81

प्रिय संपादक जी,

पिछले दो महीनों के दौरान एक औरत से मेरी मुलाकात हुई है।

वह करीब 60 या 61 साल की है। आंख एक ही है। एक, कैंसर के कारण करीब 7-8 साल पहले निकलवा दी गयी थी। कैंसर की पुनरावृत्ति के कारण दूसरी आंख फिर रिसने लगी है ; अतः उसकी स्पेशल ड्रेसिंग के लिए वह आजकल रोज 25 मील दूर अस्पताल आती है।

वह विधवा है।

उसकी लड़की अमरीका में है। हर हफ्ते फोन पर वह उससे बातचीत करती है।

लड़की इस साल शायद इंग्लैंड लौट आये।

वृद्धा महिला का नाम है : मिसेज वेरा प्रैट।

वह मुझसे बहुत घुलमिल गयी है। पिछली बार वह मेरे लिए अपनी लिखी कविताओं का संग्रह छोड़ गयी।

ये कविताएं उसने हाथ से लिखकर पुस्तक के रूप में संकलित की हैं। इस प्रकार यह उसका हस्तलिखित काव्य-ग्रंथ है।

मैंने उसे सचेतक की एक प्रति दिखायी और उसके बारे में बताया; वह सचमुच बहुत ही प्रसन्न हुई।

—कुसुम

खुस्कैट कहीं का !

चौक, लखनऊ-226003
23.2.82

परमप्रिय मुंशी,

'सचेतक' (21-22 अंक) समेत तुम्हारा पत्र मिला।

मेरे यहां भी बच्चे अपनी 'गृह समाज' नामक संस्था से 'घर संसार' नामक एक हस्तलिखित वार्षिक पत्र निकालते हैं। 'सचेतक' परिवार को बांधने वाला पत्र है, मुझे बहुत अच्छा लगा। बधाई।

भैया के दोनों लेख मजेदार हैं। दक्षिणापथ की यात्रा का विवरण संक्षिप्त किन्तु रोचक है। बड़े नन्दी और छोटे मन्दिर की लपेट में खीरे ऐसे अचानक आये कि बस, मजा आ गया।

विलायत-जन्मा चि. अतुल की पहली भारत यात्रा का वर्णन भी रोचक है। चि. मत्सू, चि. सोना और सौ. रक्षा की रचनायें भी अच्छी लगीं। दूसरी पीढ़ी में कवि एक ही नजर आया। चि. मुकुल को शाबाशी देना।

रामविलास से हीरालाल कुम्हार के हाते के संस्मरण और लिखवाओ।

त्रिलोचन को तुमने सुहानी नजरों से देखा और पेश किया।

चि. अतुल के लेख से पता लगा कि तुम्हारे घंटाघर में समय नदारद रहता है। कोई आश्चर्य नहीं हुआ। आखिर तुम्हारे ही मुहल्ले का घंटाघर जो ठहरा !

सौ. कुसुम को मेरे हार्दिक आशीर्वाद। पत्र और सम्मति के बहाने उनकी और चि. जितेन्द्र की शब्द रचनायें भी पढ़ीं। दोनों ही साफ दिल और सुविचारक नजर आये। इनके परिवार में अतुल बाबू के सिवा और कौन-कौन हैं? बहरहाल ब्रिटेन में भारत बसाये हुए इस सुरुचि सम्पन्न परिवार को मेरी बड़ी-बड़ी असीसें।

ब्रिटेन भी, एक बरतानवी इतिहासकार एल. ए. वेहुल के अनुसार 'भरतन' ही है; और डोनाल्ड मैकेन्जी के अनुसार वहां की लोकमाता का नाम Dauu—दनु है। अतः पौराणिक नाते से वे बहुत दूर नहीं।—दनु पुत्रों के बीच में दिति

पुत्रों के एक परिवार से 'सचेतक' के द्वारा मिलकर मुझे वैसा ही सुखद आनन्द हुआ जैसा 'लंका निसिचर निकर निवासा, इहा कहां सज्जन कर वासा,' उक्ति के अनुसार हनुमान जी को 'राम राम' सुनकर मिला होगा ।

वैसे तुम्हारी बुद्धि को तरंगित करने के लिए एक सूचना दे दूं—13-14वीं सदी में गुजरात से भागकर अवध में आ बसे राजपूतों में एक अंग्रेजबंसी राजपूत भी थे। बोल सियावर रामचन्द्र की जै शरणम् !

'सचेतक' के इस अंक में पूज्य भैया का अनुभवदान सबसे श्रेष्ठ है। 'सचेतक' के माध्यम से उन तक मेरे प्रणाम पहुंचा देना ।

तुम एक अच्छे गद्य लेखक, शब्द रेखाचित्रों को आंकने में कुशल, कवि और समीक्षक हो (मतलब यह कि इनके मोहनजोदारो अवश्य हो) परन्तु सम्पादन कला भी अपने आलस्य के टीले में छिपाये बैठे हो, यह 'सचेतक' देखकर अन्दाज लगा ।

लिखता क्यों नहीं बेवकूफ ? रामजी ने तुझे इतनी प्रतिभा दी है और फिर भी ठल्लेनबीसी करता है ? राम काज करिबे को आतुर नहीं बनता ?

'सचेतक' की उम्दगी देखकर मुझे तुम्हारे ऊपर नये सिरे से क्रोध आ रहा है ।

खुस्कैट कहीं का !

सौ. धन्नो, तुम्हें और सब बच्चों को आशीर्वाद ।

—मंगलाकांक्षी

अमृतलाल नागर

अपने और 'सचेतक' के हालचाल लिखिएगा

Room No 303,
Department of Civil Engg.
University of Alberta
Edmonton, Canada T 6 G 2 G 7

11.12.1982

परम आदरणीय 'सचेतक' सम्पादक महोदय
तथा अन्य भाई/बहन लोगो।

दिल्ली से प्रस्थान करने के बाद हमने कई पत्र जगह-जगह से लिखकर जनकपुरी के लिए डाले थे, आशा है आप लोगों को हमारे समाचार उनसे मिलते रहे होंगे।

18 नवम्बर को दिल्ली से चलकर हम 18 को ही लंदन पहुच गये थे।

लन्दन में एक रात बिताकर अगली शाम को ट्रेन द्वारा सण्डलैंण्ड चले गये थे। वहां न्यू-कासल स्टेशन पर, जो सण्डलैंण्ड के पास ही है और मेन लाइन पर पड़ता है, जितेन्द्र, कुसुम, अनिल और अतुल सभी मिल गये थे। उन्होंने हमारा इस तरह स्वागत किया, जैसे हम न्यू-कासल हवाई अड्डे पर उतरे हों।

बहरहाल, 'जफ्फी पा के' (सोल्लास) मिलने में कुसुम मौसी का पर्स, जिसमें पैसों के अलावा तमाम और जरूरी कागजात भी थे, वहीं नीचे गिर गया। उस वक्त किसी का ध्यान उस तरफ नहीं गया। स्टेशन से निकलकर हम लोगों ने अनिल को उसके घर छोड़ा और सण्डलैंण्ड आ गये। रास्ते भर जितेन्द्र और कुसुम आपस में एक-दूसरे को शान्त करते रहे, दोनों ही उत्तेजित थे। घर पर पूर्णिमा मिली इन्तजार करती हुई, जो अब 18 वर्ष की किशोरी हो चुकी है।

हम जिस ट्रेन से सण्डलैंण्ड गये थे, वह वहां की सुपर-फास्ट ट्रेन है। लगभग 350 मील का सफर 3 घण्टे 10 मिनट में तय करती है। ये गाड़ियां 1977 में चलना शुरू हुई थीं और जब हम पिछली बार लन्दन में थे तो लोग इनकी तेज रफ्तार (125 मील फी घण्टे) की बहुत आलोचना कर रहे थे। सण्डलैंण्ड में दो दिन कैसे बीत गये, पता ही नहीं चला। दोपहर में हम लोग खूब ठण्ड में दूर तक

पैदल घूमने गये। एक बार कार में (कुसुम मौसी को नई कार में) समुद्र किनारे घूमने गये; वहीं एक 'कॉफे' में बैठकर हम लोगों ने कॉफी पी। हमें चूंकि सोमवार 23 तारीख को सवेरे 11.35 पर अपना हवाई जहाज पकड़ना था, इसलिए हम अतुल को लेकर बाजार में बस, ट्रेन आदि की बुकिंग कराने चल दिये। अतुल के साथ हमने सभी सम्भावनाओं का पता लगाया। बसें, जो काफी सस्ती हैं (1.50 पौण्ड) सभी बुक्ड थीं। ट्रेन का किराया काफी था (28 पौण्ड); फिर स्लीपर चार्जेज 7.50 पौण्ड। इसके मुकाबले हवाई जहाज का किराया 50.50 पौण्ड था। संयोग से अनिल के पास हवाई जहाज का एक फालतू टिकट निकल आया, जो उसे किसी कम्पनी ने इन्टरव्यू देने के लिए भेजा था। बस, अपना काम बन गया। इतवार को हम लोग जाकर अनिल को सण्डलैंण्ड ले आये।

इस बीच कुसुम मौसी का खोया पर्स भी पुलिस को मिल गया था और उसे भी अनिल लेते आये थे।

सोमवार को प्रातः कुसुम मौसी और अनिल हमें छोड़ने न्यू-कासल हवाई अड्डे आये। हां, सण्डलैंण्ड में जितेन्द्र जी ने अपना नया स्कूल भी दिखाया और उसके बारे में बताया। एक मथुरावासी स्वामीजी जो न्यू-कासल में एक मन्दिर के पुजारी हैं और यहां पर हिन्दुस्तानियों के चंदे पर रह रहे हैं, भजन, प्रवचन आदि करते हैं, उनसे टेलिफोन पर बात हुई।

न्यू-कासल से 22 को चलकर लंदन, और 22 को ही लंदन से चलकर मांट्रियल और मांट्रियल से ओटावा।

ओटावा में हमें Canadian Int. Development Agency के अधिकारी को रिपोर्ट करना था। यहां ओटावा विश्वविद्यालय में एक सज्जन हमारी जान-पहचान के थे।

YMCA में एक दिन ठहरने के बाद हम संतोष की भाभी (श्रीमती कैलाश) के मामा जी की लड़कियों (दो बहनें ओटावा में हैं और उनके घर अगल-बगल में हैं) के यहां चले गये।

ओटावा से 30 तारीख को Edmonton आ गये थे। यहां दो दिन होटल में रहे। बाकी दिन YMCA में।

आज से एक घर (जिसे यहां 'अपार्टमेंट' कहते हैं) ले लिया है। ओटाबा वाले सम्बन्धी का भाई राकेश भी हमारे साथ है। हम लोग एक दो कमरे का 'अपार्टमेंट' शेयर कर रहे हैं। अभी यह मकान 30 अप्रैल तक के लिए ले लिया है। इसके आगे क्या करेंगे, यह आगे का प्रोग्राम बनने पर निर्भर करेगा।

शेष कुशल है।...अपने और 'सचेतक' के हाल-चाल लिखियेगा।

आपका

—विजय

'सचेतक' पठनीय है

'सचेतक' अच्छा निकाल रहे हो। बड़े भैया 'सचेतक' के सुपर-स्टार हैं।

इस बार रामविलास ने अपने बचपन के संस्मरणों में एक देहाती शिशु गीत 'धूंघू मनैया' का उल्लेख किया है। वह मैंने भी बहुत सुना था। शब्दावली में कुछ अन्तर है :

खन्ता मन्ता गंग बहावा
गंगा मैया बालू दीन।
बालू मैं भुज्जन का दीन
भुज्जन मयिका लावा दीन।
लावा-लावा बीन चबावा।
टुरी-टुरी घसियारिन का दीन।
घसियारिन मयिका घास दीन।
घास हम गैया का खबावा।
गैया मैया दुद्धा दीन।...आदि।

पुः

तुम्हारे के. सी. डे. लेन के संस्मरण बहुत अच्छे चल रहे हैं। चि. जवाहर अनकही कहानी में वह दर्द है जो दबाते-दबाते बहुतों की जेबों के लिए दुआ भी बन जाता है। चि. चीनू के पिप्सी महाशय अब एडल्ट हो गये हैं। उन्हें बधाई। इंदिरा गांधी स्मृति में पंवारा अधिक है, तस्वीर कम। बॉटनिस्ट (सौ. स्वाति) की नटखटिया तस्वीर का मजा लिया। "सचेतक" पठनीय है।

—अमृतलाल नागर, लखनऊ, (मुंशी को पत्र से)
('सचेतक' 15 फरवरी, 1883)

चिट्ठी : कैनाडा से

Room No. 303, Deptt.of Civil Engg.
Univ of Alberta, Edmonton,
Canada T6G 3G7

1-6-83

परम आदरणीय सम्पादक जी महाराज,

सादर प्रणाम। 'सचेतक' (31वां-32वां अंक) मिला, साथ ही सभी लोगों के समाचार भी।

'सचेतक' की विविधता और सार्थकता दोनों ही इस (31वें-32वें—सं.) अंक में झलकती है। जहां एक ओर 'सचेतक और भूत' हल्की-फुल्की शैली में, गहरे पानी पैठकर निकाले हुए जीवन के अनुभवरूपी रत्न पेश करता है, यहां 'अगर हमको पढ़ाया न गया होता', याद दिलाता है कि एक समय वह भी था जब पढ़ाई इतनी आसानी से और स्वत: उपलब्ध नहीं थी और लोग गली के खंभे की रोशनी में पढ़ लिया करते थे।

जिन नये लेखक-लेखिकाओं ने अपनी चाल दिखायी है, उनकी जितनी तारीफ की जाय, कम है (खास तौर से एक की !!)। उम्मीद की जानी चाहिए कि एक बार चल पड़ने पर, वे लोग अब चलते रहेंगे।

नरेश चाचा की 'लीला' सदा की तरह भावभीनी है। आश्चर्य होता है, लोग कैसे इतना कुछ याद रखते हैं, सहेजे रहते हैं और समय आने पर पुराने दस्तावेजों की तरह निकालकर सामने रख देते हैं।

'कुश्ती' के अनुभव से हमें अपनी खड़गपुर की सीनियर रेसलिंग डिवीजन चैम्पियनशिप याद आ गयी। 'सचेतक' के बहुतेरे पाठकों को तो हम यह किस्सा सुना चुके हैं, फिर भी बाकी लोगों की जानकारी के लिए लिखकर भेज रहे हैं।

हमने 'सचेतक' का अंक यहां अपने कुछ सहयोगियों को दिखलाया। बड़ी हैरत से लोग इसे देखते हैं और कहते हैं कि शायद ही दुनिया में ऐसा कोई परिवार

हो, जो अपनी याचिका इस रूप में निकालता हो। सुझाव है कि यह बात Guinness Book of Rccords में भेज दी जाये। हम सोचते हैं कि अगर ऐसी पारिवारिक पत्रिका कोई दूसरी नहीं है, तो शायद दूसरे परिवार भी ऐसे कम ही होंगे।···

तैंतीसवां अंक मिला

'सचेतक' का तैंतीसवां अंक मिला। इस बार का 'सचेतक' भी सदा की भांति सचेत और स्फूर्तिदायक है।

'रामलीला' समाप्त हुई, बोल सियपति रामचंद्र की जैं।

ऐसा लगता है कि 'सचेतक' में यह कमी आसानी से पूरी नहीं होगी। जहां नरेश चाचा की 'रामलीला' लिखने का श्रेय मिलना चाहिए, वहां सम्पादक जी को उनसे लिखवा लेने का। त्रिनेत्र का जोरदार खरीता अगर मुंशीजी लिखते थे, तो यह नागर जी ही थे जो उनसे लिखवा लेते थे। याद आते हैं वे दिन, जब नागर जी पान दबाये, तुर्कमान गेट के बाहर वाले कमरे में धरना दिये बैठे हैं और त्रिनेत्र जी अन्दर कमरे में साधनालीन, ध्यान-मग्न !

तनू का 'चेन्ज ओवर' पढ़कर विक्टोरिया स्कूल आगरे की याद आ गयी। घटिया आजम खां का मुसलमानी मोहल्ला। छोकरे, मास्टरों के आने से पहले, बैंचों पर चढ़कर नाचते थे।

'स्वर्णिम काल' और नयी पीढ़ी

जवाहर जी के बचपनी संस्मरण, या यों कहें कि उनके बचपन में पड़ोसियों के अनुभव, कुछ रोचक नहीं। 'बचपन' 'सचेतक' के लिए विशेषांक का विषय बन सकता है।

चौबे चाचा ने 'सफर' लिख डाला है क्या ? 'सचेतक' के पास इस्टालमेंट आता है या पूरी 'मैनुस्क्रिप्ट' ही है। बहरहाल, 'सफर' के माध्यम से इस परिवार के बीते के. सी. डे, लेनी 'स्वर्णिम काल' की नई पीढ़ी फिर से जी सकती है। इसमें 'सचेतक' सम्पादक अपनी ओर से जब तक योगदान नहीं करेंगे, बात अधूरी रहेगी।

जितेन्द्र जी की ट्रेन छूटना बड़े मजेदार घटना है।···

सेवा की गोकुलपुरे की पकड़ अच्छी है।

रक्षा चाची ने खूब जमाया है।

कुल मिलाकर अंक बहुत अच्छा बन पड़ा है। लेकिन इस सारे अंक की शोभा और सुगंध बिखेरती जो 'चीज' है, वह है 'कहें केदार खरी खरी'। उचित ही है

कि सम्पादक जी ने 'सचेतक' के पारिवारिक परिवेश को एक नई ताजगी दी है। हमारी राय में, सभी लोगों को 'अपने काम' 'अपनी रुचियों' और ऐसा क्या है जिसे करके उन्हें आत्म सन्तुष्टि होती हैं और 'पिछले दिनों नया क्या पढ़ा' के बारे में लिखना चाहिए।

घर से बाहर निकलकर देखा कि दुनिया वाकई बहुत छोटी है और दिन पर दिन छोटी होती जा रही है। यह भी देखा कि अपने वतन से अच्छा कोई 'जहां' नहीं है। कल शाम को बुद्धादित्य मुकर्जी का सितार वादन सुनने गये थे। यह लड़का (जन्म 1955) मेटालर्जी में गोल्ड मेडलिस्ट है और क्या सितार बजाता है!

—**विजय**

अवश्य लिखूंगा

प्रिय भाई

20-6 की चिट्ठी मिली। 'सचेतक' का अंक भी मिला। नये नामों का परिचय भी मिला।

अंक पढ़ रहा हूं। यह पारिवारिक प्रकाशन संभवतः संसार में पहला प्रकाशन है। अवश्य ही ऐसे प्रकाशनों से मानवीय स्वभाव को जानने-पहचानने और बदलने की असरदार प्रक्रिया चलेगी। जो काम धर्मगुरु या नेतागण नहीं कर सकते—न कानून कर सकता है, वह काम सराहनीय ढंग से ऐसे प्रकाशनों के द्वारा किया जा सकता है। हर व्यक्ति निजता की इकाई बन रहा है। ऐसे प्रयास से इकाई अन्य इकाइयों से पुनः जुड़ेगी और आपसी सम्बन्ध सुधरकर सुदृढ़ सामाजिकता को सार्थकता दे सकेंगे। मैं तो तुम्हें लखनऊ के Wall newspaper सम्पादक के रूप में पहले से ही जानता हूं। दिल्ली में उसको पूरा प्रसार और प्रचार मिला, बधाई सब सदस्यों को।

अवश्य लिखूंगा। 'सचेतक' अपना है। उससे बेगाना रहना असम्भव होगा।

सस्नेह

—**केदारनाथ अग्रवाल**

('सचेतक' 15 नवम्बर 1983)

'अपूर्वा' की भूमिका और

12-5-84

प्रिय मुंशी,

दिनांक 5-5 का पत्र 10-5 को मिला। 'सचेतक' के पैंतीसवें अंक के बाद आज तक मुझे कोई अंक नहीं मिला। सोना ने भेजा होता तो अवश्य मिलता। शायद भेजने की बात सोचकर ही समाप्त हो गयी। मिलता तो अवश्य ही मैं पत्र लिखता।

मुझे तो बहुत इन्तजार रहा है पत्र का। पर दिन गुजरते चले जाते हैं। पत्र नहीं आते। खैर तुमने लिखा भी तो पोस्टकार्ड और उस पर बड़े-बड़े अक्षरों से। चाहते तो इसी में चिउंटी चलाकर ढेर-सारी बातें लिख मारते। वह तो किया नहीं तुमने।

तुम्हारा स्वास्थ्य पहले से बेहतर है। यह अच्छी सूचना है। पर खराब स्वास्थ्य की सूचना तो आज तक मिली नहीं। क्या बीमारी हो गयी थी ?

डाक्टर जोरों से लेनिन का अध्ययन कर रहे हैं। यह तो ठीक ही है। फिर कोई पुस्तक तैयार होगी। जीवट हो तो ऐसा। वह ठीक-ठाक हैं। यही चाहिए भी। गरमी के दिन बड़े दुखदायी होते हैं। बांदा की तरह दिल्ली और आगरा भी बेहद गरम होते हैं। वह विजय के पास हैं या अन्यत्र ! मुझे पता नहीं। सूचना दो तो उन्हें भी खत भेजूं ! मौन तोड़ूं।

मुक्ति संघर्ष में जनाब की कविता कल वाले अंक में छपी देखी। बहुत दिनों बाद इसमें प्रकट हुए। ··· खूब लिखो, खूब छपो। खुशी होती है। अब तो अन्यत्र कविता कम ही दिखती है। सब लोग जहां-तहां भंड़ास निकालते रहते हैं। और तुर्रा यह कि नये युग बोध का इसे ही अंदाज बताते हैं। शायद ऐसा हमेशा हुआ—सब देशों में। यही तो दुर्भाग्य है साहित्य के क्षेत्र का।

मैंने 'अपूर्वा' की भूमिका लिखकर पांडुलिपि अपने प्रकाशक को भेज दी है। छप रही होगी।

दूसरा संकलन, पुरानी प्रेम सम्बन्धी कविताओं का, भी छप रहा होगा। भूमिका भेज दी है। छपेगा तो खूब हलचल-सी मचेगी। सम्भावना यही है। वैसे लोग ऐसा भी कर सकते हैं कि संकलन का नोटिस ही न लें। चाहे जो हो, मैं तो जैसा रहा हूं वह सब देकर ही आश्वस्त होऊंगा। कभी बड़े होने की डींग नहीं हांकी। सहज साधारण छोटा-मोटा आदमी रहा हूं। पत्नी के प्रति यह कविताएं तभी की हैं, जब मैं उन्हीं अकेले से 'इश्क' करता था। मेरी कोई अन्य प्रेमिका तो रही नहीं।

जो एक नहीं—अनेक के प्रति समर्पित रहे हैं उन्हें मेरा संकलन न भायेगा। मेरे पहले तो किसी दूसरे कवि ने अपनी पत्नी के इश्क पर कविताएं नहीं लिखीं—वह भी खुलकर। मैंने नया किया—नया दिया।

सबको मेरी राम-राम।

सस्नेह

—केदारनाथ अग्रवाल

(इसके बाद का पत्र, अगले 'सचेतक' में—सं.।)

मन मैदान में आ जाता है

बांदा

17-5-84 दिन 3 बजे

प्रिय मुंशी,

तुम्हारे 5/5 के पत्र पाने पर मैंने तुम्हें पत्र लिखकर सूचित किया 'सचेतक' नहीं मिला। फिर 'सचेतक' मिला। अब आज 14/5 का पत्र मिला। सूचित करता हूं कि 'सचेतक' मिल गया। पूरा पढ़ भी गया।

लगा कि जैसे फिर चेत गयी मेरी अलसाई-धुंधलाई चेतना। यह निरन्तर पीढ़ी-दर-पीढ़ी निकलता रहे तभी तो इसकी मूल मौलिक सार्थकता दूसरों को एक साथ जीने के लिए जीवित बनाये रहेगी। यदि क्रम टूटा किसी भी पीढ़ी में तो फिर छिन्न-भिन्न हो जायेगी ऐसी मानसिकता।

विश्व एक बड़ा कुटुम्ब है। छोटे-छोटे घरों के बनने से ही बड़ा घर बनता-संवरता है। परिवार के बच्चे भी जब आगे चलकर यही कर्त्तव्य करते रहें और मिल-जुल कर एक-दूसरे को समझकर खुलेपन से लेते-देते रहें, तभी तो दायरे-पर-दायरा बढ़ेगा और सबकी सुमति की ओर अग्रसर रहेगा। काम बहुत बड़ा है। पर

मुझे विश्वास है : यह क्रम चालू रहेगा।

मुझे प्रसन्नता हुई कि परिवार के सभी सदस्य हिचक न करके अपनी-अपनी बातें उगलते हैं और फिर समझ को प्राप्त होते हैं। बधाई इस 'सचेतक' परिवार के सभी सदस्यों को।

एक न एक दिन यह परिवार सांसदों की तरह शोभा बढ़ायेगा। वहां संसद में सांसद में लड़ते-झगड़ते हैं। यहां यह न होगा परिवार के सांसदों में। समस्याएं तो आयेंगी पर पंजाब की तरह की समस्या जैसी कोई नहीं होगी। जहां स्नेह और नेकनीयती होती है, वहां समाधान मिल जाता है।

डाक्टर की बातें बड़ी अच्छी लगीं।

वैसे थोड़ी-बहुत चोंचें लड़ती भी रहें तो हर्ज नहीं होता। वह तो द्वन्द्व है। समाहार होगा ही। आपसी कहा-सुनी से दोनों तरफ का मन मैदान में आ जाता है और फिर विचारबोध से दोनों तरफ के मनोवेग स्थिरता पाकर शांत एवं शुद्ध हो जाते हैं। बड़ी जरूरत है ऐसा होते रहने की। दूरियां कम होती हैं—मिटती हैं—रस्साकशी समाप्त होती है और परिवार के सदस्य मुक्त होकर मानवीय मूल्यों को अपनाये आगे बढ़ते रहते हैं।

तुम्हारी भाभी तुम्हारे भैया को अपनी सेवा में लिये हैं। चौबीस घंटों का चाकर हूं। घर में रहना जरूरी है कि कहीं गिर न पड़ें। कोई और सहारा नहीं है।

बेहद गर्मी है। लपट मारती है। 6 बजे शाम से पहले घर से बाहर नहीं निकला जाता।

डाक्टर से राम-राम कहना—जब फिर मिलना। उन्हें कौन डिस्टर्ब करे। लेनिन को 'घोख' रहे हैं। अच्छा है। खूब अच्छा है। कुछ जानदार चीजें निकलेंगी।...

सस्नेह

—केदार नाथ अग्रवाल

उपन्यास रचना में मगन हूं

अमृतलाल नागर — चौक, लखनऊ-226003

Amritlal Nagar — Chowk, Lukhnow-226003

प्रिय सोना,

शुभाशीष। पत्र और 'सचेतक' की पावती स्वीकारता हूं।

'महागोष्ठी : नागपुर से दिल्ली तक' अच्छी लगी। अपने बाप को अंगरेजी में 'थैंक्यू' बोल देना। अंग्रेजी में भी रौब न माने तो उससे कहना अठन्नी के दो पान खा ले। उसके पैसे, जब मौका मिले मुझसे वसूल कर ले।

आजकल उपन्यास रचना में मगन हूं इसलिए गर्मी नहीं सता रही।

'बिखरे तिनके' और 'अग्निगर्भा' तो, मेरे प्रकाशक के एक पत्र के अनुसार, तुम्हारे रा. वि. ताऊ जी के पास महीनों पहले ही पहुंच चुकी होंगी।

आजकल यह क्या लिख-पढ़ रहे हैं ?

सौ० अचला बम्बई में है।···

शुभाकांक्षी

ताऊ जी

(बछिया के नहीं)

('सचेतक' 15 जून 1984)

मुझसे भी मांगो

अमृतलाल नागर — चौक, लखनऊ-226003

30-6-84

माननीया सोनाजी,

आपका 30 जून का पोस्टकार्ड अब तक अनुत्तरित रहा, खेद है। उसका कारण यह था कि पूज्य नागरजी इन दिनों अपने रक्तचाप बढ़ जाने के कारण बहुत शिथिल रहे और अब भी किसी हद तक हैं।

उन्होंने मुझे आपको यह लिखने की आज्ञा दी है कि आप उन्हें पारिवारिक सदस्यों की तरह ही 'सचेतक' भेजती हैं तो कृपा करके उसके प्रकाशन के खर्च में उनका योगदान भी अवश्य स्वीकारें।

उन्होंने मुझसे यह लिखने को कहा : "मुंशी के और सब भाई जो देते हों वह मुझसे भी मांगो।"

भवदीय

—कमलाशंकर त्रिपाठी (सहायक)

रा. वि. भैया को बधाई

हमने बाबा को नहीं देखा इसलिए हमारे लिए रामविलास भैया का बनाया 'सचेतक' में छापा चित्र ही सब कुछ है। रा. वि. भैया बधाई के पात्र हैं जो उन्होंने इतना बड़ा प्रयास किया।

इस दफा आशु का लेख बहुत सुन्दर लगा। आश्चर्य है, उन्होंने इतना लिखा कैसे।

नागरजी का लिखाया हुआ पत्र अपने में बहुत महत्वपूर्ण है। सच पूछो तो उन्होंने देने के नाम से अपना हक मांगा है।

तुम्हारे गांव के संस्मरण बहुत सुन्दर हैं। आप इनको लिखते जाइये। और किसी के लिए महत्व के हों न हों, पर मेरे लिए तो बड़े living, full of life हैं।

और अन्त में निखिलेश के पत्र के बारे में। मेरी राय में 'सचेतक' को परिवार के सदस्यों तक ही सीमित रहना चाहिए। हां, प्रश्न यह उठाया जा सकता है कि हम परिवार का सदस्य किसको मानें। निखिलेश हमारे परिवार से इतना घुल-मिल गये हैं कि हम उनको परिवार का सदस्य मान सकते हैं। रही बात उन लोगों की जो इस परिवार के सदस्य नहीं हैं, वे 'सचेतक' की बहुत-सी बातों को न समझ कर उन्हें निरर्थक का रूप देंगे। मसलन हमारे बाबा हमारे लिए क्या थे, इसको परिवार के बाहर के लोग कभी भी न माप सकेंगे।

'सचेतक' का मुख्य उद्देश्य परिवार के सदस्यों को एक लड़ी में बांधे रखना है जिसमें निखिलेश भी आ सकते हैं। लिखियेगा आइंस्टीन और बौर्न पर मसाला rejected list में है, या भविष्य में छप सकेगा।

नरेश, जादुगुड़ा

(मुंशी को 28.10.84 के पत्र से)

बाबा का चित्र

प्रिय मुंशी,

बाबा के भीतर का चित्र तो प्रस्तुत किया जा चुका है, पर बाहरी चित्र की उत्सुकता होना स्वाभाविक है। चित्र की प्रतिलिपि तो मिल चुकी थी, पर 'सचेतक' की प्रतीक्षा थी। मैं इससे कि 'मुंशी ने दायें से बायें और बायें से दायें सिर हिला कर कहा—बाबा से नहीं मिलता,' पूर्णतया सहमत हूं। रामविलास ने मुझे चित्रकला में कुर्सी न सही, स्टूल पर तो बिठा ही दिया है जब कि मैं जूतों के पास बैठने का भी हकदार नहीं हूं। स्पष्ट है कि जो काम मैं करने को सोचता ही रहा, वह रामविलास ने, जैसा भी बना, कर दिखाया। अस्तु मुझे उसे करना चाहिए (हो सके तो सभी को—इससे एक सत्य सामने आयेगा), और मैं प्रयत्न करूंगा भी। परन्तु तात्कालिक उत्सुकता शान्त करने के लिए इतना ही कह सकता हूं कि बाबा की रूपरेखा, 60 से 75 प्रतिशत तक, जे. आर. डी. टाटा से मिलती थी। इससे असहमति का स्वागत है।

भगवानदीन शर्मा

(मुंशी को 12.11.84 के पत्र से)

एक थीसिस : पान पर

['पनरसिया मुंशी को नये वर्ष की शुभकामनाओं के साथ' लिखकर गत वर्ष 12 दिसम्बर 84 को एक लेख नागरजी ने मेरे पास भेजने के लिए रख छोड़ा था : 'पान की सांस्कृतिक परम्परा।' लेकिन वह लेख उन्हीं के कागजों में कहीं गुम हो गया और इस वर्ष 1 मई 1985 (तवारिशी नव वर्ष) को मिला। उन्होंने तुरन्त उसे एक पत्र के साथ भेज दिया। नागरजी के पत्र तथा उनकी 'थीसिस' के कुछ अंश 'सचेतक' के पाठकों के लिए प्रस्तुत हैं। 'तवारिश' रूसी भाषा का शब्द है, जिसका अर्थ है 'साथी'।—सं.]

पत्र

चौक, लखनऊ
1-5-85

प्यारे तवारिश,

राम-राम। नववर्ष की शुभकामनाओं के साथ यह लेख तुम्हें भेजने वाला था, किन्तु कागजों के जंगल में भटक गया। गनीमत है कि आज तवारिशी नव

वर्ष के दिन ही, यह फिर जादुई करामात की तरह मेरे हाथ में आ टपका। सन् 81 की राष्ट्रीय वनस्पति उद्यान में आयोजित 'पान सेमीनार' के लिए यह 'थीसिस कैसी है। कोई यूनीवर्सिटी[1] इस पर मुझे डाक्टरेट प्रदान कर सकती है या नहीं।

तुम्हारा

—अमृतलाल नागर

थीसिस

हिन्दू संस्कृति और सनातन धर्म की हर पूजा-विधि में कर्मकाण्डी पंडित पान-सोपारी अपने यजमानों से अर्पित कराते हैं। इसलिए सबसे पहले 'हिन्दू धर्मकोश' में ही मैंने पान-परम्परा की खोज की। मुझे यह देखकर हैरत हुई कि पुरानी पूजा पद्धतियों में 'पत्रं पुष्पं फलं तोयम्' के सिवा 'तांबूल पुंगीफलम्' का जिक्र कहीं नहीं आया है।

वेदों या सूत्र ग्रन्थों में पान-सोपारी का उल्लेख मुझे कहीं न मिला। और तो और, रामायण और महाभारत भी इस रस से महरूम रखे गये हैं। इसलिए जाहिर है कि वैदिक संस्कृति से हमारी पान-परम्परा का कोई लगाव नहीं है। लेकिन हमारा देश केवल वैदिक संस्कृति के ही ढांचे में नहीं ढला, यहां और भी कई संस्कृतियों के महासंगम हुए हैं।

पान-सोपारी वैदिक संस्कृति की देन नहीं है। यह परम्परा बाद में तांत्रिक पद्धति से जुड़कर हमारे कर्मकाण्ड में शामिल हुई। देवताओं और पितरों के लिए पूजा में पान-पुंगी अर्पित की जाने लगी। फिर सामाजिकता ने हमें अतिथियों-अभ्यागतों का सत्कार पान से करना सिखलाया। उसी ने पान-पुंगी को धार्मिक स्तर तक उठाकर उन्हें शुभ और पवित्र भी बनाया। राम और कृष्ण ने भले ही कभी पान न खाये हों, पर लोक-गीतों में भोजन के बाद श्रीराम को भी पाँच पान का बीड़ा अर्पित करने की बात अवश्य जुड़ गयी।

पान-पानी, पान-पत्ता, पान-फूल आदि मुहावरे भी अक्सर प्रयोग में आते हैं: "फलां आदमी तो ऐसा रूखा है कि किसी को पान-पानी के लिए भी नहीं पूछता।" "न कुछ दिया न लिया सूखे पान-पत्ते से टाल दिया।" "हम निर्धन आप जैसे धन-कुबेर को पान-फूल के अलावा भला और क्या अर्पित कर सकते हैं।" इस तरह से इन मुहावरों का प्रयोग हमारे यहां आज भी होता है। एक कहावत है: "पान और ईमान फेरे से ही अच्छे रहते हैं।" एक-दूसरी कहावत में चार चीजों को स्वर्ग-सुख की निशानी माना गया है—"पान पुराना, घी नया, औ कुलवंती नार। चौथे पीठ तुरंग की, स्वर्ग निशानी चार।"...

1. मूल पत्र में इसके लिए प्रयुक्त शब्द अप्रकाश्य है। —सं०

पान को जैसा मान-सम्मान हिन्दू राजाओं ने दिया, वैसा ही मुस्लिम शासन-काल में भी इसका महत्त्व बना रहा है। मार्कोपोलो, इब्ने बतूत्ता और अब्दुर्रज्जाक जैसे यात्रियों ने पान के गुणगान किये हैं। मार्कोपोलो ने तांबूल और बैत्तिले शब्दों का प्रयोग किया है। तांबूल शब्द उत्तर भारत में अब खो गया है। तमोली और तमोलिन जैसे जातिवाचक शब्दों में ही उसकी याद बच रही है।

बैत्तिलै शब्द तमिल भाषा का है या मलयालम भाषा का, इसके विषय में अधिकार से कुछ कहना मेरे लिए मुमकिन नहीं। 'इलै' पत्ते को कहते, 'बै' एक खास किस्म के पत्ते, यानी पान, को कहते हैं। यह शब्द ही अंग्रेजी का बीटिल बन कर आज सारी दुनिया में सरनाम है।

पान दवा के रूप में भी इस्तेमाल किया जाता है। पान की जड़ कुलञ्जन भी दवा के काम आती है। सुश्रुत के मुताबिक, पान कफ और बादी का नाशक है, मुख की दुर्गन्धि दूर करता है, दांतों और जीभ के लिए भी शोधन करने वाला, तीखा, गर्म, थकान मिटाने वाला, शान्तिदायक और उत्तेजक होता है।

पानों की चर्चा के साथ-साथ सोपारी के बारे में भी कुछ कह दिया जाय। पुराने जमाने में जल और थल दोनों ही मार्गों से तिजारत होती थी। दक्षिण का पुंगीफल जहाजों पर लदकर शूर्पारक बन्दरगाह से ही देश-विदेशों तक पहुंचता था। आज की महानगरी बंबई में एक उपनगर 'नला सोपारा' के नाम से बच रहा है। वहां पर मौर्यों के समय का बनवाया हुआ एक खण्डहर स्तूप भी अब तक मौजूद है; कुछ मूर्तियां भी वहां से मिली हैं। शूर्पारक का एक अरबपति धनी व्यापारी—दिव्य—बहुत मशहूर था। वह भगवान बुद्ध से मिला भी था। इसी शूर्पारक यानी 'सोपारा' से आने वाला पुंगीफल हमारे यहां 'सोपारी' के नाम से विख्यात हुआ, जैसे ईस्ट इंडिया कम्पनी की 'सूरत' शहर वाली कोठी से तम्बाकू बिकने लगी, तो उसे 'सुरती' भी कहा जाने लगा।

पान कपूरी, मगही, बंगला, दिसावरी, ककेर, कलकतिया, जगन्नाथी, महोबा और भी जाने कितने नाम के होते हैं। हर एक का स्वाद अलग। मुझे चालीस-पैंतालीस बरस पहले, हमारी गलियों में होने वाली गुलाबो-सिताबो—दो सौतों की तकरार की याद आती है जिसमें एक जगह सिताबो चेताती है कि सैंयां जी बड़े पनरसिया हैं, तू उन्हें कैसे रिझायेगी? गुलाबो तमक कर जवाब देती है। "दिल्ली का चूना, महोबे के पान, पिया बालम की डयौढ़ी पे रक्खूंगी दूकान।"

नागर जी को क्यों कष्ट दिया

प्रिय मुंशी,

लखनऊ 2-12-1986

पत्र मिला ! 80 वीं वर्षगांठ की शुभकामनाएँ पाकर प्रसन्नता हुई। धन्यवाद। पर भई तुमने नागरजी को यह सूचना देकर उनको क्यों कष्ट दिया जो इस वृद्धावस्था से किसी प्रकार समय निकालकर इस अकिंचन को उपहार देने आना पड़ा। यद्यपि जीवन के इस सबसे सुन्दर उपहार के लिए मैं नागरजी का कृतज्ञ तो हूं ही, इस हेतु तुम्हारा भी। नागरजी को मेरे झांसी को होम-टाउन कहने की बात याद थी, सो उन्होंने इसी आधार पर 'आंखों देखा गदर' मुझे उपहार में दिया जो इतना सुन्दर लगा कि जिसका वर्णन नहीं। इस छोटी-सी पुस्तक में गदर के समय का एक गरीब, दक्षिणी, संस्कृत विद्वान् विष्णुभट्ट गोडसे वर्सइंकर द्वारा लिखित मेरे सभी रहकर देखे हुए स्थानों बिठूर, कानपुर, कालपी, झांसी, ग्वालियर, मोरार, चित्रकूट तथा मध्य प्रदेश आदि का बड़ा ही सजीव तथा अद्भुत चित्रण है जो अब तक के सुने, पढ़े, वर्णनों में प्रायः अलभ्य-सा हो रहा है। यह ऐसा लगता है मानो मैं स्वयं खड़ा देख रहा हूं। क्या कहूं, प्रतीत होता है, जहां कुछ ग्रह अस्वस्थता पैदा कर रहे हैं, वहीं एकाध अच्छे ग्रह ऐसे सुअवसर भी प्रदान कर रहे हैं। यह पुस्तक मेरे लिए अमूल्य है…।

सबको आशीष।

—तुम्हारा भैया
भगवानदीन शर्मा

आंखि जुड़ा गईल

पैंडलेगंज, गोरखपुर-273009
26-3-87

अपनी अइसन अकेल सम्पादक मुंशीजी !

पाय लागीं !

'सचेतक 53' मीलल। एहू बेरी जब ऊ आईल तब हम इहां नहीं रहलीं। बबुवा की लगे गईल रहलीं। अइले पर ओके पढ़ि के आंखि जुड़ा गईल। भइया के लेख सबकी जिनगी की झंझटि में राहि देखाने वाला बा। हमहू दुसरे लोगन पर एही तरे भरोसा कइ लेईलें, आ बादि में झंखे के परेला। तिरपठिया एइसन

लोग अब बहुत बढ़ि गईल बाड़ें। सबका बचि के रहे चाहीं। जिनगी के 'आदि' 'अन्त' में फरक की साथे 'गन्ना' अउर 'बेंत' बने के सनेस भइये अइसन अदिमी दे पाई।

'सचेतक' परिवार के लिखवइयन के तउ जेतना बखान कईल जाय, कम्मे रही। एह बेर हमार पैलग्गी अनिल के जरूर से जरूर भेजि देईबि। ऊ त दुनिया के सब पढ़वइयन के राहि देखावत हउवें। परनाम।

स्वाती जी के मालूम कि 1953 में हमहूं हाईस्कूल के इम्तहान पास नाहीं क पवतीं, जो ओह समे के सिच्छा मंतिरी गणित के बोझा कपारे पर से उतारि ना दिहले रहतें।

हमरा त अबहिन ले कवनो तरह के जोड़-घटाना नाहीं आईल।

अच्छा परनाम।

राउर—

रामदेव (शुक्ल)

रामविलास चाचाजी, बाबूजी, जैसी विभूतियों की छांव

शरद नागर

चौक, लखनऊ-226003

आदरणीय मुंशी चाचा,

आपका 5-5-88 का पत्र मिला। इसके आसपास ही 'सचेतक' का 56वां और 57वां अंक मिला।

'सचेतक' का मैं नियमित पाठक हूं और 'सचेतक' के सभी अंक बड़े सहेजकर रख रहा हूं। फाइल पूरी तो नहीं है। अंक 21-22/23/35/36 के बाद अंक 38 से 57 तक सभी अंक रखे हैं।

बड़े चाचाजी और रामविलास चाचाजी पर अंक निकालकर आपने अच्छा किया। वाकई बड़े चाचाजी पर जो अंक निकला है, वह मन को छूता है। बड़े चाचाजी के दर्शन करने का सुयोग तो मुझे अवश्य मिला, बातचीत करने का अवसर कभी नहीं मिला। 'घर की बात' और 'बड़े भाई' सतही तौर से पढ़ी थीं। इस अंक में बड़े चाचाजी की सम्पूर्ण जीवन-यात्रा की झांकी और उनके महान व्यक्तित्व पर प्रकाशित सामग्री को आद्योपांत कल रात को पढ़ गया और अब

दोनों पुस्तकें मनोयोग से पढ़ने की इच्छा हो रही है।

रामविलास चाचाजी पर केन्द्रित अंक पढ़कर मुझे गोकुलपुरे में अपनी नानी के मकान में तथा उसके बाद कृष्णा बुआ वाले मकान में श्रद्धेय चाचाजी के साथ और ललित भैया, भुवन भैया और विजय के साथ और पूरे परिवार के साथ बिताये समय की न जाने कितनी स्मृतियां ताजा हो आयीं।

विगत दो-ढाई वर्ष अपने अवकाश का सदुपयोग आ० बाबूजी की यत्र-तत्र बिखरी स्फुट सामग्री को एकत्रित कर चार संकलन संपादित करने में किया और इसके बाद 11 खण्डों में 'अमृतलाल नागर रचनावली' के संयोजन के कार्य को हाल ही में समाप्त किया है।

आशा है 'रचनावली' इस वर्ष अगस्त तक प्रकाशित हो जायेगी। अपने घर-परिवार के पत्र/ संस्मरण/डायरियां पर भी काम करता रहा। इधर मेरी बेटियों ने आ० बाबूजी से घर-परिवार की काफी बातें टेप की हैं। आपने भी अपने एक पत्र में इन कामों को करने की बात लिखी थी—अब इन कामों को योजनाबद्ध ढंग से करने जा रहा हूं।

आ. बाबूजी का स्वास्थ्य किंचित शिथिल रहता है—उपचार, देखभाल, भली-भांति चल रही है। प्रभु से यही प्रार्थना है कि रामविलास चाचाजी बाबूजी, जैसी विभूतियों की छांव हमें अभी मिलती रहे ताकि कुछ नया करने की प्रेरणा मिलती रहे। अब मैं आपको समय-समय पर पत्र लिखता रहूंगा।

आपका शरद नागर

'सचेतक' 15 फरवरी, 1988

बहुत अच्छे अंक निकले हैं

चौक, लखनऊ-226003
7/5/88

परम प्रिय मुंशी,

स्वर्गीय बड़े भैया का स्मृति अंक और रामविलास का हीरक जयंती अंक एक दिन आगे-पीछे डाक से मिले। बहुत अच्छे अंक निकले हैं।

रामविलास के मानद डी-लिट् हो आने की सूचना 'सचेतक' से पाकर मैंने अपने मन की मूंछें बढ़ा ली हैं। हार्दिक सन्तोष हुआ।

संस्थान की राजनीति के छुटभैयेपन से खिन्न हूं, मामला टाल रहे हैं, देखो

क्या होता है।

शर्मा परिवार के सब बच्चों को मेरा हार्दिक स्नेह और बड़ी-बड़ी आसीसें दो।

तुम्हें खूब-खूब प्यार और थैंक्यू भी। तुमने अच्छा काम किया है।

डॉक्टर रामविलास पी-एच. डी., डी. लिट्., को परसों चिट्ठी लिखूंगा। आज इस समय कुमुद के घर जा रहा हूं।

तुम्हारा

—अमृतलाल नागर

एक प्रति तुम्हें भेजूंगा

बांदा (उ० प्र०)-210001

प्रिय भाई,

11/5/88 का पोस्ट कार्ड मिला।

'प्रगीत' की बधाई मिली। खुश हुआ कि तुम्हें मेरी कही बातें अच्छी लगीं। डॉ. ने भी बनारस से ऐसा ही लिख भेजा था। मुझे उस आयोजन में प्रिय सोना तो दिखी ही नहीं थीं। मैं तो सबसे पहले हो बोला था। पता नहीं यह कैसी भावुकता है कि वक्ता जूठन की बात कह गये। अभी 'सचेतक' के दोनों अंक पढ़ नहीं सका। समय न मिला—न तबियत ने साथ दिया। पढ़ूंगा और तथ्यों को हृदयंगम करूंगा ही।

मेरे प्रकाशक ने अभी मुझे एक ही प्रति मेरे संकलन 'आत्मगंध' की भेजी है। बाद को आयेगी तब एक प्रति तुम्हें भेजूंगा।

डॉक्टर का संकलन तुम्हें मिलना ही चाहिए। मुझे पूरा भरोसा है कि तुम उसे पाओगे।

मैं शरीर को उसी तरह साधे हूं जैसे अब तक साधे रहा हूं। चिन्ता की कोई बात नहीं है।

गरमी खूब दिल खोलकर जलाने पर उतारू है। परन्तु मैं कमरे में रहकर उसे पास नहीं आने देता। रात को, कभी-कभी दिन को, कूलर चला देता हूं। ताप की मार से बचा रहता हूं।

मद्रास में बेटा सपरिवार ठीक ही होगा। इधर उसका कोई पत्र नहीं आया। गरमी तो वहां भी खूब पड़ रही है। T. V. से मौसम का समाचार मिलता रहता है। T. V. और ट्रांजिस्टर से अपना अकेलापन दूर करता रहता हूं। सबको यथा-योग्य।

सस्नेह तुम्हारा

—केदारनाथ अग्रवाल

हार्दिक शुभकामनाएं

दूरभाष : 82350

अमृतलाल नागर

चौक, लखनऊ-226003

20-9-88

प्रिय मुंशी,

'सचेतक' का नया अंक मिला।

परमप्रिय चौबे आयु के 70वें वर्ष में प्रवेश कर रहे हैं, उन्हें मेरी हार्दिक शुभकामनाएं दो। सुन्दरबाग के घर में उन्हें मुग्दर घुमाते हुए देखा था, यह याद आता है।

अंक बहुत अच्छा निकला। नरेश, अवस्थी और सौ० धन्नो के ससमरण अच्छे लगे। स्वर्गीय बड़े भैया का संस्मरण उनकी याद से जोड़कर पढ़ा। याद में दर्द और दर्द में मिठास भी होती है। 'लण्डन : वाटरलू पूल के नीचे' लेख भी जानकारी भरा अच्छा लगा। नई सदी में बिल्लू जी की छलांग भी लम्बी, सटीक और सुन्दर है।

सबसे अधिक खुशी तो यह जानकर हुई कि 'बड़े भैया' की गद्य शैली पर भी यूनिवर्सिटी में काम होने लगेगा। रा. वि. ने 'बड़े भाई' लिखकर बहुत अच्छा काम किया और डॉक्टर रामदेव शुक्ल ने उनकी मेहनत को एकेडेमिक रूप दिया, इसलिए वे बधाई के पात्र हैं।

रामविलास डी-लिट् को अभी तक पत्र नहीं लिख सका। उन्हें पत्र लिखने के लिए स्वहस्तोऽयम् लिखना पड़ेगा और यही करते अब अलसाता हूं। आंखें साथ नहीं दे रही हैं। फिर भी मन की सही मौज आने पर उन्हें पत्र लिखूंगा ही।

मेरा मन उनसे बातें करने के लिए बहुत फड़फड़ाता है।

तुम्हारा

—अमृतलाल

(पुनश्च) चौबे की झलकियां भी अच्छी लगीं।

सत्तरवीं वर्षगांठ का दिन

18 जनवरी, 1989

सर्वप्रिय (देवानाम् प्रिय की तरह) 'सचेतक',

सर्वश्री मुंशी व मुकुल, सुश्री धन्नो व सोना,

जन्मदिन के अवसर पर भेजी गयी और समय से प्राप्त हुई शुभकामनाओं के लिए धन्यवाद। आज सुबह तार भी मिला।

देखो कल ही तुम्हें पत्र लिखा और यह भी निवेदित किया था कि तुम्हारी शुभकामनाएं तो हमारे साथ हैं ही। और वे अपने साकार रूप में सामने आ गयीं, जब हम शाम को घर पहुंचे।

जन्म-दिन कैसे मनाया। मनाना क्या ? उस दिन क्या किया। सुबह पांच बजे से पहले नींद खुली। ठण्ड की वजह से घूमने नहीं गये। सात बजे सब को जगाया। चाय पी। सोचा आज किसी से उलझेंगे नहीं, गुस्सा भी न करेंगे।

पड़ोसी सी. पी. सिंह के पेट का ऑपरेशन होने वाला है। उनसे मिलने गये।.. दफ्तर समय से पहुंचे। हमेशा पहुंचते हैं।

शाम को घर जा रहे थे, तो बाग मुजफ्फर खां के चौराहे पर सिगनल पा, ट्रैफिक रुका था। हम भी। तभी एक लड़का रिक्शा-चालक आया और इतने पास रिक्शा रोका कि उसका पिछला पहिया हमारे पैंट में लगा—बायां पैर—जो टिकाये खड़े थे। बहुत गुस्सा आया।

कहा : "देखता नहीं, क्या हो रहा है ?" बोला : "तो आप हमारे आगे क्यों आ गये ?" मैंने कहा : "हम पहले से खड़े हैं जब, तो आगे आने का सवाल ही कहां उठता है ?"

और स्कूटर पर चढ़े ही चढ़े एक चांटा उसके मारा। मैंने सोचा शायद लड़ने के लिए रिक्शे से उतरे, किन्तु उसने ऐसा नहीं किया।

याद आया कि सुबह का संकल्प टूट गया।

लेकिन उससे भी बड़ी बात होने से बच गयी। वह यह कि लड़का मुंह में पान चबा रहा था। गनीमत रही कि चांटे के साथ उसकी पीक नहीं निकल पड़ी !

घर आये। तुम्हारा, और सेवा का (नववर्ष का), कार्ड देखा। खुशी। जल्दी से चाय पी क्योंकि सरलाजी ने कहा कि सिंह के ऑपरेशन के समय हम लोगों को भी चलना होगा।

बिना कपड़े उतारे ही चाय पी और रामरघु अस्पताल पहुंच गये। सात बजे होने वाला आपरेशन नौ बजे रात को शुरू हुआ। हम लोग दस बजे घर आ गये।...

अविनाश और बहू के साथ हम लोगों ने खाना खाया। ताले-तूले बन्द किये और साढ़े ग्यारह बजे सो गये।

हां, इससे पहले सब लोगों ने दो-दो रसगुल्ले खाकर मुंह मीठा किया।

तुमने कार्ड भेजा, तार भेजा, तो हमें भी कुछ सेवा करनी चाहिए। तो इस-लिए यह सब लिख दिया। पढ़ने के लिए।...

सबको को आशीष सहित।

तुम्हारा—चौबे।
(रामस्वरूप शर्मा)

पत्र मिला...

(साहित्य अकादमी द्वारा फेलोशिप से सम्मानित किये जाने पर नागरजी को बधाई-पत्र भेजा गया था। तब नहीं मालूम था कि वह गिर गये हैं और उन्हें चोट लग गयी है। बाद में प्राप्त पत्र 'सचेतक' में अन्यत्र पढ़िये।—सं.)

दूरभाष : 82350
चौक, लखनऊ-226003
16-3-89

डियर मुन्शी,

पत्र मिला। फेलो हुए। फेल नहीं हुए यही क्या कम तसल्ली की बात है।

लगभग एक-सवा महीने पहले घर में चबूतरे से अचानक गिर पड़ा था, राम-कृपा से कोई हड्डी-पसली तो नहीं टूटी पर चोट बहुत आयी। काया ने अभी तक काम करने लायक ऊर्जा नहीं पायी। खाली समय बिताना कितना कष्टकारक होता है, यह अनुभव कर रहा हूं।

तुम, सौ. धन्नो, चि. बेटे-बेटियां सब चंगे हो गये। चंगे ही रहो यही कामना करता हूं।

तु.—**अमृतलाल नागर**

प्राप्ति-सूचना

प्रिय मुन्शी,

कल शाम जब दफ्तर से चलने को हुए तो बारिश पड़ने लगी। उत्तरी राज्यों में ओला-वृष्टि के कारण ठंड ज्यादा थी, इसलिए भागते हुए जाने की हिम्मत न हुई।

जब पानी थमा तब घर पहुंचे। जाते ही नाश्ता किया और दो कप चाय पी।

देखा 'सचेतक' के दो अंक मेज पर रखे हुए हैं। समझते देर न लगी कि एक पुराना होगा (अट्ठावनवां अंक, जिसकी प्रति डॉ. घनश्याम अस्थाना से चौबे भैया को वापिस नहीं मिली थी—सं.) जो मंगवाया था और दूसरा नया। सोचा, अब इत्मीनान से पढ़ेंगे।

किन्तु इतने में ही बिजली चली गयी और हमने लम्बी तान दी।

डेढ़ घंटे बाद लिहाफ से झांककर देखा, बिजली आ गयी थी। 'सचेतक' उठाया। खोलते ही देखा, भारी-भरकम तसवीर—मी जानिब की, और लेख भैया का, मानो करंट लग गयी। रही-सही खुमारी भाग गयी। पता नहीं क्या लिखा

होगा ? अन्दर क्या होगा, अब हम समझ सकते थे, किन्तु निश्चय ही हम इस सबके लिए तैयार न थे । आगे बढ़ने से पूर्व सांस रोककर भैया का ही लेख पढ़ा। एक गुजरे जमाने की यादें ताजा हो गयीं । धीरे-धीरे जब लेख समाप्त हुआ तो देखा—अभी कुछ शेष रह गया जो बाद में लिखा जायेगा। इसलिए तब तक डेमोक्लीज की तलवार सिर पर लटकती रहेगी !

यह 'सचेतक' के पहुंचने की सूचना है। प्रतिक्रिया बाद में लिखेंगे।

29 मार्च 89

तुम्हारा चौबे

—रामस्वरूप शर्मा

पत्र : केदार भैया का...

(1 अप्रैल 1989 को केदार भैया का 78वां जन्म-दिन था। 'सचेतक' की ओर से भेजी शुभकामनाओं के जवाब में प्राप्त पत्र का रस आप भी लीजिए। सं.)

19 Thirumoorthy street, T. Nagar, Madras-17

2-4-89

श्रीपत्री जोग लिखी मद्रास से केदारनाथ अग्रवाल की राम-राम मुंशी-धन्नो-मुकुल और सोना को पहुंचे ।

हमने अपने जन्मदिन की शतायु होने की शुभकामनाएं 1/4 के पूर्व ही पा लीं। पढ़कर बुढ़ौती को पटखनी लगायी और नये जन्म की जवानी से खिल-खिलाकर हंसी के गुब्बारे उड़ाये। सूचित कर रहे हैं कि हमने 1/4 को हर्षपूर्वक जिया और आप सबको हृदय से धन्यवाद देते रहे।

यहां घर में कुशल-मंगल है। आप सबको भी हम अपना जन्मदिन मनाने की बधाई देते हैं कि हमारे लिए आप सबने अपना मुंह अवश्य मीठा किया होगा।

हमने तो अपने मुंह से मीठा खाकर आप सबका मुंह मीठा किया।

और दिल्ली के क्या नखरे चल रहे हैं ? साहित्य के वहां के ठेकेदार जमकर देशी शराब पिला रहे होंगे और असली शराब की तलाश में अपना समय नष्ट न करते होंगे। सबको हमारी खुशी मिले ।

सस्नेह तुम्हारा

—केदारनाथ अग्रवाल

पं० अमृतलाल नागर का दूसरा पत्र

17-4-89 को प्राप्त

जनाब मुंशीजी साहब,

सौ. धन्नो सहित आपको बहुत-बहुत प्यार और दुआयें देने के बाद मैंने यह

सोचा कि यदि आपके पूज्य (कहना मत, मेरे भी) रा. वि. भैया को पत्र लिख सका, तो आपके लिए भी क्यों न ट्राई करूं।

लिखते समय मेरी सबसे बड़ी कठिनाई यह होने लगी कि लिखते-लिखते अक्षर ही गायब हो जाते हैं फिर आंखें मींचो, उन्हें ठंडी करो, फिर एकाध वाक्य लिखो। फिर वही आंख-मिचौनी। खैर जवानी के...(शब्द अस्पष्ट ..सं.) जय बोलो, आगे बढ़ो।

दिल्ली के अखबारों में हमारे चबूतरे से गिरने की खबर छप गयी ! यानी बड़ा आदमी हो गया ! चौबे पर रा. वि. का लेख अच्छा है; खुद चौबे भी मुग्दर बांधने के अलावा कलम भी भांजते हैं। यह भी अच्छा लगा।

मगर, सब मिलाकर यह अंक कुछ-कुछ उन्नीस ही रहा।

'बेटे-बेटियों को आशीष ---अमृत

नागरजी से मुलाकात : एक पत्र

लखनऊ 2-6-89

प्रिय भैया,

तुम्हारा 14-5-87 का पोस्ट कार्ड 27-5-89 को कलकत्ते से लौटने पर पढ़ा...।

पिछले मंगल यानी 30 मई को, हम और रक्षा सुबह 10 बजे नागरजी से मिलने चौक पहुंचे। घर में घुसने पर सामने आंगन में छोटी पुत्री, जिन्हें मैं शायद पहली बार ही देख रहा था, मिलीं।

मैंने परिचय दिया : "रामविलास का छोटा भाई अवस्थी हूं।" कहने लगीं : "हां-हां, शक्ल मिल रही है। नागरजी पूजा कर रहे हैं। आप लोग बैठिए।"

हम लोग पीछे वाले कमरे में बैठकर बातें करने लगे।

बातों-बातों में पता लगा कि शरद की बड़ी लड़की के गले में ग्लैंड्स हो गये हैं। काफी दिनों से इलाज चल रहा है, पर कोई फायदा नहीं हो रहा। मेडिकल कॉलेज में भी भर्ती रही। आजकल चौक से करीब 20-22 किलोमीटर दूर रायबरेली रोड पर कोई मेडिकल इन्स्टीच्यूट है, वहां भर्ती हैं !

थोड़ी देर में नागरजी आते दिखे। हम लोगों ने उठकर चरण-स्पर्श किया। गद्गद् हो गये।

हाथ में कटोरी थी। मेरे लम्बा-सा और रक्षा के छोटा-सा सिन्दूरी टीका

लगाया। शायद 'ललकऊ' (बजरंग बली—सं) की पूजा करके आ रहे थे।

बैठने को कहकर फिर वापस चले गये। अब की बार कटोरे में प्रसाद के लड्डू लेकर लौटे। अपने हाथों से हम दोनों को खिलाये।

मैंने जब बताया कि मैं रिटायर हो गया हूं तो उन्हें आश्चर्य हुआ। कहने लगे : "तुम भी रिटायर हो गये? कैसे समय बीत जाता है, पता ही नहीं चलता।"

जब मैंने बताया कि रिटायर होने के बाद रहने के लिए लखनऊ आ गया हूं, तो बहुत प्रसन्न हुए। बोले : "यह तुमने अच्छा किया। अब तो रामविलास लखनऊ आयेंगे ही।"

'सचेतक' की चर्चा हुई। कहने लगे मुंशी ने बड़ा काम किया। तुम सब लोगों से लिखवा लिया। एक ही परिवार में इतने लेखक कहां मिलेंगे!

स्वाति को याद कर रहे थे। कह रहे थे : वह हमसे खूब बतियाती थी।"

उन्हें लिखने में कष्ट होता है। कहने लगे : "मुंशी को तो बोलकर पत्र लिखवा देता हूं। पर डॉक्टर को, जिन्हें ढेरों पर ढेरों लिखे, दूसरे के हाथ का लिखा पत्र कैसे भेजूं? लिखने की कोशिश करता हूं, तो हाथ बहक जाता है।"

कह रहे थे : "सगे-सम्बन्धी, मित्र—एक-एक कर चले जा रहे हैं। जी बड़ा दुखी होता है। अभी हाल ही में नरेन्द्र शर्मा भी चले गये!"

जब हमने बताया कि हमारा नया मकान अलीगंज, सी सेक्टर में है, तो कहने लगे : "मदन (छोटे भाई, जिनका निधन हो गया है—सं.) का घर उधर ही महानगर में है, जब उधर आयेंगे तो तुम्हारे यहां भी आयेंगे। हमने कहा : "आप कब चल सकते हैं? हम आकर ले जायेंगे। गाड़ी है।" कहने लगे : "अगर गाड़ी है, तो कभी भी शाम को 6 के बाद चल सकते हैं।" हमने कहा : "एक दिन फोन पर बताकर हम आपको ले जावेंगे।"

इस बीच एक राउण्ड चाय का भी हो गया था।

इस समय तक उनके लिपिक महोदय भी आ गये थे! ग्यारह बजे के करीब हम लोगों ने जाने की आज्ञा मांगी।

चलते समय हम लोगों ने जब उनके पैर छुए तो हमें तो उन्होंने धीरे-से सर पर हाथ रखकर आशीर्वाद दिया।

अब, घर जब थोड़ा ठीक हो जायेगा, तो उन्हें लायेंगे।...

अवस्थी

—रमाशंकर शर्मा

सुबह और शाम

प्रिय मुंशी,

अपनी हालत यह कहती है कि 'सुबह के समय शेर और शाम के समय गीदड़'।

सुबह उठते हैं तो घूमने जाते हैं; पानी भरते हैं; और छोटे-मोटे काम कर, दफ्तर जाते हैं। खूब फुर्ती रहती है।

और शाम को थके, हारे। कोई काम करने को जी नहीं चाहता। केवल चाय पियो; आराम करो—यही सूझता है।

तो कल 'सचेतक' ऐसे समय मिला जब हम गीदड़ थे। थोड़ा पढ़ा, फिर रख दिया।

लेकिन सुबह तीन बजे ही आंख खुल गयी और तब इधर-उधर से मनचाहा पढ़ा। लेकिन अब भी बाकी है।

तो यह 'प्राप्ति सूचना' है! प्रतिक्रिया बाद में!

संक्षेप में, अंक अच्छा निकला है।

क्यों?

बाद में लिखेंगे।···

7 जून 89

तुम्हारा चौबे
—रामस्वरूप शर्मा

एक पत्र : वेनिस से

15 अगस्त, 1989

बहुत प्रिय मुंशी जी,

आपकी चिट्ठी अप्रैल में मिली। अभी जवाब देने का अवकाश मिल रहा है। विलम्ब के लिए माफी मांगती हूं – खास कर इन दिनों जब वेनिस सम्मेलन के लेखों के सम्पादन के चक्कर में पड़ी हूं।

फिर भी जब आपका पत्र आया, फौरन 'सचेतक' बिना रुके पढ़ा। बहुत अच्छा लगा। इसके दो कारण हैं—एक, आपके परिवार का सही माहौल सामने आता है। दूसरे, भारत के माहौल में, लगता है, रम रही हूं।

कहने की जरूरत नहीं कि मेरी दिलचस्पी खास कर रामविलास शर्मा का पारिवारिक माहौल क्या था और है, उसमें ज्यादा है।

उनके लेख की शैली वही है जो निराला की जिन्दगी वाली किताब में पायी

जाती है । । वही सहजता, वही 'किस्सा गो' की-सी आकर्षक शैली । लिखने का ढंग ऐसा है कि मन करता है मैं पढ़ती ही रहूं ।

एक बात पूछूं ? 'आट के खाले' का मतलब क्या है ? लगता है कि उसका मतलब 'लुक-छिपकर' है (आट=आड़ । खाले=नीचे)। हमारे विभाग में दो हिन्दुस्तानी हैं; उनसे पूछा, वे भी नहीं जानते । शायद बैसवाड़े की बोली है ।

दिसम्बर में फिर भारत आऊंगी । बहुत सम्भव है, कम-से-कम दस दिन दिल्ली में रहना पड़ेगा—वह वाली बात है, सम्मेलन के लेखों का प्रकाशन । हम जरूर मिलेंगे । राम विलास जी कैसे हैं ? आशा करती हूं कि Prof. Tucci का जो लेख उनके यहां पहुंचवाया, वह मिल गया । ..

धन्नो जी कैसी हैं ? गर्मी के दिन हैं, उनके शरीर और हड्डियों में दर्द नहीं होगा । और हो सकता है, हवा में नमी होने की वजह से उनकी हड्डियों में थोड़ा-सा दर्द हो । आशा करती हूं, वह ठीक हैं ।

सोना कैसी हैं ? उनकी लेखन-शैली भी अच्छी है, उसमें सहजता और ताजगी है । उनको बधाई देती हूं ।

आपको, धन्नो जी, सोना और मुकुल को सहज स्नेह भेजती हूं, 'डॉक्टर साहब' को सादर स्नेह और चौबे जी को (सत्तरवीं वर्षगांठ के बीत चुके अवसर पर) शुभकामनाएं ।

मैं पान नहीं खाती, तम्बाकू खाना तो दूर ।...

सस्नेह आपकी
—मरियोला

साधारण में भी (शायद 'ही' कहना ठीक होगा) समृद्धि पायी जा सकती है

21 अक्तूबर, 1989

प्रिय मुंशी जी,

तीनों अंक मिले । साथ आपकी लिखी हुई दो चिट्ठियां भी थीं, एक धन्नो जी की आत्मीय और स्नेह भरी बातें थीं, जिन्हें पढ़कर मुझे बहुत खुशी हुई ।

पहले दो अंक नहीं पढ़ पायी थी, लेकिन तीसरा अंक फौरन पढ़ जाने का मौका मिला ।

तब क्या देखती हूं कि आपने 'सुदूर वेनिस से प्राप्त एक पत्र' छापने की

'धमकी दी है। मैं चौंकी। यह सही है कि मैं पान नहीं खाती, फिर भी आपकी पारिवारिक पत्रिका में मेरी खबरें छप जायेंगी, यह जानकर मेरा संकोच और बढ़ गया। ऐसा लगता है कि मैं जबरदस्ती करके दूसरे लोगों की निजी जिंदगी में घुस रही हूं। ऐसा करना मेरे स्वभाव के विरुद्ध है। आप कहेंगे कि मैंने बिना किसी संकोच के राम विलास शर्मा से सम्पर्क स्थापित करने की कोशिश की थी, और सफल भी हुई। लेकिन बात अलग है। वह साहित्यकार हैं, और मेरा काम हिन्दी साहित्य से ही सम्बद्ध है। खैर, आपकी मर्जी। अब मुंशी जी मौलाना हो गये। उनको रोकना मेरे बस से बाहर की बात है!

कल और आज बाकी दो अंकों को पढ़ने का मौका मिला (यानी बासठवां और त्रेसठवां। सुनो, पण्डित जी, यह बताओ कि 'तिरसठवां' न लिखकर, 'त्रेसठवां' क्यों लिखते हो? पण्डित जी ठहरे, संस्कृत भाषा पर इतना जोर देना ठीक नहीं। हां, हो सकता है कि यह भी बैंसवाड़े की ठेठ बोली हो)। तिरसठवें अंक में मैंने आपकी प्रश्न-सूची देखी। उत्तर दूंगी। नहीं, 'उत्तर' नहीं, 'जवाब' दूंगी। मैं 'पण्डित' थोड़े ही हूं (आप सोचेंगे कि 'पण्डित' न सही, मरियोला जी मौलाना बन रही हैं)!

जवाब क्रम से नहीं दूंगी, और न हर सवाल का। इतना बताना चाहूंगी कि मैं आपकी पत्रिका में क्या पाती हूं।

हां, एक बात जरूर कहूंगी कि जब पत्रिका पढ़ना शुरू करती हूं, तब बिना रुके ही पढ़ती हूं। इसका कारण मेरे पत्रिका में दिलचस्पी लेने से ही सीधे जुड़ा हुआ है।

अब दिलचस्पी बताने की बारी आयी। मेरी दिलचस्पी बहुरूपी है, शुद्ध साहित्यिक नहीं। दरअसल आपके परिवार में इतने लोग हैं, उनमें इतनी परस्पर दिलचस्पी और प्यार, साथ ही एक अजीब तरह का आदर-भाव भी है, इतनी पीढ़ियों के लोग लिखते हैं या उल्लिखित हैं, कि भारतीय समाज के बारे में जानने को उत्सुक व्यक्ति पत्रिका में दिलचस्पी लेगा ही। आपकी पत्रिका में नये और पुराने का वही मिश्रण पाया जाता है जो किसी भी आदमी में, समाज में, संस्कृति में पाया जाता है—बशर्ते कि आप, आदमी की आदमियत देखना चाहें, न कि साहित्यकार की कोई रचना।

साहित्यकार अपनी अनुभूतियों से लड़ता है क्योंकि उसका लक्ष्य सटीक शब्दों की खोज पर निर्भर करने वाली अभिव्यंजना है। ऐसा करने में, यों कहें अनजाने ही कहीं, लेकिन सौन्दर्य की खोज में, साहित्यकार अपनी अनुभूतियों को काट-छांट करके अभिव्यक्त करता है।

सौन्दर्य से मेरा मतलब 'कला के लिए कला' वाले तत्त्व से नहीं, उन अनुभूतियों और विचारों के सुन्दर समन्वय से है, जिसे प्राप्त करने के लिए

साहित्यकार कुछ-न-कुछ खो देता है, और जो खो देता है वह अपनी आदमियत की बहुत मामूली भावनाएं ही हैं। यही मामूली भावनाएं आपकी पत्रिका में पायी जा सकती है। मतलब नहीं कि ये भावनाएं, मामूली होने की वजह से, कहने योग्य नहीं हैं। उलटे, वे एक पूरी दुनिया उपस्थित करती हैं। और मानो या मानो मत, दुनिया असाधारण न होकर साधारण ही है। लेकिन साधारण में भी (शायद 'ही' कहना ठीक होगा) समृद्धि पायी जा सकती है—अगर समृद्धि नहीं पाई गयी, तो बहुरूपता ही पायी जा सकती है, बशर्ते कि देखने वाले की, जैसे नागार्जुन ने 'बलचनमा' में लिखा है, दो छोटी आंखें हों...!

आपको 'पण्डित जी, पाल्लगी !' (पालागन)।

—मरियोला

पर खोले तितली ने

(नये वर्ष की शुभकामनाओं का मैंने जो कार्ड केदार भैया के पास बांदा भेजा था उसमें फूलों पर मंडराती एक तितली का चित्र था। केदार भैया ने उत्तर में एक पोस्टकार्ड में जो कविता लिखकर भेजी, वह 'सचेतक' के पाठकों के लिए प्रस्तुत है।—सं.)

बांदा (उत्तर प्रदेश) 12-1-90

जय 'मुन्शी' महराज की,
        मिले बन्दगी...
कल-परसों की, आज की !
नये साल ने कोहरा मारा...
        सूरज हारा...
ऊपर से ठण्डक चढ़ बैठी,
नीचे गिरा...
        शून्य से नीचे...
बेबस होकर
        अपना पारा।
फिर भी,
    तुमने
        फूल खिलाये,

मुझे भेज कर, मुग्ध कर लिया,
पर खोले तितली ने मुझको प्यार दिया।
नया साल भी रंगत बदले, फूल खिलाये,
खुशबू जीवन की महकाये !

सस्नेह...
केदारनाथ अग्रवाल

'सचेतक'–कार्यालय में नागर जी का अन्तिम पत्र

चौक, लखनऊ
7-2-90

परमप्रिय मुन्शी और सौभाग्यवती धन्नो,

चिरञ्जीव मुकुल का ब्याह कर लाये, बहुत-बहुत बधाई। हम पिछले तीन सप्ताहों से आंतों की सूजन के कारण निढाल पड़े हैं। भूख नहीं लगती, कमजोरी बेहद बढ़ गयी है, डकारें ऐसी आती हैं जैसे कहीं ब्रह्मभोज छक कर आये हों।

एक दिन चिरञ्जीव अवस्थी और सौभाग्यवती रक्षा के यहां भी गया था, खूब आन्नद पाया।

सब बेटे-बेटियों को शुभाशीष !

शुभाकांक्षी—अमृलाल नागर

वह स्नेह-भरे, साहसी, हंसमुख, विनोदप्रिय आदमी थे

24065 LOVERE (ITALY)
3 अगस्त, 1990

बहुत प्यारे मुंशी जी,

आपको दोनों चिट्ठियां और साथ 'सचेतक' के दोनों अंक (15 दिसम्बर, 1989 और फरवरी 1990) भी अरसा हुआ मिले हैं। व्यस्तता के मारे जवाब नहीं दे पायी। कान पकड़ती हूं। इतने दिनों के बाद खत लिखकर शर्म आ रही है। क्या करूं, मैं मजबूर हूं।

Amsterdom में होने वाली 11th European Conference On Modern

South Asian Studies की भाषा, साहित्य व जन-सम्पर्क साधनों वाली गोष्ठी का आयोजन कर रही थी। उसकी अध्यक्षता मुझे सौंप दी गयी थी, जो मेरे लिए बड़े महत्त्व की बात थी। सम्मेलन 1-5 जुलाई को सम्पन्न हुआ। मेरी गोष्ठी ही सबसे बड़ी थी।

अब उसकी किताब भी निकलेगी। मतलब यह कि दिसम्बर-जनवरी में जब भारत आऊंगी तभी भी व्यस्त रहूंगी। फोन जरूर करूंगी। पहुंचने के दिन या दूसरे दिन ही करूंगी, ताकि आप न कहें कि—देखो, यह बेहूदी औरत इतना प्यार जताने के बाद फोन तक नहीं करती।

इन्हीं दिनों वेनिस सम्मेलन की दो और किताबों के प्रूफ देखने हैं।

भारत पहुंचने से पहले नये प्रूफ देखूंगी और वहां पहुंचकर बाकी दो किताबों के प्रूफ शोधन के चक्कर में रहूंगी। अभी तक चार पुस्तकें निकली हैं—तीन पुस्तकें प्रकाशक Amsterdum ले आये थे। मेरी सम्पादित की हुई पुस्तक की छपाई सन्तोषजनक न होकर, प्रकाशक से अनुरोध किया कि प्रतियों को ठीक करके फिर से पुस्तक निकाले। बात यह है कि उस पुस्तक में diacritical marks की भरमार है। पुस्तक computor पर छप गयी, जिससे नुकते, चक्र, छोटी लकीरें, ऊपर-नीचे जितने कम्बख्त चिह्न लगाने हैं, उन्हें लगाने में बड़ी कठिनाई होती है ऊपर, यह भी होता है कि प्रूफ में गलती न होते हुए भी आप देखिये न computor वाले क्या कमाल करते हैं कि छपी हुई पुस्तक में गलती हाजिरी देती है! खैर, सहनशीलता बरतनी चाहिए।

अमृतलाल नागर के देहान्त का दुखद समाचार मुझे तुरन्त मिला था। बेहद उदास हो गयी थी।

मैं उनको बहुत प्यार करती थी। वह स्नेह-भरे, साहसी, हंसमुख व विनोद-प्रिय आदमी थे। लेखक रूप में प्रतिभावान थे, सो अलग।

आम तौर पर पान खाने वाले आदमियों को मैं पसद नहीं करती। थूकते ही रहते हैं। थूकते हैं तो लगता है खून थूक रहे हैं, देखकर मुझे उल्टी आती है।

लेकिन अमृतलाल जी के साथ ऐसी कोई बात नहीं थी। वह जो भी करते थे, उसे मैं बिना झिझक पसन्द करती थी। बच्चों जैसी मासूमियत थी उनमें।

नागरजी नहीं रहे, लखनऊ का चौक भी लगता है वही नहीं रहा जो पहले हुआ करता था।

वह सुन्दर 'रूमी दरवाजा'—जो पहली बार मेरे लिए 1977 में खुला था—(खोलने वाली एक प्यारी बच्ची थी, दीक्षा, जिसकी बड़ी आंखें देखकर मैं चकित रह गयी थी, जैसे कोई छोटी परी लम्बी काली बरौनी से सज्जित निगाह डालकर आगन्तुक को अन्दर आने का निमन्त्रण देना चाहे)—अब मामूली मकान का दरवाजा बन जायेगा। पर शायद अमृतलाल जी सहमत नहीं होंगे—प्रतिभा

सिर्फ दिमाग में ही नहीं पायी जाती है, वह मामूली आदमी के दिल में भी मिल सकती है, बशर्ते कि देखने के लिए आंखें हों, वे आंखें जो अमृतलाल जी की थीं।

सस्नेह आपकी—

मरियोला

(पुनश्च)—मुकुल और उनकी पत्नी को शुभकामनाएं भेजती हूं। धन्नो जी और सोना को सप्रेम नमस्कार। राम विलास जी को स्नेह। हां, भूल रही थी, उनका सुन्दर (बेहद सुन्दर) पोता कैसे है? सस्नेह नमस्कार कहियेगा।

केदार भैया का ताजा पत्र और ताजी कविताए

19 थिरुमूर्ति स्ट्रीट
'टी' नगर, मद्रास-17

प्रिय मुंशी,

दिनांक 10/3 को लिफाफे में न चलकर, 15 पैसे के पोस्टकार्ड पर 'अक्षर' बनकर, नई दिल्ली से चले, और यहां, इतनी लम्बी यात्रा करके, सकुशल दिनांक 12/3 को पहुंच गये।

बड़े दमदार हो। न थके, न थकाये। चुस्त-दुरुस्त दिखते हो।

हां, बहुत लम्बे अरसे के बाद—अरे मुंह दिखाने—आये हो। तभी तो बड़े स्नेह से सांचे में ढले आखर लिखे हैं। घबराओ नहीं, हम पाथर न मारेंगे।

हमें तो बहुत दिनों से तुम्हारी याद मथे डालती रही है।

'सचेतक' का अंक शायद कल-परसों मिले। मिलेगा तो पढ़ूंगा ही। चाट जाऊंगा।

इधर तो संसार भर में उलट-पलट चल रही है। कुलहटी खा रहे हैं देश-विदेश के प्रभुता-सम्पन्न लोग। झटके झेलने पड़ते हैं, पर झेलना ही एकमात्र उपाय है जो बचा है।

फिर, हम तो कागज-कलम और स्याही के खैरख्वाह हैं। बस किसी तरह बचे-बचाये हैं—उसे भी बचाये हैं। हां, इधर आप हमसे कविता चाहते हैं, तो लीजिए।

1

दाल-भात खाता है कौआ
मनुष्य को खाता है हौआ
नकटा है नेता धनखौआ!
न कटा हो मानो कनकौआ!

(यह है देश का, देश के नेता पर, अपने आदमियों का। मेरी यह छोटी टिप्पणी रुचे तो खुश होना, वरना फेंक देना कूड़ेदान में)।

लो कबूतर वाली कविता।

2

धवल यशस्वी कांतिकाय तुम
शरद-पूर्णिमा के आत्मज-से
पुलक-प्यार के पंख पसार
उड़ आये मेरे आंगन में
बहुत दिनों के बाद।
अरे कबूतर,
मुग्ध हुआ मैं तुम्हें देखकर
भूल गया सब कुछ अपना,
एक हुआ मैं तुम से
तुम मेरे—
मैं हुआ तुम्हारा।
करो-करो जी
खूब गुटरगूं
मैं भी करूं गुटरगूं
—बिना दांत के मुंह से।
यही गुटरगूं प्राणवंत अनुरक्ति है
अर्थवन्त अभिव्यक्ति है!

अब बिजली-चूड़ी की कला देखो।

3

बिजली बनी कांच की चूड़ी
चढ़ी कलाई
खन-खन खनकी,
काम-कुण्ड में डूबी,
यही पहेली अनबूझी थी
मैंने बूझी,
मुझको अच्छी सूझी!

(औरतें तो गाली देंगी ही। तुम भर न देना)।

अब बया नाम की चिड़िया से मिलो।

4

मेरे ही प्रतिरूप पेड़ पर
उड़ कर आयी बैठी
चंचल दृग नेहातुर चिड़िया
बया नाम की;
सस्वर बोली अपने मुंह से
मेरी कविता,
मुग्ध पत्तियां झूमीं
धूप धवल मुसकायी—
प्रकृति मनोरम
मुझको भायी।

लो बस जनाब।

अब थक गया हाथ। खाली जगह में जो चाहे मनमानी कर लो। न लिखे को पढ़ लो। हमें दाद दे लो।

'मित्र संवाद' पढ़ रहे हो। पढ़ो। पर हमें भी तो अपने भीतर का कुछ बताओ।

ठीक हूं।

बेटा शूटिंग पर 4 दिन हुए गया है, कोडई कैनाल। 25/3 तक लौटेगा।

यहां तुम्हारा बिलटक्को + तीन उसके भाई हैं। चारों धमाचौकड़ी करते हैं। किरकिट देखते हैं टी. वी. में। परीक्षा भी दे रहे हैं, उससे उतना लगाव नहीं है। फ्रेंच पढ़ते हैं।

नये लोग हैं। अभी छोटे हैं। छिटक-छिटक कर चलते हैं।

बस। सबको यथायोग्य।

सस्नेह

—केदार

पुनश्च—

प्रिय डॉक्टर के हाल क्या हैं? उन्हें भी नमस्कार।

—केदार

('सचेतक,' 15 अप्रैल, 1992)

'खुदा की राह' से 'चकल्लस' तक : एक फ्लैशबैक

[श्री ज्ञानचन्द जैन जी का 'सचेतक' को भेजा यह पत्र सन्' 35-'36 में हिन्दी पत्रकारिता के एक महत्वपूर्ण दौर पर प्रकाश डालता है। उनके शब्दों में 'अखबारी सर्विस उन दिनों नेशनल सर्विस थी।'...'चकल्लस' सम्बन्धी इस 'फ्लैशबैक' में सम्भवत: ज्ञानचन्द जैन जी ही साधिकार कह सकते थे : "उस पर सम्पादक के रूप में यद्यपि नाम नरोत्तम जोशी और अमृतलाल नागर का जाता था, किन्तु उसके सम्पादन में राम विलास शर्मा का भी उतना ही हाथ रहता था, जितना इन दोनों का।"...पत्र पर कोई तारीख नहीं है, किन्तु यह मुझे मार्च माह के अन्तिम दिनों में मिला। ...'सचेतक' आशा करता है कि ज्ञानचन्द जैन जी स्वयं अपने पत्र-कारिता जीवन के अनुभवों से भी निकट भविष्य में 'सचेतक' पाठकों को परिचित करायेंगे।—सं.]

शिखर भवन, टाट-पट्टी, यहियागंज,
लखनऊ-226003

प्रिय मुंशी,

डॉ. शरद नागर ने बहुत अच्छा किया, पण्डित अमृतलाल नागर के 'चकल्लस' वर्ष की डायरी तुमको छापने के लिए दे दी। उससे स्पष्ट हो जाता है कि 'चकल्लस' किसी पूंजीपति के द्वारा निकाला गया अखबार नहीं था। पण्डित अमृतलाल नागर उस समय स्वयं पैसे-पैसे के मोहताज थे।

उन्नीस वर्ष की अवस्था में पिता का आकस्मिक निधन हो जाने से जिस शाख पर आशियाना बना कर सुरक्षित जीवन व्यतीत कर रहे थे, वह शाख ही टूट गयी। वह गहरे आर्थिक संकट में पड़ गये।

शरत बाबू से मिलने वह कलकत्ता गये। वहां से लौटते हुए बनारस में उतरे। वहाँ पण्डित विनोदशंकर व्यास का 'व्यास मन्दिर' हम लोगों का साहित्यक ठीहा था। पण्डित विनोदशंकर व्यास, पाण्डेय बेचन शर्मा 'उग्र' के लंगोटिया यार थे। जहाँ तक याद पड़ता है 'उग्र' ने ही बनारस से हास्य रस का पत्र 'खुदा की राह पर' निकाला।

बनारस में हम लोगों के एक मित्र पुरुषोत्तम लाल दवे 'ऋषि' थे। कभी क्रान्तिकारी आन्दोलन से जुड़े रहे। पण्डित विनोदशंकर व्यास के यहां आते-जाते थे। उन्हीं के यहां हम लोगों की पहली भेंट उनसे हुई।

पण्डित विनोदशंकर व्यास ने 1935-36 के आस-पास तीन पुस्तकों के सेट

से अपनी प्रकाशन संस्था 'पुस्तक मन्दिर' को फिर से सक्रिय किया। इस सेट में दो उपन्यास हम लोगों ने अनुवाद करके दिये थे, एक गुजराती उपन्यास का अनुवाद पुरुषोत्तम लाल दवे 'ऋषि' ने किया था।

'उग्र' ने 'खुदा की राह पर' के कुछ अंक निकाले। फिर शायद बम्बई चले गये। पत्र लोकप्रिय हुआ था। उसे पुरुषोत्तम लाल दवे 'ऋषि' निकालने लगे।

उसका दफ्तर उनकी जेब में रहता था। उसे स्थानीय पत्र के रूप में निकालते थे। 500-600 कापियां बेच लेते थे। स्थानीय विज्ञापन भी 5-5, 10-10 रु० में बटोर लेते थे। पत्र से उनकी नेट बचत लगभग 75 रुपये महीने की हो जाती थी।

पण्डित अमृतलाल नागर का तस्लीम लखनवी के रूप में अवतार 'खुदा की राह पर' के पन्नों में हुआ।

पुरुषोत्तम लाल दवे 'ऋषि' ने उनसे एक कहानी लिख देने का आग्रह किया। तभी 'मुंशी घिर्राऊलाल' की अवतारणा हुई। उस पर 'तस्लीम लखनवी' नाम दे दिया।

'खुदा की राह पर' की आमदनी और खर्च का जो कच्चा-चिट्ठा पण्डित अमृतलाल नागर ने पुरुषोत्तम लाल 'ऋषि' से सुना, उसने उनके दिमाग में भी कीड़ा रेंगाना शुरू कर दिया। उस समय यदि 75 रु० महीने की आमदनी का ठिकाना भी उनको हो जाता, तो जमीन पर पैर टिकाने के लिए बहुत था।

बनारस से लौटते हुए उन्होंने ट्रेन में ही 'खुदा की राह पर' के ढंग का एक हास्य रस का पत्र निकालने की स्कीम बनायी और लखनऊ आते ही क्रियान्वित कर दी। उन्होंने पत्र का नाम भी 'खुदा की राह पर' के वजह पर 'अल्लाह दे' रख दिया।

अमीनाबाद और मौलवीगज के बीच में सड़क पर एक फकीर चक्कर लगाया करता था। वह सिर्फ एक ही आवाज लगाता था—'अल्लाह दे!' दो ही तीन चक्कर लगाता था। जैसे ही खाने भर के पैसे मिल जाते थे, लौट जाता था। शायद झाऊलाल के पुल के करीब किसी वीरान खंडहर मकबरे में रहता था। पण्डित अमृतलाल नागर भी उस समय इतनी आमदनी चाहते थे कि रोटी का खर्च चल जाय। 'चकल्लस' का पूर्व अवतार इसी 'अल्लाह दे' के रूप में हुआ।

'अल्लाह दे' के केवल तीन अंक निकले। उसका सारा मैटर पण्डित अमृतलाल नागर ही विविध नामों से लिखते थे। स्थानीय अपील की सामग्री रहती थी। उसके कई स्तम्भों के नाम भी स्थानीय अपील के थे, जैसे एक स्तम्भ था—'चहडहले पर से' या ऐसा ही कुछ। चहडहला चौक की बड़ी काली जी के पास एक कुआं था। उसके चबूतरे के आसपास हमारी मित्र-मण्डली की बैठक होती थी।

'अल्लाह दे' के तीन अंक निकालने में पण्डित अमृतनागर की जेब से केवल दस-पांच रुपये गये। 500 प्रतियां छापते थे। 20-25 रुपये खर्च आता था।

पहले अंक की प्रतियां तो फ्री बंटीं। दूसरे अंक की करीब ढाई सौ प्रतियां चौक में बिक गयीं और तीसरे अंक की 480 प्रतियां बिकीं।

'अल्लाह दे' नाम मित्रों को पसन्द न आने से पण्डित अमृतलाल नागर के मन से भी उतर गया। संयोग से इसी समय पण्डित नरोत्तम नागर बेकार हुए। 'सघर्ष' उन्होंने ही निकाला था, किन्तु कांग्रेस सोशलिस्ट पार्टी को सौंप देने के बाद वह मालिक से नौकर हो गये।

अखबारी सर्विस उन दिनों नेशनल सर्विस थी। तनख्वाह भी महीने के अन्त में पूरी नहीं मिलती थी। दस-दस, पांच-पांच रुपये करके मिलती थी, सो भी कई-कई महीने की बकाया रहती थी। हालत यह होती थी कि हम यह भी नहीं कह सकते कि हम नौकरी से लगे हैं और यह भी नहीं कह सकते थे कि कब नौकरी से अलग हो जायेंगे। एक पैर यदि चौखट के अन्दर रहता था, तो दूसरा बाहर।

नरोत्तम 'संघर्ष' के साथ लखनऊ आने पर हिवेट रोड पर कहीं रहते थे। राम विलास के. सी. डे लेन में रहते थे। रोज मुलाकात होती थी। पढ़ीस जी भी लखनऊ आते रहते थे। नरोत्तम से हम लोगों का पत्र-व्यवहार उस समय से चलता था, जब वह पहले दिल्ली की फिलमी पत्रिका 'रंगभूमि' के और फिर 'चित्रपट' के सम्पादक थे। 'अल्लाह दे' का ही पुनर्जन्म 'चकल्लस' के रूप में हुआ।

''चकल्लस' का पहला अंक निराला जी की जन्म-तिथि बसन्त पंचमी पर निकला। उस पर अंक 4 इसलिए दिया गया था कि पहले तीन अंक 'अल्लाह दे' के रूप में निकल चुके थे। उस पर सम्पादक के रूप में यद्यपि नाम नरोत्तम जोशी और अमृतलाल नागर का जाता था, किन्तु उसके सम्पादन में राम विलास शर्मा का भी उतना ही हाथ रहता था, जितना इन दोनों का। पढ़ीस जी का भी सक्रिय योगदान था। पढ़ीस जी अपने नाम से लिखते थे, अन्य तीनों अलग-अलग नामों से। पत्र को निराला जी का वरदहस्त भी प्राप्त था। उसमें निराला जी के कई ऐसे इण्टरव्यू छपे जो साहित्यिक जगत में बहुत चर्चित हुए। आचार्य महावीर प्रसाद द्विवेदी भी पत्र को चाव से पढ़ते थे। 'चकल्लस' वस्तुतः एक सामूहिक पत्र था। साहित्यिक पत्रकारिता का उसी प्रकार का प्रयोग था जैसे 'मतवाला'।

'चकल्लस' केवल दस महीने निकला। व्यावसायिक दृष्टि से उसका 'भाभी अंक' सबसे अधिक लोकप्रिय हुआ। उसके बाद ही वह बन्द हो गया। उस समय तक पण्डित अमृतलाल नागर उसे निकालने में तीन हजार रुपये का नुकसान दे चुके थे।

'अल्लाह दे' के तीसरे अंक में इस प्रकार की कोई सूचना नहीं दी गयी थी कि

अगले अंक से उसका अवतार 'चकल्लस' के रूप में होने जा रहा है। इसी प्रकार 'चकल्लस' के अन्तिम अंक में भी कोई सूचना नहीं छपी थी कि अब उसका प्रकाशन बन्द किया जा रहा है।

जब 'चकल्लस' निकलने लगा, तो नरोत्तम नागर भी चौक में गोल दरवाजे के पास न्यू बिल्डिग में रहने लगे थे।...

सस्नेह
ज्ञानचन्द जैन

जिन्दगी का लुत्फ है उसके संघर्ष में !...

('चकल्लस'-वर्ष की पण्डित अमृतलाल नागर की डायरी)
प्रस्तुतकर्ता : शरद नागर

[" 'मतवाला' से 'चकल्लस' की सीधी लिंक है", राम विलास भैया ने मुझे एक बातचीत के दौरान बताया था (देखिए, 'सचेतक', 15 अगस्त '90, पृष्ठ 5)। उन्होंने यह भी कहा था : "हम लोग योजनाएं बनाते थे और तय कर लेते थे कि कौन क्या लिखेगा। आमतौर से लिखने वाला खुद कहता था 'हम यह लिखेंगे।' इस तरह 'चकल्लस' आपस में परामर्श से निकलता था। आगे चल कर शायद 'नया साहित्य' (बम्बई से प्रकाशित प्रथम प्रगतिशील साहित्यिक पत्र—सं.) में भी इसी ढंग से बहुत कुछ काम होता था।" 'चकल्लस' के पूर्ण ऐतिहासिक महत्त्व को समझने के लिए, उस बातचीत को एक बार फिर पढ़ लेना उपयोगी होगा।

उसी 'चकल्लस' के सम्बन्ध में पण्डित अमृतलाल नागर की सन् 1938 की डायरी उनके सुपुत्र डॉक्टर शरद नागर से—"केवल 'सचेतक' में प्रकाशनार्थ" शब्दों के साथ—प्राप्त हुई है।

'सचेतक' हृदय से डॉक्टर शरद नागर का आभारी है।

'चकल्लस' पर दो सम्पादकों का नाम जाता था—पण्डित अमृतलाल नागर का और नरोत्तम जोशी (नरोत्तम नागर—सं.) का। किन्तु इस डायरी से प्रथम बार यह तथ्य उद्घाटित होता है कि सम्पादन कार्य के अलावा, पण्डित अमृतलाल नागर को न सिर्फ कभी-कभी 'चकल्लस' डिस्पैच करने का काम खुद करना पड़ा था, बल्कि उसकी छपाई के लिए एकाध बार मशीन तक चलानी पड़ी थी। 'चकल्लस' के वित्तीय पक्ष को लेकर उन्हें कैसी भयंकर मानसिक पीड़ा से गुजरना पड़ा था, इसका कुछ अनुमान फरवरी-मार्च 1938 की उनकी डायरी की प्रवृष्टियों से लग जाता है।

तो आइए, अब इस डायरी को आप स्वयं पढ़िए और स्व. पण्डित अमृतलाल नागर के जीवन के एक अत्यन्त महत्त्वपूर्ण और संघर्षपूर्ण दौर का परिचय स्वयं प्राप्त कीजिए ।—सं.]

हास्य-व्यंग्य की लोकप्रिय पत्रिका 'चकल्लस' जहां एक ओर पाठकों का मनोरंजन कर रही थी, वहीं उसके प्रकाशक और सम्पादक बाबू जी (पं. अमृतलाल नागर—सं.) को उसके प्रकाशन के लिए जो पापड़ बेलने पड़ रहे थे, उसका अन्दाज उनकी वर्ष 1938 ई. की डायरी के पृष्ठों से होता है। इस वर्ष (1938 ई.) को 'चकल्लस' -वर्ष की संज्ञा देना उचित लगता है।

डायरी के पृष्ठों में अंकित अनेक नाम अथवा तथ्यों के विषय में यत्र-तत्र कोष्ठकों में टीका अंकित कर दी गयी है। —शरद नागर, 6.8.91

—डायरी—

1 जनवरी, 1938 : निश्चय किया है, आज से मैं भी अपनी जीवन-धारा में परिवर्तन लाऊंगा । मैं नहीं चाहता मेरे जीवन में किसी किस्म की भी फिजूलखर्ची आने पाये—और मैं इसकी चेष्टा करूंगा प्राणपन से ।

2 जनवरी, 1938 : 'जन्तर मन्तर' कहानी समाप्त कर दी गयी। आज निराला, नन्द दुलारे बाजपेई, राम विलास शर्मा, नरोत्तम प्रसाद नागर आदि आये थे । कहानी की प्रशंसा की बहुत । नरोत्तम प्रसाद से अखबार निकालने के लिए तय हुआ । एग्रीमेण्ट का मसविदा भी बन गया है ।

(याददाश्त के लिए नोट किया है : 20 रुपये राजू (स्व० राजकिशोर श्रीवास्तव) को दिये, 5 रु० क्लर्क को दिये, 17 रु० प्रेस को दिये ।)

3 जनवरी, 1938 : 'अल्लाह दे !' का तीसरा अंक निकल गया । आजकल मस्तिष्क स्थिर नहीं। मन न जाने क्या-क्या सोचता रहता है। फिर भी एक निश्चय पर हूं । मुझे कुछ न कुछ (पैसा) पैदा करना ही है । राजू यू. पी. सिनेटोन के लिए 'अलंकार' का कथोपकथन मुझसे लिखवाने के लिए लाया है। मैं लिखूंगा अपनी ट्रेनिंग के लिए, शायद पैसा भी मिले ।

4 जनवरी, 1938 : मकान बदलना है। दूसरा मकान देख भी आया, माता जी आदि सबको पसन्द है। किराया 11 रुपये मासिक निश्चय हुआ है।... चाहता हूं शान्ति और गम्भीरतापूर्वक रहूं ।

5 जनवरी, 1938 : आज दिन भर शुक्ला, अवध, इण्डियन, कर्माशियल और युनिर्वासिटी प्रेस के मालिकों से बातचीत करते ही बीता । मन भारी ही होता चला जा रहा है। मैं अपने परिवार का एक सुन्दर भविष्य देखने के लिए उत्सुक हूं ।

6 जनवरी, 1938 : आज 'हिजड़ा सम्प्रदाय' कहानी लगभग समाप्त कर

दी। (यह कहानी अप्रकाशित ही पड़ी रही—इसे बाबूजी ने 'बसन्ती' शीर्षक दिया ; 1987 में पहली बार यह कहानी 'एक दिल हजार अफसाने' संग्रह में सकलित हो सकी। बाबूजी के कथनानुसार निराला जी ने इस कहानी की बहुत प्रशंसा की थी। —श. ना.)। रूपनारायण जी की राय है कि 'जन्तर-मन्तर' के अन्तिम भाग को बदल दिया जाय। रूपनारायण जी ने 'मसखरा' नाम ('अल्लाह दे !' के स्थान पर पत्र का नया नाम) बतलाया। सबको ही पसन्द आया। 'अल्लाह दे !' का परिवर्तित नाम यही रखने का इरादा है। वह कहते हैं कि मैं एक छोटा सा प्रेस भी कर लूं। मैंने ज्ञान को (बालमित्र ज्ञानचन्द जैन को) इन सब बातों पर सलाह देने के लिए पत्र लिखा है। (श्री ज्ञानचन्द जैन 1936 में बी. ए. पास करने के उपरान्त दो वर्ष के लिए एल. एल. बी. की पढ़ाई करने के लिए आगरा चले गए थे।—श. ना.)। दिन अच्छा बीता। बार-बार यह बात मन में चोट कर रही है कि मैं शीघ्र ही कुछ (पैसा) पैदा करने लग जाऊं। फिजूलखर्ची भी सता रही है। इसे छोड़ना ही होगा। छपाई के लिए मैंने गिरिवर कृष्ण को एकदम साफ मना ही कर दिया है। वह आया था।

7 जनवरी, 1938 : सबेरे अधिक देर तक सोता रहा, इसी से कुछ लिखवा न सका। मैं अनुभव करता हूं कि यह बात कतई ठीक नहीं ; उसके बाद भी कोई ठोस काम न कर सका। हां, कई दिन से सोचते-सोचते आज सबेरे मैं गौरीनाथ काका जी (मालिक मकान) के पास मकान छोड़ने की सूचना देने जाने, का साहस कर सका, और ठीक कर भी दिया। आज दिन में राजू और गोविन्द (गोविन्द बिहारी खरे) के साथ डाइरेक्टर बी. एम. हैजले महोदय से उनकी इच्छानुसार मिलने गया। डॉयलोग लिखने का काम मिल गया है। शीघ्र ही लिखना शुरू भी कर दूंगा। श्री हैजले को 'अलंकार' के सम्बन्ध में मेरे 'सजेशन्स' पसन्द आये। उन्होंने लिख भी लिये।

न्यूमरालॉजी से गोविन्द ने बतलाया कि 'मसखरा' नाम ठीक नहीं, 'चकल्लस' लाभदायक है। यही रखा जाय। भगवान से प्रार्थना है कि वह मुझे सफलता प्रदान करें।

8 जनवरी, 1938 : 'हिजड़ा सम्प्रदाय' का शेषांश आज समाप्त हो गया। मकान भी बदल लिया। आज शाम को जब वहां भोजन करने बैठा तो अम्मा जी (नागर जी की दादी) ने कहा आज इस मकान में भोजन करने का संयोग था। दिन भर ब्रजभाषा के कवियों की कविता का अध्ययन करता रहा। समय बेकार बहुत खोया।

10 जनवरी, 1938 : आज ज्ञानचन्द का पत्र मिला। इसके बाद ही एका-एक मन उतावला हो उठा। इच्छा हुई कि फौरन ही आगरे भाग चलूं। कोई खास बात नहीं, फिर भी मन (में) न जाने क्यों बार-बार ज्ञान से मिलने जाने की प्रबल

उत्कंठा हो रही थी। कुप्रिन की 'यामा दि पिट' आज खरीद लाया। इसे पढ़ने की इच्छा बहुत दिन से मन में दबाये बैठा था। फिजूल-खर्ची बन्द करने का तकाजा मन में बड़ी प्रलयंकर हलचल मचाये हुए है। मैं क्यों पैसा बरबाद करूँ? मुझे क्या अधिकार है? मन बहलता ही नहीं। क्या करूं?

(याददाश्त में लिखा है: 10 रुपये राजू को दिये, 5 रुपये सिनेमा में फूंके। क्यों?)।

11 जनवरी, 1938 : 'चकल्लस' के मैटर के लिए नरोत्तम से बात-चीत हुई। बागची से डिजाइन बनवाने के लिए उसे 15 रुपये दिये गये हैं। इधर-उधर के डिस्कशन्स और 'यामा' पढ़ने के सिवा और कुछ नहीं किया।...

12 जनवरी, 1938 : बैंक से तीन सौ रुपये कोर्ट फीस जमा करने के लिए (सक्सेशन सर्टिफिकेट के लिए) निकाले। मैं आज पांच-छ: दिनों से यही सोच रहा हूं कि आखिर मेरे पास वक्त फिजूल क्यों हो गया और हो रहा है। मैं सच-मुच काम चाहता हूं। अब एक क्षण भी नष्ट नहीं करना चाहता।

13 जनवरी, 1938 : वकील महोदय को 260 रुपये कोर्टफीस के दिये। इसके अलावा दिन पूरा-पूरा बेकारी में ही कट गया। मन आज अत्यधिक उद्विग्न रहा।

14 जनवरी, 1938 : आज 'बिसाती' (गई-दि-मदार्स की बाबू जी द्वारा हिन्दी में अनूदित चार कहानियों का संकलन। —श. ना.) को भी पुस्तक का रूप मिल गया। कहानी संग्रह ('अवशेष'—श. ना) भी सरस्वती पुस्तक भण्डार, आर्यनगर, लखनऊ के प्रकाशन स्तम्भ पर निकालना तय हुआ। मैटर प्रेस में दे भी दिया गया।

15 जनवरी, 1938 : दिन भर अधिकतर साहित्यिक वार्तालाप में ही कटा। शाम को हम लोग शिया कॉलेज की ओर घूमने गये। कुछ अजीब मजा मिला। 'गोमा जी की बाढ़' ('गोमा की बाढ़' शीर्षक तथा मेघराज इन्द्र उपनाम से 'चकल्लस', वर्ष 1, अंक 5, 14 फरवरी, 1958 ई. में प्रकाशित। —श. ना.) शीर्षक कविता लिखी।

16 जनवरी, 1938 : 'मन्दिर' (फिल्म—श. ना.) देखी। मुझे कतई पसन्द नहीं। कला के इस उन्नति काल में भी न मालूम क्यों ऐसे चित्र अब भी बनते हैं। देश का रुपया क्या इतना अधिक फालतू है? 'कबाड़ियों के कन्हैया' शीर्षक कहानी शुरू कर दी है।

17 जनवरी, 1938 : 'चकल्लस' के डिजाइन (कवर एवं स्तम्भों के) बन कर आ गये। ऑल इण्डिया लिमिटेड एन्श्योरेन्स कम्पनी से विज्ञापन मिला, साथ ही साथ दूसरी बीमा कम्पनियों से भी आशा हुई।

मैंने अपने जीवन में, पूर्वजन्म के किसी पुण्य के बल पर, शरत् ऐसा महान् गुरु

पाया। शिक्षा मिली, सौजन्य मिला, परन्तु...हाय, फिर खो दिया। शरत् कल स्वर्गवासी हो गये। ओह दैव।

18 जनवरी, 1938 : शरत् के सम्बन्ध में एक लेख, उनका चित्र तथा उनके हस्ताक्षर 'माधुरी' में दिये। आज ज्ञानचन्द का एक पत्र भी इसी सम्बन्ध में मिला था।

19 जनवरी, 1938 : पैसे की चिन्ता दिन भर सताती रही।

20 जनवरी, 1938 : संयोगवश आज बिना घर में कहे ही 'कोरंथियन थियेटर' में 'दिल की प्यास' देखने चला गया था। रात बारह बजे लौटकर आया। घर में चिन्ता और सहमकर कुहराम-सा मच गया था। मन्नो (उन दिनों के घनिष्ट मित्र प्रेमनारायण मेहरोत्रा—श. ना.) भी इस वक्त आया। सचमुच आज मुझसे बहुत बड़ी गलती हो गयी।

21 जनवरी, 1938 : पैसे की चिन्ता। ओह कितनी विषम !!...कैसे प्रबन्ध करूं ?

22 जनवरी, 1938 : ...बीस रुपये मां से ब्लॉक के वास्ते लिये।

23 जनवरी, 1938 : 'शकीला की मां' ('चकल्लस', वर्ष 1, अंक 4, 7 फरवरी, 1938 ई. में प्रकाशित। —श. ना.) और 'नवाबी मसनद' ('चकल्लस' अंक 4, 5, 6, 7, 9, 12, 14, 15, 16, 17, 19, 21, 22, 24, 25, 26, 28, 31, 33 में धारावाहिक रूप से प्रकाशित।—श. ना.) का संशोधन किया। शरत् बाबू पर एक और लेख 'चकल्लस' के लिए लिखा पर वह पसन्द नहीं आया। ब्लॉक आज बनकर आ गये। केवल 'कवर' का बनना शेष रह गया है।

24 जनवरी, 1938 : कोई खास काम नहीं। केवल 'चकल्लस' की सामयिक चर्चा ही रही।

26 जनवरी, 1938 : प्रत्येक सम्पादक के पास 'चकल्लस' की सूचना भेजी गयी। आज दिन भर इसी में व्यवस्त रहा। शाम को रणजीत कृत 'तूफानी टोली' फिल्म भी देखी। रात को दो बजे तक 'डिस्पैच वर्क' किया।

27 जनवरी, 1938 : आज दिन भर 'एजेण्ट्स' को नोटिसेज भेजीं। 'बिजी डे' रहा। अच्छा लगा। प्रूफ भी ठीक किये।

29 जनवरी, 1938 : 'चकल्लस' की प्रारम्भिक तैयारियों में अच्छा दिन बीत रहा है।

31 जनवरी, 1938 : दिन भर मूड खराब रहा। रात को 'हार्ट ट्रबल' बढ़ गयी। परेशान हूं।

1 फरवरी : 1938 : काम में लगा हूं। 'चकल्लस' चलेगा, चिट्ठियों से यही विश्वास है।

2 फरवरी, 1938 : सम्मन कोर्ट से आ गये हैं (सक्सेशन सर्टिफिकेट से सम्बन्धित केस ।—श. ना.) । 19 तारीख को पेशी होगी । मैं कभी-कभी घबरा उठता हूं । क्या होगा ? मुझे पैसे की जरूरत पड़ रही है । 'चकल्लस' निकाल बैठा हूं । अब क्या करूं ? केवल ईश्वर ही मालिक है । वही लज्जा रखने वाला है, वही रक्षक है, वही दाता है ।

3 फरवरी, 1938 : 'चकल्लस' के प्रकाशन का आयोजन । आजकल मेरी समस्त शक्तियां 'चकल्लस' में ही केन्द्रीभूत हो रही हैं । ईश्वर से उसकी सफलता का प्रार्थी हूं ।

4 फरवरी, 1938 : 'चकल्लस' के अतिरिक्त शायद और कोई भी विषय आजकल मेरे पास डायरी में लिखने को नहीं है ।

5 फरवरी, 1938 (वसन्त पंचमी) : आज वसन्त है । किसी तरह भी आज 'चकल्लस' को निकल जाना था, पर नहीं हो सका । क्या बताऊं, प्रेस से तंग आ गया हूं । पैसे का प्रश्न अभी तक दिल कचोटता है, फिर भी न जाने क्यों अब तक फिजूलखर्च बना हूं ।

6 फरवरी, 1938 : प्रेस वालों से आजिज आ गया । आज मैंने खुद मशीन चलायी । काफी जोश में हूं । काश यह जोश मेरी जिन्दगी भर रहे । मैं पैसा पैदा करूं, पर उसे बुरी तरह खर्च न करूं, यही चाहता हूं ।

7 फरवरी, 1938 : 'चकल्लस' किसी तरह आउट किया ही । बड़ा परेशान रहा । प्रेस बदलने की स्कीम है । साहित्य मन्दिर से बातचीत हुई है, कल फाइनल सेटलमेण्ट होगा ।

8 फरवरी, 1938 : साहित्य मन्दिर से तय न हुआ । नवलकिशोर के चार्जेज बहुत 'हाई' हैं । शुक्ला प्रेस वाले 100 रुपये एड्वांस मांगते हैं । कहां से दूं ? अजीब परेशानी है ! ओह भगवान ! ...हरिशंकर शाम को आये थे । किसी तरह यह अंक निकल जायगा । उन्हीं को दिया है ।

9 फरवरी 1938 : दिन भर बाहरी डाक डिस्पैच करता रहा । सबेरे कहानी लिखी, कविता लिखी । दिन बड़ा 'बिजी' रहा । आज कालिदास कपूर (कालीचरण हाई स्कूल—जहां बाबू जी हाई स्कूल तक पढ़े—के हेडमाटर; हमारे दादा जी (बाबा जी– सं.) पण्डित राजाराम नागर के अभिन्न मित्र । —श. ना.) का पत्र मिला । मेरे लेख की प्रशसा की । उनकी इच्छानुसार उनसे शाम को मिला भी । उनकी इच्छा मेरे साथ एक 'स्कूल-बुक्स मैगजीन' निकालने की है । अच्छी स्कीम है । शायद साथ दूं ।

10 फरवरी, 1938 : नवलकिशोर प्रेस में 'टाइटिल' छपने दिया । बच्चे भाई (श्री ज्ञानचन्द जी मे जानकारी के अनुसार बच्चे भैये गांधी जी द्वारा चलाये गये आन्दोलनों के एक कार्यकर्त्ता थे ; बाग टोले में रहते थे; हमारे दादा जी के

मित्र थे ; कदाचित उनके यहां महाजनी का काम होता था ! —श. ना.) से 30 रुपये उधार लाया। क्या करूं ? काम करना ही है। यह अंक भी मंगल को आउट होगा।

11 फरवरी, 1938 : 'चकल्लस', स्वास्थ्य, चिन्ता—और आजकल डायरी में लिखूं ही क्या ?

19 फरवरी, 1938 : आज पेशी थी (सक्सेशन सर्टिफिकेट के प्रसंग में कचहरी में पेशी)। पर कुछ न हुआ। पेशी ...तक बढ़ गयी। चारों ओर अंधकार।

22 फरवरी, 1938 : पैसे की तंगी ने काफी सता रखा है। 'चकल्लस' बाहर जाने के लिए पड़ा है। रुपये की व्यवस्था कर रहा हूं।

23 फरवरी, 1938 : मुनादी के लिए कोर्ट से आदमी आये थे। आज बाहर डाक भेजी जा सकी।

24 फरवरी, 1938 : आशा थी आज रुपया मिल जायगा। परन्तु ओह ! कितनी बड़ी निराशा ! न मिला। प्रेस को 30 रुपये देने हैं। कहां से दूं ? चिन्ताओं की अब एक सीमा हो चुकी है।

25 फरवरी, 1938 : रुपया न दे सका। हाय !

26 फरवरी, 1938 : आज भी नहीं।

27 फरवरी, 1938 : किस्मत अजीब चक्र चला रही है। क्या लिखूं ?

28 फरवरी, 1938 (महाशिवरात्रि) : 40 रु. राजू से मिले से, मैं उसका आजन्म ऋणी रहूंगा। 20 रु. मन्नो से, 20 रु. बच्चे से। ओह भगवान ! शर्म से गर्दन नीची हुई जा रही है।

2 मार्च, 1938 : इच्छा होती है, मर जाऊं। शान्ति नहीं मिलती।

3 मार्च, 1938 : भगवान अभी लज्जा तुम्हारे ही हाथ है। देव, अब कृपा करो ! नाथ, बड़े कष्ट में हूं। दुखभंजन, शरण में हूं। अब यह वेदना असह्य है।

4 मार्च, 1938 : रुपये-पैसे की चिन्ता ने इस बार जितना अधिक मुझे दबोचा है उतना शायद किसी और समय नहीं। ओह ! भगवान ...।

5 मार्च, 1938 : आज मुझे बहुत दुःख रहा। पैसे की चिन्ता ने मुझे बरबाद कर दिया है। श्रीमान्...... वकील महोदय का पाजीपना भी जीवन में भूलने वाली चीज नहीं है। आज सर्टिफिकेट (सक्सेशन सर्टिफिकेट) मिल जाता।

6 मार्च, 1938 : इस आशा में कि कल 'सक्सेशन सर्टिफिकेट' मिलेगा, दिन मजे में बीत गया।.........वकील का पाजीपन सचमुच भूलने वाली चीज नहीं। वह मुझसे रुपया ऐंठना चाहता है। जैसे वह बेवकूफ, मुझे बेवकूफ समझता है।

7 मार्च, 1938 : सर्टिफिकेट तो आज मिल गया। बैंक से भी मिल गया।

परन्तु पोस्ट ऑफिस से अभी एनकैशमेण्ट का आर्डर नहीं मिला। क्या मजाक है! नीम से उतर कर बबूल में अटक गया! बैंक में करेण्ट एकाउण्ट खोल कर 500 रुपये का ओवर ड्राफ्ट लिया। प्रेस को 20 रुपये दिये, मुख्तार को 94 रुपये और घर में 40 रुपये।

8 मार्च, 1928 : दिन भर नवलकिशोर प्रेस और 'माधुरी' आफिस में ही बीता 'चकल्लस' के होलिकांक का प्रबन्ध करते। प्रेस को 90 रुपये दिये।

10 मार्च, 1938 : 'चकल्लस' का ही कार्यक्रम। राजू को 47 रुपये लौटा दिये।

12 मार्च, 1938 : 'चकल्लस' का होलिकांक आज प्रकाशित हो गया, इसकी मुझे बड़ी प्रसन्नता और संतोष है। और इससे भी बढ़कर ज्ञानचन्द के आ जाने से। आज मैं प्रसन्न हूं।

29 सितम्बर, 1938 : महीनों से डायरी बन्द है। 'भाभी अंक' 'चकल्लस' के जीवन में सबसे बड़ी सफलता थी, यही करना चाहता था। ... 'भाभी अंक' 29 अगस्त (1938) को निकला था।

1 अक्टूबर, 1938 : 'चकल्लस' में ही तीन हजार का लौस देकर आज उसे बन्द कर दिया। अब पुस्तकों की स्कीम है। 'पॉपुलर साइन्स' प्रकाशित करना चाहता हूं।

6 अक्टूबर, 1938 : अजीब मजे की जिन्दगी है; अजब नाच नाचना पड़ रहा है। देख रहा हूं कि जीवन धीरे-धीरे एक जटिल पहेली बन चुका है। पैसा, जी की हाय-हाय। परन्तु इससे कभी भी छुटकारा नहीं। 'खुदा का घर' लिखना चाहता हूं।......

7 अक्टूबर, 1938 : जिन्दगी का लुत्फ है उसके संघर्ष में। मैं भी आज लुत्फ उठा रहा हूं।

'चकल्लस' के प्रकाशित अंक

'चकल्लस' का पहला अंक वसन्त पंचमी' 5 फरवरी, 1938 को प्रकाशित करने का लक्ष्य था किन्तु यह उस दिन नहीं निकल सका। इसका प्रकाशन 7 फरवरी, 1938 को ही हो सका।

'चकल्लस' के इस प्रथम अंक पर वर्ष 1, अंक 4 अंकित है। इस सम्बन्ध में मेरे जिज्ञासा करने पर बाबू जी ने मुझे बताया था कि इस अंक पर संख्या पूर्व-प्रकाशित पत्रिका 'अल्लाह दे!' के विगत तीन अंकों की संख्या के क्रम में ही 4 रखी गयी थी। कदाचित किन्हीं व्यावहारिक कारणों तथा व्यावसायिक दृष्टि से ही 'चकल्लस' के प्रथम अंक में इसके पूर्वनाम 'अल्लाह दे!' का कोई जिक्र नहीं है। 'अल्लाह दे!' का तीसरा अंक उपलब्ध न होने के कारण इस बात की पुष्टि कर पाना संभव नहीं हो सका कि उसमें पत्रिका के नये रंगरूप में प्रकाशित होने के सम्बन्ध में कोई विज्ञप्ति दी गयी थी या नहीं। —शरद नागर)।

पं० अमृतलाल नागर की 1948 की डायरी के अंश

डॉ० शरद नागर

('सचेतक' के पाठकों को डॉ. शरद नागर द्वारा प्रस्तुत स्व. पं. अमृतलाल नागर की 'चकल्लस वर्ष की डायरी' से जो 'सचेतक' के 78वें अंक में छपी थी, उन कठिनाइयों का कुछ अनुमान लग चुका है जिनसे नागर जी को जूझना पड़ रहा था। डॉ. शरद नागर ने 31.5.92 के अपने पत्र में मुझे लिखा है :

"आदरणीय बाबू जी ने नियमित रूप से अपनी डायरी नहीं लिखी किन्तु डायरी उन्होंने सदैव अपने साथ रखी। 1970 के बाद तो वे सिर्फ छोटी-सी इंगेजमेन्ट डायरी रखते थे जिसमें केवल मुलाकातों/बैठकों/समारोहों को ही महज दर्ज करते थे। एक अच्छी बात यह है कि अपने प्रारम्भिक निर्माण एवं संघर्षकाल में, लम्बे अन्तराल के बाद ही सही—वह डायरी लिखते थे।"

डॉ. शरद नागर ने 1948 की नागर जी की डायरी की मई माह की प्रविष्टियां 'सचेतक' को भेजी हैं। 'सचेतक' उनका हृदय से आभारी है।

प्रविष्टियां 14 मई से 24 मई 1948 तक की हैं। मैं उन दिनों बम्बई में ही था। नागर जी की ये प्रविष्टियां बम्बई में आरम्भ होती हैं। अब आप डॉ. शरद नागर से मुखातिब होइए।—सं.)

यह (14 से 17 मई तक की—सं.) डायरी बम्बई में लिखी गई है। बम्बई से 17 मई 1948 को आगरा के लिए रवाना हुए थे। 18 मई को आगरा पहुंच गये थे।

आगरा से फिर 25 मई को लखनऊ के लिए रवाना हुए।

मुझे याद है कि मैं अपने होश में 26 मई 48 को लखनऊ पहुंचकर खुश हुआ था। इस यात्रा में हम सब···मैं, कुमुद भाई साहब, अचला, आदरणीय 'बा' (श्रीमती प्रतिभा नागर ··सं०), आदरणीय बाबू जी, हमारी आदरणीय नानीजी और सचित सिंह (अब आदरणीय बाबा) (समाजवादी पत्र 'संघर्ष' के एक कर्मी,

जो बाद में नागर जी के परिवार से जुड़ गये किन्तु जिन्हें स्व. नागर जी के पुत्र-पुत्रियां आदरपूर्वक बाबा कहकर सम्बोधित करते हैं—सं.) सब जने थे। इतनी बड़ी टिप्पणी यों अप्रासंगिक है, लेकिन चूंकि बातें याद आ गयीं, अतः टीप लेना जरूरी लगा।

...ये (डायरी के पृष्ठ—सं.) आदरणीय बाबूजी के संघर्ष और उस सक्रान्ति काल के पृष्ठ हैं, जब वे फिल्मी दुनिया को छोड़कर यू. पी. में बैठकर जमकर लिखने का संकल्प ले चुके थे। नया उपन्यास लिखने के लिए छटपटा रहे थे—श. ना.

प्रविष्टियां

14 मई : कल रात दस बजे मुंशी (वर्तमान 'सचेतक' सम्पादक···श. ना.) आ गये। बातें करने बैठ गये तो बारह बज गये। फिर यहीं सुला लिया। डेढ़ बजे तक बातें होती रहीं। इसका जीवन कितना सार्थक है! जो मानता है, उसके लिए निरन्तर कर्मरत रहता है। मेरा आलस्य वैभव, मेरी कर्महीनता···अपनी मान्यताओं के लिए इस तरह प्रयत्नशील नहीं।

आज कुछ भी नहीं किया। कलापी (गुजराती के प्रसिद्ध कवि; इन पर आदरणीय बाबू जी ने कई बार लिखने का मन बनाया पर लिखा कुछ नहीं) की पुस्तकें लाया।

अहमदाबाद के मिल मालिक जयन्ती भाई चाहते हैं कि पूंजीवाद के पक्ष में फिल्म कहानी लिखूं। बाबूभाई उनकी तरफ से सब्जबाग दिखाने आये। इनकी बुद्धिहीनता को क्या कहूं।

15 मई : मन का अवसाद जीवनधन के मणि-कलश पर काले विषधर के समान कुण्डली मारकर बैठा है। जीवनमणि की आभा से देह की द्युति बढ़ाने का मोह कभी क्षीण, कभी तीव्र और कभी तीव्रतम होता है।

प्रयत्न और संघर्ष भी उसी मात्रा से घटता-बढ़ता है।

'पांचवां दस्ता' (उस समय प्रस्तावित नया उपन्यास···श. ना.) का तंत्र सिद्ध करने में आज और गति हो रही है। देखो, कब सिद्ध होता है। कब उपन्यास लिखने बैठता हूं। काम में रम जाऊं तो ऊपरी राग-विराग से मुक्ति मिले।

हे प्रभु! हे माता!

16 मई : दिन श्रीयुत वीरेन्द्र भाई (फिल्म निर्माता वीरेन्द्र देसाई, अभिनेत्री नलिनी जयवंत के पति; इनके लिए अन्तिम फिल्म बाबू जी ने 'गुंजन' लिखी थी···श. ना.) के यहां बिताया। नरेन्द्र (सुविख्यात कवि पं. नरेन्द्र शर्मा···श. ना.) भी पूना से आये और सीधे वहीं मिलने के लिए आ गये। डॉ. शफदर (डॉ. शफदर 'आह' श. ना.) से मुलाकात हुई।

मन इस ख्याल से बंधा रहा कि कल (आगरा—सं.) जाना है; आना (बम्बई

आना श. ना.) आर्थिक रूप से नितान्त असफल हो गया—यह ख्याल ही पृष्ठभूमि में है। इससे उठकर मुक्त मन में रहना इच्छा के रूप में तड़प रहा है।

आज सरस्वती कुछ और जागी—उपन्यास (पांचवां दस्ता—श. ना.) की रूपरेखा बन रही है।

17 मई : सवेरे सौ. सुशीला जी (कविवर पं. नरेन्द्र शर्मा की पत्नी—श.ना.) से मिलने गया। सुशीला जी ने प्रतिभा (हमारी 'बा'—श.ना) के लिए साड़ी दी है। श्रीमती ओक (मराठी के कवि लेखक शामराव नीलकंठ ओक की पत्नी—श. ना.) ने अपने हाथ का बनाया चमड़े का कैंची केस प्रतिभा को दिया है। बड़ा सुन्दर है!

रतन (हमारे मझले चाचा जी स्व. रतनलाल नागर; फिल्म उद्योग में सिने-मैटोग्राफर—श.ना.) की महत्ता, अपने प्रति उसके प्रेम को देखकर, माते (हमारी दादी—श.ना.) का सरल हृदय पहचानकर, अपनी लघुता पर नजर डाली।

आज ट्रेन में बैठा हूं—गाड़ी रुकी है—फिर चलेगी—फिर चलेगी।

आगरा : 18 मई : शाम को वक्त से आगरा आ गया। कैन्ट पर बबन (कुमुद भैया—श.ना.) और संचित ('चकल्लस' के साथ 5 जनवरी 1938 को हमारे परिवार से डाक-पियन के रूप में जुड़े अब घर के सबसे बड़े बुजुर्ग 'बाबा' —श.ना.) आये थे। बबन (कुमुद भैया—श.ना.) पास हो गया···40वीं पोजीशन। शरत् (शरद—श.ना.) का दूसरा नम्बर आया। अच्चू (अचला नागर श.ना.) चौथी पोजीशन से पास हुई। यहां लखनऊ चलने की तैयारी है।

एक तरह से यहां आकर अच्छा लगा। बच्चे पास हैं—प्रतिभा हैं।

19 मई : कल ट्रेन में और आज दिन में साफ तौर पर उपन्यास की टैकनीक हाथ में आ गई। अब नाम 'खुदा का घर' ही रखूंगा। इसे पूरा करना ही चाहता हूं। अच्छा है कि 30 जून तक पूरा कर डालूं। देखो!

20 मई : आज चाहता था कि लिखूं। लेकिन शरीर एक-एक हड्डी पर टूटता रहा। बड़ी बेचैनी रही। न शुरू कर पाया। 25 को लखनऊ चलेंगे।

21 मई : ध्यान में आहट लिये बैठा हूं। आहट भी खो-खो जाती है—हर सहारा छूटता-सा दिखता है—ईश्वर मुझे मौत दे।

...आज शाम को उपन्यास का श्रीगणेश हो गया। जितना बोझिल और जटिल काम मालूम होता था, उतना आसान सधाव आया और उम्दा उठान आयी है। हे ईश्वर, अब तो लगकर इसे पूरा करा डाल।

22 मई : आज दो पेज बढ़ाये—

लखनऊ में व्यवस्थित रीति से बैठ जाने पर ही जमकर लिखना हो सकेगा। सामान की उठा-धरी में बीच मंडी में बैठकर लिखना बनता नहीं। फिर भी

अब राह नजर आने लगी। दिमाग अब उपन्यास के लिए लिखने में गति पाता है।

23 मई : आज लाला भाई इटावा से आ गये। आगरे काका जी से मिलने गया। और सब ठीक है।

लिखा कुछ भी नहीं।

लाला भाई ने कुछ नुस्खे दिये हैं।

24 मई 1948 : आज सुबह लखनऊ वाले राजेन्द्र नागर आये थे। बातें होती रहीं।

अभी लिखना नहीं बढ़ा।

रवीन्द्रनाथ ठाकुर

अमृतलाल नागर

[मैंने सन् '60 से पहले नागर जी से यह विनम्र आग्रह करना शुरू किया था कि हमारी 'बाल जीवनी माला' के लिए वह मुझे कोई पुस्तक लिखकर दें। काफी सोच-विचार के बाद तय पाया गया कि वह गुरुदेव रवीन्द्रनाथ ठाकुर पर एक पुस्तक लिखेंगे। उन्होंने सन् '62 में काम शुरू कर दिया। तीन अध्याय लिख भी डाले। पर तभी किसी उपन्यास का कथानक उनके मन में घुमड़ने लगा। अन्ततः अक्तूबर महीने में उन्होंने मुझे सूचित किया कि 'दूसरे कामों की व्यस्तता से विवश होकर' वह यह पुस्तक न लिख सकेंगे। अस्तु।

वह पाण्डुलिपि (साधारण कॉपी के लगभग 20 पृष्ठ) मेरे पास तब से सुरक्षित रखा है। नागर जी से पाण्डुलिपि वापस ले लेने की बात मैंने कई बार उठायी। वह कहते : "अपने पास 20 पन्ने पड़े रहने दो, तुम्हें काटते हैं क्या? ·· देखेंगे कभी आगे।" पर वह समय कभी नहीं आया।—मुंशी]

1

रविवार का रोज। दफ्तर, कचहरी, स्कूल, कॉलेज सब बन्द। आजादी का दिन—लड़के अपने घर के बड़े लोगों की साइकिलें उठाकर किसी यार-दोस्त के घर गप्पें मारने चल देते हैं या फिर छतों पर पतंगें उड़ाते हैं। कोई पत्र-पत्रिकाएं या रोचक किताबें पढ़ता है, कोई अपने छोटे भाई-बहनों पर रौब जमाता है। बहुत-से बच्चे सूनी सड़कों, गलियों, पार्कों या मैदानों में क्रिकेट का खेल जमा लेते हैं। लड़कियां भी छुट्टी के रंग में रँग जाती हैं, रेडियो से फिलमी गाने सुनती हैं या कोई मैगजीन किताब पढ़ती हैं या अगर घर में टेलोफोन हुआ तो अपनी फोन वाली सहेलियों से मगन मन बतियाती हैं। बहुत-सी लड़कियों को छुट्टी के दिन अपने स्कूल-कॉलेज की दीदियों, मास्टरनियों से आजादी मिलती है तो मां-चाचियां घर के काम-काज में बांध लेती हैं, इस पर लड़कियों को झुंझलाहट छूटती है तो बड़ी-बूढ़ियां किल-

किलाकर डांटती हैं जिससे कि लड़कियों के मुंह गुब्बारों-से फूल उठते हैं और आंखों से टपाटप मोतीराम जी की बारात निकल पड़ती है। रविवार का दिन घरों में बड़ी चहल-पहल का होता है, खाना भी दिन में दो-ढाई बजे से पहले नहीं मिल पाता।

मुझे दिन के भोजन के बाद घण्टे भर सोने की आदत है पर संदीप-संजीव के मारे रविवार को सो नहीं पाता। वे कहानी सुनाने का आग्रह करते हैं। वे दोनों अपने कुछ साथी-संगियों को भी बटोर लाते हैं। पिछले रविवार को कहानी के फेर में संदीप और संजीव के दो दल बन गये। संदीप पुरानी चाल की राजाओं वाली कहानी सुनना चाहता था और संजीव नई कहानी के पक्ष में था। दोनों के मित्र भी दोनों प्रस्तावों का समर्थन करने लगे। बहस छिड़ गयी।

मुझे छोटी-बड़ी जमुहाइयां आ रही थीं मगर बच्चों की बहस चूंकि मजेदार थी इसलिए नींद न आ सकी।

संजीव बोला : "पुरानी कहानियों में क्या धरा है, वही राजा-रानी, भूत-प्रेत, राक्षस-परी—"

"और नई कहानियों में वही कल्लू, मल्लू ..श्यामा, बीना और वही चांद-सितारे, रॉकेट-इंजन...।"

"तो भाई साहब आपको अपना नया जमाना पसन्द नहीं ? फिर तो ये बुश्शर्ट पतलून उतारिये, मोर-मुकुट पहनिये, घोड़े की सवारी कीजिये, पुरानी पंडिताऊ पोथियां पढ़ा कीजिये, और नये स्कूल में न जाया कीजिये। रेडियो मत सुना कीजिये, सिनेमा—"

"वाह, मैं जिस जमाने में रहता हूं उसका चलन क्यों न अपनाऊंगा ?" संदीप बोला, "पर नाना जी, इसके माने यह तो नहीं कि हमें पुरानी बातों और वस्तुओं पर ध्यान ही नहीं देना चाहिए। हर नई वस्तु पुरानी भी पड़ती है। पुराने न होते तो नये कहां से आते। इसलिए पुराने काल की जानकारी में हमें रुचि रखनी ही चाहिए। कम-से-कम मुझे अपने इतिहास और पुरानी बातों से भी ज्ञान मिलता है।"

मैं उठकर बैठ गया और बोला : "मैंने फैसला कर लिया। मैं एक ऐसी कहानी सुनाऊंगा जो पुरानी भी होगी और नई भी, सच्ची भी होगी और मजेदार भी।"

बस फिर क्या था ! बच्चे मेरे सामने और आसपास यों बैठ गये मानो कचालू-मटर, दही-बड़े की चाट वाले के सामने बैठे हों; भेद केवल इतना था कि चाट के दोने की प्रतिक्षा में बैठने वालों के मुंह में लार भरती है और इन कहानी के चटोरों की आंखों में वही लार-सी लालच उभर रही थी।

2

मेरी कहानी शुरू हो गयी···

आज से लगभग पिच्चानवे वर्ष पहले। कलकत्ते का जोड़ासाँको-महल देखो। बड़ी शान की सजावट है। कमरों में झाड़फानूस लटक रहे हैं, कालीनें, तोशक-तकिये लगे हुए हैं, मखमल मढ़ा कीमती विलायती फर्नीचर सजा है, संगमरमर के फर्शों पर पांव फिसलते हैं। चारों ओर नौकरों-चाकरों की चहल-पहल है। ड्योढ़ी पर दरबान बैठे हैं, मालिकों के कमरों के आगे हुकुम बजाने की ताक में सधकर खड़े हुए अर्दली दिखायी दे रहे हैं। नौकरों का सरदार ब्रजेश्वर शान से सबके काम पर निगरानी रखता हुआ डोल रहा है। बड़े मालिक का नाम देवेन्द्रनाथ ठाकुर है, इन्हें सब लोग महर्षि कहते हैं। कलकत्ता नगर के छोटे-बड़े सब लोग महर्षि का बड़ा आदर करते हैं। वे ब्राह्म समाज के बहुत बड़े नेता हैं। स्वामी रामकृष्ण परमहंस उनसे मिलने के लिए आते हैं। पण्डित ईश्वरचन्द्र विद्यासागर उनके आगे सिर झुकाते हैं। बड़े-बड़े अंग्रेज अफसर और विद्वान् उन्हें मानते हैं। चारों ओर ठाकुर घराने का बड़ा नाम है। ठाकुर वंश के जवान लड़के भी बड़े तेजस्वी और ऊंचे विचारों के हैं; कोई बंगला भाषा के साहित्य में रस लेता है तो कोई नाटकों में। इनमें से किसी के कमरे में साहित्यिकों का जमघट लगता है तो कहीं ड्रामा के रिहर्सल होते हैं, कहीं बड़े-बड़े दार्शनिकों और विचारकों की गम्भीर बातें होती हैं तो किसी कमरे में संगीत की साधना होती है। इस महल में जहां चारों ओर लक्ष्मी का चमत्कार दिखलायी देता है वहां ही सरस्वती का प्रताप भी छाया हुआ है।

घर में छोटों में छोटे हैं रवीन्द्रनाथ। धाय-नौकरों की निगरानी में अकेला बालक बैठा-बैठा अपने ही मन से खेला करता। कभी खिड़की के बाहर झांककर सड़क की चहल-पहल देखता, कभी घर के बगीचे में बैठा रहता, कभी घर के एक कोने में पड़ी दादी के समय की पुरानी पालकी में बैठकर कल्पना करता कि उसकी पालकी दूर-दूर देशों में चली रही है···कहीं परियां मिलती हैं, उनसे मीठी-मीठी बातें होती हैं, परियां खातिरदारी करती हैं, बच्चे का मन मगन हो जाता है; फिर कहीं अंधेरे में कल्पना लोक के पेड़ से झमाझम कूदकर नक्की सुरों में 'खाऊं-खाऊं' करते उल्टे पैरों वाले भूत-प्रेत आ जाते हैं। पहले तो बड़ा डर लगता है फिर एकदम छू मन्तर की फूंक मारकर बालक रवीन्द्रनाथ भूतों को उड़ा देता है। पुरानी पालकी में छिपा बैठा शिशु रवीन्द्र कभी अपने मन-ही-मन में जंगल के शेरों से लड़ता है तो कभी नदी के मगर से। ऐसे ही भोलेपन में दिन बीते जा रहे हैं। बच्चे की कल्पनाशीलता बढ़ती जा रही है। बालक बड़ा होता है। मास्टर पढ़ाने आते हैं पर बालक का मन पढ़ने में नहीं लगता। मास्टर पढ़ाने लगते हैं तो उसे

नींद आने लगती है। मास्टर कहते हैं, ये लड़का तो बिलकुल बुद्धू है। मास्टर बेचारे को क्या मालूम कि यह लड़का आगे चलकर गुरुदेव कहलायेगा और सारी दुनिया कवीन्द्र कहकर इस बालक के चरणों में अपना सिर झुकायेगी।

बालक रवीन्द्रनाथ का मन हरदम चहुंदिशि उड़ा-उड़ा फिरता है। घर की बड़ी-बूढ़ियों की बातें, नौकर-नौकरानियों की बातें, उनके अंधविश्वास, टोने-मंतर भूत-चुड़ैलों के चर्चे भी वह सुनता है, ब्रजेश्वर से रामायण भी सुनता है, बैरागी बाउलों के गीत सुनता है, घर में होने वाले नाटकों को देखता है, साहित्य की बातें, कविता की बातें, वेद-उपनिषद् की बातें भी सदा कानों में पड़ती रहती हैं। सुनते-सुनते उसका मन भी तरह-तरह की बातें सुनाने लगता है, तुक में तुक भी जुड़ जाते हैं :

"सिंगि मामा काटुम
आन्दिबोसेर बाटुम
उलकुट् ढुलकुट् ढैम कुड्कुड्
आखरोट बाखरोट खटखट खटास
पटपट पटास।"

इसी तरह बच्चा अपने मन ही मन बड़बड़ाया करता है। कहानियां सुना करता है। और क्या करे? इस बड़े महल के बड़े लोग बड़े-बड़े कामों में लगे रहते हैं, बच्चे रवीन्द्रनाथ की 'आखरोट बाखरोट खटास 'पटास' सुनने का अवकाश ही किसे है। आखिर बड़े-बडे काम करके ही तो इस ठाकुर वंश के लोगों ने पिछले सैकड़ों वर्षों में इतना विद्या-वैभव और धन-वैभव कमाया। इस वंश की कहानी भी बड़ी मजेदार है। बंगाल के इस नामी-गिरामी वंश के पुरखे हजार बरस पहले उत्तर प्रदेश के कनौजिया ब्राह्मण थे।

जोड़ासांको-महल के फर्राशखाने में एक कोने में पड़ी हुई दादी के वक्त की पुरानी पालकी विचारों और कल्पनाओं के लोक में सैकड़ों बरस पीछे के जमाने में दौड़ी चली जा रही है और होते-करते दसवीं शताब्दी के बंगाल में पहुंच जाती है। उस बंगाल का था एक राजा। नाम था आदिशूर। वह कन्नौज के महाराज वीरसिंह का दामाद था। बड़ा न्यायी, धर्मात्मा और प्रजापालक था।

उसके मन में यह बात आयी कि मेरी प्रजा के लोगों में प्रतिभा और बुद्धि तो बहुत है पर उनकी चेतना जगाने के लिए ऊंचे संस्कारों की आवश्यकता है। राजा ने दूसरी बात यह सोची कि जब तक सारे राजकाज को, राज के हिसाब-किताब को, बाकायदा लिखकर नहीं रखा जायेगा, आदेश लिखित रूप से नहीं दिये जायेंगे, तब तक भले से भला राजा भी अपनी प्रजा का भली-भांति पालन नहीं कर सकता। पुराने जमाने में जो लोग तपस्या द्वारा दर्शन प्राप्त करते थे, वेद-उपनिषद् विविध शास्त्रों को पढ़ने-पढ़ाने का काम करते थे, धर्म-कर्म यज्ञादि

कराते थे, उन्हें ब्राह्मण कहा जाता था। जो लोग सरकारी राजकाज के दफ्तर सम्भालते और लिखा-पढ़ी का काम करते थे उन लोगों को जैसे आज के जमाने में क्लर्क, सुपरिन्टेन्डेंट या सेक्रेटरी आदि शब्दों से पुकारा जाता है, पुराने जमाने में कायस्थ कहते थे। हमारे यहां एक समय में कर्म से ब्राह्मण, क्षत्रिय, वैश्य, शूद्र आदि वर्ग भेद बनते थे, आजकल की तरह जन्म से जातियां नहीं हुआ करती थीं। खैर, तो फिर राजा आदिशूर ने अपने ससुर कन्नौज के महाराज की सेवा में दूत भेजा और यह कहलवाया कि मेरे राज्य की भलाई के लिए अपने राज्य से कृपा करके पांच श्रेष्ठ ब्राह्मण और पांच उत्तम कायस्थ मेरे यहां भेज दीजिए।

महाराज वीरसेन ने भट्ट नारायण को ब्राह्मणों का मुखिया बनाकर उनके साथ चन्द्र, दक्ष, हर्ष और वेदगर्व नाम के ब्राह्मण और मकरन्द घोष, दशरथ बसु, कालिदास मित्र, पुरुषोत्तम और विराट गुहा नाम के पांच कायस्थ बंगाल के राजा के दरबार में भेज दिये। ये भट्ट नारायण ही ठाकुर वंश के आदि पुरखे थे।

भट्ट नारायण के सोलह सन्तानें हुईं। उनमें एक बड़े विख्यात शुद्ध श्रोत्रिय पण्डित हुए। उनका नाम तो नृसिंह था पर वे नानू पण्डित ही अधिकतर कहलाते थे। उनके समय में जागीर बढ़ी और ये लोग ठाकुर कहलाने लगे। ठाकुर माने स्वामी। भगवान को ठाकुर जी कहते हैं, राजे-सामन्तों और ब्राह्मणों को भी ठाकुर कहते हैं। हमारे यहां ज्यादातर ब्राह्मण को महाराज कहने का चलन है, बंगाल में बामन-ठाकुर कहा जाता है। नानू पण्डित ब्राह्मण और बड़े जागीरदार दोनों ही थे इसलिए ठाकुर कहलाने लगे और उनके बाद उनका वंश भी ठाकुर वंश बाजने लगा।

इस ठाकुर वंश में एक से एक नामी लोग हुए हैं। धरणीधर पण्डित बड़े नामी हुए। उनके पोते धनञ्जय ठाकुर बंगाल के राजा बल्लाल सेन के समय में न्यायाधीश थे। उनके समय से बंगाल में कुलीनपन्थी चली। कुलीनपन्थी दरअसल में कुछ नहीं बड़े लोगों का गुमान भरा चोचला था। धनञ्जय ठाकुर के हुकुम से यह कानून चला कि जो पांच ब्राह्मण और पांच कायस्थ परिवार कन्नौज या कान्यकुब्ज प्रदेश से बंगाल में आकर बसे थे उनका सामाजिक दर्जा औरों से ऊंचा माना जाय। उनके वंशज कुलीन यानी खान्दानी माने जायें।

इनके यहां द्वारकानाथ ठाकुर भी बड़े नामी हुए। वे बड़े सुन्दर थे, अंग्रेजी पढ़े-लिखे और बड़े शाहखर्च आदमी थे। उन्होंने कई बार योरोप और इंगलैंड की यात्रा की। महारानी विक्टोरिया और उनके पति प्रिंस अलबर्ट इनके खास दोस्त थे। अंग्रेज लोग उन्हें ऑनरेबिल प्रिंस द्वारकानाथ टैगौर कहते थे। भारत का 'ठाकुर' शब्द अंग्रेजों की जबानों पर 'टैगौर' बनकर चढ़ा। तब से ही ठाकुर वंश को टैगौर वंश भी कहा जाने लगा।...

उन्हीं ऑनरेबिल प्रिंस द्वारकानाथ टैगौर की पत्नी यानी अपनी दादी की

पुरानी पालकी में दुबक कर बैठे हुए बालक रवीन्द्रनाथ घण्टों पुरानी-पुरानी बातें, सुनी हुई कहानियां, गीत-भजन, अल्लमगल्लम न जाने कितनी बातें अपने मन-ही-मन दुहराया करते थे। पालकी में बैठे-बैठे जब ऊब जाते तो अपने शानदार महल की सीढ़ियों पर लगी पीतल की रेलिंग को मास्टर बनकर पढ़ाने लगते—"क्यों रे सबक याद किया ?"—'टन' रेलिंग पर मास्टर जी की छड़ी बजी। फिर मास्टर जी बोले : "अच्छा पढ़ो अ आ इ ई!" पीतल की पोली छड़ें, छड़ी की टोंक पर बोलीं : "टन टन टन टन !"

जैसे हमारे यहां चौमासे में अक्सर मथुरा-बृन्दावन से रास मण्डलियां आया करती हैं, वैसे ही बंगाल में जात्रा मण्डलियां चला करती थीं। कभी-कभी इनके महल में भी किसी न किसी जात्रा मण्डली के खेल हुआ करते थे। हमेशा तो नहीं पर किसी-किसी खेल के दिन बच्चों को भी नाट्य सभा में आने दिया जाता था। बड़े घर के बेटे होने के कारण रवीन्द्रनाथ के पास भी रुपयों की थैली रख दी जाती थी। खेल में जब कोई अच्छा काम करता तो उस पर रुपये उछाले जाते थे। पर बेचारे रवीन्द्रनाथ को तो नींद सताने लगती थी। अक्सर नींद में ही भोजन भी कराया जाता था।

पढ़ने से बड़ा मुंह चुराते थे। मास्टर की सूरत देखी नहीं कि कन्नी काटने लगते थे। मां के पास भागते, कहते कि सिर में दर्द है। मां हंसकर छुट्टी दिला देती। मास्टर कहते कि रवि बड़ा बुद्धू है। उन्हें क्या मालूम था कि रवि कवीन्द्र होगा।

बचपन के प्यारे-प्यारे भोले दिन बड़े होने पर बेहद याद आते हैं। अपनी सफेद दाढ़ी पर प्रेम से धीरे-धीरे हाथ फेरते हुए विश्व कवि गुरुदेव रवीन्द्रनाथ ने अपने बचपन के दिनों को बहुत याद किया है।

3

बड़ा अंधेरा है, अभी पौ भी नहीं फटी। सर्दी के दिनों में रजाई से बाहर निकलने को जी नहीं चाहता पर नौकर जगाने आ गया है। उठना ही पडेगा। सी-सी करते हुए बालक रवीन्द्र बिस्तर छोड़कर उठा और फिर दिन का कार्यक्रम चालू हो गया। महल के पिछवाड़े वाले भाग में अखाड़ा बना था। वहीं एक काना पहलवान बच्चों को कुश्ती के दांव-पेंच सिखाने आता था। जोर-कसरत करके, बदन पर अखाड़े की मिट्टी लपेटे, रवीन्द्रनाथ बाहर आते। देह पोंछकर ठीक तरह से वस्त्र पहन भी नहीं पाते थे कि मेडिकल कॉलेज का एक छात्र शरीर-बिज्ञान और स्वास्थ्यशिक्षा देने के लिए आ पहुंचता था। एक कमरे में मनुष्य की हड्डियों का एक ढांचा टांगा गया था और उसमें दिखा-दिखाकर बच्चों को हड्डियों के नाम

स्मरण कराये जाते। ड्योढ़ी पर घड़ियाल के घण्टे बजते टन-टन—सात। नीलकमल मास्टर घड़ी की सुई साधकर ठीक उसी समय आ पहुंचते। और बड़े घरों के लड़कों को आरम्भ से ही अंग्रेजी सिखलायी जाने लगती थी पर ठाकुर घराने का कायदा कुछ और था। रवीन्द्रनाथ के सँझले बड़े भाई हेमेन्द्रनाथ इस बात पर जोर देते थे कि बच्चे को जब अपनी मातृभाषा का ज्ञान भली भांति सधने लगे तभी पराई भाषा की शिक्षा देनी चाहिए। इसलिए रवीन्द्रनाथ को हिसाब-किताब भूगोल, प्राकृतिक-विज्ञान आदि की शिक्षा बंगला-भाषा में ही दी गयी। नौ बजे नीलकमल मास्टर से छुट्टी मिलती तो नौकर नहलाने के लिए ले जाता। उसके बाद भोजन करके रवीन्द्रनाथ स्कूल जाते। साढ़े चार बजे घर आते, तभी एक मास्टर जिमनास्टिक सिखाने आ जाते। उनसे छुट्टी मिलती तो ड्राइंग वाले मास्टर आ पहुंचते। फिर अंग्रेजी पढ़ाने के लिए अघोर बाबू मास्टर आते थे। पढ़ते-पढ़ते रात हो जाती। खा-पीकर लेटते तो नौकर या घर की कोई बड़ी-बूढ़ी कहानियां सुनाती—'एक था राजा एक थी रानी।...'

"पर दादा जी, रवीन्द्रनाथ तब इतने बड़े कवि कैसे बन पाये?" संजीव बोला।

"क्यों?"

"सारा दिन तो उनसे काम कराया जाता था और खेलकूद जरा भी नहीं, इससे तो लड़का बुद्धू और सुस्त बन जाता है! मास्टर साहब ने हमें अंग्रेजी की एक कहावत सुनायी थी: 'ऑल वर्क एण्ड नो प्ले मेक्स जैक ए डल बॉय।' हां, नाना जी, संजीव ने ठीक पूछा है। न क्रिकेट, न सिनेमा, न कोई सैर सपाटा—"

"हां हां, मैं समझ गया।" मैंने कहा। "असल में मैं तुम्हें यह बतलाना भूल गया था कि आज से लगभग सौ बरस पहले का जमाना कुछ और ही था।..." तब सिनेमा था ही नहीं। क्रिकेट, हॉकी, फुटबाल के मैच भी आज की तरह नहीं होते थे। लड़के गेंद-बल्ला, कबड्डी, गुल्ली-डण्डा वगैरा खेला करते थे। उस जमाने में हमारे यहां बिजली, पैट्रौल आदि का किसी को पता भी नहीं था। कलकत्ते में न मोटरें चलती थीं, न बस, न ट्राम। चाहे महल हो या झोंपड़ी हर जगह मोमबत्तियां या तेल के दीपक ही रात में जला करते थे। जैसे तुम लोग आजकल नंगे सिर घूमते हो वैसे उस जमाने में कोई घूम नहीं सकता था। बच्चे गोटे जरदोजी की मखमली टोपियां पहना करते थे। उस समय यह कहा जाता था कि सिर नंगा रहने से शैतान टीप मार देता है। उस जमाने में आइसक्रीम, चॉकलेट, टाफीज आदि का कहीं पता न था। कुल्फी, मलाई की बफ़, चने को लौज पपड़ी, चना जोर गरम आदि अपनी देसी चाल की चीजें आती थीं। और रवीन्द्रनाथ का घर तो जागीरदार का घर था, रोज ही तरह-तरह की मिठाइयां बना करती थीं। लेकिन बड़े घर में तो बच्चों पर नौकरों का राज होता है सो वे लोग कम देते थे। रवीन्द्र-

नाथ को सब चीजें कम-ही-कम खाने की आदत हो गयी। मनोरंजन भी वे अपने ढंग का खूब कर लेते थे। बड़े घर के बेटे होने के कारण कहीं बाहर खेलने नहीं जा सकते, घर में उनकी बराबर का कोई लड़का ही नहीं था। वे अपने ही मन से खेला करते। कभी सड़क-पड़ती बरामदे की छत से बाहर का दृश्य देखा करते। रवि बाबू इस छत को छुट्टी का देश कहा करते थे। सामने के घरों में लोगों को काम-काज करते देखते, सड़क पर फेरी वालों का आना-जाना देखते—"चूड़ीवाला! चूड़ियां मनपसन्द चूड़ियां।" ऊपर खिड़की से घर की बहू झांकी—"चूड़ी वाले ओ चूड़ी वाले, इधर आओ।' चूड़ी वाला 'आया बहू जी' कहकर उधर पहुंचा, बहू भी नीचे आयी। मनिहार चूड़ी पहनाने लगा। बाल रवि उसी का तमाशा देखते रहे। फिर 'डुग डुग डुग डुग' भालू या बन्दर के नाच वाले आ जाते, उन्हें देखकर रवीन्द्रनाथ का मन नाच उठता। वे अपने भाइयों में सबसे छोटे थे, सब भाभियों के देवर। वे इनसे छेड़छाड़ करतीं। इनसे सुपारियां कटवातीं क्योंकि ये बारीक सुपारी काटते थे। इनके घर गवैयों की मजलिस जुड़ती थी। रवीन्द्रनाथ का गला बड़ा सुरीला और मीठा था, बुद्धि भी तेज थी। एक-दो बार कोई राग सुनते तो चट से याद कर लेते। फिर इन्हें गाना सिखलाया भी गया। अपने चाचा और बड़े भाइयों द्वारा आयोजित नाटक देखते-देखते इनके मन में भी नाटक खेलने की इच्छा होने लगी। किशोर रवीन्द्रनाथ अपनी उम्र से छोटे भतीजे-भतीजियों, भांजे-भांजियों की मण्डली जुटाकर घर के एक गोल कमरे में फूल-पत्तियों से रंग-मंच सजाकर घर वालों को नाटक दिखलाया करते थे। इसी प्रकार खेल-खेल में इन्होंने अनेक कलाओं का अभ्यास कर लिया। अकेले बैठे-बैठे सोचते रहने की टेब ने इनकी कल्पना-शक्ति बढ़ा दी। इनके पिता महर्षि देवेन्द्रनाथ जब घर पर रहते तब अक्सर इन्हें अपने पास बैठाकर सरल भाषा में गायत्री उपनिषदों के मर्म समझाया करते थे। रवीन्द्रनाथ के मन पर उसका भी बड़ा गहरा प्रभाव पड़ा। बारह वर्ष की उमर में रवीन्द्रनाथ अपने पिता के साथ हिमालय भ्रमण करने गये। इनके पिता ने अपने ध्यान-मनन और पूजन हेतु एक निर्जन स्थान में एक घर और बाग बनवाया। नाम रखा था शान्ति निकेतन। हिमालय यात्रा के समय दो-चार रोज के वास्ते रवीन्द्रनाथ अपने पिता के साथ शान्ति निकेतन में ही ठहरे। यह स्थान उन्हें भी बहुत सुहावना लगा। संयोग की बात है कि जिस वर्ष रवीन्द्रनाथ का जन्म हुआ था उसी वर्ष उनके पिता ने शान्ति निकेतन स्थापित किया था। उस समय कौन जानता था कि आगे चलकर यह बालक शान्ति निकेतन का सन्त कहलायेगा!

लगभग इसी समय से रवीन्द्रनाथ कवितायें, नाटक आदि लिखने लगे थे। चौदह वर्ष की आयु में कवि ने 'वाल्मीकि प्रतिभा' नामक एक गीत-नाटिका लिखी। यह नाटक इनकी बाल-मण्डली ने खेला। बाहर के जान-पहचानी लोग

भी नाटक देखने के लिए बुलाये गये थे। कलकत्ता हाईकोर्ट के जज सर गुरुदास बनर्जी भी बच्चों का यह नाटक देखने आये। सर गुरुदास को यह देखकर बड़ा आश्चर्य हुआ कि इतना सुन्दर नाटक एक चौदह वर्ष के बालक ने लिखा है। उन्होंने एक कविता लिखकर बाल रवि को आशीर्वाद दिया।

यह सब तो खूब चलता था, पर स्कूल की पढ़ाई रवीन्द्रनाथ से बिलकुल नहीं चलती थी। घर में जो मास्टर पढ़ाने आते, वे भी इनके नाम को रोया करते थे। घर के बड़े लोग कहते कि खैर, लड़का बी. ए. एम. ए. भले ही न पास करे, पर चार भले आदमियों के बीच में अंग्रेजी बोलने लायक योग्यता तो होनी ही चाहिए। यह सोचकर इन्हें डिक्रूज साहब के अंग्रेजी स्कूल 'बंगाल एकेडेमी' में भर्ती कराया गया। वहां भी इनका यही हाल रहा। मास्टर जो पढ़ाते उसे एक कान से सुनते दूसरे से निकाल देते। कापीबुक के पन्ने कोरे-के-कोरे रह जाते थे। एक बार इनके लैटिन भाषा के शिक्षक ने डिक्रूज साहब से इनकी शिकायत की। वे मजाक उड़ाते हुए बोले—"अरे वो यहां पढ़ने थोड़े ही आता है; वह तो महीने के महीने फीस की रकम अदा करने के लिए आता है। उसकी चिन्ता मत करो!"

स्कूल के मास्टरों ने उनकी चिन्ता करना छोड़ दिया। पर घर के शिक्षक ज्ञानचन्द्र भट्टाचार्य महाशय ने इनके लिए एक उपाय खोज निकाला। स्कूली शिक्षा के बजाय वह इनकी साहित्यिक शिक्षा में लगे। महाकवि कालिदास लिखित 'कुमारसम्भव' उन्होंने जैसे-तैसे करके इनको रटा दिया। शेक्सपियर के 'मैकबेथ' नाटक का बंगला भाषा में इनसे अनुवाद कराया। रामसर्वस्व पण्डित ने इन्हें 'शकुन्तला' नाटक समझाकर पढ़ा दिया। कोर्स की किताबों के अलावा और सब कुछ पढ़ते थे।

इनका यह हाल देखकर घर वालों ने निश्चय किया कि इनको विलायत में शिक्षा दिलायी जायेगी। इनके मंझले भाई अहमदाबाद में जज थे। विलायत जाने से पूर्व विलायती वातावरण को समझने के लिए इन्हें वहीं भेज दिया गया।

लण्डन विश्वविद्यालय की कोई भी परीक्षा रवीन्द्रनाथ विधिवत् पास न कर सके। हां, वहां के अनेक विद्वान् प्रोफेसरों ने इन्हें अवश्य ही बहुत प्रभावित किया। इसके अलावा पूर्वी दुनिया और पश्चिमी दुनिया दोनों ही का दर्शन कर लेने के कारण मानवता के प्रति इनकी श्रद्धा और भी बढ़ गयी। रवीन्द्रनाथ डिग्रीधारी महाविद्वान भले ही न बन सके, पर अपने अध्ययन, लगन और श्रद्धा-भाव के कारण वे महामानव अवश्य बन गये।

4

"नाना जी, एक बात बतलाइये।" संदीप ने कहा।

"पूछो बेटे।"

"आखिर स्कूल की पढ़ाई में ऐसी क्या खराबी थी जो रवीन्द्रनाथ उसमें अपना जी नहीं लगा सके।"

"खराबी पढ़ाई में न थी। पढ़ाने वालों में थी। दुर्भाग्य से उ...

अपनी विनोदप्रियता...और मानवीय गुणों के कारण वे सबका मन सहज भाव से अपनी ओर खींच लेते थे। किसी का दुख तो वे देख ही नहीं सकते थे, उनके सेवाभाव को प्रेरित करने के लिए यह कतई जरूरी नहीं था कि वह व्यक्ति उनका परिचित या सफेदपोश भद्रजन ही हो। उनकी लोकप्रियता का अन्दाज सन् '35 में उनकी मृत्यु होने पर लगा। एक साधारण क्लर्क की अर्थी के साथ ढाई-तीन हजार व्यक्तियों का मजमा अकारण नहीं चल सकता था। चौक क्षेत्र का हिन्दू, मुसलमान, छोटा-बड़ा, हर वर्ग का आदमी उनकी मिट्टी के साथ था।

दास्तान एक इन्टर्व्यूं की

सोना शर्मा

'देश, धर्म और कौम'—यह था विषय जिस पर मुझे किसी एक मुस्लिम महिला सांसद से साक्षात्कार लेना था। श्रीमती मोहसिना किदवई को फोन मिलाया। उनसे सम्पर्क नहीं हो पाया। श्रीमती ताजदार बाबर को फोन किया। फोन उनके सुपुत्र ने रिसीव किया और बताया कि वह एक महिला प्रतिनिधि-मण्डल की आव-भगत में मसरूफ हैं।

श्रीमती नजमा हेमतुल्ला का नम्बर मिलाने पर मालूम हुआ कि वह आठ बजे के बाद घर पहुंचेंगी।

मैंने 8-30 बजे उन्हें पुनः फोन किया। सेक्रेटरी ने बताया कि उन्होंने अगले दिन सुबह 9-30 बजे फोन करने को कहा है।

अगले दिन दफ्तर पहुंची। हाजिरी रजिस्टर पर दस्तखत किये। समय देखा। ठीक 9-30 बजे थे।

फोन के सामने वाली कुर्सी पर सम्भल कर बैठ गयी। फोन को एक बार भरपूर निगाहों से निहारा। और चोगा उठा लिया। अपनी टेलीफोन डायरी में 'एन' से नजमा हेमतुल्ला, उपाध्यक्षा राज्य सभा, वाला पन्ना खोला और नम्बरों के अनुसार डायल घुमा दिया।

घंटी बजी। शरीर की नस-नस में झनझनाहट तैर गयी। इधर से आवाज आयी : "हैलो।" मैंने कहा, "मैं पैट्रियट से सोना शर्मा बोल रही हूं।" सुनायी दिया, "होल्ड ऑन।"

दिल की धड़कन और तेज हो गयी। एक या दो सेकेण्ड बाद ही महिला कण्ठ की आवाज आयी..."हैलो।"

"जी-जी मैं सोना शर्मा।...मुझे पैट्रियट समूह की पत्रिका 'गंगा' के लिए आपसे इण्टरव्यू..."

"देखिए, मैं आज दोपहर की फ्लाइट से देश से बाहर जा रही हूं। आप ऐसा

कीजिए कि ठीक 11-30 बजे यहां आ जाइए। वक्त बहुत कम है ! आपको समय दे रही हूं—नहीं तो आप पत्रकार लोग कहते हैं, 'मिनिस्टर्स आर एरोगैण्ट'।'

"शुक्रिया। मैं 11-30 बजे पहुंच रही हूं।"

कह तो दिया "11-30 बजे पहुंच रही हूं", पर पहुंचती कैसे...? न तो मेरे पास टेप-रिकॉर्डर था, न इतना समय कि दफ्तर में किसी से उसका जुगाड़ कर सकती। और तो और, नजमा जी से पूछे जाने वाले प्रश्नों की रूपरेखा तक तैयार नहीं थी।

यह तो मुझे मालूम था कि नजमा जी 7 अकबर रोड पर रहती हैं—अलबत्ता यह रोड है कहां, यह नहीं मालूम था।

सहकर्मियों से मदद मांगी। पूछा : "अकबर रोड कहां है? कौन-सी बस जाती है?" कोई इण्डिया गेट के पास बताने लगा, कोई सेक्रेटेरियट के पास, तो कोई विलिंगडन अस्पताल के पास। नतीजा यह कि एक अच्छी-खासी बहस छिड़ गयी दफ्तर में इस मुद्दे पर ही।

मैंने मन-ही-मन सोचा, अक्लमन्दी इसी में है कि कोई ऐसा रास्ता पकड़ा जाय, जिसका खुद को एकदम सही ज्ञान हो। अतः, सीधे घर का रास्ता पकड़ लिया।

दफ्तर से बस स्टॉप पर पहुंची, तो सेक्रेटेरियट को जाती बस दिखायी दी। लपक-कर चढ़ गयी। बस ने दो स्टॉप पार किये और पुल पर पहुंची। चढ़ाई थी, सो रफ्तार धीमी हुई। धीरे-धीर रफ्तार और धीमी हुई, फिर इतनी धीमी कि रुक ही गई। ड्राइवर ने इंजन बन्द कर दिया।

कारण पता चला कि आगे किसी झगड़े की वजह से ट्रैफिक जाम है; दिल्ली का ट्रैफिक जाम ! कतई अन्दाज लगाने की गुंजाइश नहीं कि ट्रैफिक कब खुलेगा ! और जब ट्रैफिक जाम हो, तो स्कूटर करो या टैक्सी, क्या फरक पड़ता है ! न स्कूटर आगे बढ़ सकता है, न टैक्सी ! आंखों के आगे अन्धेरा छा गया। सिवा सितारों के और कुछ नजर नहीं आ रहा था।

पूरे 10 मिनट बाद ट्रैफिक खुला और धीरे-धीरे बस के पहियों में जुम्बिश आयी।

सेक्रेटेरियट पहुंची ही थी कि देखा 'हरिनगर घण्टाघर' वाली हमारी पेटेंट 73 नम्बर बस रवाना हो रही थी। बेतहाशा दौड़ी। चलती बस का (मोड़ के पास जहां उसकी गति धीमी थी) डंडा पकड़ा—और ऊपर को छलांग लगा दी।

बस में पहुंचकर एक सीट पर जगह बनायी। जरा सुस्तायी। फिर कंडक्टर के पास जाकर उससे पूछा : "कितनी देर में घण्टाघर पहुंचा देगी ?" रोड ट्रैफिक कम हुआ तो 10-45 पर घर पहुंचा देगी।"

मैंने उसे बताया कि मुझे लौटकर 11-30 बजे अकबर रोड पहुंचना है। उसने कहा : "यही बस घण्टाघर में 10 मिनट के रेस्ट के बाद लौटेगी। अगर वापसी में आप सेक्रेटेरियट टर्मिनल से दो स्टॉप पहले उतर जायें, तो वहां से अकबर रोड के लिए स्कूटर मिल सकता है।" मैंने मन-ही-मन कण्डक्टर को उसकी भलमनसाहत के लिए धन्यवाद दिया।

बस ने ठीक 10-45 पर हरिनगर घण्टाघर पहुंचाया। घर पहुंचकर पहले हाथ-मुंह धोया। फिर अलमारी से टेप-रिकॉर्डर निकाला।

मेरे सौभाग्य से चाचा उस दिन घर पर ही थे। अत: पूछे जाने वाले प्रश्नों के बारे में उनसे कुछ टिप्स लिये। झटपट प्रश्न बनाये। चाचा को एक बार फिर दिखाये। प्रश्नों को साफ कागज पर उतारा।...और खिड़की से बाहर झांका।

हां, वही बस खड़ी थी। मैं भागी। स्टॉप पर पहुंची। कण्डक्टर ने मुझे देखते ही कहा : "आपके लिए ही रोक रखी थी। सोचा, पांच मिनट और आपका इन्तजार कर लें।" इस बार मैंने उसे मुखर रूप से हार्दिक धन्यवाद दिया। मैं सेक्रेटेरियट से दो स्टॉप पहले उतर गयी। घड़ी देखी। ठीक 11-30 बजा था। सामने दो स्कूटर खड़े थे। पर...दोनों ने अकबर रोड चलने से इन्कार कर दिया।

इतने में कहीं से आता एक स्कूटर कुछ दूर पर रुका; उससे सवारियां उतर रही थीं। मैं दौड़कर पहुंची।

स्कूटर वाला अकबर रोड चलने को तैयार हो गया।...

उसे अकबर रोड का ठीक-ठीक ज्ञान नहीं था। कुछ अन्दाज भर था।

स्कूटर अनजान रास्तों पर दौड़ने लगा, सांसदों के, मंत्रियों के, बड़े-बड़े बंगले। चौड़ी सुनसान सड़कें! सांय-सांय करती गर्म हवा। न कहीं कोई दुकान, न मकान। दूर-दूर तक न तो आदम, न आदमजात। पेड़ों से गिरते पीले पत्ते और कभी-कभी सर्राटे से गुजर जाती कारें, जिनके बोनट पर तिरंगा या किसी देश का छोटा झंडा फहरा रहा होता।

एक बंगले के सामने दो बन्दूकधारी सिक्यूरिटी गार्ड खड़े थे। सोचा, इन्हीं से पूछा जाय कि 7 अकबर रोड कहां है। उन्होंने जिस दिशा में इशारा किया उसी तरफ लपके। साढ़े ग्यारह बहुत पहले बज चुके थे। समय बड़ी तेजी से भाग रहा था। पहुंचे तो देखा एक बंगले के गेट के पास सफेद कांच पर काले अक्षरों में लिखा है : डॉ. नजमा हेपतुल्ला।

गेट के पास खड़े होकर देखा। सामने हरे-भरे पेड़ों की छोटी-सी वीथिका : एक ओर मखमली घास वाला बड़ा-सा लॉन।

मुख्य इमारत के पास एक छोटा-सा क्वार्टर था। सोचा, शायद सिक्यूरिटी वालों का दफ्तर है। अपने बालों पर हाथ फेरकर हुलिया ठीक किया। और, क्वार्टर की तरफ कदम बढ़ाये।

क्वार्टर के एक कमरे के दरवाजे पूरे खुले हुए थे। बाहर कॉल-बेल नहीं दिखायी दी, इसलिए कुण्डी खटखटायी।

अन्दर से काफी देर तक कोई आवाज नहीं आयी। झांककर देखा। भीतर एक चारपाई, मेज-कुर्सी, पंखा, मटका व कुछ कपड़े रखे थे। तो यह क्वार्टर चौकीदार का होगा, मैंने सोचा। कुण्डी फिर खटखटायी; इस बार जरा जोर से। टोह लेने लगी कि पैर घसीटता, चेहरे पर बेवजह परेशान करने की खीझ ओढ़े, कोई चौकीदार प्रकट होगा। लेकिन अन्दर अब भी गहरा सन्नाटा ही छाया था।

सोचा, यह जरूरी नहीं कि चौकीदार को अपने आने की सूचना दूं ही—वह भी तब, जब मुख्य अधिकारी से पहले समय ले लिया है। टेलीफोन पर मेरी तो खुद नकमा जी से बात हो चुकी थी। वह समय दे चुकी थीं। फिर झिझक किस बात की।

पत्रकार का स्वागत करना जरूरी शिष्टाचार होता है, फिर चाहे पत्रकार को इण्टरव्यू देने वाला मन्त्री हो या प्रधानमन्त्री। और मैं यहां पत्रकार की हैसियत से आयी थी। यह ख्याल आते ही मैंने अपना रुख बंगले की ओर मोड़ दिया। आंखों से तौलते हुए उसे गौर से देखा।

चौड़े चबूतरे की सीढ़ियों पर खूबसूरत पायदान पड़ा था। तरह-तरह के रंग-बिरंगे फूलों व कटावदार पत्तियों वाले छोटे-बड़े गमले। लकड़ी की चार-पांच कुर्सियां। काले शीशे की एक मेज (सम्भवतः मेरी ही प्रतीक्षा में)। प्रवेश द्वार के पीछे कीमती पर्दे लटक रहे थे।

मैं ज्यों ही क्वार्टर की सीढ़ियां उतर बंगले की ओर बढ़ी कि भीतर से कुछ गिरने की जोरदार आवाज आयी—जैसे पीतल की कोई वस्तु ऊंचाई से गिरी हो।

मैं ठिठक गयी। पीछे मुड़कर देखा। भूरे रंग की, चमकीली आंखों वाली, खूब फुर्तीली, दो कुत्तियां तेजी से झपटती मेरी ओर आ रही थीं। स्वभावतः, घबराकर मैं भागी। बंगले की सीढ़ियों पर पहुंची। फिर पलटकर देखा। जी हां, वे ठीक मेरे पीछे-पीछे ही थीं। मेरे हाथ-पांव फूलने लगे। करती क्या? पुचकारने के अन्दाज में उन्हें अपनी नेकनीयती का विश्वास दिलाना चाहा : आंखों ही आंखों में उन्हें समझाना चाहा कि मैं कोई ऐरी-गैरी लड़की नहीं, मेरे एकाध लेख छप चुके हैं, मुझे हिन्दी साहित्य का ज्ञान है, सुप्रसिद्ध पत्रिका 'गंगा' की प्रतिनिधि

हूं, बिना बुलाये नहीं आयी, बल्कि यहां तो मेहमान हूं।...लेकिन वे ढीठ थीं, बेहद ढीठ। कुछ भी समझने को तैयार ही नहीं। एक ने मेरे झोले पर झपट्टा मारा जिसमें टेप-रिकॉर्डर था, दूसरी ने मेरी चुन्नी का छोर अपने जबड़ों में दबोच लिया। बेशक, मैं इस तरह के स्वागत के लिए कतई तैयार नहीं थी। झोले व चुन्नी को अपनी ओर खींचती हुई फुसफुसाई : "हट हट। छोड़-छोड़ !" मेरे चेहरे पर से पसीने की धारायें बह रही थीं। लेकिन मेरी अनुनय-विनय ने उन्हें और भी शरारती बना दिया। उन्होंने चुन्नी छोड़ सीधे मुझ पर छलांग लगायी। उनके पंजे मेरे पेट पर थे। उनकी गर्म सांसें मेरी गर्म सांसों से टकरा रहीं थी।...इसी बेबसी में मैंने पूरी ताकत से बंगले की घण्टी दबा दी।

"कहिए ?"...पर्दा सर्दा सरका कर एक व्यक्ति प्रकट हुआ।

"जी, मुझे नजमा जी ने समय दिया है—इंटरव्यू के लिए।" मैं बिना रुके, एक ही सांस में कह गयी।

"आइए !" पास के एक कमरे की ओर इशारा करके वह व्यक्ति भीतर चला गया।

गैलरी पार कर, मैं कमरे में पहुंची। गैलरी से कमरे तक कालीन बिछा था। इस भव्य कमरे की दीवारों के किनारे-किनारे लम्बे सोफे रखे थे। मैं इन्हीं में से एक सोफे पर बैठ गयी।

दीवारों पर मौलाना आजाद, पण्डित जवाहरलाल नेहरू, गांधी जी व इन्दिरा गांधी की फ्रेम-जड़ी तस्वीरें थीं। सामने बड़ी मेज। अनेक देशी-विदेशी कलाकृतियों व सुन्दर चित्रों से स्थान सुसज्जित था।

पसीना पोंछते हुए मैंने सरसरी निगाह से उस स्थान को निहारा। टेप-रिकॉर्डर निकाला। नजमा जी के आने की प्रतीक्षा में दरवाजे की ओर देखने लगी।

अचानक पर्दा हिला...। लेकिन यह नजमा जी नहीं थीं, बल्कि उन्हीं शरारती कुत्तियों में से एक प्रकट हो गयी थी। उसे जरूर ही घर के खुफिया रास्तों का भी ज्ञान रहा होगा। आकर बड़े इत्मीनान से ठीक मेरे सामने बैठ गयी। उसकी तेज, सतर्क, भेदती निगाहें मुझे घूरे जा रही थीं, मानो कह रही हों—तुम समझती हो अब बच जाओगी।

यह स्थिति न जाने कब तक बनी रहती यदि नजमा जी ने प्रवेश कर, उसे डांट कर भगा न दिया होता।

स्वस्थ, गोरी, ऊंचे कद की डॉ. नजमा हेपतुल्ला मेरे रू-ब-रू थीं। मुझे कमरे में ले जाकर वह अपनी कुर्सी पर बैठीं। और मैं, उनकी मेज के दूसरी ओर रखी कुर्सियों में से एक पर !

साक्षात्कार के दौरान मेरे हर सवाल का जवाब उन्होंने बड़े विस्तार से दिया, बात को मानो अच्छी तरह समझाकर कहना चाहती हों।

यह वे दिन थे जब इलाहाबाद में अरुण गोविल (रामायण सीरियल के राम) पूरी सरगर्मी से कांग्रेस के चुनाव-प्रचार में संलग्न थे। अखबार भी इस खबर को सुर्खियों में छाप रहे थे।

कट्टरपंथियों द्वारा लोगों की धार्मिक भावनाओं के दुरुपयोग के सवाल पर जब वह अपने विचार प्रकट कर रही थीं, तो मौका देखकर मैंने पूछ ही लिया कि वह अरुण गोविल जी द्वारा चुनाव प्रचार को लोगों की धार्मिक भावनाओं का दुरुपयोग किया जाना नहीं मानतीं ? इस पर उन्होंने बहुत स्पष्ट और खुले रूप में कहा कि यह गलत है और इसकी निन्दा की जानी चाहिए।

यह इंटरव्यू 'गंगा' के सितम्बर 1988 के अंक में छपा है। नजमा जी ने व्यक्तिगत स्तर पर जो बातें मुझसे कही थीं, वे मैंने 'गंगा' में नहीं दीं। 'सचेतक' में इसलिए लिख रही हूं क्योंकि यह घर की पत्रिका है। नजमा जी ने जिस अपनेपन में बात करके मुझे सम्मान व प्रोत्साहन दिया—वह भी उनके व्यक्तित्व का एक महत्त्वपूर्ण पहलू है; इसका कतई उल्लेख न करना, शायद उनके प्रति ज्यादती होगी।

भारत में महिलाओं की तरक्की के प्रश्न पर उन्होंने बड़े उत्साह से मुझसे कहा : "हमारे देश की महिलाओं ने हर क्षेत्र में तरक्की की है। नजमा हेपतुल्ला यदि सांसद हैं, तो सोना शर्मा पत्रकार ! क्या यह हमारे देश के लिए नयी बात नहीं ? पहले भला इन क्षेत्रों में कितनी लड़कियां काम करती थीं ? पत्रकारिता के क्षेत्र में तो लड़कियां आम तौर से उभरती ही नहीं थीं।"

साम्प्रदायिक शक्तियों से लोहा लेने के लिए प्रशासन और प्रेस को एकजुट होकर काम करना होगा, इस पर बल देते हुए बोलीं : "हम और तुम हाथ मिलाकर काम करें, तो क्या नहीं कर सकते !" आदि-आदि।

इंटरव्यू के बाद, अन्य सामान्य बातों के साथ ही, उन्होंने पूछा : "सोना, तुम स्वतन्त्र लेखन भी करती हो ?" मेरा उत्तर सकारात्मक था। उन्होंने सेक्रेटरी को बुलाकर कहा : "इन्हें अपनी पत्रिका के अंक दो और इनके घर का पता नोट कर लो।"

उनके सेक्रेटरी ने तत्काल मुझे 'हमारी गोष्ठी' नामक पत्रिका के दो अंक लाकर दिये। इसकी सम्पादिका नजमा जी हैं। 1988 में जब गोर्बाचेव व उनकी पत्नी रईसा गोर्बाचेव भारत आये थे, तो रईसा जी ने इसके नवीनतम अंक का विमोचन किया था।

मैंने पत्रिका के अंक सम्भाले। नजमा जी भीतर चली गयीं। भीतर से उनकी आवाज सुनायी दे रही थी। वह बावर्ची को खाना लगाने को कह रही थीं।

सेक्रेटरी अब मुझे एक दूसरे कमरे में ले गया। वहां उसने एक डायरी में मेरे घर का पता नोट किया। इस कमरे से मैं निकली, तो बाहर अपने को ठीक उसी फ्लैट के सामने पाया, जिसमें मेरा 'स्वागत' उन मसखरी कुत्तियों ने किया था।

सो, अपनी पदचाप दवाये, निगाहें झुकाये, डरते-डरते, उस फ्लैट के सामने से निकल मैं चुपचाप गेट तक आ गयी।

गेट से सड़क पर और सड़क से उस स्टॉप पर मैं कब पहुंची, मुझे नहीं पता। मन से एक भारी बोझ उतर गया था और पैरों में पंख लग गये थे।

बेशक नजमा जी से मैंने अपनी 'रिसेप्शनिस्टों' की शिकायत नहीं की। पहली भेंट में शायद यह उचित भी न होता।

एक अनूठा इण्टर्व्यू

स्वाति शर्मा

सवेरे सात बजे, कड़ाके की सर्दी में छोटे बेटे टन्नू को तैयार करना काफी मुश्किल काम है। काफी प्रयास करने के बाद भी जब वह बिस्तर से नहीं निकला, तब मैंने जोर से कहा : "अरे तुम तो 94 वर्ष के बाबा से भी बुजुर्ग हो गये हो क्या? वह कसरत कर रहे होंगे और तुम यहां दुबक कर अंगूठा पीने के चक्कर में हो।" बस टन्नू फौरन उठ बैठे, फटाफट तैयार। यह जोश था स्वतंत्रता सेनानियों से मिलने का।

एक दिसम्बर की रात को पता चला कि जिन स्वतंत्रता सेनानियों का अभिनन्दन किया जा रहा है, वे आर्यसमाज धर्मशाला में रुके हुए हैं। रात को नौ बजे मैं और मेरे पति धर्मशाला रवाना हुए। बच्चों से कहा : "एक घण्टे में आ जायेंगे।" चलते समय टन्नू फिर अटके : "डर लगता है!" मैंने कहा : "तुम्हें पता है किन लोगों से मिलने जा रहे हैं? कितने निडर थे वे लोग और तुम्हें घर में डर लग रहा है?" आगे टन्नू कुछ न बोले। खिसियाकर सफाई दी, "मैं नहीं डरता, भैया डरता है।" खैर, धर्मशाला पहुंचे तो पता चला सब लोग कवि सम्मेलन में गये हैं! वहां पहुंचे। एक पर्ची पर अपना नाम-पता लिखकर मंच पर पहुंचा दिया।

श्रीमती भगवान दास माहौर मंच से उतरकर आयीं और बहुत प्रेम से मिलीं। इस बार वह बहुत पतली हो गयी थीं, इसलिए मुझे पहचानने में कुछ समय लगा। आगरा में जब वह माहौर चाचा जी के साथ आयी थीं, तब बहुत मोटी थीं।

कुछ मिनट बाद ही श्री सदाशिव राव चाचा भी मंच से उतर कर आ गये। मैं उनसे पहली बार मिल रही थी। मुझे लगा मेरे सामने बड़े चाचा खड़े हैं। उसी तरह कुछ ऊंचा सुनने की आदत; अति प्रसन्न भाव से हंसना। सदु चाचा जी बहुत फुर्ती में चलते-फिरते नजर आये। मैंने उन दोनों से घर आने को कहा। माहौर चाची जी ने कुछ व्यस्तता का बहाना-सा करना चाहा। पर, सदु चाचा जी सहर्ष तैयार हो गये। वह बातें करने को बहुत उत्सुक थे। बोले : "जरूर आऊंगा।

जरा राम विलास और भगवान दीन की बातें होंगी।" फिर मेरे कान के पास मुंह लाकर रहस्य-सा खोलते, धीरे से कहा : "दरअसल बताऊं, मुझे नहीं पता, भगवान दीन के कितने बच्चे हैं और कहां-कहां हैं ?" इतना आनन्द आया यह सुनकर कि, जिनके लिए हमेशा आदरसूचक शब्द सुनते रहे हैं—बड़े चाचा, ताऊ जी, नाना जी, बाबा—उन्हें भगवानदीन कहने वाले भी मिले ! और वह भी उनके ही सहपाठी !!

दो दिसम्बर को मैं अकेले धर्मशाला पहुंची। माहौर चाची जी ने मुझे दूर से देखा और उठकर चली आयीं। सदु चाचा जी बोले : "अभी आता हूं 5 मिनट में नहा कर।" वाकई वह बहुत फुर्ती से तैयार होकर आ गये। इसी बीच श्रीमती पृथ्वीसिंह आजाद से भी बातचीत हुई।

वहीं आगरा के नेता श्री रामसिंह जी भी आ खड़े हुए। मुझसे पूछा : "आपके पति किस सर्विस में हैं ?" मैंने बताया, "इंजीनियर हैं सिंचाई विभाग में।" श्री रामसिंह बोले, "तब क्या है ? बादशाह हैं !" यह छवि है सिंचाई विभाग की ! मैंने कहा, "आपकी जानकारी को बता दूं कि 'बादशाह' बस से रोज कामा (55 कि. मी. दूर) आते-जाते हैं और मैं सब काम स्वयं हाथ से करती हूं।" श्रीमती आजाद बोलीं, "मैं बर्तन तो नहीं मांजती, पर सारे घर की सफाई और खाना खुद बनाती हूं।" बाबा पृथ्वीसिंह आजाद बोले, "तुम चंडीगढ़ आओगी तो दिक्कत नहीं होगी, खूब झाड़ू-पोंछे का काम मिल जायेगा।" इसके बाद एक जोरदार ठहाका लगा। श्रीमती माहौर ने भी कहा, "मेरे यहां भी परेशानी नहीं होगी क्योंकि मैं भी सब काम हाथ से करती हूं।" इसके बाद मैं, सदु चाचा जी एवं माहौर चाची जी तांगे से घर चले।

घर पर 'घर की बात' निकाली गयी और 'सचेतक'-भण्डार भी। खाना समय से खा लिया गया। पर बातों में समय ही न पता चला कि कब सवा दो बज गये।

दोनों को रिक्शे तक विदा किया और तय रहा कि मैं और मेरे पति उन्हें रात को लेने जायेंगे। उस दिन श्रीमान भी मोटर साइकिल से कामा गये, जिससे जल्दी लौट आये। शाम के सात बजे जैसे ही लौटे, साढ़े सात बजे हम धर्मशाला पहुंचे। देखा सब लोग खाना खा चुके हैं। सदु चाचा जी और माहौर चाचा जी से लोग मजाक कर रहे थे : "खाना खा लीजिए। लेने वाले नहीं आये तो ?" हमें देखकर चाचाजी बोले : "देखिए, लेने वाले आ गये !"

मैं और चाचीजी रिक्शा से और सदु चाचाजी मोटर साइकिल पर श्रीमानजी के साथ रवाना हुए, घर को। हमारा रिक्शा जब तक पहुंचे, चाचाजी ने टन्नू से बात कीं; नाम, नाम का अर्थ और भी कई बातें। उत्तर सही पाकर वह बहुत प्रसन्न हुए। और, घर पहुंचते ही मुझसे बोले : 'स्वाति, मैं खुश हू कि तुम बच्चों

को सही शिक्षा दे रही हो।" कुछ देर बाद मेरे पूज्य श्वसुरजी एवं जेठ-जिठानीजी भी आ गये।

सभी की इच्छा थी कि चाचाजी कुछ सुनायें। बच्चों का विशेष आग्रह देख कर उन्होंने कहना शुरू किया जिसे मैंने टेप कर लिया।

उन्हीं के शब्दों में : "मुझे आज बड़ी प्रसन्नता है कि मैं आज यहां अपने झांसी के डा. रामविलास शर्मा की पुत्री स्वाति के घर में उनके बच्चों के साथ बैठा हूं; बड़ी-बड़ी प्रसन्नता है। बहुत दिनों—बहुत दिनों—के बाद यह मुलाकात हुई है। इसलिए बहुत प्रसन्नता का अनुभव कर रहा हूं।" मैंने कहा, "हम सबको भी बहुत खुशी हुई है आपसे मिलकर। अब आप कुछ बताइए कि आपका, आपके क्रान्तिकारी साथियों का जीवन कैसा रहा है। बच्चे आपके संस्मरण सुनने को उत्सुक हैं!"

सदु चाचाजी : "बच्चो सुनो! हमारी अवस्था थी आप जैसी। दस-बारह साल के। सरस्वती पाठशाला के हम विद्यार्थी। और, सरस्वती पाठशाला में होते थे आपके नाना डा. रामविलास शर्मा के बड़े भाई भगवान दीन शर्मा—यह हमारे क्लासफैलो थे। अवस्था में वह भले ही हमसे दो साल बड़े होंगे पर यह हमारे थोड़े गाइड थे और कुछ समझाते भी थे, क्योंकि मैं उनसे अवस्था में छोटा था। हमारी सरस्वती पाठशाला राष्ट्रीय आन्दोलन का एक केन्द्र थी और वहां हमारे मास्टर लोग भी अच्छे थे।

"एक मास्टर रुद्रनारायण थे जो सबसे अच्छे थे। वह लड़कों को खेलाना, कुदाना, पढ़ाना, चित्रकला सभी कराते थे। लेकिन उस समय हमारा देश गुलाम था! गुरु की यह इच्छा थी कि लड़कों में ऐसी देशप्रेम की भावना भरें कि ये लोग देश के लिए लड़ने, मरने को तैयार हो जायें, क्योंकि वह जानते थे कि जब तक आम लोग नहीं लड़ेंगे, तब तक आजादी नहीं मिलेगी। पता नहीं ब्रिटिश साम्राज्य कितना बड़ा है।

"नौ अगस्त उन्नीस सौ पच्चीस। ध्यान रखेंगे आप। इस दिन—लखनऊ के पास एक स्टेशन है, काकोरी—यहां दस आदमियों ने मिल करके एक रेलगाड़ी रोक ली और, रेलगाड़ी रोकने के बाद, उसमें टिकट का जो पैसा था—उन दस आदमियों ने सोचा था, पैसा ज्यादा होगा, पर पैसा थोड़ा निकला—तो उस रुपये-पैसे को उन दसों ने लूट लिया। उससे क्या हुआ कि अंग्रेजी जो विदेशी सरकार थी, उसने धर-पकड़ शुरू कर दी—जो देशभक्त लोग थे, उन लोगों की। केस चला। चार आदमियों को फांसी दे दी (गयी)। कुछ लोगों को दस साल, किसी को बीस साल सजा दे दी गयी। उनमें जो है (सो) अपने कुछ साथी भी थे। उन्हीं में एक चन्द्रशेखर आजाद भी थे दस आदमियों में से, जिन्होंने ट्रेन लूटी थी। ट्रेन लूटने में एक आदमी की मृत्यु हो गयी थी। मैं उनमें नहीं था, बहुत छोटा था।

पर चन्द्रशेखर आजाद से मेरा परिचय हो गया था ।

"धर-पकड़ शुरू हुई, तो चन्द्रशेखर आजाद भाग कर सीधे मास्टर रुद्रनारायण सिंह के पास आये झांसी में जो कि हमारे गुरु थे। मास्टर रुद्रनारायण बहुत होशियार थे। झांसी के पास सासर एक नदी है—छोटी-सी—उस पर ठाकुर की एक छोटी-सी कुटिया थी, जहां पत्थर लगाकर उन्होंने हनुमानजी की एक मूर्ति लगायी थी पूजा करने को। और ओरछा के स्टेशन के पास ही उन्होंने एक ब्रह्मचारी के भेस में चन्द्रशेखर आजाद को वहां रख दिया और कहा, 'तुम साधू के भेस में यहां रहो।' दूसरे आदमी वहां पर कभी उन्हें मिलते, तो मास्टर साहब—जो बड़े चतुर थे—लोगों से कहते यह ब्रह्मचारी बहुत पहुंचे हुए हैं; एक बार कह देते हैं वही काम हो जाता है। लोग उनकी बड़ी श्रद्धा करने लगे। छोटे बच्चों को वह गांव में पढ़ाने जाने लगे।

"उन दिनों रियासतें होने के कारण हथियार रखने पर कोई पाबन्दी नहीं थी। पास में ठाकुरों के घरों में बन्दूक वगैरह भी थीं। आजाद को अच्छा मौका मिल गया—हथियार चलाना सीखने का, बन्दूक चलाने का भी। उन्होंने अच्छा अभ्यास कर लिया। मैं जानता हूं हमारे स्वर्गवासी साथी डॉ. भगवानदास माहौर और स्वर्गीय विश्वनाथ वैशम्पायन और एक साथी विजय कुमार सिन्हा और हमारे शिव वर्मा को भी उन्होंने कभी-कभी वहां बन्दूक चलाना सिखलाया है।

"वहां कुछ गड़बड़ी ऐसी हुई कि एक साधू जो और रहता था वहां, उसने बन्दूक से आत्मघात कर लिया। अब तो पुलिस पूछताछ करने को आ गयी। पुलिस जो है उसने हमारे साधूजी, जो चन्द्रशेखर आजादजी थे, उनसे पूछताछ की। इन्होंने बहुत कहा कि 'देखा भई हम तो आजाद हैं, साधु हैं, साधू का कोई घर नहीं होता।' लेकिन पुलिस कब मानने वाली थी। बोली—'साधू महाराजजी, हमें आपसे कुछ कहना नहीं हैं। हमें तो नाम, गांव, लिखना है। लिख लेने दीजिए। हमें तो बस खानापूरी करनी है। बस।' आजाद ने कुछ और नाम बता दिया और उनसे छुट्टी पायी।

"इतना मैं तुम्हें बता दूं पहले से कि आजाद शरीर से खूब अच्छे थे। हटटे-कट्टे। रंग गेहुंआ था। चेहरे पर चेचक के दाग। वह डंड-बैठक और जो अपनी भारतीय कसरत होती है, नियम से करते थे। वह शरीर से कैसे थे, इसका उदाहरण मैं आपको अलग से दूंगा। पर यहां पर तो यही कहूंगा कि जब पूछताछ हुई, तो वह सीधे मास्टर रुद्रनारायण के पास झांसी फिर आ गये।

"मास्टर साहब की जान-पहचान का एक ड्राइवर था—रामानन्द। उससे कहा—'तुम लोगों से कह दो, तुम्हारा भाई आ गया है; काम-वाम करता नहीं है, नटखट है; इसे मोटर मैकेनिक का काम सिखायेंगे।' वह भी मान गया।

"इस प्रकार आजाद वहां उसके साथ रहे और अच्छे मैकेनिक भी बन गये

और दो बार जाकर एस. पी. से लायसेन्स भी ले आये।

"इनके ऊपर ब्रिटिश सरकार ने पांच-पांच, दस-दस हजार के इनाम लगा दिये थे।

"हमारा काम क्या था और हमारे साथियों का ? जो काकोरी केस चल रहा था उसके बारे में अखबार में जो भी छपता था उसकी कटिंग वगैरह दे देना, या फिर अंग्रेजी में जो आता था वह उनको जाकर समझा देना कि इस तरह केस चल रहा है। वह जगह झांसी से करीब आठ मील दूर होगी। तो कभी-कभी पैदल चले जाते थे। कभी अकेले भी जाना पड़ा था।

"शक्ति की बात देखिये। बैठक लगाते ही थे। उनकी माताजी भी बड़ी अजीब थीं। उनके साथ मैं रहा हूं। एक बार मुझे बुखार आ गया। तो आजाद की माताजी को मैं 'अम्मा' कहा करता था, आजाद भी 'अम्मा' कहते थे। तो अम्माजी ने मुझे डांटा और कहा, 'बुखार आ गया, बुखार आ गया ! लड़के को कहीं बुखार आता है ? लगा सौ डंड अभी। अभी बुखार भग जायेगा। पसीना निकल जायेगा, सब भग जायगा।' इस तरह की उनकी माताजी थीं और इसी तरह आजाद भी थे कि कभी उनको बुखार हुआ तो डड पेलना शुरू कर देते थे—जब तक पसीना नहीं आ जाता था लगाते रहते और बुखार भग जाता था।

"अब एक और बात देखिये। जब आजाद मोटर मैकेनिक बन कर रह रहे थे, एक मोटर में हैण्डिल लगता ही नहीं था। सब लोग हार गये। इनको अपनी शक्ति का बड़ा घमंड था कि—देखें कैसा हैण्डिल है (जो) लगता नहीं है ! अब इन्होंने जैसे ही घुमाया तो हैण्डिल लगता ही नहीं था। इन्होंने सोचा—अब अगर नहीं लगा तो सब कहेंगे बड़े तीसमारखां बनते थे, कुछ नहीं हुआ !

"तो आजाद ने पूरे जोर से हैण्डिल जब घुमाया तो हैण्डिल वापस लौटा और लौटने पर क्या हुआ (कि) दाहिने हाथ की कलाई की हड्डी टूट गयी।"

"टूट गयी और मोटर मैकेनिक शीघ्र ही अस्पताल ले जाया गया। अब हड्डी बैठाना डॉक्टरों का काम। डॉक्टर पहले क्लोरोफार्म देगा। और इन्होंने सोचा—बेहोशी की हालत में क्या पता मैं क्या बक जाऊं ! नतीजा यह भी हो सकता है कि पुलिस पकड़ ले और फांसी लगा दे। लिहाजा इन्होंने मना कर दिया—'मैं क्लोरोफार्म नहीं लूंगा, मैं बेहोश नहीं होऊंगा।'

"डॉक्टरों ने बहुत समझाया कि अच्छा तुम राम-राम कहो। अब राम में इनका विश्वास नहीं, न भगवान में। डॉक्टर ने कहा—'अरे कुछ तो कहो, गिनती ही गिनो।"

"वह बातचीत चल ही रही थी कि डॉक्टर ने हड्डी बैठा भी दी। वह जानता था कि आदमी है कुछ अजीब, पहले तो हाथ की हड्डी तोड़ ली; अब कहता है, बेहोश नहीं होऊंगा। इसलिए बातों के दौरान ही हड्डी बैठा दी।"

"तो ऐसे शक्तिशाली थे हमारे आजाद। झांसी में फिर उनका संपर्क भगत सिंह से हुआ और यह लोग कभी दिल्ली, कभी आगरा और कानपुर सभाओं में जाते थे।

"और अन्त में एक छोटी घटना और सुनाता हूं। क्या हुआ (कि) एक मीटिंग हुई। उसमें भगतसिंह ने प्रस्ताव रखा कि यह जो हमारी छोटी-सी टुकड़ी है, वह भारतीय प्रजातंत्र संघ है। इसमें संशोधन किया गया। इन लोगों ने नाम रखा : भारतीय समाजवादी प्रजातंत्र संघ। यह सरदार भगतसिंह ने नाम रखा। और, लोगों ने मान लिया। हमारे इसमें जहां भगतसिंह विद्वान थे, वहीं हमारे आजाद मैदान में बन्दूक चलाने में होशियार थे। एक-दूसरे के पूरक थे। इस प्रकार दोनों के नेतृत्व में हमारी टुकड़ी काम करने लगी।

"अंग्रेजों ने कहा—यह भारतीय लोग भी भला शासन क्या कर सकते हैं! तो उन्होंने एक सायमन कमीशन भेजा। इसका लोगों ने बड़ा विरोध किया, प्रदर्शन किया। अंग्रेजों ने लाठियां बरसायीं। लाला लाजपतराय इनके नेता थे। अंग्रेजों ने लालाजी पर दो लाठियां कस कर बरसायीं। नतीजा यह हुआ कि लालाजी का देहान्त हो गया 28 नवम्बर सन् 17 को।"

"सारा देश शोक में डूब गया। बड़ी-बड़ी सभाएं होने लगीं। कलकत्ता में सी० आर० दास की पत्नी ने एक सभा में कहा : 'मालूम होता है हमारे नवयुवकों ने हाथों में चूड़ियां भर ली हैं!' भगतसिंह उस मीटिंग में बैठे हुए थे। भगतसिंह के हृदय में तो यह सुनकर आग लग गयी।

"सीधे झांसी आये और आजाद को लिया और मीटिंग की—सुखदेव, राजगुरु भी साथ थे—कि जिसने लालाजी की हत्या की है उसे खतम करना है।

"ठीक एक महीने बाद। बहुत प्रयत्न करने के बाद। लालाजी का हत्यारा जैसे ही मोटर साइकिल पर पुलिस स्टेशन से बाहर निकला, हमारे शहीद राजगुरु ने पहली गोली ऐसी मारी कि गोली कनपटी पर लगी। खां करके मोटर साइकिल गिरी और खां करके सवार। भगतसिंह ने अपने पिस्तौल से आठ गोली और उसको मार दी कि कहीं जिन्दा न रह जाये तो बाद में हमें गवाही देने आना पड़े। मर गया बेचारा!

"पर एक अंग्रेज सार्जेण्ट, जो पहरे पर था, वह पकड़ने भागा। और एक सरदार हवलदार—जिसका नाम चरणसिंह था—वह भी दौड़ा। अब अंग्रेजों में दम ही कितनी होती है। अंग्रेज सार्जेण्ट भागते-भागते चारों खाने चित्त गिरा। जो सरदार था, भागा। आगे भगतसिंह, फिर चरणसिंह, फिर उसके पीछे राजगुरु एक रास्ते से भागे जा रहे थे। लेकिन कुछ ही आगे आजाद पिस्तौल ताने खड़े थे। उन्होंने दूर से ही ललकारा, 'ऐ सिक्खा, लौटा जा, मारा जायेगा।' सिक्खा काहे को लौटता। माना नहीं। आजाद ने पहले गोली दागी और फिर कहा,

'मारा जायेगा।' फिर भी नहीं माना तो दूसरी गोली छाती में दी। सिक्खा गिरा चारों खाने चित्त। इस प्रकार आजाद ने सिखलाया रण-कौशल, राष्ट्रीय भावना कि राष्ट्र के अपमान को किसी प्रकार भी बर्दाश्त न करना और मरने-मिटने को तैयार रहना देश के लिए।

"तो बच्चो ! अब देर होती है, फिर कभी फुर्सत में सुनाऊंगा। अभी इतना ही।"

माहौर चाचीजी बार-बार घड़ी की तरफ इशारा कर रही थीं। शायद वह जानती थीं कि जल्दी न मचायी, तो रात बातों में ही कट जायेगी। धर्मशाला वाले इन्तजार करते होंगे—यह सोच कर बेमन से सब लोगों ने करीब 11 बजे उन्हें विदा किया।

सवेरे 7 बजे मैं बच्चों को लेकर धर्मशाला गयी। सामने ही बाबा पृथ्वीसिंह आजाद से मुलाकात हो गयी। मैंने कहा, "बच्चे सबेरे देर तक सोते हैं। आप लोगों से मिलने आना है, यह सोचकर जल्दी उठे हैं।" बाबा बोले : "खूब सोने दिया करो।" बच्चों की तरह खिलखिला कर टन्नू के सिर पर हाथ रखकर बोले, "है कि नहीं !...खूब खेलो, जिससे पढ़ते समय खेल में ध्यान न रहे। खूब पढ़ो, जिससे थककर अच्छी नींद आये।" बिट्टू ने टोका, 'और कसरत ?' बाबा, 'वह भी खूब करो।' उन्होंने पूछा : 'और मिठाई कौन-सी पसन्द है ?' बच्चे : 'लड्डू !' बाबा : 'मुझे लड्डू पसन्द हैं।' फिर बिट्टू से बोले : 'कहो पहलवान, कुश्ती हो जाय ?" बिट्टू प्रसन्न कुश्ती के नाम से ही !

छत पर आगरा के श्री रामसिंह और सदु चाचाजी में बहस हुई। श्री रामसिंह बोले : "डॉक्टर रामविलास शर्मा आगरा के हैं। आप कैसे कहते हैं झांसी के ?' सदु चाचाजी ऊंचे स्वर में बोले : "वाह ! जहां आदमी पढ़ा-लिखा है, रहा है, वहीं का कहलायेगा। झांसी के ही हैं रामविलास।" श्री रामसिंह ने फिर कहा, "उन्नाव वाले कहते हैं उन्नाव के हैं डॉ. शर्मा !" सदु चाचाजी, 'नहीं मानूंगा' की मुद्रा बनाकर बोले, "इसका क्या है, कहीं के कहते रहिए ! असल में राम विलास झांसी के ही कहलायेंगे !" मुझे बड़ी हंसी आयी और सोचा—अगर चाचा यहां होते, तो वही बतलाते कहां के हैं। कोई ऐसा उत्तर जिससे दोनों सन्तुष्ट होते।

बातचीत के बाद सबका सामान बंधा और आठ बजे सब लोग बस स्टैण्ड रवाना हुए।

विदा होते समय सदु चाचाजी एवं माहौर चाची ने बच्चों को बीस-बीस रुपये दिये। हमने मना किया तो चाचाजी बोले : "देखो, सरकार हमें 500 रुपये देती है। उसमें से बच्चे 20 रुपये की मिठाई भी नहीं खा सकते ?" इसके बाद भी मना करने पर बोले, "देखो 78 का हूं। पता नहीं अब कब मिलना हो !" और वह भावुक वातावरण मेरे आंसुओं को आंखों की सीमा में न रख सका। सदु चाचाजी

ने कहा : "भगवान दीन को बुलाओ। राम विलास को बुलाओ। मैं भी आऊंगा। तब देखो क्या-क्या बातें होती हैं !"

मेरे मन ने कहा, ऐसे मेरे भाग कहां जो आप सब यहां इकट्ठा हों ! बच्चों को स्कूल और उन लोगों को बस से विदा करके मैं अकेले घर लौटी तो बहुत उदास थी। दो दिन में मिला यह अपार स्नेह मुझे सदा याद रहेगा।

सदु चाचाजी और माहौर चाचीजी का पत्र आया है। चाचाजी ने बड़े चाचा को फिर याद किया है कि 'कभी लखनऊ गया तो अपने प्रिय भगवानदीन से अवश्य मिलूंगा।' मैंने उन्हें लिखा है कि वह अपनी सुविधा से कुछ संस्मरण 'सचेतक' के लिए भी लिखें जिससे परिवार की नई पौध प्रेरणा ले सके।

एक किसान लेखक

सोना शर्मा

उन दिनों मैं 'अनुवाद' पत्रिका में सहायक सम्पादिका के रूप में काम कर रही थी। एक दिन कुछ लेख देखने का काम मेरे सुपुर्द था। उन्हीं लेखों में एक लेख सन् '84 का ज्ञानपीठ पुरस्कार पाने वाले मलयाली लेखक श्री तकषी शिवशंकर पिल्लै पर था।

हां, एक दिन पहले ही दिल्ली में यह पुरस्कार उन्हें ससम्मान प्रदान किया गया था।

मैंने अपनी तरफ से लेख ठीक करके मुख्य सम्पादिका जी को दे दिया था। उन्होंने वह लेख पुनः एक मलयाली लेखक डॉ. आरसू को दिखाया, जो उस दिन कार्यालय में आये हुए थे। डॉ. आरसू के नाम से मैं पहले से परिचित थी क्योंकि उनके लेख (एक तकषी जी पर भी) हमारी पत्रिका में छप चुके थे। आरसू जी से एक कहानी का शीर्षक बदलने के सिलसिले में मैं बात कर रही थी कि तभी सम्पादिका जी बोलीं : "सोना ! तुम भी हमारे साथ चलना, हम लोग तीन बजे यहां से चल देंगे !" मेरे दिमाग में उस समय चूंकि शीर्षक घूम रहा था, इसलिए मैं इतना ही समझ पायी कि मुझे तीन बजे इनके साथ कहीं जाना है। जल्दी ही तीन बज गये और हम चल दिये। चलते-चलते ध्यान आया कि मुझे कुछ पूछना था। और, मैंने पूछा : 'हम कहां जा रहे हैं ?' आरसू जी ने बताया कि किसी मलयाली लेखिका से इन्टर्व्यू लेना था।

हम लोग कार में बैठे और उन महिला के घर पहुंच गये। इन्टर्व्यू हुआ। हम लोग बाहर आये तो शाम के पांच बज चुके थे। हम लोग कार में बैठे और ड्राइवर ने कार स्टार्ट कर दी। कार दिल्ली की सड़कों पर दौड़ी जा रही थी कि मेरी उत्सुकता फिर जागी ! मेरे मुंह से निकला : 'हम कहां हैं ?' मेरा मकसद यह जानना था कि यह कार किस सड़क पर भागी जा रही है। दरअसल अक्सर सम्पादिकाजी के साथ जब मैं कहीं से लौटती हूं, तो वह कार से मुझे ऐसे स्थान पर उतार देती हैं जहां से मुझे घर के लिए बस मिल जाये। अतः मैं सोच रही थी

कि घर की बस पकड़ने के लिए मैं कहां उतरू । वह बोलीं : "तकषी जी को ज्ञानपीठ पुरस्कार मिलने के उपलक्ष में आज एक भोज का आयोजन है ! हम वहां आमन्त्रित हैं इसलिए वहीं जा रहे हैं।" मैंने कहा : "ठीक है, आप लोग जाइए, मुझे यहीं सड़क के किनारे उतार दीजिए। मैं घर का रास्ता ढूंढ़ लूंगी।" वह बोलीं, "अरे तुमने आज दिन भर तकषी जी वाले लेख पर काम किया है, चलो, उनसे मिल भी लो।" मैं समझ गयी कि अभी सड़क के किनारे उतरने में देर है।

अब मैं घर से 'इतने बड़े' समारोह में शरीक होने के लिए अपने 'सबसे अच्छे' कपड़े पहन कर तो आयी नहीं थी ! जो साधारण कपड़े पहने थे, उनकी सलवटों पर नजर पड़ी। हाथ से जरा खींच कर उन्हें ठीक करने का असफल प्रयत्न किया। फिर, पैरों पर नजर गयी। घर से आते समय बस की भीड़ में कुचले पैरों पर कुछ निशान अब भी चमक रहे थे। मैं उनके अस्तित्व को मिटाने की विधि सोच ही रही थी कि कार एक आलीशान बंगले में प्रविष्ट हो गयी।

बंगले की सफेद इमारत सुरुचिपूर्ण ढंग से सजी थी। मैदान में कुर्सियां और सोफे लगे थे। सामने मेजों पर भोजन की व्यवस्था थी और मेजों के पीछे थे गुलाबी साफा और सफेद यूनीफार्म से लकदक बैरे !

हम मैदान में प्रवेश करने ही वाले थे कि हमारे सामने एक लम्बी, चमकदार, कार आकर रुकी। दो-तीन लोगों ने दौड़ कर उसका दरवाजा खोला। दरवाजा ठीक मेरे मुंह के सामने खुला और शीशे में मुझे अपनी शकल नजर आयी।

इतनी भव्यपृष्ठभूमि में खुद को उपस्थित देख मैं चकरा गयी—यह 'दुर्घटना' आखिर घटी क्योंकर !!

हां, उस कार से तकषी जी उतरे। लोग मुस्कुरा-मुस्कुरा कर, झुक-झुककर उन्हें प्रणाम कर रहे थे। तकषी जी बहुत सहजता से लोगों से बात कर रहे थे। साथ में थीं उनकी पत्नी—इस असाधारण वातावरण में बहुत साधारण। शायद मेरी तरह वह कुछ हकबकाई हुई थीं !

जगमगाते प्रांगण में आकर्षण का केन्द्र थे—ये पति-पत्नी, जिन्होंने सादा व सरल जीवन अपना कर, सामान्य जनता के बीच रहते हुए, उनकी गरीबी की मुसीबतों को देखा था, और किसी हद तक भोगा भी था।

71 वर्षीय शिवशंकर पिल्लै जी का जन्म तकषी नामक गांव में हुआ था। उनके नाम के आगे जो 'तकषी' शब्द जुड़ता है, वह दरअसल उनके गांव का नाम है। तकषी जी के पिता किसान थे। और तकषी जी को साहित्यकार होने से ज्यादा किसान होने का गर्व है।

लीजिए एक किस्सा सुना दूं : भारत की विविध भाषाओं के साहित्यकारों के सम्मान में सन् 83 में एक गोष्ठी का आयोजन था, जिसमें तकषी जी भी मंच

पर उपस्थित थे। थोड़ी देर बाद वह मंच से उठे और चौकीदार के स्टूल पर जाकर बैठ गये। वहां बीड़ी सुलगा ली और बैठे पीते रहे। जब मंच पर उनके नाम की पुकार हुई तो वह वहां पहुंचे और अपने भाषण में कहा : "जो फोल्डर वितरित किया गया है, उसमें यह कहा गया है कि मैं किसान 'कहलाया जाना पसन्द करता हूं।' दरअसल यह गलत है। मैं तो किसान हूं ही। खुद खेत जोतता हूं। लोगों के लिए मैंने धान उगाया है। आने वाली पीढ़ी मुझे साहित्यकार के रूप में भले ही विस्मृत कर दे, लेकिन किसान के रूप में नहीं कर सकती।"

लगभग 35 उपन्यासों के रचयिता (जिनमें से कुछ का अनुवाद अंग्रेजी, रूसी, जर्मन, फ्रेंच, इतालवी, जापानी, चीनी व अन्य अनेक भाषाओं में हो चुका है और कुछ का अनुवाद केन्द्रीय साहित्य अकादमी व यूनेस्को की अनुवाद योजनाओं में शामिल है) ने साहित्यिक क्षेत्र में प्रवेश करने के प्रारम्भिक समय में अपनी एक कहानी मलयाली पत्रिका 'केसरी' में प्रकाशनार्थ भेजी थी। जिसे पत्रिका के सम्पादक ने यह कह कर वापस लौटा दिया था : "आपको कहानी की जानकारी तो है, किन्तु शिल्प सम्बन्धी कई बातें अभी सीखनी होंगी।" तकषी जी कहानी वापस आ जाने से निराश नहीं हुए, बल्कि उन्होंने इसे गम्भीरता से लिया और अपनी कला को निखारने के लिए श्रेष्ठ साहित्यकारों की रचनाओं का और गहराई से अध्ययन शुरू किया। विद्यालयी शिक्षा के दौरान अपने प्रधान अध्यापक श्री कैनिक्करा कुमार पिल्लै की प्रेरणा से उन्होंने टैगोर की तथा ओ' हेनरी, विक्टर ह्यूगो आदि अनेक लेखकों की रचनाएं पढ़ीं। विश्व की स्तरीय रचनाओं से परिचित कराने के लिए उन्होंने अपने गुरु के प्रति आभार व्यक्त करते हुए कहा है : "मैं एक फालतू पौधे-सा उग रहा था। मुझे सही मार्ग दिखाने का काम कुमार पिल्लै ने ही किया।"

सो एक 'फालतू पौधे' से अपनी उपमा देने वाले उस किसान की कहानी वापस आ गयी, परन्तु उसका प्रयत्न जारी रहा। सन् '34 में उसका प्रथम कहानी संग्रह 'पुथुमालव' प्रकाशित हुआ जिससे साहित्य जगत में उसकी पहचान कायम हुई। सन् '47 में 'तोट्टिपुड़े मकन' नामक उसका उपन्यास प्रकाशित हुआ जिसमें भंगियों के जीवन का इतना मार्मिक चित्रण है कि इस उपन्यास ने साहित्य जगत में तहलका मचा दिया। हिन्दी में इसका अनुवाद 'चुनौती' शीर्षक से हुआ। अगले वर्ष प्रकाशित होने वाले उपन्यास 'रांटिटगषी' का विषय था किसानों का जीवन।

श्रीमती भारती विद्यार्थी ने 'दो सेर धान' नाम से इस उपन्यास का हिन्दी में अनुवाद किया। इस पर 'चिरुथा' नामक बहुचर्चित मलयाली फिल्म भी बनी जो टी. वी. पर भी दिखायी गयी है।

तकषी जी को मलयाली के शीर्षस्थ उपन्यासकार के रूप में प्रतिष्ठित कराने

वाला उपन्यास है—'चेम्मीन।' इसमें मछुआरों के जीवन, आचार-व्यवहार व आंधी-तूफान को झेलने के उनके साहस का यथार्थ वर्णन है। इस उपन्यास ने न केवल अन्तर्राष्ट्रीय ख्याति प्राप्ति की, वल्कि इस पर बनी फिल्म को राष्ट्रीय पुरस्कार भी प्राप्त हुआ।

किसानों, मछुआरों और मेहतरों पर उपन्यास लिखने वाले तकषी जी आज इस भव्य प्रांगण में उस विशाल वृक्ष की तरह खड़े थे, जिसकी जड़ें सामाजिक यथार्थ की जमीन में गहरे धंसी हैं।

लॉन में लोगों की संख्या काफी बढ़ गयी थी। माहौल एकदम टॉप-क्लास था। एक के बाद एक कारें आकर रुकतीं, दरवाजे खुलते और प्रकट होते—एक से एक 'बड़े' साहित्यकार। लॉन में अब कहीं अज्ञेय जी खड़े थे, तो कहीं जैनेन्द्र जी, कहीं महीप सिंह जी तो कहीं—राजेन्द्र यादव जी।

अपना मन भी झूलने लगा, ऊंची-ऊंची पैंगें लेने लगा। दिमाग ने टोका—यह झूला-झूलने की बेला नहीं, अवसर से लाभ उठाने का समय है। पर मन कहां मानने वाला था। वह कभी सजी-संवरी स्त्रियों को निहारता, तो कभी सामने मेजों पर सजे खाने को।

थोड़ी देर में भोजन का कार्यक्रम शुरू हुआ। मेजों के पास जाकर मैंने सारी व्यवस्था का मुआयना किया। सींक-कवाब से दोसे पुलाव तक अनेकानेक व्यंजन सजे थे। मैंने अपनी तबियत के दो-एक आइटम लिये। मेरे पास खड़ी महिला ने देखा—फोटोग्राफर तकषी जी की फोटो के लिए ऐंगेल ले रहा है। तकषी जी उससे अनभिज्ञ सहज रूप से भोजन कर रहे थे। पर महिला एक भी क्षण गंवाये बिना अपनी प्लेट लिए झटपट तकषी जी की बगल में आ खड़ी हुई। कैमरे की रोशनी चमकी। वह और करीब खिसक गयी—और फोटो खिंच गया।

तकषी जी की पत्नी कुछ अलग-अलग सी खड़ी थीं। वह मात्र मलयालम बोल व समझ सकती थीं। आरसू जी के माध्यम से मैंने उनसे बात करने का प्रयत्न किया।

मैंने पूछा : "तकषी जी तो लेखन कार्य में व्यस्त रहते होंगे। घर-गृहस्थी की सारी जिम्मेदारी आप ही को सम्भालनी पड़ती होगी। उनके लिखने से क्या आपको परेशानी होती है? या आप भी लिखने में उनकी सहायता करती हैं?'

वह बोलीं : "हां, मैं पूरा ध्यान रखती हूं कि इनको लिखते समय ज्यादा परेशानी न हो। मैं इनके लिखने की जगह ठीक करती हूं। सामान व पुस्तकें व्यवस्थित रूप से रख देती हूं। और यह भी अपनी हर रचना पहले मुझे ही सुनाते हैं।" यानी तकषी जी को रचनाओं की प्रथम श्रोता व आलोचक वही होती हैं।

एक महिला ने पूछा : "तकषी जी को पुरस्कार के जो इतने पैसे मिले हैं, उनका आप क्या करेंगी। बच्चों की तो आप शादी कर चुकी हैं।" (पैसे वाले का

ध्यान पैसे पर ही रहता है)। वह बोलीं : "हम अपने नाती-पोतों को उसे (पैसे को) दे देंगे।"

तकषीजी की रचनाओं का हिन्दी अनुवाद, जैसाकि मैंने पहले लिखा है श्रीमती भारती विद्यार्थी ने किया है। तकषी जी को पुरस्कार मिलने का समाचार सुनकर भारती जी ने उन्हें बधाई पत्र भेजा था। पत्र के उत्तर में तकषी जी ने लिखा :

"आपने ही सर्वप्रथम हिन्दी भाषी पाठकों से मेरा परिचय कराया है। पुरस्कृत होने के इस शुभ समय में मुझे स्वयं आकर आपके दर्शन करने चाहिए थे। आपके वर्तमान निवास-स्थान का ठीक से पता न जानने के कारण तथा घरेलू व्यस्तताओं के कारण यह सम्भव नहीं हो पाया। इसे कृपया मेरी कृतघ्नता न समझिए।"

त्रिवेन्द्रम दूरदर्शन ने तकषी जी पर एक छोटा सा वृत्त चित्र बनाया है, जिसमें उनकी दिन-चर्या की झांकी है। तकषी जी सुबह जल्दी उठकर, कुल्ला-दातून करके, तहमत, बनियान पर एक कमीज डाल कर घूमने चल देते हैं।

पगडंडी से होकर वह खेत पार करते हुए गांव की एक छोटी-सी चाय की दुकान पर जा बैठते हैं। बीड़ी सुलगा कर, चाय बनाने को कहते हैं और वहीं अखबार पढ़ते हैं। इस प्रकार उनकी दिन-चर्या आरम्भ होती है।

□□

इस संस्करण की 16 प्रतियाँ प्रकाशित की जा रही हैं।